Diciembre 2015

Querida amiga y hna. en Cristo:

Aquí te envío la Matutina de Adultos para que te comuniques con el Señor a diario. Será de gran bendición para tí.

Los tiempos están malos y el Señor hasta a las puertas. Él viene pronto. Tenemos que estar listos (preparados) para ir a las Mansiones Celestiales donde no habrá más dolor ni llanto, todo será paz y armonía. Amén.

"Porque muy pronto el Señor cumplirá plenamente su palabra en todo el mundo."
                    Romanos: 9:28

Te amamos de todo corazón;
Tus amigos y hnos. en Cristo;

Angie + Luis

EL SUEÑO
DE DIOS
PARA TI

TÚ ERES EL ELEGIDO

EL SUEÑO DE DIOS PARA TI

TÚ ERES EL ELEGIDO

DWIGHT K. NELSON

IADPA

IADPA

Inter-American Division Publishing Association®
2905 NW 87 Ave. Doral, Florida 33172 EE. UU.
tel. 305 599 0037 - fax 305 592 8999
mail@iadpa.org - www.iadpa.org

Presidente: **Pablo Perla**
Vicepresidente Editorial: **Francesc X. Gelabert**
Vicepresidente de Producción: **Daniel Medina**
Vicepresidenta de Atención al Cliente: **Ana L. Rodríguez**
Vicepresidente de Finanzas: **Saúl Ortiz**

Traducción
Cantábriga, SC

Edición del texto
Jorge Luis Rodríguez

Diseño de la portada
Kathy Hernández de Polanco

Diagramación
Daniel Medina Goff

Copyright © 2015 de la edición en español
Inter-American Division Publishing Association®

ISBN: 978-1-61161-439-8 tapa dura
ISBN: 978-1-61161-471-8 rústica

Impresión y encuadernación: **USAMEX, INC**

Impreso en México / *Printed Mexico*

1ª edición: julio 2015

Procedencia de las imágenes: © 2015 Thinkstock y © 2015 123rf

En esta obra las citas bíblicas han sido tomadas de la versión Reina-Valera, revisión de 1995: **RV95** © Sociedades Bíblicas Unidas., la versión Dios Habla Hoy hispanoamericana: **DHH** © Sociedades Bíblicas Unidas, la Traducción en Lenguaje Actual: **TLA** © Sociedades Bíblicas Unidas, la Reina-Valera Contemporánea: **RVC** © Sociedades Bíblicas Unidas, La Palabra versión hispanoamericana: **LPH** © Sociedad Bíblica de España, la Biblia de las Américas: **LBA** © The Lockman Foundation, la Nueva Biblia Latinoamericana de Hoy: **NBLH** © The Lockman Foundation, la Nueva Versión Internacional: **NVI** © Bíblica, la Biblia de Jerusalén latinoamericana: **BJ** © Editorial Desclée de Brouwer, La Nueva Biblia Española: **NBE** © Ediciones Cristiandad, la Nácar-Colunga: **NC** © BAC (Biblioteca de Autores Cristianos), la versión crítica Cantera-Iglesias: **CI** © BAC (Biblioteca de Autores Cristianos), la Biblia del Peregrino: **BP** © Ediciones Mensajero, la Nueva Traducción Viviente: **NTV** © Tyndale House Foundation, la Biblia Latinoamericana: **BL** © San Pablo/Verbo Divino, la traducción de Serafín Ausejo: **SA** © Editorial Herder. En todos los casos se ha unificado la ortografía y el uso de los nombres propios de acuerdo con la RV95 para una más fácil identificación.

En las citas bíblicas todas las destacados cursivas siempre son del autor o el editor.

Las citas de las obras de Elena G. de White se toman de las ediciones actualizadas caracterizadas por sus tapas color marrón, o, en su defecto, de las ediciones tradicionales de la Biblioteca del Hogar Cristiano de tapas color grana. Dada la diversidad actual de ediciones de muchos de los títulos, las citas se referencian no solo con la página, sino además con el capítulo, o la sección, o la página más el epígrafe en el caso de *Consejos sobre alimentación*.

Nuestros libros de meditaciones matinales anuales son preparados rotativamente por **ACES** *(División Sudamericana),* **IADPA** *y* **GEMA** *(División Interamericana),* **Pacific Press** *(División Norteamericana) y* **Safeliz** *(División Intereuropea).*

Dedicado a la

Iglesia Adventista del Séptimo Día *Pioneer Memorial*
«A la iglesia elegida y a sus miembros, a quienes amo en la verdad
—y no solo yo sino todos los que han conocido la verdad—,
a causa de esa verdad que permanece en nosotros
y que estará con nosotros para siempre».
2 Juan 1, 2, NVI

Agradecimientos

«NUNCA SE ACABA de escribir más y más libros» (Ecle. 12: 12, BP). No estoy seguro de si el Sabio estaba describiendo la tarea interminable de los editores o si opinaba del gozo sin fin de un autor. Sea como fuere, me gustaría dar las gracias.

Gracias, Mario Martinelli y Jeannette Johnson. Cuando ustedes dos, junto con Gerald Wheeler, llegaron a mi despacho de la Iglesia *Pioneer Memorial* aquella tarde invernal, no tenía la menor idea de que el resultado sería este libro. Y cuando ustedes me explicaron la magnitud de la tarea de la redacción de un libro devocional como este, estaba seguro de que habían encontrado al autor equivocado. No obstante, ahora que, al fin, la tarea ha culminado, les agradezco por haberme dado la oportunidad, y especialmente a Jeannette, por haberme alentado todo el tiempo. También agradezco a Penny Estes Wheeler por el don de su talento editorial. Y gracias a JoAlyce Waugh, por llevar este proyecto a su culminación. Es un honor haber colaborado con todos ustedes.

Y gracias a mis editores a lo largo de los años que me han permitido convertir meditaciones de sermones en libros publicados. Ustedes reconocerán lo que escribí para ustedes en algunas de las lecturas diarias de este libro. Gracias, Hart Books (The God-forsaken God, *A New Way to Pray, Countdown to the Showdown,* and *The Jesus Generation*). Gracias a Hart Books (*What «Left Behind» Left Behind*). Y gracias, Pacific Press (*Outrageous Grace, Built to Last* [ahora *Creation and Evolution*], *The Claim, The Eleventh Commandment y Pursuing the Passion of Jesus*).

Por último, me gustaría expresar mi agradecimiento a Dios por los miembros de la Iglesia *Pioneer Memorial* —alumnos, profesores y, asimismo, de las zonas vecinas de la Universidad— que desde 1983 ha sido, para mí y los míos, una familia espiritual y un hogar. Ellos, más que nadie, han compartido de primera mano EL SUEÑO DE DIOS PARA TI. Y al hacerlo, mi vida y mi ministerio han recibido una impronta profunda y han sido enriquecidos de manera indeleble. A todos ellos dedico con gratitud este libro.

Prólogo

ROBERT RAINES, en su libro *Creative Brooding* [Meditación creativa], describe su reticencia a leer libros devocionales, comparando la experiencia a ser «lapidado con palomitas de maíz». Y, sinceramente, también yo he mantenido la distancia de la mayoría de ese tipo de obras. Después de todo, en serio, ¿qué se puede ganar con cinco minutos diarios de lectura?

Si tú también compartes la misma vacilación, permíteme, por favor, este breve ruego.

Este no es el libro devocional de tu abuelo: 366 (porque el nuevo año es bisiesto) lecturas diarias inconexas que ofrecen instrucciones espirituales de dos minutos previo al inicio de la ajetreada jornada. El sueño de Dios para ti es, más bien, el relato del llamamiento de Dios a vivir una nueva vida. Este relato mantendrá una conexión y una continuidad desde el 1° de enero hasta llegar al último día del año. Día a día, semana a semana, mes tras mes, el relato de El sueño de Dios para ti irá desarrollándose y es mi oración que llegues a la conclusión de que tú eres realmente «el elegido» al que Dios lleva aguardando todos estos años.

Pero también puedes leer EL SUEÑO DE DIOS PARA TI como un libro, lo que quiere decir que puedes iniciar con el mes de enero y después dar un salto hasta las lecturas de marzo, en las que se presenta de forma minuciosa y metódica una nueva forma de orar y de adorar al comienzo del día. Después, una vez que hayas dado comienzo a esta nueva disciplina espiritual, puedes volver a leer el libro, ya sea una página y un día cada vez o, si no, de forma temática, porque el tema de cada mes va fundamentando las razones bíblicas del «supremo llamamiento» (Fil. 3: 14) que has recibido como *«el elegido»:*

1. Enero   EL DIOS DE LOS ELEGIDOS
2. Febrero   EL LLAMAMIENTO DE LOS ELEGIDOS
3. Marzo   EL CORAZÓN DE LOS ELEGIDOS
4. Abril   EL DÍA DE LOS ELEGIDOS
5. Mayo   EL AMOR DE LOS ELEGIDOS
6. Junio   LA ESPERANZA DE LOS ELEGIDOS
7. Julio   LA COMUNIDAD DE LOS ELEGIDOS
8. Agosto   LA VERDAD DE LOS ELEGIDOS
9. Septiembre   LA MISIÓN DE LOS ELEGIDOS
10. Octubre   LA MOVILIZACIÓN DE LOS ELEGIDOS
11. Noviembre   EL CARÁCTER DE LOS ELEGIDOS
12. Diciembre   EL CRUCE DE LOS ELEGIDOS A LA ETERNIDAD

El quid de la cuestión es que este nuevo libro no es una invitación a una pausa devocional matutina apresurada, sino, más bien, un llamamiento a un compañerismo cada día más íntimo con el Dios que te llama y tiene un sueño especial para tu vida. Si pones en práctica lo que enseña el capítulo de marzo, creo que nunca volverás a ser el mismo. Esa convicción no tiene nada que ver conmigo, sino con el Cristo que nos está llamando.

Una mañana, un muchacho salió corriendo por la puerta de su casa para llegar a tiempo al autobús que lo llevaba a la escuela. Jadeando y resollando, llegó a la parada del autobús justo a tiempo para ver las luces rojas traseras desaparecer al torcer la esquina. ¡Otra vez tarde! Un transeúnte le dijo gritando: «¡Mala suerte, chico! Parece que no corriste suficientemente deprisa». A esto, el sincero muchacho, con un nudo en la garganta, dijo: «Oh, no, señor. Corrí deprisa. Sencillamente, no empecé suficientemente temprano».

Los elegidos pueden correr deprisa, de eso estoy seguro. Pero, ¿empezarán suficientemente temprano? La promesa de Jesús —«Bástate mi gracia» (2 Cor. 12: 9)— significa, sin duda, que si empezamos ahora mismo, con él, será suficientemente temprano.

Dwight K. Nelson
Iglesia Adventista del Séptimo Día *Pioneer Memorial*
Universidad Andrews

La noche que fuiste elegido

«Antes de formarte en el vientre, ya te había elegido; antes de que nacieras,
ya te había apartado». Jeremías 1: 5, NVI

¿TE HAS PREGUNTADO alguna vez cómo fue la noche en que fuiste concebido? Yo no lo había hecho hasta que me topé con una impresionante descripción de unos biólogos que es válida para todos nosotros. Tus padres se juntaron —que siguieran juntos, que realmente estuvieran juntos alguna vez o que fueran desconocidos no cambia este increíble escenario para ninguno de nosotros— y papá depositó en mamá quinientos millones de diminutas células reproductoras masculinas, o espermatozoides. Efectivamente, 500,000,000 de espermatozoos, cada uno con la misión solitaria de encontrar un único óvulo y penetrarlo. Y solo uno de esos espermatozoos podía haberte hecho a ti, lo que significa que ¡tuvo que «nadar» más rápido que los otros 499,999,999 en aquella carrera por la vida!

En palabras de Anthony DeStefano: «*Quinientos millones* de seres humanos potenciales, cada uno completamente distinto a ti, podrían haber nacido en tu lugar si aquel único espermatozoide no hubiera fertilizado aquel óvulo. En un sentido muy real, quinientos millones de seres humanos potenciales tuvieron que renunciar a la vida para que nacieras». Y luego viene su impresionante conclusión: «Desde un punto de vista estrictamente estadístico, tu presencia en este planeta es un milagro. En el amanecer mismo de tu vida tuviste que superar probabilidades abrumadoramente bajas, probabilidades menores de las que jamás tendrás que afrontar en ninguna otra situación. Con independencia de la opinión que tengas de ti mismo ahora, con independencia de los males que puedan acontecerte en la vida, con independencia del sufrimiento que te puedas ver forzado a soportar, con independencia de qué problemas familiares o económicos acabes afrontando, es imprescindible que entiendas esto: Viniste a este mundo como un campeón» (*Ten Prayers God Always Says Yes To*, pp. 167, 168).

¿Sabes por qué? ¡Porque fuiste elegido! Es la verdad resplandeciente de este nuevo año: Dios te eligió. ¡Cualquier otra combinación de células reproductoras y habríamos tenido a tu hermana en vez de ti! Dios te eligió la noche que fuiste concebido.

Y hoy, ese mismo Dios te ha elegido para que realices un nuevo viaje con él: el año que ahora comienza. «Porque yo sé muy bien los planes que tengo para ustedes —afirma el Señor—, planes de bienestar y no de calamidad, a fin de darles un futuro y una esperanza» (Jer. 29: 11, NVI). Y cuando el que nos eligió antes de que naciéramos promete viajar con nosotros todos los días que vivamos, ¡te puedes hacer una idea del destino glorioso que nos espera!

Sigues siendo el elegido de Dios

*«Dios, que me había elegido ya desde antes de mi nacimiento,
me llamó por pura benevolencia».* Gálatas 1: 15, LPH

¿LOGRAS CAPTAR lo que Pablo quiere decir? Dios llamó y eligió a Pablo, y a ti y a mí antes incluso de que naciéramos. Esta es una buena noticia que hacemos bien en recordar en esos episodios oscuros y luctuosos en los que tú y yo, con lágrimas de autocompasión, ¡gimoteamos a Dios por lo carente de significado e inútil que «es mi vida realmente»!

«Pero —protestas—, tú no me conoces. Mis padres no me planearon, no me querían: Soy un tremendo "resbalón"». Y puede que tengas razón. Pero nuestro texto es clarísimo: hay Alguien en el universo que sí te quiso y te planeó. Igual que Fares y Zara, gemelos no planeados ni queridos que acabaron en el árbol genealógico del Mesías (ver Génesis 38 y Mateo 1). Porque, independientemente de tus padres, sigues siendo el elegido de Dios.

«Pero nací con una terrible minusvalía —señalas—, lo que hace de mí un error de la naturaleza». Entonces, permite que te presente a mi amigo ciego, Ray McAllister, estudiante de doctorado en la Universidad Andrews, donde vivo y trabajo. Él me envió por correo electrónico esta bella oración: «Oh Dios, permíteme ser una persona ciega en su cuerpo, pero que pueda verte en espíritu con suma claridad y que pueda mostrarte a los demás y llevar otras personas a ti, a tu amor, a tu providencia y que, al hacerlo, pueda ayudar a que otros que son invidentes en el espíritu pero videntes en el cuerpo reciban vista». Porque, con independencia de la madre naturaleza, sigues siendo el elegido de tu Padre celestial.

«Pero —respondes—, la realidad es que soy demasiado viejo para que me elijan para algo». ¿Lo dices en serio? ¡Dile eso a Ana, la anciana viuda, cuya vida entera fue una cuenta regresiva hasta esos cinco minutos en que vio al Mesías niño en brazos de su madre y lo proclamó a todas las personas que había en el templo! Cuéntaselo a Moisés, cuyos primeros ochenta años de vida no fueron más que un preludio a cuarenta años adicionales de liderazgo inesperado. Porque, independientemente de tu edad, sigues siendo el elegido de Dios.

Y si eres el elegido de Dios, entonces eso solo puede significar que él tiene un plan para ti, una misión excepcional para una criatura excepcional. Por eso, el objeto de este nuevo año no es descubrir nuestros sueños, sino, más bien, seguir el destino trazado por Dios. Y eso hace de la oración de David la adecuada para Aquel que nos ha elegido: «Dirígeme por amor a tu nombre» (Sal. 31: 3, NVI). ¿Quién mejor para guiarnos este nuevo año que Aquel que nos eligió?

Elegido en el comienzo

«Alabemos a Dios, Padre de nuestro Señor Jesucristo,
que por medio de Cristo nos ha bendecido con toda suerte de bienes espirituales
y celestiales. Él nos ha elegido en la persona de Cristo antes de crear el mundo».
Efesios 1: 3, 4, LPH

GRACIAS A INTERNET, el mundo entero conoce el significado del símbolo @ o «arroba». Sin él, nunca encontraríamos el camino en el ciberespacio ya que indica en qué servidor está alojada una dirección de correo electrónico. Por eso, en inglés se pronuncia *at,* o sea, «en». Una joven pareja china, deseando ser a la vez original y reflexiva, pidió al gobierno que inscribiera el nombre de su recién nacido como «@». Aunque ya te comenté que en inglés este signo se pronuncia *at,* en chino los equivalentes de las letras «a» y «t» pueden pronunciarse de forma que suenen como el equivalente de «amarlo». Y esta pareja amaba a su bebé.

Nuestro texto proclama que, como señal de su amor por sus hijos de la tierra, Dios nos *eligió* —a ti y a mí— mucho antes de que naciéramos, mucho antes de que el mundo fuera creado. ¿Por qué? «Nos predestinó para adopción como hijos para sí mediante Jesucristo, conforme al beneplácito de su voluntad» (Efe. 1: 5, LBA).

¿Te lo puedes creer? Elegir a personas como tú y yo ha contado con el beneplácito de Dios, lo ha complacido, le ha dado muchísimo placer. Por otra parte, ese es el meollo de cualquier adopción, ¿no? El gozoso placer de elegir a tu hijo —no hay «resbalones» ni accidentes en una adopción—: uno *elige* a su hijo muy minuciosamente y de forma intencional. Igual que hizo Dios cuando nos eligió para que fuéramos sus hijos. Pero, tristemente, ¡qué fácil es que olvidemos nuestra condición de elección! El Rey del universo nos ha adoptado en su familia; y, no obstante, ¡nos arrastramos por la vida subsistiendo a duras penas, abatidos como indigentes, cuando hemos sido adoptados como príncipes y princesas! Cuán apenado se debe sentir Dios frente a mis preocupaciones, mi lloriqueo, mi olvido de la gloriosa verdad de ese antiguo cántico evangélico «Del Padre los bienes no tienen igual; de piedras preciosas enorme caudal». ¿No es una vergüenza estar quejándose cuando «soy hijo del Rey»?

Nuestros documentos de adopción fueron inscritos y firmados en carmesí en el Calvario —¡gran noticia!—. «Nos hizo aceptos en el Amado» (vers. 6). Elegidos, adoptados, ¡aceptados! ¿Qué más podríamos pedir?

«Tal amor es incomparable. ¡Que podamos ser hijos del Rey celestial! ¡Preciosa promesa! ¡Tema digno de la más profunda meditación! ¡Incomparable amor de Dios para un mundo que no lo amaba!» (*El camino a Cristo,* cap. 1, p. 22).

11

La mano tendida del destino

«Tú formaste mis entrañas; me hiciste en el vientre de mi madre. [...]
Mi embrión vieron tus ojos, y en tu libro estaban escritas todas aquellas cosas
que fueron luego formadas, sin faltar ni una de ellas». Salmo 139: 13-16

NO HACE MUCHO me encontraba en la famosa Capilla Sixtina, estirando el cuello tratando de captar la magnitud del genio de Miguel Ángel en los frescos que pintó en esa bóveda. El dedo de Dios permanece estirado para tocar la mano extendida del recién creado Adán. ¿Crees que Miguel Ángel dio forma a esa obra de arte sobre la marcha, sin planificación ni bocetos? ¡Difícilmente!

Dios es un artista magistral, mucho más talentoso que Miguel Ángel, ¿Crees, entonces, que llegaste a esta vida como una página en blanco, sin bocetos ni planificación previa en la mente del Dios que te eligió? David, en su Salmo, afirma que no. El Artista divino que nos formó en el vientre de nuestra madre es también el Historiador divino que consignó nuestra vida antes siquiera de que fuera vivida. Pensamiento digno de reflexión, ¿verdad?

Podemos reaccionar de dos maneras distintas a esta acción divina. Podemos tomar la postura de que la planificación de nuestro Creador significa nuestra falta de independencia o de individualidad. Después de todo, ¿cómo puedo yo ser yo, y libre, si mi Hacedor ya ha planeado mi vida?

Por otro lado podemos celebrar la sugerencia de que, pese a este mundo caído, el Artista Magistral nos ha dotado (es decir, nos ha equipado, en ocasiones incluso readaptándonos) para la misión excepcional para cuya consecución quiso darnos la vida. En su oración, David celebra una individualidad tan única que la vida y la misión que Dios tiene para ti no pueden ser vividas ni logradas por ninguna otra persona de la historia salvo tú.

¿Estamos atados por el destino trazado por Dios? Difícilmente. La trágica vida del rey Saúl es prueba suficiente de que todos somos libres de elegir nuestro propio camino. Pero, ¿por qué rechazar el destino de Aquel cuyo amor nos ha formado desde el comienzo para remontar el vuelo con él a nuestros potenciales más elevados en la vida?

«Cada uno tiene su lugar en el plan eterno del cielo. Cada uno ha de trabajar en cooperación con Cristo para la salvación de las almas. Tan ciertamente como hay un lugar preparado para nosotros en las mansiones celestiales, hay un lugar designado en la tierra donde hemos de trabajar para Dios» (*Palabras de vida del gran Maestro,* p. 262).

Entonces, ¿no tomaremos la mano tendida de Dios y viviremos hoy su destino?

La gran mentira

«*[Adán] respondió: "Oí tu voz en el huerto y tuve miedo,
porque estaba desnudo; por eso me escondí"*». Génesis 3: 10

ENTONCES, ¿QUIÉN ES este Dios que nos ha elegido? No esperes las palabras del diablo, como aquellas que tenía listo para el ataque y al acecho aquel día primigenio en que los dorados rayos de sol entraban a raudales por la bóveda del mosaico esmeralda de aquel extenso huerto de frutales y el rocío titilaba como gotas diamantinas en las ramas cargadas de fruto. Eva, la primera mujer, andaba con gracia, bañada por la luz, adentrándose inocentemente en la trampa.

«¡Eh, eh! Aquí. Arriba». Por vez primera (y no la última), se cruzaron la mirada la primera mujer y la primera serpiente. Y con un ardid tan viejo como el Edén, esta atrapó el alma de aquella entablando una conversación. Verás, cuando razonas con el diablo, terminas perdiendo, esa es la regla. La mujer lo hizo, y perdió. Mordió el anzuelo, saltó en defensa de su Creador y el engaño la tomó por sorpresa, desobedeció a Dios, comió del fruto, convenció a su marido y juntos hundieron a toda la especie.

¿Qué haría el Creador ante tal situación? Lo mismo que hace instintivamente todo progenitor con un hijo que ha huido de casa: salir de casa a buscarlo. «Pero [al refrescar la tarde] Jehová Dios llamó al hombre, y le preguntó: "¿Dónde estás?"» (Gén. 3: 9). Y en la temblorosa respuesta de Adán (y Eva), escondidos tras un arbusto —«Tuve miedo»—, encontramos la mentira primordial de la serpiente: Dios es alguien a quien temer.

Templos budistas, santuarios sintoístas, patios hinduistas, mezquitas musulmanas, sinagogas judías, iglesias cristianas —no importa el lugar sagrado—: la mentira es siempre la misma: Dios es alguien a quien temer. Así, por millones, los fieles de la tierra llevan a cabo sus rituales, leen sus libros sagrados, elevan sus plegarias, todo con la esperanza de aplacar a un Dios enfadado y temible.

¿Por qué? Porque «el enemigo del bien cegó el entendimiento de los seres humanos, para que miraran a Dios con temor y lo considerasen severo e implacable [...] como un ser cuyo principal atributo es una justicia implacable [...] que vela con ojo inquisidor para descubrir los errores y las faltas de los seres humanos y hacer caer sus juicios sobre ellos» (*El camino a Cristo*, cap. 1, p. 16). Entonces, ¿tampoco hay esperanza para nosotros?

«A fin de disipar esta negra sospecha vino el Señor Jesús a vivir entre nosotros, y manifestó al mundo el amor infinito de Dios» (*ibíd.*). ¡Gran noticia para la mayor mentira! Ya no hace falta que nos la sigamos creyendo. Ha venido alguien a decirnos la verdad.

La mayor verdad

*«Bendito sea el Señor, Dios de Israel, [...] nos concedió que fuéramos
libres del temor, al rescatarnos del poder de nuestros enemigos
para que le sirviéramos».* Lucas 1: 68, 74, NVI

¿RECUERDAS LA HISTORIA de la pareja de ancianos sin hijos a la que el Cielo dejó estupefacta con el anuncio, demasiado bueno para creérselo, de que iban a tener un bebé, lo que dejó al anciano literalmente sin habla durante nueve meses? Te acordarás de que el milagroso nacimiento del bebé que, crecido, fue conocido como Juan el Bautista, aflojó la lengua de su padre, Zacarías, con un cántico de alabanza a Dios por el Salvador venidero. ¿Te fijaste en el resultado profetizado? La gente volvería a poder adorar y servir a Dios «sin temor». Pero, ¿se cumplió el cántico?

¿Te acuerdas de aquella mañana cuando una mujer sorprendida en adulterio fue arrojada como un saco a los pies de Jesús? ¡Estaban dispuestos a lapidarla! ¿Y el joven Mesías profetizado sobre el que cantó Zacarías? Leyendo una trampa urdida por los altivos ancianos, se agachó hasta el suelo del templo y escribió en el polvo los pecados de los acusadores de la mujer. Con el rabo entre las piernas, desaparecieron tan rápido como el registro de sus pecados en el polvo. Solo con la mujer, Jesús reveló un aspecto de Dios que ella no conocía, ni se imaginaba que existía: «Ni yo te condeno; vete y no peques más» (Juan 8: 11). La sentencia emitida por Jesús aquella mañana confirmó su anterior declaración a avanzadas horas de la noche: «Dios no envió a su Hijo al mundo para condenar al mundo, sino para que el mundo sea salvo por él» (Juan 3: 17). Ninguna condena. ¿Qué clase de Dios es este que nos eligió antes de que tan siquiera naciéramos y que nos elige *después* de que hayamos caído en el pecado una y mil veces? ¿Y sin condenarnos?

Es el mismo Dios que traspasa con su mirada el rostro de quien lo traiciona —que era también el malversador del grupo— y le dice lo que piensa de él. Mira, si alguna vez has sido traicionado por alguien a quien amas, alguien cercano a ti, ¡conoces bien el catálogo de expresiones que está a tu disposición para lanzar una sarta de insultos contra ese miserable! Pero Jesús no. En vez de ello, a la luz de las encolerizadas antorchas de Getsemaní, mira fijamente los ojos de Judas, teñidos de tonos anaranjados, y lo llama «amigo» (Mat. 26: 50). Llamó «amigo» a quien lo traicionaba.

Jesús hizo trizas así la mentira del diablo, probando, por el contrario, que Dios no es alguien a quien temer: sino alguien digno de nuestra confianza. Después de todo, «el perfecto amor echa fuera el temor» (1 Juan 4: 18).

El fallecimiento de Dag Hammarskjold y la elección

«Escogeos hoy a quién sirváis; si a los dioses
a quienes sirvieron vuestros padres [...], o a los dioses de [la gente]
en cuya tierra habitáis; pero yo y mi casa serviremos a Jehová». Josué 24: 15

DAG HAMMARSKJOLD fue Secretario General de Naciones Unidas desde 1953 hasta su trágico fallecimiento en 1961. Sueco y cristiano, fue autor de una serie de meditaciones y considerado por muchos el mejor diplomático del siglo XX.

En algún momento de la noche entre el 17 y el 18 de septiembre, durante una misión de paz de las Naciones Unidas en el Congo, el avión de Hammarskjold se estrelló en Zambia, explotando e incendiándose. Las circunstancias que rodearon el accidente de aviación eran un misterio hasta que los investigadores descubrieron una nueva pista en los restos. En la cabina del avión siniestrado alguien se fijó en un mapa abierto con las aproximaciones a Ndolo, aeropuerto de Leopoldville (ahora Kinsasa), en el Congo. Sin embargo, el destino previsto aquella noche era la ciudad de Ndola, en Zambia. El piloto había echado mano por error del mapa indebido y, en la oscuridad de aquella noche, el avión se estrelló contra el suelo cuando el piloto creía que aún le quedaban trescientos metros más por descender. Todo porque había usado el mapa indebido.

Ndolo. Ndola. La única diferencia en esos nombres es una sola letra. Pero fue la diferencia entre la vida y la muerte.

En inglés, existe una diferencia de pocas letras entre «temer» y «un amigo», *«afraid»* y *«a friend»*, respectivamente. En lo referente al mapa de Dios, también es lo que separa la vida de la muerte.

Entonces, ¿qué mapa seguiremos? El llamamiento del anciano dirigente Josué mantiene su relevancia hoy: «Escogeos hoy a quién sirváis». Porque el nuevo año no es solo sobre el hecho de que Dios nos escoja; también es sobre el hecho de que nosotros lo escojamos a él.

Y no disponemos de un tiempo ilimitado. La reciente letanía de titulares de noticias internacionales es prueba suficiente de que el tiempo se acaba para este planeta y todos sus habitantes. Precisamente que Dios sea alguien digno de nuestra amistad, no alguien a quien temer, no significa que podamos dejar para mañana la decisión. «Escojan *hoy* al Dios a quien seguirán». El camino es incierto. ¡Debemos contar con el mapa correcto; debemos escoger al Dios debido; debemos aterrizar en el destino acertado!

Entonces, ¿no quieres inclinarte ahora e invitar al Dios que ya te ha elegido para que también sea el Dios de tu elección, declarando: «Pero yo y mi casa serviremos a Jehová»?

El método de rescate del incendio divino

«En tiempos antiguos Dios habló a nuestros antepasados muchas veces
y de muchas maneras por medio de los profetas. Ahora, en estos tiempos últimos,
nos ha hablado por su Hijo, mediante el cual creó los mundos
y al cual ha hecho heredero de todas las cosas».
Hebreos 1: 1, 2, DHH

¿QUÉ PASARÍA si te despertases una noche y descubrieras la casa de tu vecino de al lado envuelta en llamas? Y, saliendo a toda prisa, reconoces a su niñita gritando por la ventana de su habitación en el segundo piso. Con sus padres brillando por su ausencia, entras corriendo por la puerta principal y subes las escaleras hasta su habitación. Paralizada por el pánico y aún chillando, la niña rehúsa abandonar la ilusoria seguridad de su alcoba. Intentas darle mimos, convencerla, pero todo es inútil. Tiene demasiado miedo.

Mientras tanto las llamas crepitan en la sala. Es ahora o nunca. ¿Qué harías? Lo que cualquier bombero haría en la misma circunstancia. Agarras a la niña, con tu brazo sobre sus extremidades agitadas, con tu mano sobre su boca, y echas a correr como si de ello dependiera tu vida, y en verdad es así. ¿Por qué? Porque cuando la casa está incendiada no hay tiempo para sutilezas corteses. La regla del bombero es simple: rescata primero, explica después.

¿Podría esta regla ser la explicación de los actos de Dios en el Antiguo Testamento? ¿Cuántas veces dio la impresión de que su casa de fe estaba envuelta en llamas? Sus hijos profundamente dormidos o distraídos o incluso presa del pánico, y todas las súplicas y todos los mimos divinos a través de los profetas y los patriarcas por igual parecían no despertarlos ni cambiarlos? ¿Qué ha de hacer un rescatista? Si su objetivo es salvar a los atrapados, tendrá que rescatar primero y explicar después. No porque no tenga una disposición al diálogo y a la conversación razonada, sino porque ¡el peligro es demasiado inminente como para explicar en el instante!

Precisamente eso fue lo que Dios hizo, casi sacando a sus hijos a rastras de una crisis tras otra. Las explicaciones plenas, sencillamente, tendrían que esperar, porque su supervivencia dependía de un rescate divino inmediato.

Nuestro texto declara: «En tiempos antiguos Dios habló a nuestros antepasados muchas veces y de muchas maneras por medio de los profetas. Ahora, en estos tiempos últimos, nos ha hablado por su Hijo». Porque «en estos últimos tiempos» Jesús sigue siendo la explicación más clara de Dios y su amor. Cuando, en el Calvario, su propia casa se encontraba envuelta en llamas y no había nadie allí para rescatarlo, vimos al fin las profundidades del amor divino que se sacrificó a sí mismo para que pudiéramos ser salvos de las llamas por los siglos de los siglos. Amén.

Una señal de amor

«Ya han olvidado por completo las palabras de aliento que como a hijos
se les dirige: "Hijo mío, no tomes a la ligera la disciplina del Señor
ni te desanimes cuando te reprenda, porque el Señor disciplina
a los que ama, y azota a todo el que recibe como hijo"».
Hebreos 12: 5, 6

SÉ DE ALGUNOS que afirman haber repasado la Biblia y han contado más de sesenta relatos en los que Dios castigó al pueblo. No es de extrañar que la mentira de Satanás —Dios es alguien a quien temer— sea tan popular. Después de todo, ¿quién quiere ser elegido por un Dios así? Quizá necesitemos meditar un poco más en el texto de hoy: «El Señor disciplina a los que ama».

Karen y yo hemos sido bendecidos con dos hijos maravillosos: Kirk y Kristin. Cuando eran pequeños, me acuerdo de que los miraba directamente a sus grandes ojos y les explicaba los peligros de jugar en la carretera vecinal que había delante de casa. «Viene el auto y ¡pum!». Así que la ley de nuestro reino minúsculo era que la carretera estaba prohibida.

Pero digamos que unos minutos después de esas instrucciones Kirk está jugando en medio de la calle prohibida. ¿Qué ha de hacer un padre? Salgo aprisa, agarro a mi niño firmemente por la mano, lo acompaño a casa y, siendo un papá condescendiente y misericordioso, vuelvo a explicar la ley de la carretera prohibida. «¿Entiendes?». Asiente con la cabeza en completo acuerdo.

Sin embargo, unos minutos más tarde está jugando en la calle otra vez. Aunque sigo siendo un padre condescendiente y misericordioso, te puedo asegurar que esta vez la historia tiene un final ligeramente diferente. Para mostrarle mi amor, ¡calentaré una parte de su anatomía para que la verdad se marque de forma candente en otra porción de su anatomía! ¿Por qué? Los padres sabemos que, si de verdad amas a tu hijo, la disciplina es parte integral de la demostración de ese amor.

¿Varía esta realidad cuando se trata de nuestro Progenitor divino? Cuenta todos los relatos que desees, la forma como entendemos la Biblia cambia cuando recordamos que Dios es nuestro Padre y nosotros sus hijos. Y elegidos por él como lo somos todos, ¿es tan ilógico darnos cuenta de que, para enseñarnos y moldearnos para nuestro destino previsto, permita que experimentemos algunas de las realidades dolorosas de la vida? No todo el tiempo, ni siquiera la mayor parte del tiempo. Pero hay, no obstante, ocasiones en que con su brazo rodeándonos nos conduce por el «valle de sombra» (Sal. 23). Si tan solo confiáramos en su amor, ¿habría alguna disciplina que no pudiéramos soportar mientras él estuviera con nosotros?

Jugar con Dios a las canicas - 1

«Hijo mío —le dijo su padre—, tú siempre estás conmigo, y todo lo que tengo es tuyo.
Pero teníamos que hacer fiesta y alegrarnos, porque este hermano tuyo estaba muerto,
pero ahora ha vuelto a la vida; se había perdido, pero ya lo hemos encontrado».
Lucas 15: 31, 32, NVI

JEAN PIAGET, psicólogo evolutivo suizo, estudió en una ocasión a niños que jugaban a las canicas para comprender cómo aborda un niño el bien y el mal. Al realizar ese estudio, descubrió tres fases por las que pasan los niños en el juego de canicas.

✓ La primera fase es la **fase de las reglas**, cuando los niños pequeños aceptan las reglas del juego tal como les han sido transmitidas por una autoridad mayor incuestionable: su padre. Las reglas están para ser obedecidas, no para desafiarlas. Si quieres ganar el juego, respeta las reglas.

✓ No es de extrañar que la segunda fase sea la **fase de rebeldía**, cuando los niños de más edad empiezan a desafiar las reglas tradicionales y a experimentar la invención de nuevas reglas propias.

✓ La tercera fase puede denominarse **fase de la relación**, cuando finalmente los niños crecidos se dan cuenta de lo tontas que eran realmente sus propias reglas inventadas, y ahora, por respeto mutuo, vuelven a las reglas, no por autoridad, sino por el bien de la relación.

En una ocasión Jesús contó una historia sobre las tres fases. Porque cuando el hijo menor del dueño de una hacienda, dando un portazo, casi sacó la puerta trasera de su quicio, el padre supo que podía considerar que su muchacho ya se había ido de casa. Así que, repartiendo la hacienda, dio a ambos hijos su porción de la herencia, con lo cual el muchacho más joven (fase dos) se alejó hacia el horizonte. Se precipitó en la vida urbana, disipó su fortuna con ganas y pasión, acabando arruinado en una pocilga. Sin embargo, recuperando la cordura, vestido de harapos, se puso camino a casa, donde el padre (fase tres) había aguardado noche y día. Reconociendo el familiar paso del muchacho en la distancia, salió corriendo con los brazos abiertos. ¡La fiesta que celebraron aquella noche no tenía precedentes! Y resultó intolerable para el hermano mayor (fase uno), que, con enfado celoso se negó a compartir el gozo de su padre. Fin.

Entonces, ¿en qué fase estás tú? ¿En la fase uno (el muchacho de las reglas que se queda en casa y se pierde), en la dos (el muchacho rebelde que se va de casa y se pierde) o en la tres (el padre relacional que amaba a ambos)? La buena nueva de Jesús para hoy es que el Padre, sobre todo, valora las relaciones —aún más que las reglas que quebrantamos y que las reglas que respetamos—, y por eso sale de casa apresuradamente por sus dos muchachos. ¿A quién podría no gustarle eso?

Jugar con Dios a las canicas - 2

«Pero él le contestó: "¡Fíjate cuántos años te he servido sin desobedecer jamás tus órdenes, y ni un cabrito me has dado para celebrar una fiesta con mis amigos! ¡Pero ahora llega ese hijo tuyo, que ha despilfarrado tu fortuna con prostitutas, y tú mandas matar en su honor el ternero más gordo!"». Lucas 15: 29, 30, NVI

CONTINUANDO con la historia de ayer, ¿te has fijado en lo que dice el hermano mayor? «Cuántos años te he *servido*». O sea: «He guardado, sin excepción, cada una de tus reglas, nunca he pecado, me he negado placeres, todo porque creía que eso demandabas de mí. Y, ¿qué recibo por llevar una vida tan monótona y triste? ¡*Nada!*».

¿Te suena? ¿Podría haber también en un rincón de nuestro corazón un hermano o una hermana mayor? ¿Venimos *sirviendo* a Dios todos estos años por una sensación de pesada obligación, una obediencia temerosa que piensa sin parar *Si no lo obedezco, me va a privar de la herencia?*

Por favor, no me malinterpretes. No me opongo a las reglas ni a los mandamientos de Dios. Nuestro amante Padre, como cualquier buen progenitor, proporciona reglas protectoras para sus hijos. Pero el sometimiento plúmbeo a esas reglas por ganarse su herencia…, ¿dónde está el gozo, la paz y la libertad en eso? ¿Podría ser esta la razón de las caras severas que hay en la iglesia en estos días? Hermanos y hermanas mayores (que puede que no sean más viejos) que nunca se han marchado, pero que han huido espiritualmente de la gracia, el amor, el gozo y la paz de la casa del Padre. Oímos «la música del baile» (Luc. 15: 25) que provienen a raudales de la casa del Padre, pero nos negamos a entrar, sudando en sus campos, pero lejísimos de su corazón.

Casi se puede oír la voz entrecortada del padre cuando deja la fiesta y se adentra en la creciente oscuridad para amar a su muchacho mayor. «Hijo mío […,] todo lo que tengo es tuyo»; o sea, ¿no sabías que mi herencia ya era tuya? Jamás esperé que sirvieras ni por ella ni por mí. Tú eres mi hijo. Tienes tanto mi corazón como mi tierra. ¡Si tan solo quisieras mi amistad!

Porque esa es la verdad de la fase tres sobre Dios, ¿no? Es un Ser en busca de amigos. «Todo lo que tengo es tuyo», lo que, en realidad, significa: «*Tú* eres todo lo que quiero».

Y con todo lo que el Padre tiene para ofrecerte y con todo lo que tú tienes para darle, ¿no es el momento oportuno de dejar de sentirse esclavizado por él y empezar a celebrar con él? Después de todo, ¿no se han elegido mutuamente?

Jugar con Dios a las canicas - 3

*«Lo mismo pasa en el cielo; da más alegría un pecador
que se enmienda, que noventa y nueve justos que no necesitan
enmendarse».* Lucas 15: 7, NBE

¿CUÁL ES LA ACTITUD de un hijo en la fase dos, la rebeldía? Considera al hijo pródigo. Por lo general, es una reacción, una reacción audaz y flagrante de un hijo a la mentalidad de la fase uno. Y puede tener este enunciado: «Estoy harto de los conservadores, de toda su autoridad, de sus restricciones, de sus reglas. No necesito a nadie que me diga cómo vivir, ni a mi familia, ni a mi iglesia, ni a mi escuela, ni a mi gobierno ¡ni a nadie! Porque yo soy yo: el yo librepensador, independiente, adulto. Y viviré como me dé la gana, gracias».

He conocido unos cuantos casos de estos hermanos y hermanas menores de la fase dos (que no son necesariamente más jóvenes cronológicamente). Muchos son listos y perspicaces, gente que considera que la iglesia y Dios son demasiado autoritarios y están demasiado preocupados con reglas y comportamientos. Y, por ello, escogen vivir al límite, inmediatamente más allá de la periferia de la comunidad de fe, proclamando ruidosamente la «libertad» que acaban de encontrar, ataviados con sus baratijas de rebeldía, esperando que se fijen en ellos, pero sin querer ser encontrados. Puede que también tú los conozcas. Puede que seas uno de ellos.

Tendría su gracia si no fuera tan triste. Porque, verás, en el fondo los dos hermanos son parecidísimos. Sí, es verdad: los pródigos de la fase dos llaman conservadores a los hermanos mayores de la fase uno, y los mayores llaman a los rebeldes liberales. Pero, más allá de los calificativos, ambos chicos, en realidad, quieren lo mismo: quieren ser libres. Ambos chicos ven en el padre un autoritario promulgador de reglas. Por sus reglas, el otro hijo se queda en casa y se pierde. Ambos están equivocados, ambos se pierden, porque ninguno de los dos ha entendido la verdad de la fase tres sobre el padre.

Y esa verdad es que, en definitiva, *el padre valora las relaciones más que las reglas.* En el relato de Jesús, el padre sale de su casa buscando a ambos hijos. El mismo padre, el mismo abrazo de brazos abiertos de par en par, el mismo corazón ansioso y amante. Es la misma verdad que siempre ha sido toda la eternidad: al principio y al fin, la relación es lo más importante para Dios. Él no sale apresuradamente de su casa para restaurar reglas rotas: su corazón acude presuroso a sus hijos para restaurar una relación rota. Porque lo cierto es que el Padre no es alguien a quien temer. Es alguien digno de nuestra amistad, una verdad tan simple que hasta los niños que juegan a las canicas pueden enseñarnos.

Un abrazo en blanco y negro

«Cuando aún estaba lejos, lo vio su padre y fue movido
a misericordia, y corrió y se echó sobre su cuello
y lo besó». Lucas 15: 20

¿TE HAS PREGUNTADO alguna vez por qué Jesús murió con los brazos extendidos? Quizá la fotografía premiada de la revista *Life* lo explique de manera óptima.

Fue una fotografía de actualidad del día de 1973 en que los prisioneros de guerra estadounidenses volvieron a casa desde Vietnam. El gigantesco avión de transporte Lockheed C-130 Hércules de color gris había aterrizado y rodado por la pista de una base aérea de la costa oeste de Estados Unidos. Los primeros prisioneros de guerra descendieron por la escalerilla, para recibir la bulliciosa bienvenida de sus seres queridos, que aguardaban tras un cordón de seguridad. Pero nuestros ojos se sienten atraídos hacia un soldado en particular, vestido de caqui militar almidonado, con su gorra plisada puesta encima de un rostro demacrado pero orgulloso.

Algo ha captado su atención. Alguien ha conseguido zafarse de la multitud acordonada y va corriendo hacia él, con un aspecto de éxtasis gozoso en su rostro, con su larga cabellera ondeando al viento del aeropuerto. Él debe de haberla oído llamarlo, porque, al reconocerla, ha dejado caer instintivamente su petate y tiene las rodillas dobladas, con los brazos abiertos de par en par para abrazar a su niñita. Y cuando se dispara el obturador de la cámara, los pies de la niña ya no están en el suelo y tiene los brazos suspendidos en el aire, extendidos hacia su padre, que había vuelto. Imagen congelada. Un momento de intemporalidad en blanco y negro: el retrato de una reunión de un padre y su hija.

Y por eso Jesús murió con los brazos extendidos. Para que nunca olvidáramos que son los brazos de nuestro Padre que está en los cielos. Brazos abiertos de par en par con la verdad alegre y gloriosa de que lo que a Dios siempre le ha interesado en grado sumo es que sus hijos entren en su abrazo abierto de par en par.

Entonces, ¿no congelaremos esa imagen también en nuestra mente? Porque si las relaciones son lo más importante para el Dios del universo, ¿no deberían ser lo más importante para su iglesia, sus amigos, a ti y a mí? ¿No es ese momento en blanco y negro la razón misma por la que existen los elegidos? ¿Elegidos por Dios no solo para entrar nosotros mismos en ese abrazo abierto de par en par, sino elegidos para llevar esta gloriosa imagen de él hasta los rincones más alejados de nuestra vida y de nuestro mundo?

Con una foto así, por más que lo intente, no se me ocurre ninguna razón para no entrar en esos brazos extendidos? ¿Y a ti?

La verdad sobre el camionero y Dios

*«Porque yo sé muy bien los planes que tengo
para ustedes —afirma el Señor—, planes de bienestar
y no de calamidad, a fin de darles un futuro
y una esperanza».* Jeremías 29: 11, NVI

YA LLEVAMOS DOS SEMANAS examinando el retrato de este Dios que nos ha elegido. Puede que lo conozcamos de toda la vida, o quizá lo estemos descubriendo en todos los aspectos de nuevo (como el antiguo anuncio de copos de maíz: «Vuelve a probarlos, por primera vez»). Pero está más que claro que la verdad sobre él ha sido terriblemente distorsionada por ahí fuera, y a veces incluso aquí dentro.

Los periódicos del este de los Estados Unidos publicaron la historia de una mujer que conducía sola a horas avanzadas de la noche por un tramo sin tráfico de una autopista interestatal cuando, inesperadamente, apareció un estruendoso camión. El conductor la estaba adelantando cuando, de repente, sus frenos neumáticos emitieron un zumbido y disminuyó de marcha, volviendo a ponerse detrás, con sus cegadores faros halógenos iluminando el interior del vehículo de la mujer. Nerviosa, la mujer aceleró. El camionero hizo lo mismo. Ella disminuyó de marcha. Él también. Hiciera ella lo que hiciera, él estaba detrás. Ya presa del pánico, la mujer buscaba en los tramos de negrura que tenía por delante alguna señal de vida y de auxilio. Por fin, divisó una gasolinera que seguía abierta. Intentó nuevamente zafarse del camionero, pero él tomó la misma salida inmediatamente detrás. Con sus neumáticos chirriando al detenerse en la gasolinera, la mujer huyó del automóvil pidiendo ayuda a gritos. El camionero salió de su cabina de un salto y fue corriendo hasta el automóvil. Cuando llegó, se detuvo, abrió de golpe la puerta trasera, echó mano al interior y sacó a un hombre que había estado agazapado detrás del asiento del conductor.

En algún momento de la noche, un asaltante se había ocultado en el automóvil de la mujer, aguardando el momento oportuno para atacarla. Pero esa misma noche oscura, un camionero pasó junto a ella y, desde su ventajosa posición elevada, vio al asaltante oculto. La mujer había estado huyendo de la persona indebida. Porque el que la perseguía era el único que podía salvarla.

¿Cuántos en este crepúsculo de la historia de la tierra han confundido la evidencia y están huyendo de la persona equivocada, alejándose del Único que puede salvarlos? «Porque yo sé muy bien los planes que tengo para ustedes —afirma el Señor—, planes de bienestar y no de calamidad, a fin de darles un futuro y una esperanza».

Con un ofrecimiento así, ¿quién no querría ser elegido por Dios? Vamos, que aunque esta hubiera sido la única promesa que hubiese hecho, ¿no tendríamos razón de sobra para tener esperanza en el futuro? Entonces, ¿hay alguna razón para que te guardes este ofrecimiento para ti solo?

Una historia de tres montes - 1

«¡Cómo caíste del cielo, Lucero, hijo de la mañana! […] Tú que decías en tu corazón:
"Subiré al cielo. En lo alto, junto a las estrellas de Dios, levantaré mi trono
y en el monte del testimonio me sentaré […]; sobre las alturas de las nubes
subiré y seré semejante al Altísimo"». Isaías 14: 12-14

UNA TARDE REALICÉ una visita pastoral a una pareja de ancianos de mi congregación, varias veces bisabuelos por entonces. En un repisa se amontonaban fotos de la familia, llegando a retratos del colegio, contando todas ellas animadas historias de sus siete hijos y su descendencia. Al evocar los recuerdos, los ancianos progenitores llegaron al último retrato, su hijo pequeño. Se deslizó una nota de tristeza en la voz de la madre al hablar de su muchacho, que se había criado en el mismo hogar, con los mismos valores familiares que el resto, pero que, por razones que nadie conocía, había dado la espalda a todo ello. Los rechazó. Se rebeló.

Imagínate a esta familia congregada en una reunión para la cena de Navidad. Seis de los hijos y su prole han venido a casa para estar con mamá y papá. Hay carcajadas, sonrisas y gozo, apiñados todos alrededor de la mesa familiar. Pero, ¡un momento! Cuando papá se pone de pie para orar, ¿qué es eso que corre por la mejilla de mamá? ¿Una lágrima? Pero, querida mamá, seis de tus siete hijos han venido a casa; ¿no es razón suficiente para estar feliz? Sin embargo, todos conocemos la verdad universal. ¿Cómo puede estar feliz el corazón de una madre cuando falta *uno* de sus hijos?

Hubo una vez, hace mucho tiempo, un Padre perfecto y un hogar perfecto. Pero uno de los hijos se rebeló contra todo lo que representaba y valoraba la familia, dejando un corazón quebrantado y un hogar roto en un cielo ahora también roto.

No se puede contar la historia del Padre sin rememorar la historia de Lucifer. El mismo hogar, el mismo Padre, pero resultados tan trágicamente opuestos con el favorito de la familia, que secretamente codiciaba sentarse «en el monte del testimonio» (léase «el trono de Dios»). «¡Ah! ¡Si tan solo yo fuera Dios!», susurró insidiosamente. Y el resto es historia: la desgarradora historia de un universo dividido y un planeta en rebelión.

Era el más elevado de los elegidos, pero escogió convertirse en antagonista. Y partió el corazón de nuestro Padre celestial, un corazón que aún llora por un muchacho que no vuelve a casa.

Una historia de tres montes - 2

«El Señor vio que era mucha la maldad de los hombres en la tierra,
y que todos los planes y pensamientos de su corazón eran siempre
los de hacer solo el mal. Y le pesó al Señor haber hecho al hombre en la tierra.
Le dolió mucho en el corazón». Génesis 6: 5, 6, RVC

HAY QUE RECONOCÉRSELO a Dios, ¿no te parece? Fracaso tras fracaso, y sigue intentándolo. Una rebelión en su propio hogar y la tercera parte de los hijos se ha largado. Una rebelión en su nuevo planeta, y todos los hijos se han largado. ¿Cuánto fracaso puede soportar un progenitor? ¿Y en qué punto empieza a enojarse? ¿Enojo? En lugar de esto, la historia sagrada describe el dolor del fracaso divino con las simples palabras «le dolió en su corazón». Dolido porque en ese momento debe adoptar una terrible decisión que afronta todo cirujano que desea salvar a su paciente.

Y esa decisión ha sido tergiversada por Satanás, convirtiéndola en una furibunda diatriba contra la noción de un Dios creador amante. Si no, ¡fíjate simplemente en el diluvio! ¿Qué clase de Dios destruiría, enfurecido, toda una civilización? Afrontémoslo: los relatos de destrucción divina contenidos en la Biblia han hecho estragos en la reputación de Dios en la tierra. ¿Qué hacemos con el diluvio (y Sodoma y Gomorra, el exterminio de los cananeos, Uza, todo un ejército asirio, etcétera)?

Tengo cáncer de pulmón. Visito al cirujano. Tiene dos opciones: (1) dejar que el pulmón canceroso se extienda por todo mi cuerpo o (2) actuar de forma radical e invasiva extirpando el órgano enfermo. ¿Salvar el órgano o salvar la vida?

Nuestro texto de hoy describe una tierra enferma de un cáncer terminal, el pecado. No todos los hijos de Dios han abandonado al Señor. Pero si se permite que el cáncer haga metástasis, Dios pierde a toda la especie. ¿Salvará el órgano y arriesgará la especie o actuará de forma radical e invasiva para extirpar la porción enferma para salvar la especie? Decídelo tú. Haz de médico divino.

Dios suplicó a los antediluvianos: «Vuelvan a mí y sean salvos, todos los confines de la tierra, porque yo soy Dios, y no hay ningún otro» (Isa. 45: 22, NVI). Ocho de ellos —cuéntalos— sí se volvieron a él y fueron los únicos supervivientes de aquella cirugía radical.

«Vuelvan a mí». Estas no son las palabras de un Dios iracundo y avasallador. Son el ruego de un Salvador compasivo, un ruego que este mundo enfermo necesita desesperadamente volver a oír.

Una historia de tres montes - 3

«Y llamó Abraham a aquel lugar "Jehová proveerá".
Por tanto se dice hoy: "En el monte de Jehová
será provisto"». Génesis 22: 14

HACE MUCHÍSIMO TIEMPO, un montón de tablones en forma de arca encima de un monte fue la revelación del amor divino. Hace no tanto tiempo, un par de tablones en forma de cruz se convirtió en la máxima expresión de su amor y hoy lo sigue siendo.

El mismo Dios, el mismo amor, el mismo ruego urgente, la misma decisión final —extirpar el cáncer antes de que se pierda toda la especie—, el mismo reloj en su cuenta regresiva hacia la eternidad, los mismos brazos extendidos, la misma invitación misericordiosa. «Como en los días de Noé, así será la venida del Hijo del hombre» (Mat. 24: 37). Nada ha cambiado: ven al hogar, vuelve al Padre antes de que sea demasiado tarde. Ven ahora.

¿Qué tiene el corazón humano que es tan susceptible a un llamamiento?

Me sentí profundamente conmovido por una foto que vi en un periódico hace unos años. Una foto de un cartel misterioso que había aparecido clavado en un árbol en Nappanee, Indiana. No es una de esas impecables vallas publicitarias de la *Madison Avenue* de Nueva York con rostros sonrientes y un lema pegadizo. No era más que un simple cartel con unas palabras pintadas a mano. Y nadie sabía de dónde salió, ni siquiera el agricultor en cuya tierra crece el árbol al que fijaron el cartel. Lo había quitado tres veces, y las tres veces volvió a aparecer.

Hace que uno se pregunte quién lo colgó. ¿Una madre desconsolada? ¿Un padre sumido en la soledad, a medianoche? Nadie lo sabe. Pero nadie que lea el cartel puede olvidarlo. Cuatro simples palabras: «Hijo, por favor, vuelve».

Son las mismas cuatro palabras que Dios pintó en carmesí y clavó en un árbol hace mucho, las cuatro palabras de un abrazo clavado, abierto de par en par: «Hijo, por favor, vuelve». Es más que obvio que Lucifer no volverá. Los antediluvianos tampoco. Pero de los siete mil millones de hijos del Padre vivos en la actualidad, ¿cuántos son aún susceptibles a su llamamiento? ¿Podría ser que hubieras sido elegido por eso? Sin duda, Dios podría escribir las palabras cruzando los cielos para todos las vieran. Pero, ¿quién se conmovería? Lo cierto es que nada conmueve el corazón tanto como una invitación personal de alguien a quien sabes que le importa.

Por qué Dios no puede dormir de noche

«Si ellos se angustiaban, también él
se angustiaba». Isaías 63: 9, RVC

VIVO EN UNA PEQUEÑA comunidad rural, la mitad de la cual está constituida por el campus universitario donde trabajo como pastor. Por eso, cuando oigo sirenas en la distancia, me doy cuenta de que, instintivamente, me tenso y me pregunto si suenan por alguien a quien conozca. A menudo es así.

¿Has notado que, con independencia de dónde vivas, las sirenas ululan con un mismo lenguaje que te revuelve las entrañas? Las urgencias del mundo entero se especializan en producir nudos en el estómago y caras angustiadas mientras aguardamos noticias de detrás de la cortina. El sufrimiento es nuestra forma de vida.

¿Es también la forma de vida de Dios? ¿Sufre como nosotros?

Me acuerdo de ocasiones en que mis hijos venían a casa sollozando, con una rodilla magullada y sangrando tras caerse de la bicicleta. ¿Por qué será que, cuando los subía en brazos —y esto es verdad—, podía sentir el dolor en mi propia rodilla? ¿Por qué *sus* lágrimas siguen empañando *mis* ojos?

¿Podría ser esta actitud de padres un reflejo de la forma de ser del Padre? *Nuestras* lágrimas se acumulan en *sus* ojos: ¿No significa eso «en toda angustia [nuestra] él [es] angustiado»? «No se exhala un suspiro, no se siente un dolor, ni ningún agravio atormenta el alma, sin que haga también palpitar el corazón del Padre» (*El Deseado de todas las gentes,* cap. 37, p. 328). No quita el sufrimiento, sin duda, como tampoco el que tengas en brazos a tu hija le quita el dolor. Pero cuando sabes que hay alguien que comparte tu dolor, el dolor se atempera de manera misteriosa.

«En toda angustia [nuestra] él [es] angustiado». Porque ya ha pasado por ella. Él ya ha estado aquí. El grito descarnado de la cruz del medio es evidencia suficiente. El sufrimiento también es la forma de vida de Dios. Y, por eso, la última palabra sobre el sufrimiento humano es que, en último término, Dios está con nosotros íntimamente en medio de él… hasta que acabe.

Tres jóvenes de la ciudad universitaria fallecieron trágicamente en un accidente de avión en invierno. En uno de los funerales que oficié, un colega y yo nos acercamos al féretro para el último adiós de la familia. Mientras lloraban sobre el cuerpo inmóvil de su hijo y nieto, sentimos sus lágrimas en nuestros propios ojos y en nuestro corazón. Tras varios minutos de silencio ahogado, mi amigo pastor se inclinó, acercándose a mí, y susurró: «No es de extrañar que Dios no pueda dormir de noche».

Porque en toda nuestra aflicción, él no solo está afligido; también está con nosotros. Y, por ahora, esa es la mejor noticia que hay. Dios realmente está con nosotros de verdad.

Los huesos de Jehohanan ben Hagqol

*«Cuando llegaron al lugar llamado de la Calavera,
lo crucificaron allí, y a los malhechores,
uno a la derecha y otro a la izquierda».*
Lucas 23: 33

NO SE CUENTA con su acta de defunción, pero encontraron sus huesos, blanqueados y polvorientos, en una cripta abandonada. Y su trágica historia surge de ese esqueleto en proceso de desintegración: su nombre, Jehohanan ben Hagqol (forma hebrea de Juan, hijo de Hagqol); nacionalidad, judío; edad, entre 24 y 28 años; altura, 168 centímetros; situación económica, miembro de una familia adinerada; ocupación, ninguna forma evidente de trabajo intenso; salud, ninguna indicación de ninguna enfermedad grave (aunque la formación asimétrica de su cráneo indica que en las primeras semanas de su estancia en el seno materno y de nuevo después —poco antes o poco después de su nacimiento— su vida se vio amenazada por circunstancias traumáticas desconocidas); residencia, Jerusalén; fecha de la defunción, en algún momento entre los años 30-50 d. C.

¿Forma de fallecimiento? Violenta. La espinilla de la pierna izquierda había resultado fracturada, probablemente por el golpe de una porra. Y, presumiblemente, como consecuencia de ese golpe, también se habían fracturado ambos huesos de la pierna derecha. Además, tras el fallecimiento, sus pies tuvieron que ser amputados con un golpe de hacha para librar su cuerpo. ¿Por qué? Sencillo. Jehohanan fue víctima de la crucifixión romana. Se ha hallado el clavo —de entre 13 y 15 centímetros— que unía sus talones a la cruz. Según parece, la punta doblada del clavo se había quedado atascada en un nudo de la madera, lo que explica la amputación de los pies del joven. También se encontraron vestigios de clavo entre el radio y el cúbito del antebrazo izquierdo, lo que indica que habían clavado a la cruz tanto sus brazos como sus pies. Los restos de la cruz indican que estaba hecha de madera de olivo.

Nadie conoce su historia. Su polvoriento montón de huesos fue descubierto por el Ministerio de la Vivienda de Israel en junio de 1968 en un lugar de enterramiento al norte de Jerusalén. Este hallazgo arqueológico resulta tan significativo porque marca la primera vez que se han encontrado restos de un hombre crucificado datados en la era romana.

Pero, por otra parte, el mundo nunca necesitó la historia de Jehohanan para recordar la tragedia de la crucifixión, ¿verdad? De sobra se ha contado la historia de otro Joven de esa misma ciudad en esa misma época. Sabemos qué mató a Jehohanan. Pero, ¿qué mató a Jesús? Es imprescindible que encontremos la respuesta. Porque en ella seguramente debe de estar la verdad sobre el Dios que nos ha elegido.

¿Qué mató a Jesús?

*«Pero cuando llegaron a Jesús, como lo vieron ya muerto,
no le quebraron las piernas. Pero uno de los soldados
le abrió el costado con una lanza, y al instante
salió sangre y agua».* Juan 19: 33, 34

TENGO EN MI PODER un papel que me dio un simpático miembro de mi iglesia que es propietario de una funeraria: un acta de defunción. Y aunque es un hecho, en el supuesto caso de que el tiempo siga su curso lo suficiente, que nuestro nombre aparecerá algún día en un papel similar, lo he pasado mal teniendo que admitirme a mí mismo que uno de estos días, si Jesús no viene pronto, también habrá un acta con mi nombre.

Aquella fatídica tarde de viernes antes de que el sol poniente volviera rojo el cielo sobre la santa ciudad, ¿qué anotó el sombrío forense en el acta de defunción de Jesús? En la línea 27, «causa del fallecimiento», ¿qué garabateó? ¿Tres clavos romanos? ¿La lanza de un centurión? ¿Cuarenta latigazos en la espalda menos uno por parte de aquel legionario? ¿La retorcida corona de espinas trenzadas y clavada sobre su frente ensangrentada? ¿O fue la respiración jadeante y espasmódica lo que acabó sofocando a la víctima de la cruz? ¿Qué mató a Jesús?

Un amigo mío médico me envió una vez un artículo de portada del *Journal of the American Medical Association* (*JAMA*), en el que un médico, un pastor y un artista anatómico colaboraron en una investigación de cómo murió Jesús. ¿Su conclusión? «Una arritmia cardíaca fatal puede explicar el evidente episodio catastrófico terminal» (vol. 255, nº 11, p. 1463). ¿Eso mató a Jesús?

Sin embargo, a la mayoría nos han enseñado desde la niñez una respuesta rápida y simple: nuestros pecados. ¿Qué pecados? Bueno, ya sabes, nuestro orgullo y nuestro egocentrismo, nuestro mal genio y nuestra lengua vil, nuestro corazón lujurioso y nuestra mente llena de adicciones, nuestro odio, nuestra ira, nuestros homicidios y nuestra rebelión, nuestro apetito pervertido, nuestra completa deslealtad y falta de honradez. En resumidas cuentas, todos nuestros pecados: eso mató a Jesús.

Sin embargo, ¿de verdad es así? ¿Podría ser que tengamos tanta razón que, de hecho, estemos equivocados? Con nuestra sensibilidad occidental, analizamos, teorizamos, filosofamos, escrutamos y hasta teologizamos la cruz. Y después, con voto unánime, declaramos que nuestros pecados lo mataron.

Pero la verdad es que llegamos doce horas tarde. La respuesta que buscamos reluce en el sudor sanguinolento de un huerto a medianoche.

El huerto del infierno - 1

*«Se llevó consigo a Pedro, a Santiago y a Juan, y comenzó a sentirse atemorizado
y angustiado. Les dijo: "Me está invadiendo una tristeza de muerte.
Quédense aquí y manténganse vigilantes"».*
Marcos 14: 33, 34, LPH

CON INDEPENDENCIA de la opinión que te merezca su película *La pasión de Cristo*, no hay duda de que Mel Gibson acertó en esta parte. El camino al Gólgota siempre pasa por el Getsemaní. Hubo una vez en que la raza humana cayó en un huerto. Hubo otra vez en que la raza humana fue salvada en un huerto.

Bajo la luna llena de Pascua, un grupo de doce hombres, saliendo por la puerta oriental de la ciudad dormida, atraviesa apresuradamente tramos argénteos y de negrura, bajando por el desfiladero del valle y volviendo a subir por un sendero serpenteante hasta un huerto de frutales en una ladera al que llamaban en su lengua Getsemaní, «prensa de aceitunas». Cuando se detienen en la entrada, tenemos una vislumbre del rostro de Jesús, oscura y extrañamente desfigurado. ¿Fue esta la noche en que pronunció las tranquilizadoras palabras «La paz os dejo» (Juan 14. 27)? No parece, porque en las sombras de su rostro no hay ahora grabada paz alguna.

Al Maestro le ocurre algo, y los evangelistas callan. La única clave enigmática es una larga palabra griega que se encuentra únicamente en Marcos: «entristecerse». En su andar tambaleante hacia el interior del huerto, «dejaba oír gemidos como si le agobiase una terrible carga. Dos veces le sostuvieron sus compañeros, pues sin ellos habría caído al suelo» (*El Deseado de todas las gentes*, cap. 74, p. 652). Se vuelve a sus tres amigos más estrechos: «Mi alma está muy triste, hasta la muerte». Es como si estuviera muriendo. ¿Podría ser que lo estuviera?

Sollozos entrecortados rasgan la densa neblina nocturna: «¡Abba, Padre!, todas las cosas son posibles para ti. Aparta de mí esta copa» (Mar. 14: 36). Ni siquiera Cristo puede nombrar lo que desgarra su alma con terror y lágrimas. «Esta copa» es cuanto puede gemir. ¿Qué es esa misteriosa copa ante cuyo mero tacto tiembla? ¿Es un temor al sufrimiento físico, al dolor y a la muerte? ¡Pues vaya! Sócrates ni siquiera se inmutó cuando bebió su cicuta, y ello llevó a John Stott a preguntarse: «¿Era, entonces, Sócrates más valiente que Jesús? ¿O estaban sus copas llenas de venenos diferentes?» (*The Cross of Christ*, p. 74).

Las Escrituras en las que Jesús estaba imbuido describen reiteradamente la libación de la copa de la santa «ira» de Dios contra el pecado (Job 21: 20; Sal. 75: 8; Isa. 51: 17; también Apoc. 14: 10). ¿Podría ser esa la razón por la que se estremece el alma de Jesús? ¿Podría realmente haber un Amor tan intenso que estuviera dispuesto a beber la copa de mi propio veneno?

El huerto del infierno - 2

«Ciertamente llevó él nuestras enfermedades y sufrió nuestros dolores,
¡pero nosotros lo tuvimos por azotado, como herido y afligido por Dios!
[...] Todos nosotros nos descarriamos como ovejas, cada cual
se apartó por su camino; mas Jehová cargó en él el pecado
de todos nosotros». Isaías 53: 4, 6

A VECES LLEGO a casa a horas avanzadas de la noche, y por la rendija de luz de la puerta entreabierta del armario contemplo el rostro dormido de mi esposa. Y me pregunto cómo podría alguna vez sobrevivir estando separado de Karen. Un fin de semana o una semana sin ella es ya suficientemente malo de por sí, pero, ¿estar privado de su amor toda la eternidad? Se me estremece el corazón solo de pensarlo.

En aquel huerto, a medianoche, con las uñas aferradas al húmedo suelo, Jesús suplica tres veces en busca de otra vía. «Si es tu voluntad, Abba, Padre, te ruego... quita de mí esta copa». El Señor ya estaba cargando «en él el pecado de todos nosotros». La terrible lucha de la realidad de la separación eterna del Padre causada por el pecado ya estrangulaba la vida del Hijo. El veneno de la «copa» es la muerte eterna, la separación definitiva de Aquel que ha sido el amor de su vida.

«La suerte de la humanidad pendía de un hilo. Cristo podía aun ahora negarse a beber la copa destinada al hombre culpable. Todavía no era demasiado tarde. Podía enjugar el sangriento sudor de su frente y dejar que el hombre pereciese en su iniquidad» (*El Deseado de todas las gentes*, cap. 74, p. 656).

¿Fue una tentación? No creerás que Jesús estaba solo en aquel huerto, ¿verdad? Si el ángel rebelde caído había asaltado personalmente a Cristo en el desierto al comienzo de su ministerio, ¿no estaría también en el huerto el oscuro líder, con todas sus legiones demoníacas? Solo que ahora los riesgos eran exponencialmente mayores para Satanás y su reino. Porque si Jesús sale de este huerto esta noche y va al Calvario mañana como sacrificio divino por el pecado y los pecadores, es el principio del fin para la serpiente, que seguramente chilla con toda su diabólica furia: «Vete a tu *abba*, niño de papá. Aquellos por los que querrías morir duermen. Esta patética especie miserable es mía, porque yo soy su príncipe. Vete casa, niño de papá. ¿Por qué ibas a morir para siempre?».

Solo Lucas —un médico— consigna la infrecuente afección denominada hematidrosis, el sangrado de los vasos superficiales al interior de las glándulas sudoríparas en situaciones de angustia mental extrema (Luc. 22: 44). El suelo empapado en sudor sanguinolento bajo la forma encorvada del Hombre del huerto es prueba suficiente de que la copa de nuestra salvación tembló en su mano.

Y volvemos a preguntarnos: ¿Hay un Amor tan intenso que querría escoger morir para siempre... por nosotros?

El huerto del infierno - 3

*«Se apartó de ellos a distancia como de un tiro de piedra, y puesto de rodillas
oró, diciendo: "Padre, si quieres, pasa de mí esta copa; pero no se haga mi voluntad,
sino la tuya". Entonces se le apareció un ángel del cielo
para fortalecerlo».* Lucas 22: 41-43

S EAMOS SINCEROS. Realmente no nos tomamos el pecado tan seriamente, ¿verdad? Después de todo, ¿cuándo fue la última vez que sudamos sangre por una tentación? «¡Analogía injusta!», protestas. ¿Lo es de verdad? «En la lucha que ustedes libran contra el pecado, todavía no han tenido que resistir hasta derramar su sangre» (Heb. 12: 4, NVI). El caso es que tú y yo despachamos demasiado a la ligera y demasiado deprisa nuestros molestos y traviesos pecadillos. «¡Vergüenza debería darme. No debería volver a hacerlo, ¿verdad? Ji, ji, ji». Fuera del Getsemaní, no tenemos conciencia alguna de la magnitud del mal que amenaza nuestra descuidada alma.

Bajo la luna de Pascua, Jesús derramó sangre en su lucha con el pecado (eso sí, no suyo, sino tuyo y mío) y a propósito de si bebería o no la copa y cargaría con los pecados de una raza que, en el mejor de los casos, dormía y a la que, en el peor, le importaba un bledo. El campo de batalla de Getsemaní es prueba suficiente del elevado costo de nuestros propios pecados.

«Tres veces repitió esta oración. Tres veces rehuyó su humanidad el último y culminante sacrificio […]. [Entonces] su decisión queda hecha. Salvará al hombre, *sea cual fuere el costo.* Acepta su bautismo de sangre, a fin de que por él los millones que perecen puedan obtener vida eterna. […] Habiendo hecho la decisión, cayó moribundo al suelo del que se había levantado parcialmente» (*El Deseado de todas las gentes*, cap. 74, pp. 656, 657; la cursiva es nuestra).

¿Te fijaste en eso? «Cayó moribundo». Si el ángel que era su guardián no lo hubiera reanimado, Jesús habría muerto en el huerto, pero el supremo sacrificio del Amor no debía hacerse en un huerto apartado. Antes bien, Dios morirá por esta raza rebelde a plena luz del día, suspendido entre el cielo y la tierra para contemplación de ambos.

En eso estriba la pasión de Cristo y del Padre. Porque tanto del corazón del Getsemaní como de la cumbre del Calvario refulge la misma verdad resplandeciente: los perdidos son lo que más importa a Dios.

Excruciatus

*«Llegando al sitio llamado Gólgota, que quiere decir
Lugar de la Calavera, diéronle a beber vino mezclado con hiel;
mas, en cuanto lo gustó, no quiso beberlo. Así que
lo crucificaron».* Mateo 27: 33-35, NC

¿QUIÉN ES ESTE DIOS que nos ha elegido? Doce horas después del episodio en Getsemaní, a mediodía del viernes, Jesús cuelga de una cruz romana. Su espalda lacerada —una espalda hecha trizas hasta convertirla en un repulsivo boquete sangriento, rasgado por trocitos de hueso y metal incrustados en las correas de cuero del látigo de la flagelación que azotó su piel— roza la astillosa madera.

Los nervios, los tendones, los vasos sanguíneos de sus muñecas y sus pies han sido machacados por clavos de hierro de quince centímetros clavados a martillazos en el listón de madera. Clavado en una posición cruelmente prevista para producir la estrangulación espástica del proceso de la respiración, Jesús debe elevar su pecho simplemente para respirar. Pero para expandir el diafragma durante un tiempo suficiente para aspirar más aire, debe arrastrar por la madera la espalda hecha trizas mientras aguanta su peso contra sus muñecas y sus tobillos clavados, produciendo un dolor agudo y ardiente.

No es de extrañar que los latinos acuñaran la palabra *excruciatus,* que significa «sacado de la cruz» y de donde provienen palabras en varios idiomas —como la inglesa *excruciating*—, que subrayan lo insoportable de aquel suplicio. El Calvario no fue una merienda ni nada parecido. Y, en consecuencia, hemos venido a concebir la crucifixión como el sufrimiento físico por antonomasia, ¿verdad? Ciertamente, la interpretación de Mel Gibson llevaría a uno a esa conclusión.

Sin embargo, ¿es la cruz el súmmum del dolor humano? Una vez vi a un amigo morir de cáncer, conectado a su gotero de morfina día y noche. Seguro que seis horas de Calvario no son equivalentes a seis semanas de cáncer terminal, ¿no? Debe de haber algo más en la cruz que la representación gráfica del sufrimiento humano y el dolor físico.

«Toda su vida, Cristo había estado proclamando a un mundo caído las buenas nuevas de la misericordia y el amor perdonador del Padre. Su tema era la salvación aun del principal de los pecadores. Pero en estos momentos, sintiendo el terrible peso de la culpabilidad que lleva, no puede ver el rostro reconciliador del Padre. Al sentir el Salvador que de él se retraía el semblante divino en esta hora de suprema angustia, atravesó su corazón un pesar que nunca podrá comprender plenamente el hombre. Tan grande fue esa agonía que *apenas le dejaba sentir el dolor físico*» (*El Deseado de todas las gentes,* cap. 78, p. 713, la cursiva es nuestra).

¿Apenas sentido? Entonces, ¿qué provocó tal grito de angustia antes de su muerte?

Un grito en la oscuridad

«Desde el mediodía y hasta la media tarde quedó toda la tierra en oscuridad. A las tres de la tarde Jesús gritó a voz en cuello: "Eloi, Eloi, ¿lama sabactani?" (que significa: "Dios mío, Dios mío, ¿por qué me has desamparado?"». Marcos 15: 33, 34, NVI

H E OÍDO ALGUNOS gritos humanos. Como padre he oído a mis hijos expresar con gritos su dolor o su temor. Como pastor he recorrido pasillos de hospital y he escuchado los gritos de dolor tras puertas cerradas. Pero nunca he oído el ostensible terror total del grito del Gólgota: «Dios mío, Dios mío, ¿por qué me has abandonado?». Ese grito «con voz potente» (el griego pone *fone megale*, de donde deriva nuestra palabra «megáfono») no fue ningún gimoteo. Sin duda, como grito final suyo, fue un «grito agudo y atroz» (*Signs of the Times*, 14 de abril de 1898).

¿Qué es este terror, procedente del centro de la cruz, relacionado con el abandono de Dios? ¿Podría ser que Jesús capta en la oscuridad la aproximación silenciosa y escurridiza de la segunda muerte, esa muerte que es eterna, esa muerte de la que hasta ahora nadie ha sido testigo en lugar alguno del universo? Llamada muerte «segunda» en Apocalipsis 20: 6 y muerte «eterna» en Romanos 6: 23 (como antítesis de «vida eterna»), ¿era el terror anónimo de este enemigo sin nombre lo que desencadenó el ostensible grito de Cristo?

La fúnebre oscuridad sobrenatural que rodeó su cruz era evidencia de que la separación contra la que Jesús había rogado en el huerto se estaba produciendo ahora. «Dios mío, Dios mío». Ahora no hay ningún «¡Abba, Padre!», se sentía solo, Aquel con el que había compartido la eternidad pasada se había ido. «¿Por qué me has abandonado?». Pero ese grito no recibe respuesta alguna, salvo el silencio de la tumba en la oscuridad de la cruz. Ha sido cortado para siempre. Los prelados burlones y la chusma tenían razón. «A otros salvó, pero a sí mismo no se puede salvar» (Mat. 27: 42). Y esa es la verdad evangélica. Porque si se hubiese salvado a sí mismo aquella tarde de viernes, eso sería todo lo que se salvaba. Solo él. Es la incomprensible verdad del amor divino, el amor de Dios en Cristo, lo que le impidió salvarse a sí mismo, llevándolo en lugar de ello a sacrificarse por los siglos de los siglos, solo por salvar a pecadores como tú y yo. Ni siquiera su grito en la oscuridad pudo hacerlo cambiar de opinión ni dar marcha atrás a su elección. El Dios que nos eligió al principio nos escogió al final, cuando para él todo acabó aquella tarde.

El precio eterno

«¿Quién nos separará del amor de Cristo? ¿Tribulación, angustia, persecución, hambre, desnudez, peligro o espada? [...] Antes, en todas estas cosas somos más que vencedores por medio de aquel que nos amó». Romanos 8: 35-37

¿CÓMO PUEDE SER que Jesús experimentase una muerte eterna por nuestros pecados? Considera esta cita y un relato como respuesta.

«Con fieras tentaciones, Satanás torturaba el corazón de Jesús. El Salvador no podía ver a través de los portales de la tumba. La esperanza no le presentaba su salida del sepulcro como vencedor ni le hablaba de la aceptación de su sacrificio por el Padre. Temía que el pecado fuese tan ofensivo para Dios que su separación resultase eterna. [...] El sentido del pecado, que atraía la ira del Padre sobre él como sustituto del hombre, fue lo que hizo tan amarga la copa que bebía el Hijo de Dios y quebró su corazón» (*El Deseado de todas las gentes,* cap. 78, pp. 713, 714).

Me acuerdo de un relato de la infancia, un relato sobre un niño que estaba terriblemente enfermo, tanto que, de hecho, los médicos dijeron que iba a morir. A no ser (y de esto dependía su suerte) que pudieran dar con alguien con su tipo de sangre, sumamente raro. Analizaron la de toda la familia, pero solo su hermana pequeña tenía el equivalente exacto. Los médicos y sus padres le explicaron la naturaleza de la emergencia y le preguntaron si estaría dispuesta a dar parte de su sangre para salvar a su hermano tan enfermo. Dándose la vuelta, reflexionó sobre la propuesta que le hacían. Finalmente, miró hacia atrás y asintió con sus rizos. Sí, daría su sangre por su hermano enfermo.

Pronto la conectaron a aquella bolsita de plástico que empezó a llenarse, gota a gota, de su sangre. Corrieron los minutos; el procedimiento acabó por fin. Y cuando volvieron a sacar a la niñita del laboratorio, con labios temblorosos y ojos rebosantes de lágrimas, alzó la mirada hacia el rostro de su padre y le preguntó en voz baja: «Papa, ¿moriré ahora?». Durante un instante, el padre quedó perplejo. E inmediatamente comprendió, como si hubiera sido alcanzado por un rayo, que su nena ¡había atravesado toda la dura experiencia de donar su sangre pensando que, cuando acabara, moriría!

¿Murió por su hermano? La resplandeciente verdad es que, *en su mente,* sí dio su vida, verdaderamente, por alguien a quien amaba entrañablemente. Igual que Jesús, que, *en su mente,* dio su vida para siempre aquella tarde de viernes para que tú y yo pudiéramos vivir por los siglos de los siglos.

¡No es de extrañar que nunca nada pueda separarnos del amor de Dios en Jesucristo!

«Amor que no me dejarás»

«Por lo cual estoy seguro de que ni la muerte ni la vida, ni ángeles ni principados
ni potestades, ni lo presente ni lo por venir, ni lo alto ni lo profundo, ni ninguna otra cosa
creada nos podrá separar del amor de Dios, que es en Cristo Jesús,
Señor nuestro». Romanos 8: 38, 39

E NTONCES, ¿QUÉ RESPUESTA daremos a la pregunta que formulábamos hace una semana de qué mató a Jesús? Situados entre el Getsemaní y el Gólgota, nuestro corazón se enfrenta a dos realidades innegables y supremas: Cuán sumamente terrible es nuestro pecado; ¡y cuán sumamente maravilloso es su amor! Estuvo dispuesto a verse separado de Dios para siempre para que pudiéramos ser salvados para siempre. Abandonado para que nosotros pudiéramos ser hallados, rechazado para que nosotros pudiéramos ser redimidos, experimentó la muerte segunda para que pudiéramos tener una segunda oportunidad. En todo nuestro débil lenguaje humano, no hay más palabra para tal sacrificio que la palabra «amor».

George Matheson estaba enamorado. Él y la joven de sus sueños iban a casarse en poco tiempo. De repente, sobrevino la tragedia. George se quedó misteriosamente ciego. Pero aunque sus ojos ya no podían ver, su corazón podía seguir amando a la mujer que iba a convertirse en su esposa.

Hasta que sobrevino una segunda tragedia. Una mañana Matheson oyó sus pasos acercándose. Pero cuando su prometida habló, anunció que no era capaz de casarse con un ciego. Y cuando el eco de sus pasos salió de su vida para siempre, unos ojos que no podían ver derramaron lágrimas que solo podían ser sentidas. Ella lo había amado, pero eligió no quedarse con él.

En su propia agonía personal, un día Matheson buscó a tientas una pluma y escribió sobre otro amor. En la magnífica traducción española de Vicente Mendoza, su primera estrofa dice así:

«Amor que no me dejarás,
descansa mi alma siempre en ti;
es tuya y tú la guardarás,
y en tu regazo acogedor
la paz encontrará».

¿Qué mató a Jesús? Un huerto y una cruz declaran que mayor que nuestro pecado contra él fue su amor hacia nosotros. Y eso le arrebató la vida en el Calvario: el abrazo clavado, abierto de par en par, de un amor que nunca te dejará.

Por los siglos de los siglos.

Amén.

Otro amigo

«Y yo le pediré al Padre, y él les dará otro Consolador para que los acompañe siempre:
el Espíritu de verdad, a quien el mundo no puede aceptar porque no lo ve ni lo conoce.
Pero ustedes sí lo conocen, porque vive con ustedes y estará en ustedes».
Juan 14: 16, 17, NVI

¿HAY ALGUNA PALABRA más cordial que «amigo»? ¿Te puedes imaginar a alguien que no quiera tener amigos? ¡A todo el mundo le encanta tener amigos!

Por eso me gusta la traducción de Eugene Peterson de la promesa del aposento alto en la traducción inglesa *The Message,* que habla de «otro Amigo». Al reflexionar estas últimas semanas sobre el Dios de los elegidos, hemos pensado en Dios el Padre y en Dios el Hijo. Pero, ¿qué decir del «otro Amigo», Dios el Espíritu?

La palabra griega es *parakletos,* «uno llamado al lado de». Las múltiples traducciones revelan la riqueza de este nombre que Jesús dio al Espíritu aquella noche: «Consolador» (RV95), «Paráclito» (BJ, BP, NC), «Consejero» (PDT), «Ayudador» (TLA), «Protector» (BL), «Intercesor» (NBH), «Defensor» (DHH) y «Amigo» (*Message*). Pero, por otra parte, ¿no es eso lo que hace un amigo: consolarte cuando estas decaído, aconsejarte cuando estás perplejo, ayudarte cuando estás agotado, quedarse contigo cuando estás derrotado? El hecho de que este amigo nos acompañará siempre hace que nos preguntemos por qué no hablamos más de él, ¿verdad?

Fíjate en la forma en que lo describen las Escrituras: es de la misma naturaleza que el Padre y el Hijo; atraviesa las paredes, anda por el mundo; vive en la luz, ve en la oscuridad; vive en ti, habla en ti; lee tu mente, habla tu idioma; intercepta tu conciencia, te conmueve el corazón; te avisa del peligro, te atrae hacia la justicia; conoce tu futuro, conoce tu pasado; te ama a pesar de todo, te ama siempre; el mejor Amigo que nunca ha tenido, ¡el mejor Amigo que nunca tendrás!

Tuve un amigo en la escuela primaria. Y debo confesar que, además, quería ser su amigo exclusivo. Porque tener que compartir un amigo tan bueno con todos los demás significaba que yo mismo iba a pasar menos tiempo con él. ¡No pasa lo mismo con nuestro Amigo el Espíritu! Con casi siete mil millones de personas en su lista, está con cada uno veinticuatro horas al día siete días a la semana como si fuera su único amigo en todo el universo. Repito, ¡qué Amigo!

No hay Dios más humilde - 1

«Pero cuando venga el Consolador, a quien yo os enviaré del Padre, el Espíritu de verdad,
el cual procede del Padre, él dará testimonio acerca de mí. Juan 15: 26. Él me glorificará,
porque tomará de lo mío y os lo hará saber». Juan 16: 14

¿HAS OÍDO HABLAR alguna vez del «narcisismo situacional adquirido»? Lo de «narcisismo» lo reconoces como la excesiva fascinación o el interés en el yo o en el amor de uno mismo. «Adquirido» y «situacional» describen, por ejemplo, cómo las personas pueden adquirir este intenso acaparamiento del centro de interés por uno mismo cuando asumen una posición de mayor poder o influencia, llevando a algunos a la conclusión de que los presidentes son particularmente susceptibles al narcisismo situacional adquirido. Quizá todos podamos pensar en personas infectadas con un sentido exagerado del poder y la prominencia.

¿Es Dios una de ellas? Me sentí intrigado con cierto estudio que hizo un compañero de clase, Fred Bischoff, relativo al paradigma del liderazgo de la Trinidad y sobre la humildad de estos tres Dirigentes Supremos: el Padre, que dirige el universo sirviendo humildemente a todas sus criaturas y a toda su creación; el Hijo, que da ejemplo sometiéndose humildemente al liderazgo del Padre; y el Espíritu, que da ejemplo permaneciendo invisible mientras ayuda en la consecución de los objetivos tanto del Padre como del Hijo.

Y cuando te pones a reflexionar sobre el Espíritu, ¿no te sorprende que todo lo que él es y todo lo que hace tenga lugar sin que el universo jamás sea testigo de su persona? En el mundo que ocupamos, dominado por los medios de comunicación, en el que la vanidad de la apariencia y la atracción física han sido locamente elevadas a valor supremo, ¿no resulta alentador contar con un Amigo que está perfectamente satisfecho de permanecer del todo invisible y, habitualmente, de pasar desapercibido? ¿Puedes mencionar un dios más humilde que él?

De hecho, Jesús declaró en la víspera de la charla sobre su muerte (nuestro texto de hoy) que, cuando el Espíritu Santo viene a nosotros, lo hace con una única preocupación: «Él me glorificará» y «dará testimonio acerca de mí». Sin duda, el Espíritu Santo es el ser más cristocéntrico del universo, ¡al sublimarse por entero en aras de revelar y glorificar a Jesús ante todos! No hay dios más humilde.

Y eso, dicho sea de paso, significa que siempre que oras para ser lleno del Espíritu, pides, de hecho, poder ser colmado plenamente de Jesús. Porque, doquier vaya el Espíritu y llene el Espíritu a quien llene, la impresión pública dominante siempre es Jesús. «Y reconocieron que habían estado con Jesús» (Hech. 4: 13, NVI).

No hay Dios más humilde - 2

*«Haya, pues, en vosotros este sentir que hubo también en Cristo Jesús: Él, siendo en forma
de Dios, no estimó el ser igual a Dios como cosa a que aferrarse, sino que se despojó
a sí mismo, tomó la forma de siervo y se hizo semejante a los hombres. Mas aún,
hallándose en la condición de hombre, se humilló a sí mismo, haciéndose
obediente hasta la muerte, y muerte de cruz».* Filipenses 2: 5-8

E N NUESTRA ÉPOCA, dominada por el mundo del espectáculo, saturada de medios
de comunicación, ansiosa de encumbrar a alguien como héroe, quizá sea comprensible
que cuando viaja una personalidad religiosa como el papa haya tal frenesí en la cobertura
informativa de los medios de comunicación. El séquito de limusinas negras, las astas y las
balaustradas cubiertas de banderas, la aglomeración de fieles y los curiosos que bordean el
desfile de automóviles, la guardia militar puesta en alerta a la llegada, la ruidosa fanfarria
de la banda de música, la cola de bienvenida de dignatarios… etcétera, etcétera, etcétera.

Y, no obstante, cuando el Dios del universo desciende a nuestro planeta para convertirse en Emanuel, «Dios con nosotros», ¡qué impresionante contraste! Nacido en un pesebre,
criado como el hijo de un carpintero, recorriendo el país como Mesías itinerante, arrestado
por alterar la paz, ejecutado por decir la verdad, Jesús jamás habría sobrevivido a nuestra
malhadada sed de bombo publicitario, ¿no crees? Aquel que «se anonadó» (Fil. 2: 7, NC)
habría estado necesariamente reñido con nuestra sed de estrellato y fama.

«¿A quién queréis que os suelte?» (Mat. 27: 17). Da que pensar, ¿verdad? Si Pilato fuese
a plantear hoy esa consulta, ¿a quién elegiríamos? ¿Al Dios de humildad inigualable o a la
celebridad del momento?

«Contemplando al Redentor crucificado, comprendemos más plenamente la magnitud
y el significado del sacrificio hecho por la Majestad del cielo. El plan de salvación queda
glorificado delante de nosotros, y el pensamiento del Calvario despierta emociones vivas
y sagradas en nuestro corazón. Habrá alabanza a Dios y al Cordero en nuestro corazón y
en nuestros labios; porque *el orgullo y la adoración del yo no pueden florecer en el alma
que mantiene frescas en su memoria las escenas del Calvario*» (*El Deseado de todas las
gentes,* cap. 72, p. 631; la cursiva es nuestra).

Quizá sea preciso que mantengamos presente en nuestra conciencia la humildad inigualable de nuestro Dios. ¿Podría ser que las escenas del Calvario precisen ser objeto de repaso día a día, si queremos alguna vez reflejar la humildad de este Dios que nos ha salvado
y que, al salvarnos, pide que dejemos que su mente esté también en nosotros?

El gran trono blanco

*«Por eso Dios también lo exaltó sobre todas las cosas y le dio un nombre
que es sobre todo nombre, para que en el nombre de Jesús se doble toda rodilla
de los que están en los cielos, en la tierra y debajo de la tierra; y toda lengua confiese
que Jesucristo es el Señor, para gloria de Dios Padre».* Filipenses 2: 9-11

¿NO SE DARÁ a este Dios de humildad inigualable lo que merece? ¿No merecen legítimamente el Padre, el Hijo y el Espíritu Santo las alabanzas y el honor, la adoración de todas las galaxias a las que tan humildemente han servido todos estos milenios? ¡Pues claro!

En una de las escenas más imponentes de todo el Apocalipsis, llega el momento en el que se alza el gran trono blanco del Dios Altísimo —y ni todos los efectos especiales de animación de Steven Spielberg y George Lucas podrían de ninguna manera captar la majestad deslumbrante y la grandeza de esta escena cósmica— muy por encima del universo congregado. «Vi un gran trono blanco y al que estaba sentado en él, de delante del cual huyeron la tierra y el cielo» (Apoc. 20: 11).

Y todos nos quedaremos mirando, porque todos estaremos allí, tenlo por seguro. ¿Es este el Hombre que se desnudó hasta la cintura, y con una toalla y una palangana en la mano lavó los doce pares de pies que pertenecían a los doce hombres (cada uno de los cuales era exactamente como tú y yo) que deberían haber hecho cola para que cada uno tuviera ocasión de lavar los pies de su Maestro?

¿Es este el mismo Dios —¡cómo puede serlo!— que, con las manos atadas a la espalda, soportó las bofetadas, los puñetazos, los esputos en el rostro, que con un rostro lleno de moretones fue desnudado para recibir un azote menos de los requeridos para producir su muerte, que con el rostro magullado y una espalda y unas piernas ensangrentadas es clavado finalmente a aquella cruz astillosa e izado para que todo ello coagulase entre el cielo y la tierra hasta que expirase?

«Muy por encima de la ciudad, sobre un fundamento de oro bruñido, hay un trono alto y encumbrado. En el trono está sentado el Hijo de Dios, y en torno suyo están los súbditos de su reino. Ningún lenguaje, ninguna pluma pueden expresar ni describir el poder y la majestad de Cristo. La gloria del Padre Eterno envuelve a su Hijo. El esplendor de su presencia llena la ciudad de Dios, rebosando más allá de las puertas e inundando toda la tierra con su brillo» (*El conflicto de los siglos,* cap. 43, pp. 645, 646).

¿Es de extrañar, entonces, que un día todos nos inclinemos ante este humilde Dios? Y, ¿cabe alguna duda de que debamos iniciar esa inclinación ahora mismo?

Recuerdos de la hora del recreo

«Porque para el Señor tu Dios tú eres un pueblo santo; él te eligió para que fueras
su posesión exclusiva entre todos los pueblos de la tierra».
Deuteronomio 7: 6, NVI

CUANDO PIENSAS en el hecho de haber sido elegido, ¿se retrotrae tu mente a los lejanos días en la hora de recreo en aquel patio de escuela cuando el maestro pedía a los dos chicos más grandes de la clase que formasen equipos para algún deporte? ¿Te acuerdas de cómo el resto se ponían en fila, aguardando educadamente a que se pronunciara el nombre de cada cual? ¿Y te acuerdas de cómo estabas allí de pie, aguantando nerviosamente la respiración, cambiando tu peso de un pie al otro, esperando en vano que esa vez fueras elegido? Sin embargo, cuando los capitanes iban eligiendo quisquillosamente en aquella fila que se hacía más corta cada vez con cada nombre pronunciado, una fila en la que aún seguías tú, ¿te vino a la cabeza el pensamiento terrible: «Puede que no me elijan en absoluto. Supongo que tendré que quedarme otra vez en las bancas y ver a los niños que fueron «elegidos» jugar su partido»?

Algunos sabemos, por triste experiencia, que no ser elegido no es nada gracioso. Ya se trate de la elección de presidente o de una invitación a una fiesta, a nadie le gusta que lo hagan de menos.

Entonces, ¿qué hacemos con estas palabras de Dios, debidamente transmitidas a los hijos de Israel por medio de su anciano dirigente Moisés? Los cuarenta años de peregrinaje por el desierto casi han terminado. Salvo Josué y Caleb, toda una generación de más de sesenta años está ahora muerta. Estas palabras forman parte de la despedida más larga de la literatura sagrada, cuando por última vez Moisés repasa con los hijos adultos la dirección divina de las últimas cuatro décadas. Sus madres, sus padres y sus abuelos son todos polvorientos montículos mortuorios en el desierto que hay a su espalda. La incredulidad ha privado de la tierra prometida a toda una generación. Y hasta su amado dirigente, entrado en años, ascenderá en unos días una montaña solitaria para morir en soledad a este lado de Canaán, precio elevadísimo por la responsabilidad moral de los dirigentes espirituales.

«El Señor tu Dios […] te eligió para que fueras su posesión exclusiva». En realidad, no hay ninguna manera diplomática de expresar esto. Moisés simplemente pronuncia la verdad. Sobre todos los pueblos de la raza humana, ustedes —esta pandilla liberada de esclavos procedente de Egipto— han sido elegidos por Dios para ser «su posesión exclusiva». Punto. Pero en nuestra época de imparcialidad igualitaria esto difícilmente parece cortés ni adecuado, ¿verdad? A no ser, por supuesto, que ser elegido tenga más que ver con Dios que con nosotros.

El proceso de selección

«Porque tú eres un pueblo consagrado al Señor tu Dios, y a ti te ha elegido el Señor
de entre todos los pueblos de la tierra para que seas el pueblo de su propiedad».
Deuteronomio 14: 2, LPH

SEAMOS SINCEROS. Hay un proceso obvio de selección en todas las Escrituras. Adán y Eva tienen dos hijos: uno es elegido por Dios y el otro rechazado. El mundo antediluviano incluye a un hombre llamado Noé y a su familia: estos ocho son elegidos y el resto del mundo rechazado.

Una familia gentil de Ur de los caldeos tiene un muchacho llamado Abram: él es elegido por Dios y el resto de la familia queda fuera. Abraham tiene dos hijos: ambos son elegidos por Dios, pero solo uno recibe el destino más elevado. Ese, Isaac, tiene dos hijos: uno es elegido por Dios y el otro queda marginado en un destino menor. El hijo elegido, Jacob, tiene doce hijos: el segundo más joven es elegido por Dios para ser el liberador y los otros acaban inclinándose ante él. La tierra de Egipto se llena de los hijos de Israel, y tras un par de siglos Dios elige a los esclavos y rechaza a los amos.

Israel entra en la tierra prometida y clama por un rey: Dios elige a Saúl, pero luego lo «des-elige», favoreciendo en su lugar a un pastorcillo llamado David. El reino de Israel prospera y crece y luego apostata y cae: los reyes se suceden, algunos elegidos por Dios y otros rechazadas, hasta que por fin todo lo que queda es un «remanente».

Tras el largo y penoso exilio, el remanente disperso vuelve a casa, y siglos después Dios aparece en la persona de Emanuel, Jesús de Nazaret, amado por las masas pero rechazado por los dirigentes y ejecutado. Y cuando resucita, surge un nuevo «elegido» sin trabas de ADN, de fronteras geográficas y sin estar limitado tan siquiera por el templo de Jerusalén. Y así prosigue indefinidamente la historia del «elegido».

¿Y? En toda la historia sagrada Dios ha tenido una comunidad de fe que ha identificado como «los elegidos». Allí, en los límites de la tierra prometida, Moisés hace entender el quid incontrovertible de la cuestión: Tú «eres pueblo santo a Jehová, tu Dios, y Jehová te ha escogido para que le seas un pueblo único entre todos los pueblos que están sobre la tierra».

Porque, verás, cuando estás en la frontera misma de la tierra prometida, ya va siendo hora de que comprendas la misión divina a la que se te llama.

«Los dos movimientos religiosos más grandes de toda la historia»

«Ahora, pues, si dais oído a mi voz y guardáis mi pacto, vosotros seréis mi especial tesoro sobre todos los pueblos, porque mía es toda la tierra». Éxodo 19: 5

HACE AÑOS Taylor G. Bunch afirmó: «La Biblia es un libro de acontecimientos y movimientos paralelos; de tipos y sus antitipos. Esto hace de la Biblia un libro actualizado del Génesis al Apocalipsis hasta el fin mismo de la historia humana […]. Uno de los mayores paralelos […] se encuentra en lo que llamamos los movimientos del éxodo y del advenimiento del Israel antiguo y moderno. […] *Estos son los dos movimientos religiosos más grandes de toda la historia»* (*The Exodus in Type and Antitype,* pp. 2, 3; la cursiva es nuestra). ¿Estarías de acuerdo?

Considera estos paralelos: **1.** Ambos movimientos fueron llamados a «entrar» en la tierra prometida (Éxo. 3: 8; Apoc. 21: 1). **2.** Ambos fueron suscitados en cumplimiento de profecías cronológicas definidas (Gén. 15: 13; Dan. 8: 14). **3.** Ambos fueron llamados a defender a Dios como Redentor y Liberador de la servidumbre humana (Éxo. 14: 13, 14; Apoc. 1: 5, 6). **4.** Ambos habían de avanzar «bajo» la sangre del Cordero como símbolo de salvación solamente por fe en el sacrificio divino (Éxo. 12: 13; Apoc. 12: 11). **5.** Ambos fueron llamados a salir de la falsa adoración (Éxo. 12: 12; Apoc. 14: 7). **6.** Ambos fueron suscitados para defender la ley de Dios (Deut. 4: 13, 14; Apoc. 14: 12). **7.** Ambos fueron llamados a restaurar la adoración del Dios creador a través de la observación de su sábado (Éxo. 20: 8-11; Apoc. 14: 7). **8.** Ambos anhelarían con pasión la venida del Mesías (Núm. 24: 17; Apoc. 22: 20). **9.** Ambos fueron llamados a rechazar la cultura caída y las religiones corruptas de las naciones circundantes (Deut. 7: 3, 4; Apoc. 18: 4). **10.** Ambos fueron conducidos por un profeta llamado divinamente (Deut. 18: 15; Apoc. 12: 17; 19: 10). **11.** Ambos fueron llamados a adoptar un estilo de vida que revelase las tremendas diferencias en cuanto a salud entre ellos y la sociedad en su conjunto (Éxo. 15: 26; Rom. 12: 1, 2). **12.** Ambos descubrirían en el sistema del santuario una revelación definitoria de la historia de la salvación divina en la tierra y en el cielo (Éxo. 25: 8, 9; Heb. 8: 1, 2; Apoc. 11: 19). **13.** Ambos habían de defender la Palabra de Dios como revelación de la verdad divina cargada de autoridad (Deut. 6: 4-9; Apoc. 12: 17). **14.** Ambos recibieron el calificativo de elegidos (Deut. 7: 6; Apoc. 14: 12). **15.** Ambos fueron susceptibles de fracasar en su misión y de ser reemplazados por una comunidad de fe más fiel y obedientes que ellos (Deut. 30: 15-17; Apoc. 3: 15, 16).

Dos movimientos de «entrada»: ¿Nos sorprende? Pero entonces, ¿no podría el Dios que nos eligió a ti y a mí antes de que naciéramos elegir también comunidades enteras para su misión divina?

Alegorías morales de una madre

«Todo eso les sucedió para servir de ejemplo, y quedó escrito para advertencia nuestra,
pues a nosotros nos ha llegado el fin de los tiempos».
1 Corintios 10: 11, NVI

¿QUÉ TIENEN LOS PADRES que los convierte en moralizadores tan grandes? Vivíamos en un pueblecito y mi madre siempre extraía moralejas y lecciones de la vida de los adultos, los adolescentes y los niños que nos rodeaban. «Bueno, ¿ves lo que le ocurrió cuando hizo eso? Y tú no querrás nunca hacer eso, ¿verdad?». Y, por supuesto, mis hermanos y yo negábamos sumisamente con un movimiento de cabeza realizado con vigor apropiado y obvia convicción.

Como un padre espiritual, Pablo recalca lo mismo. El peregrinar de «los elegidos» durante cuarenta largos años por las calientes arenas del desierto es una continua alegoría moral de la que el resto hemos de aprender cuidadosamente nuestras lecciones. Todas esas historias de los hijos de Israel en Éxodo, Levítico, Números y Deuteronomio «fueron escritas como enseñanza para nosotros».

¿Entiendes? Todos esos relativos fueron escritos como lecciones espirituales y morales para la generación a la que «ha llegado el fin de los siglos», es decir, para la generación que vive en el tiempo del fin, o, como lo vierte la versión *Dios Habla Hoy,* fueron puestos «en las Escrituras como una advertencia para los que vivimos en estos tiempos últimos».

Taylor Bunch tenía razón. Esas crónicas sobre el pueblo que Dios suscitó para que entrara en la Canaán terrenal han de ser un manual básico para el pueblo espiritual que Dios ha suscitado para entrar en la Canaán celestial. Todo lo acontecido al Israel de antaño, nos advierte Pablo, sirve de ejemplo para la generación que vive en el tiempo del fin. Después de todo, el Dios que contó con sus «elegidos» al comienzo es el mismo Dios que cuenta con sus «elegidos» al final. Entonces, sin duda, las lecciones que procuró enseñarles también procurará enseñárnoslas a quienes nos «ha llegado el fin de los siglos».

¿No enseñaremos, entonces, a nuestros hijos también? Deberíamos familiarizar a nuestros hijos «con los grandes pilares de nuestra fe, las razones por las cuales [...] se nos ha llamado a ser, al igual que los hijos de Israel, un pueblo especial, una nación santa, separados y diferentes de toda la demás gente sobre la faz de la tierra» (*Testimonios para la iglesia,* t. 5, p. 309). Eso precisamente recalcó Pablo: debemos aprender, con oración, las lecciones de la historia antigua, no sea que olvidemos el elevado llamamiento que Dios siempre ha extendido a «los elegidos».

El dilema de los nacidos en la posguerra senescentes

«Pero ustedes son linaje escogido, real sacerdocio, nación santa,
pueblo que pertenece a Dios, para que proclamen las obras maravillosas de aquel
que los llamó de las tinieblas a su luz admirable. Ustedes antes ni siquiera eran pueblo,
pero ahora son pueblo de Dios; antes no habían recibido misericordia,
pero ahora ya la han recibido». 1 Pedro 2: 9, 10, NVI

¿SABE ESTA GENERACIÓN en nuestra comunidad de fe que ha sido elegida? ¿Saben tan siquiera sus integrantes que forman parte de un movimiento que ha sido suscitado por Dios tan seguramente como suscitó a los hijos de Israel hace mucho? Me fijo en los tres mil quinientos alumnos de la universidad en la que sirvo y me pregunto si son conscientes de que su generación tiene el impresionante potencial de ser el movimiento que «entre» en la tierra prometida… sin ver la muerte.

Tengo amigos que nacieron en la posguerra que vacilan siempre que se menciona el tema de la elección. Y me identifico con ellos. Después de todo, algunos crecimos en iglesias en las que se proclamaba esta noción de «los elegidos» como una especie de consigna de «Somos mejores que todos los demás». Y, tristemente, el hincapié en el pedigrí de la verdad «exclusiva» apartó a esas congregaciones de sus comunidades y, desde luego, no ganó a mucha gente para Jesús.

Sin embargo, la reacción contraria es igual de equivocada. No querer ofender a nadie y ser aceptado por la sociedad y el mundo puede ser bien intencionado, pero cuando echa por la borda el reconocimiento bíblico de un «linaje escogido», como recalca Pedro con tanta claridad en nuestro texto, y cuando rechaza la suscitación divina y apocalíptica de un movimiento, entonces esa reacción de los bebés de la posguerra ¡acaba descartando el grano junto con la paja!

Quizá temamos lo que observa con perspicacia Richard John Neuhaus: «Los elegidos por Dios viven el drama y el destino del propio Dios. Es temible ser elegido. Es como si Dios entrara en la historia a través de sus elegidos» (*Death on a Friday Afternoon*, p. 138).

Negar la elección divina es negar la fundamentación bíblica que se extiende desde el Génesis hasta el Apocalipsis. Sí, «es temible ser elegido». Porque ningún movimiento de la tierra ha estado nunca a la altura de ese elevado llamamiento ni ha sido digno del mismo. No obstante, es un llamamiento divino. Y a quien Dios llama, sin duda, lo capacita.

Así que, en vez de disculparnos por el llamamiento divino, la respuesta apropiada puede ser inclinarnos humildemente ante Aquel que nos eligió antes de que naciéramos y comprometernos a seguir por la senda que nos señala.

La elección

«Ya no los llamaré siervos, porque el siervo no sabe lo que hace su señor;
yo los he llamado amigos, porque todas las cosas que oí de mi Padre, se las he dado
a conocer a ustedes. Ustedes no me eligieron a mí. Más bien, yo los elegí a ustedes».
Juan 15: 15, 16, RVC

VOLVAMOS UN MOMENTO a aquel patio de escuela a la hora del recreo. Nunca fui uno de los deportistas de la escuela. No era el que mejor pateaba el balón, ni el que más rápido corría en la pista. Tanto es así que si el maestro me hubiese pedido alguna vez ser el capitán de un equipo en la hora del recreo, ¡sin duda no me habría elegido a mí mismo!

Pero no era un caso del todo perdido. Porque tenía un amigo que tenía muchas más habilidades atléticas que yo. Y siempre que el maestro lo elegía para que fuera capitán, yo sabía que, tarde o temprano, me elegiría para su equipo. Debo confesar que nunca me senté realmente a analizar todos los ángulos psicológicos para determinar si me escogía por pena o amistad. No importaba, porque ¡me elegía!

En la víspera de su ejecución, Jesús estudió el rostro de los que habían permanecido con él tanto tiempo. Al día siguiente moriría por ellos. Aquella noche debía decirles cuánto significaban para él. Por otra parte, ¿te fijaste en la palabra que usó para describirlos en nuestro texto? «Os he llamado *amigos*». Y la maravillosa realidad de tener un amigo como Capitán es la certeza de que te va a elegir. Y, como era de esperar, apenas Jesús nos llama amigos suyos, declara: «Yo os elegí a vosotros».

Y es bueno que lo tengamos claro: «No me elegisteis vosotros a mí, sino que yo os elegí a vosotros». Lo cual, por supuesto, es la verdad sobre los elegidos: Se elige a Aquel que te elige a ti. Como en el recreo. Cuando por fin pronuncian tu nombre y vas corriendo a unirte a tu amigo que acaba de librarte de esa fila solitaria, eliges alegremente estar en el equipo del capitán. ¡Aleluya! ¿Por qué? Porque él te eligió primero, tú lo eliges a él en reciprocidad. «No me elegisteis vosotros a mí, sino que yo os elegí a vosotros».

Y esa es la verdad sobre los dos movimientos de «entrada» que Dios ha suscitado. Ninguno lo eligió a él primero: él los eligió a ellos. Y, por humilde gratitud, ambos lo eligieron a él en reciprocidad.

«Y Jehová ha declarado hoy que tú eres pueblo suyo, de su exclusiva posesión, como te lo ha prometido» (Deut. 26: 18). Por eso, cuando has sido elegido, por gratitud, en reciprocidad, ¡lo eliges a él rápidamente!

Reformatorio

*«El Señor se encariñó contigo y te eligió, aunque no eras el pueblo
más numeroso sino el más insignificante de todos».*
Deuteronomio 7: 7, NVI

DIGAMOS QUE, COMO un amigo mío, eres el director de un reformatorio. ¿Qué haces con ese edificio carcelario lleno de niñatos rebeldes que han sido entregados por los tribunales al Estado para su disciplina y corrección? Dado que tu misión es corregir a esos niños incorregibles, ¿cómo te vas a ganar su joven corazón?

Todo dirigente sabe que, para ganarse a un grupo grande —sea pacífico o rebelde—, la clave está en acercarse a uno de sus integrantes. Eso quiere decir que en tu reformatorio primero debes ganarte la confianza de uno de esos adolescentes: chico o chica, no importa. Obviamente, querrías hacer contacto con un joven que tenga influencia para alcanzar a los demás.

¿Por qué? Porque la manera efectiva de ganarte el corazón de todos es ganarte primero el corazón de uno. ¿No es verdad? Así que debes elegir a uno de esos jóvenes rebeldes que parece tener un corazón que está abierto a ti como líder. Puede que lo veas en sus ojos o que lo percibas en la manera pensativa en que te escucha cuando parece que todos los demás te ignoran. Así que te dejas caer por su habitación, o te acercas a la mesa en la que está almorzando y entablas conversación. Quieres ganarte su confianza; su lealtad, ¿verdad? Por eso, muestras alguna atención adicional con este que esperas que sea la clave para alcanzar a todos los demás.

Pregunta: ¿Tienes, con esto, favoritismos?

Respuesta: No; tu simple estrategia es *ganarte el corazón de uno para alcanzar la vida de muchos.*

Había una vez un planeta rebelde, igual que el reformatorio, y la única forma en la que el Líder podía alcanzar a todos sus integrantes era elegir a *uno* de ellos. Y eso hizo Dios. Y los llamó «los elegidos». Como declaró Moisés, «el SEÑOR tu Dios […] te eligió para que fueras su posesión exclusiva» (Deut. 7: 6, NVI). Sin embargo, ¿fueron elegidos porque tuvieran algo especial, física, económica, social, espiritual o moralmente? No. Moisés deja claro que los elegidos lo fueron entre los más insignificantes. De hecho, prosigue: «No por tu justicia te da Yahvé, tu Dios, la posesión de esa buena tierra; porque eres pueblo de dura cerviz» (Deut. 9: 6, NC). ¿Te has despertado alguna vez con tortícolis? Resulta doloroso. ¡Pero Dios soporta el dolor de los elegidos por la pasión que tiene por salvar a todo el reformatorio!

¡Superestrellas no!

«Si el Señor los ha preferido y elegido a ustedes, no es porque ustedes sean la más grande de las naciones, ya que en realidad son la más pequeña de todas ellas. El Señor los sacó de Egipto, donde ustedes eran esclavos, y con gran poder los libró del dominio del faraón, porque los ama». Deuteronomio 7: 7, 8, DHH

LOS ELEGIDOS POR DIOS no son superestrellas; ¡son súper-amados! Veinticinco veces en este solo libro, Moisés habla de amor. Aquí, el término hebreo *ahabah* es la misma palabra que Moisés usó para narrar una de las grandes historias de amor de todos los tiempos.

¿Te acuerdas de la historia del joven fugitivo que, después de engañar tanto a su padre como a su hermano mayor, tras arrebatarle a este último la primogenitura, huye a una tierra lejana para encontrarse con su tío? Físicamente agotado tras días y noches de viajar fugitivo de la justicia, Jacob llega al país de la parentela de su madre y se desploma junto a un pozo de pastores. Con los balidos de las ovejas que vienen de todas direcciones, Jacob alza los ojos y ve a una joven que lleva su rebaño al abrevadero. «Raquel era hermosa de pies a cabeza» (Gén. 29: 17, DHH). Y, para el vagabundo, fue amor a primera vista. Tan locamente enamorado estaba que, tras ver a su padre, su tío Labán, Jacob soltó su proposición de matrimonio: «Te serviré siete años por Raquel, tu hija». ¡Trato hecho! Y, según cuenta Moisés la historia: «Jacob, pues, sirvió siete años por Raquel, y le parecieron unos pocos días, por el amor [*ahabah*] que le tenía» (vers. 20, LBA).

Moisés usa ese mismo «amor» para describir la razón por la que, de entrada, los elegidos lo fueron. Dios amó aquel movimiento de esclavos liberados, igual que Jacob amó a Raquel. Amor a primera vista, amor de por vida. En otras palabras Moisés dice: «Tu Dios lleva cuarenta años intentando lograr tu mano en matrimonio». Solo hay una palabra para describir a un Dios que pase cuarenta largos años intentando ganarse el amor de cualquiera de nosotros, y esa palabra es g-r-a-c-i-a.

¿Cómo, si no, explicamos que el Dios del universo se dé a la tarea de ganarse a todo el reformatorio por medio de uno de los internos, el que le mostró señales de interés, un mínimo de franqueza? Que Dios tan siquiera eligiera un pueblo para ayudarlo a alcanzar este mundo y salvarlo es verdaderamente asombroso.

Sublime gracia, asombroso amor. Obviamente, la única superestrella de nuestro relato ¡es Dios!

La vitrina

«Te amará, te bendecirá y te multiplicará, bendecirá el fruto de tu vientre y el fruto
de tu tierra, tu grano, tu mosto, tu aceite, la cría de tus vacas y los rebaños
de tus ovejas, en la tierra que juró a tus padres que te daría.
Bendito serás más que todos los pueblos».
Deuteronomio 7: 13, 14

CONOCÍ EN UNA OCASIÓN a un hombre que era campeón de carreras automovilísticas ¡y tenía cicatrices que lo probaban! No es que necesitara las cicatrices para contar su historia. Al entrar en su apartamento de lujo en la séptima planta de un edificio con vistas a la ciudad ves una pared repleta de fotos de vivos colores que captan la gloria y la belleza de sus veloces automóviles. Luego ves, exhibidas en los estantes, brillantes réplicas y modelos de sus máquinas de competición. Miras detrás del cristal y contemplas su colección de copas y trofeos. Es la vitrina de un ganador (casi siempre).

Cuando montas una vitrina, tienes algo que quieres compartir con el mundo. Por eso, las vitrinas son algo más que simples colecciones: A menudo cuentan la historia del que las montó.

Y eso recalca Moisés en su discurso de despedida de Deuteronomio. Una y otra vez, no solo recuerda a los hijos de Israel adultos que han sido elegidos por Dios, sino que les dice reiteradamente por qué. Como revela nuestro texto de hoy, los elegidos son especialmente bendecidos por el Elector para que el mundo que los rodea, al admirar las bendiciones de los elegidos, formule preguntas sobre su Elector. Es así de simple.

Si obedecen las leyes de Dios cuidadosamente, «demostrarán su sabiduría e inteligencia ante las naciones. Ellas oirán todos estos preceptos, y dirán: "En verdad, este es un pueblo sabio e inteligente; ¡esta es una gran nación!"¿Qué otra nación hay tan grande como la nuestra? ¿Qué nación tiene dioses tan cerca de ella como lo está de nosotros el SEÑOR nuestro Dios cada vez que lo invocamos?» (Deut. 4: 6, 7, NVI). ¡Qué clase de movimiento es este que tiene un Dios así!

Y por eso llama Dios a los elegidos y los suscita, con la promesa de bendecirlos, si lo siguen. Es la ley de la vitrina. Cuando montas una vitrina, tienes algo que quieres compartir con el mundo. Después de todo, se supone que las vitrinas no son viejas colecciones llenas de polvo. Son la demostración visual de que alguien muy especial está detrás de todo ello. Si hablamos del movimiento divino de los elegidos, resulta que se trata de Alguien muy especial.

El hombre más sabio del mundo

«Si de veras obedeces al Señor tu Dios, y pones en práctica todos sus mandamientos que yo te ordeno hoy, entonces el Señor te pondrá por encima de todos los pueblos de la tierra.». Deuteronomio 28: 1, DHH

¿QUIÉN ES EL HOMBRE más sabio que haya habido (además de tu padre, naturalmente)? El rey Salomón, todos estamos de acuerdo. ¿Y era viejo o joven cuando se hizo sabio? Era muy joven cuando Dios se aproximó al monarca recién coronado en medio de la noche y le preguntó qué quería.

La respuesta de Salomón fue rápida: «Ahora pues, Jehová, Dios mío, tú me has hecho rey a mí, tu siervo, en lugar de David, mi padre. Yo soy joven y no sé cómo entrar ni salir. […] Concede, pues, a tu siervo un corazón que entienda para juzgar a tu pueblo y discernir entre lo bueno y lo malo, pues ¿quién podrá gobernar a este pueblo tuyo tan grande?» (1 Rey. 3: 7-9). Y Dios quedó tan complacido con la madura solicitud de este joven rey que prometió a Salomón no solo sabiduría, ¡sino también riquezas y honra! (lo cual sencillamente demuestra que, con independencia de si tienes dieciocho años u ochenta, si dependes humildemente de Dios, él se hará dependiente de ti. Dios necesita a los que lo necesitan).

¡Simplemente, fíjate en lo que ocurrió a Salomón!

«Dios dio a Salomón sabiduría y prudencia muy grandes, y tan dilatado corazón como la arena que está a la orilla del mar. Era mayor la sabiduría de Salomón que la de todos los orientales y que toda la sabiduría de los egipcios» (1 Rey. 4: 29, 30). Pero, ¿cuál era el propósito de esta increíble generosidad divina? ¿Aumentar la talla de sombrero del joven rey convirtiéndolo en una superestrella? ¡Más bien no! Lo consignado está muy claro: «Para oír la sabiduría de Salomón venían de todos los pueblos y de parte de todos los reyes de los países adonde había llegado la fama de su sabiduría» (vers. 34).

Y cuando la reina de Sabá con su séquito rutilante se marchó de Jerusalén tras comprobar la afamada sabiduría del joven rey de Israel, su testimonio es prueba suficiente de que cuando Dios elige a los elegidos, estos no son elegidos por su valía: «Tienes más sabiduría y prosperidad que la fama que a mí me había llegado. […] Bendito Yahvé, tu Dios, que te ha hecho la gracia de ponerte sobre el trono de Israel» (1 Rey. 10: 7-9, NC). Una reina gentil canta las alabanzas del Dios de Israel: ¡la razón misma por la que, de entrada, Dios elige a los elegidos!

Una cabeza de playa, no una frontera

*«El rey Darío firmó este decreto [...]: "Que en todo lugar de mi reino
la gente adore y honre al Dios de Daniel. Porque él es el Dios vivo,
y permanece para siempre. Su reino jamás será destruido,
y su dominio jamás tendrá fin"»*. Daniel 6: 25, 26, NVI

ES UN JOVEN EXILIADO matriculado en una universidad gentil, lejos, muy lejos de casa. Y, nada más matricularse en este internado, tiene que elegir: ¿Sigo a la mayoría en esta ciudad universitaria o sigo a Dios? No siempre es una elección fácil, según he observado en mis años en una ciudad universitaria. Pero Daniel adopta la decisión acertada: Honraré al Dios de mis antepasados y obedeceré los mandatos del Deuteronomio para los elegidos, y no contaminaré mi cuerpo comiendo lo que comen ni bebiendo lo que beben en esta universidad. Soy elegido, y elijo vivir como han de vivir los elegidos (ver Dan. 1).

Y el resto es historia: la historia de cómo, partiendo de una elección aparentemente intrascendente de ser fiel a lo que algunos considerarían un detalle menor de la voluntad de Dios, la vida de Daniel fue catapultada a la prominencia política y nacional, hasta que por fin se convierte en el consejero de más confianza de tres monarcas gentiles, que abarcaron dos imperios globales.

Más allá del obvio reconocimiento de que Dios bendice a los que lo honran, ¿qué acontece en este ascenso meteórico a la influencia y la posición para el joven exiliado? A Daniel le ocurrió lo que a Salomón: Dios no está interesado en hinchar el orgullo de un joven, pero está apasionadamente comprometido con bendecir a un joven que está dispuesto a cumplir la misión del cielo: Alcanzar todo un mundo con el ofrecimiento de salvación divina. Y, a diferencia de Salomón, Daniel nunca titubea en toda su vida, ganándose así las humildes confesiones de dos de los tres reyes gentiles en el sentido de que el Dios de Daniel, el Dios de Israel (el elegido), es verdaderamente el gobernante supremo del cosmos. ¡Vuelve a leer la asombrosa confesión de fe del rey gentil Darío en nuestro texto de hoy!

Me gusta la forma en que Derek Kidner, en su comentario sobre Salmos, describió en una ocasión la misión de Israel como elegido de Dios: «Su nacioncita era su cabeza de playa, no su frontera». Israel nunca fue suscitado para que encajonara las bendiciones sobrenaturales de Dios dentro de sus propias fronteras. Antes bien, los elegidos siempre han sido llamados a convertirse en una cabeza de playa divina en un mundo que sigue viviendo detrás de las líneas enemigas. Han de ser una cabeza de playa para Dios, logrando la atención y después ganándose el corazón de los encumbrados y de los humildes, todo en aras de la misión apasionada del Amor.

No un gran ego, sino un gran corazón

*«Haré de ti una nación grande, te bendeciré, engrandeceré tu nombre y serás bendición.
Bendeciré a los que te bendigan, y a los que te maldigan maldeciré; y serán benditas en ti
todas las familias de la tierra».* Génesis 12: 2, 3

ESTE ARTÍCULO ANÓNIMO es una de las descripciones más convincentes que haya
leído sobre la misión de Dios para Israel *y lo que podría haber ocurrido* si los elegidos
hubieran elegido permanecer fieles a él.

«Cuando las naciones de la antigüedad vieran el progreso sin precedentes de los israelitas, se suscitarían su atención y su interés. [...] Deseando obtener para sí las mismas
bendiciones, preguntarían cómo podrían adquirir también ellos esas evidentes ventajas
materiales. Israel les respondería: "Acepten a nuestro Dios como el Dios de ustedes, ámen-
lo y sírvanle como lo hacemos nosotros, y él hará lo mismo en favor de ustedes"».

Ahora bien, fíjate en la razón de las bendiciones tangibles de Dios sobre los elegidos:
«Las ventajas materiales gozadas por Israel tenían el propósito de atraer la atención y captar el interés de los paganos, *para quienes las ventajas espirituales menos evidentes no
tenían atractivo natural.* Ellos se reunirían y vendrían "de lejos" (Isa. 49: 18, 12, 6, 8-9, 22;
Sal. 102: 22), "desde los extremos de la tierra" (Jer. 16: 19), a la luz de la verdad que resplan-
decería desde el "monte de Jehová" (Isa. 2: 3; 60: 3; 56: 7; cf. cap. 11: 9-10). Las naciones
que no habían sabido del verdadero Dios correrían a Jerusalén por causa de la manifiesta
evidencia de las bendiciones divinas que acompañarían a Israel (cap. 55: 5). De un país
extranjero tras otro vendrían embajadores para descubrir, de ser posible, el gran secreto
del éxito de la nación de Israel, y sus dirigentes tendrían la oportunidad de dirigir los pensamientos de sus visitantes a la Fuente de todo lo bueno. *Su mente debía ser orientada
de lo visible a lo invisible, de lo material a lo espiritual, de lo temporal a lo eterno.* [...]
Finalmente la casa de Dios en Jerusalén habría llegado a llamarse "casa de oración para
todos los pueblos" (cap. 56: 7)» (*Comentario bíblico adventista del séptimo día*, t. 4,
pp. 30, 31; la cursiva es nuestra).

Hubo una vez en que tal fue el apasionado sueño de Dios para «los elegidos». ¿Supones
que sigue teniendo ese sueño? En el reformatorio carcelario de este mundo, ¿podría ser que
Dios centre su corazón en uno para ganar el corazón de todos? Si ello es así, entonces está
claro que la razón de ser de los elegidos hoy no tiene nada que ver con el engreimiento, y
sí con el grandísimo corazón que aún anhela salvar a este mundo, en lo que de él dependa.

La historia de un rey olvidadizo

«Pues muchos son los llamados,
pero pocos los elegidos». Mateo 22: 14, NTV

HABÍA UNA VEZ un rey muy enfermo. Estaba tan mortalmente enfermo que su amigo, el profeta, fue a visitarlo hasta su lecho con el funesto dictamen de que era el momento de que el rey redactara su última voluntad personal y de que pusiera su casa en orden, ya que la muerte sería el siguiente visitante que llamase a la puerta real. Nada más irse el profeta, el bondadoso rey volvió su rostro hacia la pared y rompió a llorar en un sollozante ruego a Dios. Y Dios, que puede ser más compasivo que quien comunica un pronóstico médico, detuvo al profeta antes de que saliera del palacio. «Vuelve y di a mi amigo que voy a prolongar su vida otros quince años». Y, como confirmación (porque algunas reversiones médicas precisan evidencia empírica), la sombra del reloj de sol ¡dio marcha atrás diez grados!

Tan contento como un condenado a muerte con un indulto presidencial, el rey Ezequías se aprestó a vivir sus quince años adicionales con gozoso entusiasmo. Y también, desgraciadamente, con muy poca memoria. Porque cuando apareció una delegación de emisarios babilonios a la puerta del mismo palacio entusiasmados con la noticia de la milagrosa curación del rey, Ezequías se sintió tan halagado por su atención que desaprovechó la oportunidad de oro de testificar sobre el Dios que lo había curado de forma sobrenatural. En vez de ello, el rey les dio una visita guiada por su tesorería real. Y así los embajadores gentiles, que habían acudido a interesarse por el Dios de Israel, volvieron a su país, en vez de ello, con un mapa al oro de Judá (un mapa que vino muy bien unas décadas después cuando saquearon Jerusalén y se llevaron el oro).

Da que pensar, ¿verdad? ¿Cuán prestos estamos tú y yo a señalar a Dios como fuente de nuestros éxitos? Cuando, mientras comemos un bocadillo en el comedor o leemos un libro en la biblioteca o junto a la valla del jardín trasero en casa, se nos pregunta la razón de nuestro éxito, qué fácil resulta objetar con una humildad de ingenuidad fingida en cuanto a nuestra capacidad, cuando, en realidad, se nos acaba de brindar en bandeja de oro una oportunidad de señalar a nuestro Dios. ¡Puede que no debiéramos ser tan duros con el buen rey Ezequías!

Camino a la cruz, Jesús tenía razón. «Muchos son los llamados, pero pocos elegidos». ¿No te parece que la razón por la que tan pocos son elegidos es que muchos que son llamados han olvidado que *lo esencial de las bendiciones es señalar al que bendice?* Por eso Dios contó con sus elegidos al principio, y por eso contará con sus elegidos al final: para que lo señalen ante el mundo.

«¿Quieres ser mío?»

«De tal manera amó Dios al mundo, que ha dado a su Hijo unigénito,
para que todo aquel que en él cree no se pierda, sino que tenga
vida eterna». Juan 3: 16

S É QUE NO ES una fiesta que se celebre en la iglesia, pero cuando éramos niños darnos unos a otros aquellas tarjetitas con los colores rojo y rosado el día de San Valentín, o día del Amor y la Amistad, era un pasatiempo favorito. Supongo que nunca llegamos a averiguar en realidad el significado de aquella pregunta inocuamente corta que garabateábamos con caligrafía de tercero de primaria en aquellos flácidos recortes con forma de corazón. No obstante se los entregábamos a todas nuestras amigas de la escuela: «¿Quieres ser mía?». Es la vocación de los elegidos, ¿no? «¿Quieren ser míos?» pregunta el Dios del universo, que lleva milenios intentando desesperadamente volver a ganarse el corazón de una raza desenfrenada y rebelde. «¿Quieren ser míos?». Bueno, es como si todos los hijos que Dios ya tiene alrededor de la mesa del comedor en el cielo no bastaran, como si nunca estuviera realmente feliz y contento de verdad hasta que digamos «Sí» y también entremos y lo acompañemos. «¿Quieres ser mío?».

Cuando me enamoré de Karen, antes siquiera de llegar a conocerla, captar su atención era la preocupación máxima de mi corazón adolescente. Sabía que, cada día, cuando me dirigía al comedor de la universidad, ella salía de sus clases de enfermería y yo podía cruzarme con ella en la acera. Y, por eso, todos los días, en uno de esos tontos (pero efectivos) rituales de adolescente, yo bajaba la cabeza cuando la veía y hacía como que estaba absorto en mis pensamientos mientras miraba fijamente la acera delante de mí, pero maniobrando continuamente mis pasos para casi chocar directamente con ella. Entonces nos reíamos, yo me disculpaba por «no» haberla visto, y con su rostro fresco en mi mente, seguía mi camino. ¿Quién puede conocer «el rastro del hombre en la doncella» (Prov. 30: 19, NC)?

Por otro lado, los caminos del Amor divino a veces son inexplicables, ¿no te parece? Ese Dios que, movido por su gran amor, deja su gran trono blanco para venir a nuestra tierra, oscura y caída. Todo, ¿para qué? ¿Para que tuviésemos ocasión de gritar a pleno pulmón «¡No tenemos más rey que César!» (Juan 19: 15)? Y con ese feo estribillo repitiéndose dentro de él, este Dios rechazado va dando tumbos hasta el lugar de su ejecución. Y cuando tienden su cuerpo desnudo y lo clavan a aquel madero, con cada mazazo sobre aquellos clavos, se forja la pregunta para cuya formulación vino a la tierra: «¿Quieres ser mío?».

¿Puede ser salvo un pagano?

*«De hecho, cuando los gentiles, que no tienen la ley, cumplen por naturaleza
lo que la ley exige, ellos son ley para sí mismos, aunque no tengan la ley.
Estos muestran que llevan escrito en el corazón lo que la ley exige,
como lo atestigua su conciencia, pues sus propios pensamientos
algunas veces los acusan y otras veces los excusan».*
Romanos 2: 14, 15, NVI

¿PUEDE UN PAGANO seguir siendo pagano y, pese a ello, ser salvo? ¿Elige Dios también a los paganos? Antes de que te lances a dar una respuesta, considera un relato o dos. Hubo una vez en que un íntimo amigo de Dios mintió sobre su esposa a un caudillo nómada, diciéndole que era su hermana. Tras ello, este se apoderó rápidamente de la esposa de aquel y la incorporó a su harén. Aquella noche, Dios declaró en un sueño al caudillo: «¡Te vas a enterar si tocas a la esposa de ese hombre!». El hombre exclamó: «Con sencillez de mi corazón y con limpieza de mis manos he hecho esto» (Gén. 20: 5). Naturalmente, Dios lo sabía, y dijo: «Y también yo te detuve de pecar contra mí; por eso no permití que la tocaras» (vers. 6). Así se perdonó la vida de Abimelec el pagano. ¿Por qué? No había Diez Mandamientos que le dijeran la diferencia entre el bien y el mal. Sencillamente estuvo a la altura de la luz que tenía. Y Dios lo honró, a pesar de su adoración de falsos dioses.

Hubo otra vez en que un buen rey marchó contra un rey pagano. Pero el Dios del buen rey, de hecho, le envió un mensaje a través del rey gentil: «Deja de oponerte a Dios, quien está conmigo, no sea que él te destruya» (2 Crón. 35: 21). Pero Josías se negó a escuchar al faraón Necao, y al día siguiente murió en batalla. ¡Debería haber escuchado el mensaje que le fue dirigido por medio del faraón! Dios no debe de estar del todo defraudado con los paganos, ¿no crees?

Después de todo, es el Dios que inspiró el Salmo 87. «Entre los que me reconocen puedo contar a Rahab y a Babilonia, a Filistea y a Tiro, lo mismo que a Cus. Se dice: "Este nació en Sion". De Sión se dirá, en efecto: "Este y aquel nacieron en ella"» (vers. 4, 5, NVI). «El SEÑOR anotará en el registro de los pueblos: "Este nació en Sion"» (vers. 6, NVI). ¡Asombroso! Cuando un día se lea la lista de los salvos y elegidos, Dios declara que ¡entre los nombres figurará la gente de los grandes vecinos gentiles de Israel!

A lo largo de los siglos, Dios ha estado en contacto con ellos, ha enviado mensajes a través de ellos e incluso ha prometido incluirlos en su libro de la vida. Ciertamente, parece que Dios anda removiendo cielo y tierra para salvar a los gentiles, ¿verdad?

Fe gentil

«Al oírlo Jesús, se maravilló y dijo a los que
lo seguían: "De cierto os digo que ni aun
en Israel he hallado tanta fe"». Mateo 8: 10

LLEVO TRES PALABRITAS estampadas a la espalda: *«Made in Japan»* (Hecho en Japón). Nací en Tokio y pasé los primeros catorce años de mi vida como hijo de misionero en el país del Sol Naciente, que hoy cuenta con 130 millones de habitantes y con la mayor ciudad del mundo. ¿Los destruirá Dios a todos porque son paganos? Y, ¿qué decir de los mil quinientos millones de musulmanes que hay en el mundo? ¿Qué decir de los millones que hay en el Occidente pagano secularizado?

Un día que Jesús entraba en Capernaúm, un gentil —un no judío, un «pagano»—, centurión romano, se acercó al Salvador. Su amado criado yacía agonizante. ¿Tendría el Maestro la deferencia de sanarlo? Y cuando Jesús se ofreció a acudir a los aposentos del centurión, el militar romano objetó rápidamente que no era digno de hacer que Jesús entrara bajo su techo, pero que si tan solo se dignaba a decir la palabra, según propuso el comandante, «mi criado sanará» (Mat. 8: 8). Y, según describe nuestro texto de hoy, ¡Jesús quedó asombrado! Llevaba meses recorriendo la tierra de «los elegidos», aclamado a veces con alborozo por las masas, pero la mayoría de las veces rechazado por una jerarquía eclesiástica incrédula. Moviendo su propia cabeza admirado, Jesús se volvió al séquito que lo rodeaba y declaró: «No he hallado una fe tan grande, ¡ni siquiera entre "los elegidos"!».

Y entonces su remate se vuelve aún más incisivo. «Os digo que vendrán muchos del oriente y del occidente, y se sentarán con Abraham, Isaac y Jacob en el reino de los cielos; pero los hijos del reino serán echados a las tinieblas de afuera; allí será el lloro y el crujir de dientes» (vers. 11, 12).¿Declaraba Jesús que los paganos de oriente (léase Japón o el islam) y occidente (léase ateos seculares y humanistas) se sentarán algún día en la mesa de banquetes de Dios, mientras los que habían empezado siendo «los elegidos» se perderían en su propia incredulidad? ¡Que Dios tenga misericordia de nosotros!

Que es precisamente lo que todos necesitamos, ¿no? Misericordia para los gentiles, misericordia para «los elegidos», misericordia para todos nosotros. Evidentemente, el reino de los cielos y la misericordia divina operan con un paradigma que es incluyente, no excluyente. E igual de evidente es el hecho de que los que son elegidos al final son los que han estado a la altura de la luz (sea mucha o poca) que la misericordia y el amor divinos han hecho que brille en su senda.

Paganos lampiños, cristianos hirsutos

«Pero el que sin conocerla hizo cosas dignas de azotes,
será azotado poco, porque a todo aquel a quien
se haya dado mucho, mucho se le demandará,
y al que mucho se le haya confiado,
más se le pedirá». Lucas 12: 48

HUBO UNA VEZ UN AMO que iba a embarcarse en una larga travesía. Así que llamó a su sabio criado, en quien confiaba, y le dijo: «Voy a poner a toda mi familia y mi casa bajo tu supervisión y administración. Cuídalos bien por mí hasta que regrese». El siervo se inclinó agradecido, aceptando el encargo y prometiendo su obediencia. Y con eso el amo se marchó.

Pasó el tiempo y el criado principal no tardó en cansarse de las responsabilidades que su amo había puesto sobre él. ¿Por qué tenía que vivir con expectativas y normas tan estrictas? Después de todo, hacía muchísimo tiempo que no veía al amo.

Y así sucedió lo impensable. El criado en el que tanta confianza se había depositado desechó sus obligaciones como si de un chaquetón viejo se tratara. «Mi amo se demora y estoy cansado de esperar. ¡Comamos, bebamos y divirtámonos!». Y así lo hizo, emborrachándose hasta tal punto que empezó a golpear a los miembros de la casa del amo. Fue una escena desagradable.

Pero fue más desagradable todavía cuando el amo volvió inesperada y repentinamente. Tras describir el destino cruel del siervo de confianza en esta parábola, Jesús da a entender en nuestro texto la clave de la historia. «A todo aquel a quien se haya dado mucho, mucho se le demandará» conlleva el corolario «A todo aquel a quien se haya dado poco, poco se le demandará». Es la ley de los réditos proporcionales, la ley que calibra los resultados en función de los ingresos. Cuanto más tienes, más se espera de ti; cuanto menos tienes, menos se espera. Es tan obvio como justo.

¿Quiere eso decir, por ejemplo, que el animista que adora los espíritus de los árboles estará sujeto a una norma distinta de la de la cristiana que valora su vestuario y a su automóvil más que a su Dios? En realidad no, ni mucho menos. Significa más bien que *ambos* estarán sujetos a la misma norma: *¿Qué hiciste con lo que tenías?* Es una norma tan justa como el Dios que la mantiene.

Entonces, ¿cuánto tenemos tú y yo? Y, ¿qué decir de nuestros vecinos paganos de este planeta? El propio hecho de que Dios no haya hecho de nuestra vida una norma por la que serán juzgados los demás es prueba suficiente de que está deseoso de salvar a tantos como pueda, ¿no?

Una verdad enorme

*«Sabía yo que tú eres un Dios clemente y compasivo lento para la ira
y rico en misericordia, y que te arrepientes del mal
con que amenazas».* Jonás 4: 2, NVI

¿QUÉ PUEDE NO GUSTAR de la historia de Jonás? Aparecen el perfecto «chico malo» —el fugitivo profeta recalcitrante— y toda una tripulación de marineros gentiles dados a decir palabrotas. Incluimos un huracán de Intensidad 5 en el mar y tenemos una tempestad —y un relato— de fábula. También cuenta con una ruleta divina que escoge al rebelde entre la multitud y, por supuesto, esa criatura marina oscura y misteriosa que se traga a Jonás en el instante en que se hunde bajo la superficie agitada y espumante. ¡Qué podría haber mejor!

Pero hay más. El pez vomita al profeta fugitivo, con la piel amarillenta por la bilis de tres días y tres noches en ese vientre marino. ¡No es de extrañar que toda la ciudad escuchase cuando este mensajero anunció su destrucción en cuarenta días! Y, sorpresa, el pueblo cae sobre su rostro en uno de los reavivamientos urbanos más memorables de toda la historia.

¿Y Jonás? Con la respuesta más numerosa de la historia a un llamamiento desde el púlpito, este predicador está furioso de que su profecía no se materializara. No siempre te va a salir todo bien. Pero no se lo cuentes a Dios, que realmente sí se ganó a toda la ciudad en esa ocasión. Dios salva a toda la población de una ciudad de gentiles, y lo hace sin pedirles que entren a formar parte de «los elegidos». No hay constancia alguna de que los salvados de Nínive se convirtiesen en ningún momento a la fe de Israel. Se arrepintieron de su mala conducta ante el Dios de Jonás, y el Dios de Jonás los perdonó y los salvó, hasta el último. Fin.

Y, a propósito, no solo salvó Dios a toda aquella ciudad asiria; también salvó a toda la tripulación de marineros gentiles más un profeta. ¡Es una historia de salvación! Prueba suficiente de que las palabras de Pedro sobre el gentil Cornelio son realmente ciertas: «En verdad comprendo que Dios no hace acepción de personas, sino que en toda nación se agrada del que lo teme y hace justicia» (Hech. 10: 34, 35).

«Entre los paganos hay quienes adoran a Dios ignorantemente, quienes no han recibido jamás la luz por un instrumento humano, y sin embargo no perecerán. Aunque ignorantes de la ley escrita de Dios, oyeron su voz hablarles en la naturaleza e hicieron las cosas que la ley requería. Sus obras son evidencia de que el Espíritu de Dios tocó su corazón, y son reconocidos como hijos de Dios» (*El Deseado de todas las gentes,* cap. 70, p. 608).

Es una verdad enorme, ¿no crees? ¡Dios tiene a sus elegidos por doquier!

«Esta lucecita mía»

«La luz verdadera que alumbra
a toda la humanidad
venía a este mundo».
Juan 1: 9, DHH

LLEVAMOS DÉCADAS entonando aquel corito: «Esta lucecita mía, la dejaré brillar». En realidad, la luz no nos pertenece a ninguno ¿verdad? Es la luz de Cristo, «la Luz del mundo». Y, según declara nuestro texto, él es la Luz que ilumina a toda la humanidad.

«Así como por Cristo todo ser humano tiene vida, así por su medio toda alma recibe algún rayo de luz divina. En todo corazón existe no solo poder intelectual, sino también espiritual, una facultad de discernir lo justo, un deseo de ser bueno» (*La educación,* cap. 4, p. 28).

Malvados y crueles asirios de Nínive, centuriones romanos, gente secular posmoderna: no importa. Jesús es la Luz del mundo que titila dentro de todos nosotros.

Por esa razón, el llamamiento final de Dios a «los elegidos» incluirá amplios sectores de musulmanes suníes y chiíes, hindúes, budistas, judíos, cristianos y hasta ateos. Al final, ¿cuál será la norma que determinará su condición de elección? Será la medida de luz que brilló en su alma. Ninguno de nosotros será juzgado por la luz que no tenía. Todos daremos cuentas de la luz que sí teníamos.

«Nuestra situación delante de Dios depende, no de la cantidad de luz que hemos recibido, sino del empleo que damos a la que tenemos. Así, aun los paganos que eligen lo recto en la medida en que los pueden distinguir, están en *una condición más favorable* que aquellos que tienen gran luz y profesan servir a Dios, pero desprecian la luz y por su vida diaria contradicen su profesión de fe» (*El Deseado de todas las gentes,* cap. 24, p. 212; la cursiva es nuestra).

Hace unos días preguntamos: ¿Puede un pagano seguir siendo pagano y, pese a ello, ser salvo? La evidencia de las Escrituras lleva a esa conclusión, Sí. Entonces, ¿de qué sirve seguir siendo misioneros, evangelizadores y testigos de Jesús? Simple. La vasta mayoría de los hijos paganos de Dios no están a la altura de la luz que tienen. Las cárceles, los burdeles, los casinos, las universidades, los gobiernos y los barrios del mundo están llenos de paganos que han rechazado abiertamente la luz de Dios. Son como el ladrón en la primera cruz, blasfemos y desafiantes. Sin embargo, si se les diera otra oportunidad, si tú o yo nos cruzáramos en su vida ahora mismo, ¡podrían convertirse y ser al fin salvos! Esa esperanza nos impulsa a acompañar a Dios en el propósito de alcanzar a todo hombre, mujer y niño de este planeta. Porque su lucecita también brilla dentro de ellos.

El ruego de dos madres

«Como está escrito: "No hay justo, ni aun uno; no hay quien entienda,
no hay quien busque a Dios. Todos se desviaron, a una se hicieron inútiles;
no hay quien haga lo bueno, no hay ni siquiera uno"».
Romanos 3: 10-12

FUE SURREALISTA y grotesco a la vez. Allí estaba Scott Peterson, declarado culpable del homicidio tanto de su esposa como de su niño no nacido. En la ejecución de la pena capital (mientras en Estados Unidos la gente miraba boquiabierta en directo la televisión por cable), ambas madres fueron llevadas ante el tribunal para dirigirse al jurado. Primero fue la madre de Laci Peterson, que en aquella sala de justicia en total silencio lloró y gritó improperios contra Scott por tomar la vida de su hija y del niño no nacido. A continuación, se dirigió al jurado la madre de Scott Peterson. También lloró al rogar por la vida de su hijo. Dos madres que rogaban por sentencias diametralmente opuestas.

¿Será así en el juicio final, cuando Dios ratifique su selección de los elegidos? ¿Una voz furiosa que grite buscando nuestra ejecución? ¿Otra voz ahogada en lágrimas rogando que se nos perdone la vida? ¿Soy culpable o no culpable, perdido o salvo? ¿Y a qué madre creerá el jurado?

Afrontémoslo: Si es cuestión de culpa o inocencia, todos perdemos, ¿no? Igual que Scott Peterson. Porque, ¿cómo podrían ser más claras las Escrituras? Nuestro texto de hoy declara que puedes buscar en el mundo entero y no encontrarás a nadie, ni a una persona, que sea inocente o justa. En este planeta, en la actualidad, ¡hay cero seres humanos inocentes! Lo cual significa que si fueses puerta por puerta en tu país, y luego puerta por puerta en todas las demás naciones de la tierra, tu metódica encuesta revelaría que ni un solo individuo en ningún domicilio de la tierra es moralmente inocente. «No hay quien haga lo bueno, no hay ni siquiera uno». No se puede ser más categórico, ¿no te parece?

Lo siento, Dios, ¡parece que tu búsqueda de los elegidos comienza con un enorme cero! Y, no obstante —y este es un enorme «Y, no obstante»—, la declaración de las Sagradas Escrituras, según venimos leyendo este mes, es igual de categórica al anunciar que Dios está reuniendo una comunidad de hombres, mujeres y niños (un movimiento, si lo quieres llamar así) procedentes de todos los puntos de esta tierra y ¡está declarando que son sus «elegidos»! Todos culpables y, pese a todo, de alguna manera, acaban siendo seleccionados por Dios. Si eso no es gracia, no sé qué lo sería.

Error judicial

*«Por cuanto todos pecaron y están destituidos
de la gloria de Dios».* Romanos 3: 23

LA PROTESTA por la pena capital sigue viva hoy en día. Gracias a avances en las pruebas de ADN, las condenas por homicidio de no pocos presos en el corredor de la muerte han sido anuladas por nueva evidencia de ADN. Habían condenado a muerte al hombre indebido. Estaban a punto de ejecutar a un hombre inocente. Vi una entrevista precisamente con un expreso exonerado en tales circunstancias. Había pasado décadas de su vida tras los barrotes como consecuencia de las prisas del Estado por obtener una condena. Cuando la cámara sacó un primer plano de su rostro, eran casi palpables las emociones mezcladas de alivio e ira.

Mucho más trágicos, por supuesto, han sido los descubrimientos póstumos de que el Estado, pensando que tenía al culpable entre rejas, había procedido a ejecutar al hombre equivocado, que resultó ser inocente. Solo la resurrección puede rectificar un mal tan terrible.

Sin embargo, la declaración de Pablo aquí en Romanos no puede ser anulada por nuevas pruebas de ADN. «Todos pecaron». Punto. Todos «están destituidos de la gloria de Dios». Punto. No hay necesidad de apelación al Tribunal Supremo, porque el más alto Tribunal del universo ya ha declarado con perfecta presciencia que el prisionero, el pecador, es culpable del delito que se le imputa. De la Madre Teresa a Adolf Hitler, pasando por ti y por mí, *todos hemos pecado*. El veredicto es «culpable», y la sentencia es la muerte. «Porque la paga del pecado es muerte» (Rom. 6: 23). Punto final.

Entonces, ¿cómo nos libraremos nosotros, que anhelamos ser elegidos, de la terrible sentencia? ¿Son nuestras ofensas, nuestras transgresiones, nuestras iniquidades, nuestros pecados imperdonables?

Resulta que nuestra única esperanza es el mayor error judicial de toda la historia.

En aquel día que ahora ha dividido por siempre el pasado del futuro, un Hombre inocente fue conducido apresuradamente por el Estado a su ejecución. Las pruebas de ADN de aquel viernes fatídico resultan ahora más que claras: ejecutaron al Hombre equivocado; un Hombre inocente fue llevado a la muerte. Solo una resurrección podía rectificar un error tan grave.

¡Y eso, por supuesto, es el evangelio eterno! «Al que no cometió pecado alguno [Cristo, inocente], por nosotros Dios lo trató como pecador [culpable], para que en él recibiéramos [los pecadores que anhelamos ser elegidos] la justicia [la rectitud de la inocencia] de Dios» (2 Cor. 5: 21, NVI).

El mayor error judicial de la historia del universo ha abierto de par en par las puertas del cielo a todos los culpables a los que Dios ha llamado a ser elegidos. ¡Maravillosa gracia!

El juicio de Adolf Hitler

«La justicia de Dios por medio de la fe en Jesucristo, para todos los que creen en él,
porque no hay diferencia, por cuanto todos pecaron y están destituidos de la gloria de Dios,
y son justificados gratuitamente por su gracia, mediante la redención que es en Cristo Jesús».
Romanos 3: 22-24

¿QUÉ SIGNIFICA «todos [...] son justificados»? Sería como si Adolf Hitler hubiera sobrevivido y hubiese sido llevado a juicio, en el que, en la mañana en que se iba a dictar la sentencia final, el juez se dirigiese así al tribunal: «Señoras y señores del jurado, los últimos días vengo reflexionando largo y tendido en el veredicto de ustedes sobre el acusado. Sé que han hallado a Adolf Hitler culpable de atroces crímenes contra la humanidad. Y estoy de acuerdo: verdaderamente, es culpable. Pero ahora, en la fase de dictar la sentencia, he adoptado una decisión judicial. Voy a absolver al Sr. Hitler de su delito. Voy a anular la sentencia de muerte contra él».

Nada más pronunciar esas palabras, el tribunal se electriza con furiosa algarabía. El juez da porrazos con su mazo para imponer el silencio en la sala. «Sé lo que están pensando y lo que dicen. También yo estoy comprometido con el respeto a la ley y el mantenimiento de la justicia. Y, por ello, he decidido que al perdonar a Adolf Hitler y declararlo "no culpable", yo mismo pagaré la pena. Yo renuncio a mi vida en su lugar». Y, tras una larga pausa: «Se levanta la sesión».

¿Te puedes imaginar el furor, los titulares, la protesta global si eso hubiese ocurrido? El titular habría exclamado: «Juez absuelve a Hitler y ofrece su propia vida para la ejecución».

Y, no obstante, por extraño que suene para nuestra jurisprudencia contemporánea, «justificar» en el contexto del Nuevo Testamento significa hacer precisamente eso. «Todos [...] son justificados [indultados, absueltos, declarados ya no culpables] gratuitamente por su gracia, mediante la redención que es en Cristo Jesús». Por la muerte de Cristo, se ha retirado la acusación que pesaba contra *todos*; efectivamente, contra *toda la raza humana*.

Es el contundente pronunciamiento del evangelio eterno. Todos los pecadores están acusados merecidamente, pero todos también han sido absueltos inmerecidamente. Todos han sido acusados, y todos han sido absueltos «por su gracia». En el Calvario el Juez llevó la sentencia de muerte por toda la raza humana. Puede justificarnos a todos, porque pagó el castigo de todos. ¡Maravillosa gracia, verdaderamente!

¿Seremos todos salvos?

«Esto es bueno y agradable delante de Dios, nuestro Salvador,
el cual quiere que todos los hombres sean salvos y vengan
al conocimiento de la verdad».
1 Timoteo 2: 3, 4

¿SIGNIFICA «TODOS […] son justificados» lo mismo que «todos son salvos»? Ojalá. Hay una enseñanza denominada «universalismo» que declara que, al final, Dios salvará a cada ser humano que haya vivido alguna vez, incluyendo a Adolf Hitler, Stalin, Idi Amin, Bokassa, Osama bin Laden, y a ti y a mí. Al final, todo el mundo se salva.

Y, en el fondo de mi corazón, tengo que creer que el propio Dios quisiera que esto fuese cierto, ¿no crees? Si tú fueras el Padre, ¿no anhelarías que todo hijo tuyo acabara salvándose? ¡Cuántas veces he escuchado cuando padres desconsolados se angustiaban por las decisiones que tomaban sus hijos! ¿Hay algún padre en el mundo que no haría casi cualquier cosa por garantizar que un hijo suyo acabara salvándose? Dios, sin duda, conoce ese anhelo.

Por eso las Escrituras están llenas de versículos como nuestro texto de hoy. «Esperamos en el Dios viviente, que es el Salvador de todos los hombres» (1 Tim. 4: 10). «La gracia de Dios se ha manifestado para salvación a toda la humanidad» (Tito 2: 11). «Vuelvan a mí y sean salvos, todos los confines de la tierra» (Isa. 45: 22, NVI). «El amor de Cristo nos obliga, porque estamos convencidos de que uno murió por todos» (2 Cor. 5: 14, NVI). «Todos», «toda», «todos», «todos»: observa la repetición. «El Señor […] no quiere que nadie perezca sino que todos se arrepientan» (2 Ped. 3: 9, NVI). Está claro que Dios desea universalmente que todos sus hijos de la tierra acudan a él, que todos ocupen su lugar entre sus elegidos.

Sin embargo, aunque la Biblia enseña la provisión de la salvación universal, no sugiere la aceptación universal de la salvación. Dios absuelve a todos, pero no todos lo aceptan. Y por eso Dios no salvará a toda la raza humana. Valora demasiado *nuestra libertad de elección* como para obligar a todos a elegirlo a él y ser salvos. Para que el amor sea amor, debe no solo concedernos el derecho a decirle SÍ; también debe concedernos el derecho a decir NO. De ahí los tribunales de pleitos matrimoniales y los corazones rotos, porque *no puede imponerse el amor*. Y Dios no poblará el cielo con gente que no quiera estar allí.

Pero tú quieres estar allí y yo quiero estar allí. Y el evangelio eterno declara que Dios ha hecho todo lo divina y humanamente posible para garantizar que todos estemos allí.

El evangelio según Abraham Lincoln

«Así que, si el Hijo os liberta,
seréis verdaderamente libres».
Juan 8: 36

EL 1º DE ENERO DE 1863, el presidente Abraham Lincoln firmó el Decreto de Emancipación, declarando libres a todos los esclavos que residían en el territorio en rebelión contra el gobierno federal de Estados Unidos. Y con esa proclamación se declaró que la Guerra Civil era una guerra para liberar a los esclavos. El 18 de diciembre de 1865, ocho meses después de la terminación de la guerra, se verificó la ratificación de la Decimotercera Enmienda a la Constitución, garantizando finalmente el fin de la esclavitud. Pero el presidente que firmó la Proclamación de Emancipación estaba muerto, abatido a tiros por un fanático.

En el momento en que el presidente Lincoln firmó el documento y este quedó promulgado, todo esclavo quedó liberado *legalmente*. Pero no todo esclavo quedó liberado *experiencialmente*. Mi amigo Jerry Finneman ha señalado que, para quedar liberados *experiencialmente*, era preciso que los esclavos: 1º. escucharan la buena noticia; 2º. creyeran la buena noticia; 3º. determinaran que la buena noticia era verdad en su caso; 4º. se negaran a seguir sometidos como esclavos; 5º. hicieran valer su libertad con respecto a sus anteriores amos; y 6º. contaran con que la autoridad y el poder del gobierno que los declaró libres los ayudara entonces a permanecer libres (*1888 Glad Tidings*, vol. 20, nº 5, pp. 3, 4).

Y así fue y es en el Calvario. «Con su propia sangre Cristo firmó los documentos de emancipación de la humanidad» (*El ministerio de curación*, cap. 5, p. 49). Allí en la cruz, el Dios del universo proclamó que toda la raza humana quedaba de inmediato emancipada y liberada del dominio tiránico de su cruel amo: todo hombre, mujer y niño que alguna vez hubiera vivido o que fuera a vivir quedó declarado libre.

Sin embargo, según nos ha mostrado la historia de los Estados Unidos, hubo algunos esclavos que nunca quedaron libres, ya fuera porque nunca escucharon la buena noticia, o porque no creyeron la buena noticia o porque, sencillamente, no quisieron ser liberados.

Por esa razón, el llamamiento del evangelio eterno es una buena noticia por partida doble: en primer lugar, nos anuncia la absolución de todos los pecadores por gracia («El Hijo os liberta»); y, en segundo lugar, invita nuestra aceptación personal de su gracia salvadora a través de la fe («Venid a mí [...], y yo os haré descansar» [Mat. 11: 28]). Una buena noticia universalmente por la gracia, una buena noticia personalmente por la fe; ¡mejor de ahí no podría ser!

La enfermedad de Alzheimer divina

*«Yo, yo soy quien borro tus rebeliones
por amor de mí mismo,
y no me acordaré
de tus pecados».*
Isaías 43: 25

¿ES PECADO ANDAR por la azotea? No si tienes cuidado. Entonces, ¿es pecado mirar hacia abajo desde la azotea? En realidad, no. Pero, ¿qué pasa si la mujer de tu vecino se está dando un baño es su jardín trasero?

En eso estribó la trágica caída del rey David, que se acercó demasiado y se cayó del borde, no de su azotea, sino de su alma. No hay nada de malo en un paseo por la azotea de tu palacio. Después de todo, eres el rey. Pero cuando todo ese poder, en vez de tu humildad, se te sube a la cabeza e insistes en acostarte con la mujer del vecino, haciendo que se quede embarazada, engañando a su marido, haciendo que lo maten y tapando al cielo y a la tierra una sórdida aventura de ese calibre, ¡acabas quebrantando cada uno de los Diez Mandamientos en cuestión de horas! Eres culpable lo mires por donde lo mires.

En esta historia con tan terribles carencias morales, hay que reconocerle al rey que, cuando el profeta Natán lo tomó por sorpresa con una parábola que lo llevó a autoincriminarse y David se dio cuenta de que se había descubierto el pastel y Dios lo conocía todo, se vino abajo con lágrimas de remordimiento ante el profeta y Dios.

«Ten piedad de mí, Dios, conforme a tu misericordia; conforme a la multitud de tus piedades borra mis rebeliones. […] Contra ti, contra ti solo he pecado; he hecho lo malo delante de tus ojos, para que seas reconocido justo en tu palabra y tenido por puro en tu juicio» (Sal. 51: 1-4).

¿Y cómo responde Dios a la oración del penitente? Décadas después, Dios reprendió a otro rey con estas inesperadas palabras: «Tú no has sido como David, mi siervo, que guardó mis mandamientos y anduvo en pos de mí con todo su corazón, haciendo solamente lo recto delante de mis ojos» (1 Rey. 14: 8). Espera un minuto, Dios; ¡tiempo muerto! ¿Sufres de Alzheimer? ¿Qué quieres decir con eso de que David guardó tus mandamientos, te siguió de *todo* corazón e hizo *solamente lo recto*? ¡Debes de estar confundiéndolo con otro David!

¡Ah!, es la verdad del evangelio eterno. «Si te entregas a [Cristo] y lo aceptas como tu Salvador, por pecaminosa que haya sido tu vida, gracias a él serás contado entre los justos. El carácter de Cristo reemplaza el tuyo, y eres aceptado por Dios *como si no hubieras pecado*» (*El camino a Cristo*, cap. 7, p. 94; la cursiva es nuestra). Una buena noticia para los elegidos que caen, como David, pero que encuentran, como David, al Dios que ya no se acuerda de sus pecados.

Cuando la misericordia crecía en los árboles

*«Dará a luz un hijo, y le pondrás por nombre Jesús,
porque él salvará a su pueblo de sus pecados».* Mateo 1: 21

Repasar el árbol genealógico de otra persona es igual de intrigante que leer la guía telefónica. ¿Cuándo fue la última vez que te emocionaste con los «engendró» de la introducción de Mateo 1? Y, no obstante, metidas en el árbol genealógico de Jesús hay siete declaraciones sorprendentes que dicen la verdad sobre los elegidos.

Primera declaración sorprendente: «Judá engendró, de Tamar, a Fares y a Zara» (vers. 3). Tamar fue una mujer, y ¡encontrar a una mujer en las ramas de los árboles genealógicos judíos era chocante! Disfrazada de prostituta, quedó embarazada por su suegro. Dio a luz gemelos que deberían haber sido nietos de Judá, pero, en cambio, fueron sus hijos. ¡Y los cuatro acaban en el árbol genealógico del Mesías!

Segunda declaración sorprendente: «Salmón engendró, de Rahab, a Booz» (vers. 5). Una prostituta profesional, la madama del burdel de Jericó. Pero la prostituta fue salvada y se incorporó por casamiento al árbol genealógico de Jesús.

Tercera declaración sorprendente: «Booz engendró, de Rut, a Obed» (vers. 5). Rut era descendiente de un incesto: el de una hija de Lot que se acostó con él. Y Dios fue firme en el mandato de que no se permitiera que ningún moabita adorara «nunca» con Israel (Deut. 23: 3). No obstante, Rut la moabita se convirtió en una antepasada del Mesías. Está claro que la misericordia divina prevaleció sobre la justicia divina.

Cuarta y quinta declaraciones sorprendentes: «El rey David engendró, de la que fue mujer de Urías, a Salomón» (Mat. 1: 6). En vez de llamarla Betsabé, Mateo la describe intencionalmente como esposa de otro hombre, subrayando que no pertenecía a David y que era la esposa de un converso gentil, los tres de los cuales estarán en el cielo algún día. ¡A ver si puedes halar un mejor ejemplo de misericordia!

Sexta declaración sorprendente: «Jacob engendró a José, marido de María, de la cual nació Jesús, llamado el Cristo» (vers. 16). La joven María es prueba de sobra de que no hace falta haber caído sexualmente para formar parte del árbol genealógico de Jesús, una buena noticia para todos los que, callada y obedientemente, siguen a Dios, tal como hizo María.

Y séptima declaración sorprendente: La mayor sorpresa de todas. Porque hay dos árboles genealógicos en Mateo —uno al principio y otro al final, uno tejido con «engendró» y otro teñido de sangre—. El primero está cerrado a anotaciones ulteriores, pero no el segundo. Porque en el árbol genealógico del Calvario la puerta a los elegidos de Dios ha sido abierta de par en par para todos, haciendo de ti y de mí la séptima anotación sorpresa que, gracias a su misericordia imperecedera, ¡no es preciso que sorprenda en absoluto!

La obra maestra restaurada

«De modo que si alguno está en Cristo,
nueva criatura es: las cosas viejas pasaron;
todas son hechas nuevas.
2 Corintios 5: 17

CON TANTAS BUENAS NOTICIAS sobre el hecho de que Dios acepte a los elegidos tal como son (incluso lo cantamos: «Tal como soy»), nos rodee con su gracia, nos emancipe, nos absuelva y nos perdone, y de que nos introduzca en su árbol genealógico, ¿concluiremos que, cuando nos llama a acudir tal como somos, permanecemos tal como somos?

Alister McGrath, científico inglés luego teólogo, cuenta que, durante sus dos años de estudio en la Universidad de Cambridge solía caminar hasta la cercana capilla del King's College. Allí, en la silenciosa magnificencia del santuario, descansaba su mente y refrescaba su alma. Había en la capilla un viejo cuadro colgado, obra de un maestro, que McGrath se detenía a menudo a contemplar. Un día un manifestante, deseando transmitir cierto posicionamiento político, se acercó a aquel cuadro, sacó una navaja y rajó el lienzo. Varios días después, cuando Alister volvió a la capilla, descubrió que habían puesto una nota junto al cuadro echado a perder: «Se cree que esta obra maestra puede ser restaurada» (*Justification by Faith,* p. 18).

Hubo una vez, hace mucho tiempo, en que toda la raza humana se perdió, rajada por un ángel caído enloquecido y demente. Pero unos días después, fuera del huerto del Edén, vedado y cercado, Alguien puso una nota: «Se cree que esta obra maestra puede ser restaurada».

Es la verdad del evangelio eterno. Porque cuando Dios elige a un hombre o a una mujer, o incluso a una comunidad, y los llama a él y a su salvación, no es solo en aras de la redención, sino también en aras de la restauración.

«Si alguno está en Cristo, nueva criatura es» promete nuestro texto de hoy. Sí, la absolución y la emancipación divinas son instantáneas, pero la obra divina de restaurar la creación y obra maestra humana original es, verdaderamente, la obra de toda una vida, día tras día, noche tras noche.

Sí, acudimos tal como somos. Pero, no, no permanecemos tal como somos. Porque en Cristo hay en marcha una nueva creación. Y por eso tenemos esta esperanza: «estando persuadido[s] de esto, que el que comenzó en vosotros la buena obra la perfeccionará hasta el día de Jesucristo» (Fil. 1: 6).

Se ha llegado a un veredicto

*«En el amor no hay temor,
sino que el perfecto amor
echa fuera el temor».*
1 Juan 4: 18

¿SE REDUCE el juicio final al veredicto final? ¿Sufrir retortijones de estómago, devanarse los sesos y morderse las uñas hasta el mismo fin? ¿Soy culpable o no? ¿Estoy perdido y soy salvo? Tras reflexionar en el llamamiento de los elegidos y el evangelio eterno como hemos hecho, ¿cómo responderemos esta pregunta?

Repasemos un momento aquel puñado de versículos de Romanos que Lutero denominó «lo principal, en el centro mismo de la Epístola y de toda la Biblia» y lo que Leon Morris describe como «posiblemente el párrafo aislado de mayor importancia jamás escrito». En el centro de Romanos 3: 21-26 se encuentran estas conocidas palabras: «No hay diferencia, por cuanto todos pecaron y están destituidos de la gloria de Dios, y son justificados gratuitamente por su gracia, mediante la redención que es en Cristo Jesús» (vers. 22-24).

Es el meollo del evangelio eterno, el quicio de toda verdad: los seres humanos caídos —todos perdidos sin esperanza— hemos sido redimidos gloriosamente por el Dios del universo que, en Cristo, se sacrificó por la salvación de la raza humana, «para que todo aquel que en él cree no se pierda, sino que tenga vida eterna» (Juan 3: 16). Amén.

¿Cuándo fue pronunciado el veredicto divino *contra* el pecado y *a favor* de los pecadores? Según el calendario, ese supremo sacrificio se realizó hace dos mil años. O sea, hace dos milenios el juicio divino, tanto sobre el pecado como sobre los pecadores, fue dado en la cruz, cuando Dios dio un golpe con su mazo y declaró absueltos, indultados y emancipados a los seres humanos. «¡Consumado es!» (Juan 19: 30). Y lo fue. Cristo se «apoderó del mundo sobre el cual Satanás pretendía presidir como en su legítimo territorio. En la obra admirable de dar su vida, Cristo restauró a toda la raza humana al favor de Dios» (*Mensajes selectos,* tomo 1, p. 402).

Y, gracias a esta buena noticia, por siempre duradera, el juicio final no se reduce al veredicto al final, sino más bien al veredicto al inicio. No es preciso que vivamos en la incertidumbre por su resultado. Que el juicio haya de concluir esta noche, mañana, en cien años o en mil años carece de importancia. Porque el veredicto que cuenta fue dado al principio. «Nos concedió este favor en Cristo Jesús antes del comienzo del tiempo» (2 Tim. 1: 9, NVI). ¡No es de extrañar que evangelio signifique «buena nueva»!

Un día extra con Dios

*«Venid a mí todos los que estáis
trabajados y cargados,
y yo os haré descansar».*
Mateo 11: 28

SI TU CUMPLEAÑOS es hoy, has celebrado la cuarta parte que el resto de nosotros. ¡No es de extrañar que tengas un aspecto tan juvenil! Pero, en todo caso, esa es tu recompensa por el hecho de que la Tierra orbite el sol cada 365,242 días. No es culpa tuya. Dicen que la probabilidad de nacer en un día bisiesto es 1 en 1,461, lo que significa que hay más de 4.5 millones de bebés como tú, nacidos en día bisiesto, en este planeta. Como los bebés cuatrillizos canadienses que hoy cumplen seis años, o los tres hermanos noruegos cuya madre tomó medidas para que cada uno naciera en veintinueves de febrero consecutivos. ¡Feliz cumpleaños!

Pero, hablando de añadir un día de vez en cuando, ¿te habría gustado nacer romano el año 46 a. C.? Ese fue el año en que sus astrónomos se percataron de que su calendario estaba *muy* desviado. Por eso, para corregir décadas de deriva, hicieron que aquel año se prolongase casi interminablemente hasta alcanzar los 445 días. ¡Intenta calcular tu cumpleaños en ese calendario!

¿Te has preguntado alguna vez si a Dios le gustaría añadir un día a su calendario? Ahora que lo pienso, lo ha añadido, ¿no? Un día extra cada semana, «extra» simplemente porque podría haber hecho la semana de la Tierra de seis días de duración. Después de todo, Génesis 1 declara que su creación física se completó en seis días. Sin embargo, dado que el Creador y su creación no son solo físicos, sino que son verdaderamente sociales y espirituales, Dios añadió un día «extra» a los seis días y en él celebró su obra creadora. Lo conocemos como sábado, de la palabra hebrea *sabbat,* que significa «cesar, reposar».

¿Se te ocurre un día más perfecto para reposar en la amistad de nuestro Amigo Eterno que el sábado? Jesús nos invita: «Venid a mí todos los que estáis trabajados y cargados, y yo os haré descansar». El descanso de su amistad es el corazón y el alma del sábado, ¿no crees?

«"Venid a mí", es su invitación. Cualesquiera que sean nuestras ansiedades y pruebas, presentemos nuestro caso ante el Señor. Nuestro espíritu será fortalecido para poder resistir. Se nos abrirá el camino para librarnos de estorbos y dificultades. Cuanto más débiles e impotentes nos reconozcamos, tanto más fuertes llegaremos a ser en su fortaleza. Cuanto más pesadas nuestras cargas, más bienaventurado el descanso que hallaremos al echarlas sobre el que las puede llevar» (*El Deseado de todas las gentes,* cap. 34, p. 300).

Con una promesa así da gusto ser parte de los elegidos. ¡Celebra tú también el descanso con el Creador!

Por favor, llame al 999*

*«Entonces me dijo: "Daniel, no temas, porque desde el primer día
que dispusiste tu corazón a entender y a humillarte en la presencia
de tu Dios, fueron oídas tus palabras; y a causa de tus palabras
yo he venido. Mas el príncipe del reino de Persia se me opuso
durante veintiún días"». Daniel 10: 12, 13*

CUÁN INESTABLE se ha vuelto nuestro mundo me quedó claro cuando realicé un viaje en autobús en las afueras de Londres. Karen y yo apenas nos habíamos sentado cuando una grabación con voz masculina, con un acento británico correctísimo, anunció por el sistema de megafonía: «Este autobús está siendo objeto de atentado. Por favor, llame al 999». Miramos a todos lados; todo el mundo parecía bastante tranquilo. La grabación se repitió. Me fijé en el conductor; también él parecía tranquilo, salvo por el hecho de que estaba golpeando el tablero. Resulta que la alerta terrorista grabada de antemano (que los autobuses británicos llevan ahora desde los atentados de Londres hace varios años) ¡se había activado accidentalmente y el conductor no podía apagarla! Es más, la alarma estaba sonando a todo volumen en el exterior. Circulamos durante varios kilómetros con la gente mirándonos fijamente, algunos incluso llamando con sus teléfonos móviles en busca de ayuda.

Vivimos al borde de la incertidumbre, ¿verdad? Y siguen amontonándose titulares asombrosos. Estamos inmersos en una guerra contra el terror en muchísimo más de un sentido.

Las palabras que Gabriel dirigió a Daniel descorren el velo entre lo visible y lo invisible como ningún otro pasaje de las Escrituras. Daniel llevaba tres semanas ayunando y orando. Gabriel le dijo: «Lo siento. ¡No pude llegar antes, porque el oscuro y malvado príncipe de Persia ha estado luchando conmigo!».

Estamos inmersos en una guerra no solo visible, sino, de hecho, aún más real en el ámbito de lo invisible. Llevamos décadas llamándola «el conflicto de los siglos»: las fuerzas de la luz y las tinieblas en un desesperado combate espiritual «mano a mano» por amplios sectores de la raza humana.

Durante veintiún días, el poderoso Gabriel estuvo enzarzado en una lucha sobrenatural con los poderes de las tinieblas. Y, entretanto, aunque no es testigo del conflicto cósmico en lo que no se ve, Daniel ayuna y ora. ¿Crees que ahí hay una fascinante invitación a gente como tú y como yo? «El gran conflicto entre el bien y el mal aumentará en intensidad hasta la consumación de los tiempos» (*El conflicto de los siglos*, cap. 1, p. 13). Lo que simplemente significa que ahora vivimos en la hora más explosiva de la historia humana. Entonces, como Daniel, ¿no oraremos sin cesar? En los próximos días, reflexionaremos sobre cómo hemos de abrirnos camino, con la oración, en esta guerra cósmica.

---

* Número de teléfono para todo tipo de emergencias —bomberos, policía, servicios hospitalarios, información— en el Reino Unido, pero que en el resto de la Unión Europea es el 112. En Estados Unidos y otros países de las Américas es el 911.

Recurrir a Miguel

«Mas el príncipe del reino de Persia
se me opuso durante veintiún días;
pero Miguel [...] vino para ayudarme,
y quedé allí con los reyes de Persia».
Daniel 10: 12, 13

¿QUIÉN ES MIGUEL? Melanchthon, brillante colega de Lutero en la Reforma, llegó a la conclusión de que Miguel es el nombre apocalíptico nada más y nada menos que del propio Cristo (ver Jud. 9; 1 Tes. 4: 16; Juan 5: 28). Y yo estoy de acuerdo. Porque Cristo siempre ha sido el intermediario divino entre la Divinidad y la creación: para los seres humanos, el Emanuel («Dios con nosotros»), y para los ángeles es el arcángel Miguel («El que es como Dios»). Su nombre únicamente aparece en literatura apocalíptica (Daniel, Judas, Apocalipsis) cuando hay una batalla entre las fuerzas de la luz y las tinieblas. *Y siempre que aparece ¡gana!*

Lo que, interpretado, quiere decir que, dada la hora de la historia y la intensidad de la guerra a la que sobrevivimos ahora, ¿puedes pensar en un momento más crítico para que recurramos al Señor Jesús? ¡Y no solo durante dos minutos al día! ¿Cómo podríamos llegar a engañarnos pensando que se pueda sobrevivir a este conflicto espiritual con una lectura de dos minutos a la carrera de material religioso de uso diario programado? Por favor, no me malinterpretes. Obviamente, estoy a favor de libros religiosos de uso diario programado como este. Pero el quid ineludible está en que vivimos en tiempos sin precedente. La Tierra está literalmente descosiéndose por sus costuras. Si alguna vez fue preciso que apartáramos períodos más prolongados para el culto, el estudio y la oración personales, ¿no sería ahora el momento? No estoy sugiriendo que todos nos embarquemos en veintiún días de ayuno de manjares y de privación del baño como hizo Daniel (ver Dan. 10: 3) —sin duda, podríamos vivir sin postres, pero no sin las duchas—, pero, en serio, ¿no deberíamos encontrar cada vez más tiempo para estar a solas con Dios y su Palabra?

¿Puedes imaginarte lanzarse a la batalla sin comunicación alguna con tu comandante o procedente del mismo? Entonces no podemos, no debemos, salir corriendo de nuestro hogar, de nuestra habitación, sin estar a solas con Jesús. «Vivimos en el período más solemne de la historia de este mundo. La suerte de las innumerables multitudes que pueblan la tierra está por decidirse. [...] Necesitamos humillarnos ante el Señor, ayunar, orar y meditar mucho en su Palabra [...]. Debemos tratar de adquirir actualmente una experiencia profunda y viva en las cosas de Dios, sin perder un solo instante» (*El conflicto de los siglos*, cap. 38, p. 586). Teniendo eso en cuenta, ¿pedirás ayuda a Miguel de forma cotidiana?

Oratorio

*«Dejaron a la multitud
y se fueron con él
en la barca donde estaba».*
Marcos 4: 36

«E N LA SOCIEDAD contemporánea, nuestro adversario se especializa en tres cosas: el ruido, las prisas y las multitudes» (*Celebration of Discipline*, p. 13). Richard Foster tiene razón, ¿verdad? Y por eso es esencial que hagamos precisamente lo que hicieron los discípulos en el relato evangélico: «Dejaron a la multitud y se fueron con [Jesús]». Debemos dejar atrás el ruido y las multitudes.

Por eso seguimos necesitando lo que los antiguos llamaban oratorio —una habitación de tu casa, o un rincón de tu habitación, de tu apartamento o de tu casa móvil— un lugar en el que Jesús y tú pueden estar solos cada día. Somos criaturas de costumbres. Desayunamos en el mismo sitio, navegamos la Red o leemos el periódico en la misma silla. De igual manera, necesitamos encontrar un «rincón sagrado» que pueda convertirse en nuestro oratorio. No es preciso que sea lujoso, pero debe ser constante. Cambiar la ubicación de tu oratorio día a día, ya sea en tu casa o en una habitación, solo te distraerá. Siendo la criatura curiosa que eres, pasarás los primeros preciosos momentos fijándote en todo lo que es «nuevo» en tu campo de visión. Por eso, vuelve, día tras día o noche tras noche, al mismo entorno familiar y cómodo —sin distracciones que te desvíen— para estar a solas con tu Salvador.

Pero es preciso que estés en silencio, además de constancia. Eso quiere decir que estés alejado del bullicio de la vida y del ruido del lugar en el que vives. Quita todo el ruido de fondo que puedas. Que no haya en tu campo de visión ningún iPod, ningún televisor, ni teléfono móvil, ni tu cónyuge durmiendo en la cama a tu lado (de hecho, olvida convertir tu cama en un oratorio: ¡nunca conseguirás mantenerte despierto!), ningún niño en el salón, ningún compañero de habitación (aunque quizá esté en la habitación, dado que ustedes sí comparten el espacio). Para todos los que compartimos nuestro domicilio, es preciso que haya por parte de cada cual algún tipo de «acuerdo devocional diario» por el que nos comprometamos a respetar la búsqueda de este rincón de paz cotidiana en compañía de Dios.

En el himno 503 del himnario adventista en inglés, las congregaciones adventistas estadounidenses repiten las palabras de un hermoso himno de Ralph Carmichael. Existe al menos una versión en español que reza así: «Hay un lugar tranquilo, lejos del paso raudo donde Dios puede calmar mi mente afligida. […] Guardado por árbol y flor, allí dejo atrás mis penas durante la hora quieta con él».

En el ruido y la conmoción exponencialmente elevados de esta hora de la historia, ¡cuán vital es que también nosotros dejemos atrás a la multitud cada día y acudamos prestos a ese «lugar tranquilo» con el Único que puede mantenernos seguros en estos tiempos inciertos.

¿Cuánto tiempo?

*«Levantándose muy de mañana,
siendo aún muy oscuro,
salió y se fue a un lugar desierto,
y allí oraba».* Marcos 1: 35

¿TE LO PUEDES CREER? Hasta el Dios del universo hecho carne necesitaba un lugar tranquilo para orar. Considera esta afirmación de *Así dijo Jesús (El discurso maestro de Jesucristo):* «Debemos escoger, como lo hizo Cristo, lugares selectos para comunicarnos con Dios. Muchas veces necesitamos aislarnos en algún lugar, aunque sea humilde, donde estemos a solas con Dios» (cap. 4, p. 134).

Sin embargo, ¿cuánto tiempo deberíamos pasar cada día en oración? Dada la atropellada carrera de locos a la que todos intentamos sobrevivir, ¿cuántos minutos al día deberíamos pasar a solas con Dios?

Según bromeó alguien en una ocasión, en lo que respecta a la oración, no se trata de que la mente venza la materia, sino más bien de que *¡la mente venza la cama!* Lo que simplemente significa que todos afrontamos la perenne lucha matutina de levantarnos de la cama y de llegar a nuestro oratorio. Y, así, se convierte realmente en cuestión de programar nuestro calendario en torno a nuestro renovada búsqueda de intensificar nuestra vida de fe y oración.

Antes de que nacieran nuestros dos hijos, yo abrigaba algunos hábitos profundamente arraigados que incluían dormir a pierna suelta toda la noche. Pero luego llegaron los bebés. Como podrás imaginar, mi vida dio un giro de ciento ochenta grados, o al menos mis noches lo dieron —¡o (en realidad) lo dieron las de Karen!—. Y nos encantó, casi. ¿Por qué? Porque teníamos en nuestra vida una prioridad nueva por entero. Y nuestros horarios sufrieron una reorganización radical para dar cabida a nuestra nueva prioridad.

Pasa igual con Jesús y la oración. A no ser que reorganicemos radicalmente nuestra agenda diaria para darle cabida, ¿de qué vale? Cuando un alumno universitario entra en mi despacho intentando forjar esta nueva prioridad, sugiero veinte minutos al día, siete días a la semana, en su oratorio. Sí, Jesús preguntó con pena a Pedro en Getsemaní: «¿No has podido velar [conmigo] una hora?» (Mar. 14: 37). Pero para algunos una hora es demasiado formidable, y yo preferiría que tengas éxito a que te lances sin estar preparado y abandones. Así que empieza poco a poco y ve aumentando. Media hora, una hora: pronto descubrirás, con esta nueva forma de orar (que compartiremos aquí en los próximos días), que el tiempo ya no será un obstáculo.

Pero si tu hábito es ver el último programa nocturno de la televisión, encontrarás que el *Amanecer con Cristo* se te hace mucho más difícil. Acuéstate temprano para que puedas despertar temprano. Cuando hay Alguien nuevo en tu vida, es esencial reorganizar radicalmente la agenda.

Alimento energizante muy concentrado

«Fijemos la mirada en Jesús, el iniciador
y perfeccionador de nuestra fe».
Hebreos 12: 2, NVI

¿HAS LEÍDO ALGUNA VEZ el libro de Ezequías completo? La mayoría de la gente no lo ha hecho. No existe. Y esa es la sensación que muchos tenemos de la Biblia: una colección de gente antigua anónima que no tenía ni idea de lo complicada que sería hoy nuestra supervivencia.

El método de oración que voy a sugerir aquí te mantendrá alejado de Ezequías durante un tiempo. Como un atleta —espiritualmente, Pablo nos describe a todos compitiendo en la carrera de la vida (ver 1 Cor. 9: 24)—, necesitamos «alimentación energizante» muy concentrada. Y la mayor concentración de poder nutricional espiritual de toda la Biblia está encerrada en Mateo, Marcos, Lucas y Juan. Por esa razón *El Deseado de todas las gentes* nos invita: «Sería bueno que cada día dedicásemos una hora de reflexión a la contemplación de la vida de Cristo. Deberíamos tomarla punto por punto, y dejar que la imaginación se posesione de cada escena, especialmente de las finales» (cap. 8, p. 66). Y eso precisamente hará esta nueva forma de orar.

Verás, tu tiempo con Jesús en los Evangelios demostrará la veracidad de la antigua ley de que nos convertimos en lo que contemplamos. No podemos quebrantar esa ley, pero ella puede quebrantarnos a nosotros. Porque cualquier cosa en la que centremos resueltamente nuestra mente se incrusta en nuestra misma alma. Leí sobre un experimento en el que dieron a un joven, sometido a hipnosis, un trozo de tiza para que lo «fumara». Los investigadores le aseguraron que era un cigarrillo, así que el joven «fumó» la tiza. De repente, fingieron alarma, porque el «cigarrillo» había quemado al joven, le vendaron los dedos, lo sacaron de la hipnosis, explicaron el «accidente» y le dijeron que volviera al día siguiente. Efectivamente, cuando le quitaron las vendas, el hombre había desarrollado ampollas donde sus dedos habían sujetado la tiza. Su cuerpo se convirtió literalmente en lo que su mente pensaba. Contemplando, cambiamos.

Dada esta hora crítica de la historia de la tierra, ¡cuán esencial es entonces que los elegidos centren su mente y su corazón en Jesús! Porque, ¿quién sino Miguel puede librarnos?

Por eso, aquí, en tu oratorio, cuando estás listo para empezar, invita al Espíritu Santo para que use los siguientes minutos e infunda el retrato de tu Salvador profundamente en tu corazón y tu mente. Como enseña nuestro texto de hoy, pide al Espíritu que fije tu «mirada en Jesús».

Como dice ese viejo himno: «Fija tus ojos en Cristo, tan lleno de gracia y amor, y lo terrenal sin valor será a la luz del glorioso Señor».

De bufet a plato único

«Creced en la gracia y el conocimiento
de nuestro Señor y Salvador Jesucristo».
2 Pedro 3: 18

¿Y AHORA QUÉ SIGUE —quizás te preguntes—? Abre la Biblia en el Evangelio que prefieras. (Marcos es el más gráfico, Lucas el más sensible, Mateo el más majestuoso y Juan el más profundo). Y ahora haz algo un tanto contradictorio. Solemos sentirnos obligados a leer tanto de la Palabra de Dios como podamos en una sentada —cuanto más alimento espiritual, mejor, ¿no?—. Pues, en realidad, no. Como en cualquier bufet, es posible tomar demasiado de algo bueno, lo cual también es cierto en el caso de la Biblia. Este método no consiste en esa antigua estrategia de «tres capítulos diarios y cinco el sábado» para leer la Biblia a lo largo de un año. Este es un método de «tan lento como sea posible y tomar todo el tiempo que necesites». ¿Por qué? Porque el objeto de nuestra adoración es centrarnos en Jesús. Pero si atestamos la mente con tres capítulos del Evangelio a primera hora de la mañana, ¿qué posibilidad hay de que retengamos algo?

Por eso, esta «nueva forma de orar» echa mano de solo un relato al día: un milagro, una parábola, una enseñanza, un incidente. Quieres saturarte de lo que el Espíritu Santo te proporcionará a partir de ese único relato. Con dos o tres relatos te preguntarías en qué lección quiere que te centres. Así que quédate con uno solo (normalmente de una extensión de tres a diez versículos). Las traducciones modernas están convenientemente divididas en párrafos, que destacan para el lector los cortes lógicos.

Obviamente, leer un solo relato no llevará mucho tiempo en absoluto, especialmente cuando ya se está familiarizado con él. (A propósito, evita la tentación de saltarte los conocidos; a veces Dios tiene escondidas sus lecciones más profundas en los textos más conocidos). He aquí, por ello, la estrategia: *vuelve a leer para evocar*. Conviértelo en una experiencia sensorial completa: convierte el relato en un DVD en tu mente. La primera vez, contémplalo simplemente; la segunda, añádele los sonidos; la tercera, los olores; también el gusto y el tacto. Recuerda que nos convertimos en lo que contemplamos. Por ello, cerciórate de que los ojos de tu alma beben del increíblemente rico detalle de Jesús que el Espíritu llevará a tu mente. *El Deseado de todas las gentes* señalaba ayer: «Que la imaginación se posesione de cada escena, especialmente de las finales». Volver a leer para evocarlo.

Y, entretanto, pregúntate: ¿Qué me dice este relato sobre mi Salvador y Amigo? El Espíritu inspiró al evangelista con cada relato. Algo divino está escondido en su interior, algo profundamente significativo para tu supervivencia y tu desarrollo espirituales. ¿Qué quiere Dios que aprendas de ese relato aislado? Pregúntaselo. Busca la respuesta. Y te prometo que ¡el Dios del universo se acercará a tu mente y te revelará un retrato de Jesús que nunca olvidarás!

Un tazón de cereales y la verdad sobre la oración

«Dejen todas sus preocupaciones a Dios,
porque él se interesa por ustedes».
1 Pedro 5: 7, DHH

¿UN RETRATO DE JESÚS que nunca olvidarás? Aunque la última línea de la reflexión de ayer es verdad, no concluyas, por favor, que cada desayuno es un bufet de cinco platos. Hay mañanas, reconozcámoslo, en que el desayuno no es tan espectacular. No es como para tirar cohetes ni para proclamarlo a los cuatro vientos: solo un tazón de copos de cereales que, al masticarlos, ni crujían ni hacían ruido en absoluto. Entonces, ¿renunciaremos a los desayunos? Todo el mundo sabe que no siempre le sirven a uno un manjar cuando se sienta a desayunar.

Y pasa igual con la oración y el culto. Habrá días en que el Espíritu sacudirá tu corazón o susurrará profundamente en tu mente, y saldrás de tu oratorio revitalizado, lleno de energía y listo para conquistar el mundo —o al menos ese día— para Dios. Pero la oración también puede ser un pastoso cuenco de cereales. No porque Dios nos haya fallado a ti o a mí, o porque el relato evangélico nos haya resultado decepcionante, sino simplemente porque somos humanos: nos dormíamos continuamente durante nuestro culto o nos distraíamos sin parar por la agenda de un día que ya demandaba atención, o estábamos demasiado molestos (léase: intranquilos, agitados, disgustados, enfadados, culpables, preocupados, etcétera) por lo que pasó ayer o anoche. Hay mil razones para nuestra frágil humanidad. Y puede que todo lo que te sirvan hoy sea un tazón pastoso de gachas de avena.

Pero eso está bien, porque Aquel con quien has acudido a encontrarte y a quien has llegado a amar lo sabe todo sobre nosotros, sus hijos, ¿no? ¿Riñe una madre amante a su hijo por quedarse dormido a mitad de la frase? ¿Reprende un padre bondadoso a su chiquillo de corta edad que interrumpe una y otra vez su conversación? Entonces, ¿crees que a Dios le molestan nuestras flaquezas?

¿Qué hacer entonces con esos desayunos no tan suculentos? Habla con Dios sobre eso que hace que tu adoración o tu vida se haya puesto «pastosa». Dile que estás cansado, molesto, preocupado durante el día. Cuéntale que te sientes culpable por ayer. Cuéntaselo todo. Ya lo sabe, así que, ¿por qué simular que estás comiendo un manjar con él cuando no son más que gachas pegajosas de principio a fin? Habla con él. ¿Qué podría dar más gozo al corazón de un padre? Echa todas tus cuitas sobre él; realmente se interesa por ti. Y, ¿quién sabe? ¡Quizá los cereales pastosos formen parte de su estrategia de dejarte realmente hambriento para lo que ya ha planeado para el desayuno de mañana!

Escribir a Dios

«Lo que hemos visto y oído, eso os anunciamos,
para que también vosotros tengáis comunión
con nosotros; y nuestra comunión verdaderamente
es con el Padre y con su Hijo Jesucristo».
1 Juan 1: 3

¿TE GUSTARÍA ESCRIBIR una carta a Dios y recibir otra de él como contestación? Puedes. Todo lo que necesitas es un diario y una pluma (o una computadora portátil). Soy consciente de que esto no va a ser para todo el mundo, pero, por otra parte, puede que sea lo que tu vida de oración ha estado esperando. Lo fue para la mía.

Digamos que tu relato evangélico para la mañana es Pedro andando sobre el agua. Bien, he ahí algo espectacular. Lo cual, naturalmente, fue lo que casi hundió a Pedro hasta el fondo del mar: el orgullo, la maldición de todos nosotros. Así que te encuentras leyendo y releyendo ese familiar pero tormentoso encuentro a medianoche en aguas profundas con Jesús. Al escrutar la oscuridad para seguir a Pedro, sientes en el rostro la punzante humedad de la espuma impulsada por el temporal. Efectivamente, ¡está andando de verdad sobre las olas realmente! Sin embargo, un instante después oyes un grito desgarrador que proviene de la oscuridad: «¡Señor, sálvame!» (Mat. 14: 30). Y, dicho y hecho, ves a Pedro, empapado y apocado, agarrando la mano de Jesús y volviendo a subir con gran esfuerzo al bote. Fin.

¿Qué te dice esta historia sobre mi Amigo eterno? Una vez que tu meditación se decida por una respuesta a esa pregunta (o sea, la lección que percibes que Jesús extraería para ti si estuviera sentado en una silla a tu lado), toma tu diario y tu pluma (o tu computadora portátil) y garabatéale una carta. «Jesús, ¡cuantísimo me parezco a Pedro! Tan osado y valiente al principio, pero adentrado apenas diez pasos en el proyecto, me lo creo tanto que aparto los ojos de ti. ¡Cada vez! Y me hundo. Mi oración esta mañana es la de Pedro: ¡Señor, sálvame! Mantén mis ojos en ti todo el día. Amén». No escribes para que te den el premio Pulitzer; estás manteniendo una conversación bidireccional con tu Maestro. Su Espíritu te habló a través del relato, y ahora tú contestas por medio de la carta. «Orar es el acto de abrir nuestro corazón a Dios como a un amigo» (*El camino a Cristo*, cap. 11, p. 138). Realmente es así de simple.

Mantén tu corazón y tus ojos en Jesús. Sin duda, mira largo y tendido a Pedro (o a cualquier otra persona que acuda al Salvador en el relato) para ver cómo te sitúa el Espíritu en el relato. Pero mantente centrado en el Maestro. Lo que más importa para los elegidos es que «siguen al Cordero por dondequiera que va» (Apoc. 14: 4).

Avanzando de rodillas

«Venid, adoremos y postrémonos;
arrodillémonos delante de Jehová,
nuestro hacedor».
Salmo 95: 6

ANTES DE QUE SALGAS APRISA de tu lugar de oración para enfrentarte con el nuevo día, hay una postura más que es vital. Sí, tú y Jesús, a través del Espíritu, han mantenido una «conversación» los últimos minutos. Cuando has abierto su Palabra, te ha hablado a través de la historia sagrada. Y, al meditar en su historia, tu propio corazón le ha contestado. Cada uno de esos minutos juntos es oración, ¿no? Por supuesto. Y, a su término, podrías salir de tu oratorio sabiendo que has mantenido un diálogo con Dios.

Sin embargo, ¿me permites que sugiera que finalices ese tiempo con Dios sobre tus rodillas? Es la conocida postura de la adoración. Y a esa postura nos invita el Salmista de nuestro texto: «Arrodillémonos delante de […] nuestro Hacedor». Después de todo, es lo que la gente hacía a menudo cuando se aproximaba a Jesús. Te acordarás, cuando descendió del monte de la transfiguración, del padre desesperado que corrió hasta el Salvador y se arrodilló ante él (Mat. 17: 14). Es la postura que adoptó la madre de Santiago y Juan cuando acudió a Jesús con una petición en nombre de sus dos hijos (Mat. 20: 20). Bueno, ¡si hasta un leproso desesperado por curarse cayó de rodillas ante Jesús (Mar. 1: 40)!

¿Por qué arrodillarse? Porque es un refuerzo físico y mental de que he estado adorando al Dios del universo. Sí, es mi Amigo eterno. Y, sí, Jesús sigue siendo el mismo compañero abordable que era hace dos mil años. Pero te recuerdo que, si tú y yo pudiéramos ver a Cristo como es hoy, nuestra respuesta no sería diferente en absoluto de la que tuvo su amigo terrenal más cercano. «Cuando lo vi, caí a sus pies como muerto» (Apoc. 1: 17). Cuando Jesús descendió al oratorio de su anciano amigo allí en aquel promontorio rocoso de Patmos en el mar Egeo —mientras Juan realizaba su culto personal ante Dios—, ¡ni siquiera su íntima amistad pudo atemperar la respuesta instantánea de Juan ante el Cristo glorificado! Cayó sobre su rostro ante él.

Es el mismo Jesús con el que te encuentras en tu propio oratorio. Así que finaliza de rodillas ante él tu tiempo de oración, aunque no se te conceda ver físicamente al Salvador glorificado… todavía. En esa postura tu mente y tu espíritu se sentirán desencadenados para adorar al Señor tu Dios «con todo tu corazón, con toda tu alma, con toda tu mente y con todas tus fuerzas» (Mar. 12: 30).

¿Qué mejor modo de andar con Dios que avanzar arrodillados?

Peticiones para tu audiencia con el Rey

*«Exhorto ante todo, a que se hagan rogativas, oraciones, peticiones y acciones
de gracias por todos los hombres, por los reyes y por todos los que tienen autoridad,
para que vivamos quieta y reposadamente en toda piedad y honestidad.
Esto es bueno y agradable delante de Dios, nuestro Salvador,
el cual quiere que todos los hombres sean salvos y vengan
al conocimiento de la verdad».*
1 Timoteo 2: 1-4.

S I LA GENTE ACUDÍA de rodillas a Jesús con sus peticiones, tú y yo, ciertamente, podemos hacer lo mismo. Incluye a las personas que figuran en tu lista de oración en los momentos que pasas arrodillado al final de tu culto. Oswald Chambers describe la oración intercesora como «una obra sin desventajas. Predicar el evangelio tiene una desventaja; la oración intercesora, ninguna» (*My Utmost for His Highest*, 30 de marzo). ¿A qué se refiere? Nuestro servicio público, ya se trate de predicar o de cualquier tipo de servicio, conlleva el riesgo latente de llegar a centrarse en sí mismo, de convertirse en autobombo. Pero orar por otros ante Dios de manera privada no suscita galardones ni aplauso, porque todo se hace en privado.

En el texto de hoy el apóstol Pablo nos recuerda que tal intercesión privada es buena «y agradable delante de Dios, nuestro Salvador». ¿Por qué? Porque Dios «quiere que todos los hombres sean salvos»; ¡por eso! Lo cual es una potente señal de que nuestras listas de oración deberían estar equilibradas con los nombres de familiares, amigos, vecinos, colegas y hasta desconocidos a los que hemos encontrado que necesitan conocer al Salvador. Diremos más sobre este asunto mañana.

Puedes empezar a crear tu propia lista de oración ahora mismo, si lo deseas. Mi lista actual (que guardo en mi diario de oración) comenzó con una solicitud de oración que alguien me envió por correo electrónico hace mucho, y he venido incluyendo nombres a mano desde entonces. (No es una lista muy pulcra ni atractiva, pero, ¿qué mas da? —es solo para consumo privado—, y funciona). ¿Quién debería estar en *tu* lista? Pablo nos manda que oremos «por todos los hombres», lo que sin duda supone el permiso divino de orar por cualquier persona que el Espíritu ponga en tu corazón. Y, dada las condiciones del planeta en estos días, su sugerencia de que incluyamos a nuestros dirigentes políticos es buena. Sí, oremos por los que necesitan curación física (después diremos más sobre ellos). Sí, intercedamos por los necesitados de liberación económica o intervención marital o éxito académico o profesional, etcétera. Y, a medida que tu lista vaya aumentando, atesora esta increíble promesa: «Cuanto más fervorosa y constantemente oremos, *tanto más íntima será nuestra unión espiritual con Cristo*» (*Palabras de vida del gran Maestro*, cap. 12, pp. 111, 112; la cursiva es nuestra). ¡Qué promesa para nuestra lista de oración!

¡Transformar una maldición en una oración!

«Viendo Pilato que nada adelantaba, sino que se hacía más alboroto,
tomó agua y se lavó las manos delante del pueblo, diciendo:
"Inocente soy yo de la sangre de este justo. Allá vosotros".
Y respondiendo todo el pueblo, dijo: "Su sangre sea
sobre nosotros y sobre nuestros hijos».
Mateo 27: 24, 25

MI PROPIO VIAJE DE ORACIÓN es muy ecléctico. He adoptado los métodos de otros y ello me ha enriquecido. Por ejemplo, hace años leí una de las cartas que Dietrich Bonhoeffer escribió durante su estancia en prisión, y mencionaba a un querido amigo que encontraba consuelo en leer un salmo todos los días. Y desde entonces yo he hecho lo mismo y he sido inmensamente bendecido. Tan pronto finalizo el Salmo 150, vuelvo al Salmo 1 a la mañana siguiente. Son las oraciones más intensas de toda la literatura, y sé que también estimularán tu propia alma.

Unas Navidades mi suegra me regaló el libro de Oswald Chambers *My Utmost for His Highest*, una colección de lecturas cristocéntricas de uso devocional escrito hace un siglo. Y desde hace más de veinte años mi alma se viene enriqueciendo cada nueva mañana. Aprendí una tercera práctica de oración de mi difunto amigo Roger Morneau, que sugería que cada día leyésemos el relato de la crucifixión de Jesús para ir así a la cumbre de todo el poder divino. Llegué a la conclusión de que si era bueno para él, sería bueno para mí. Y, por eso, cada mañana leo Mateo 27: 23-54. «Al postrarse con fe junto a la cruz, [el pecador] alcanza el más alto lugar que pueda alcanzar el hombre» (*Los hechos de los apóstoles*, cap. 20, p. 157). ¡Qué mejor lugar para arrodillarse cada día que la cumbre del Calvario!

Leyendo un día Mateo 27 me di cuenta de repente que el grito de la chusma aquella mañana de viernes fuera del tribunal de Pilato podía convertirse en una intensa oración. «Su sangre sea sobre nosotros y sobre nuestros hijos». ¿No es eso lo que anhelamos yo y todo padre creyente por bien de nuestros hijos? Que la sangre del Cordero, igual que fue pintada en los dinteles de los elegidos la noche que fueron librados de Egipto, pudiera ser asperjada en los dinteles de nuestro hogar y en el corazón de nuestros hijos. «Su sangre sea sobre nosotros [no debemos excluirnos del abrigo protector del sacrificio de Jesús] y sobre nuestros hijos». Y cuando tus hijos crecen y se van del hogar, ¿por qué interrumpir la oración? Por medio de la oración puedes, como Job, alcanzarlos y ponerlos bajo el amor protector y salvador de Dios.

Ahora que lo pienso, ¿hay algún nombre en tu lista de oración que *no* necesite esta oración?

La sangre

*«Ellos lo han vencido por medio de la sangre del Cordero y de la palabra
del testimonio de ellos, que menospreciaron sus vidas hasta la muerte».*
Apocalipsis 12: 11

PREDICABA YO EN SACRAMENTO, California. La reunión vespertina del viernes estaba a punto de empezar cuando vislumbré a un joven que avanzaba por el pasillo central de la iglesia. Llevaba puesta una camiseta negra, y cruzando la camiseta, con enormes letras en rojo brillante, figuraba el nombre SATANÁS. Tuve que mirar rápidamente una segunda vez. No cabía duda. No lo había leído mal; y de repente empecé a hacerme preguntas sobre la gente y la congregación a la que yo había acudido. Sin embargo, cuando el joven se acercó más y alargó su mano para estrechar la mía, pude leer la letra pequeña de color blanco bajo el nombre de Satanás: «está derrotado». ¡Menos mal! ¡Seguía entre amigos!

«Satanás está derrotado». Ese fue el repique triunfante de todas las campanas del universo aquella tarde de viernes cuando Jesús gritó el victorioso «¡Consumado es!» (Juan 19: 30). Las espantosas batallas de la tierra continuarían aún, pero el resultado de la guerra estaba decidido para siempre. «¡Satanás está derrotado!».

No es de extrañar que el Apocalipsis describa a los elegidos de Dios de todos los siglos venciendo al gran dragón escarlata (Satanás) «por medio de la sangre del Cordero». ¿Por qué tan sangrienta metáfora? Simplemente porque la sangre misma que el archienemigo del cielo y de la tierra derramó aquel viernes en la crucifixión del Hijo de Dios se ha convertido en el símbolo carmesí de la contraofensiva divina que aplastó el mortal control de Satanás sobre la tierra y la raza humana. El amor se dio a sí mismo como sustituto de la raza rebelde, y en su muerte sacrificial triunfó sobre el reino de las tinieblas, emancipando a la humanidad por los siglos de los siglos. Amén.

Y ese «amén» nos lleva a apelar al símbolo carmesí de «la sangre del Cordero» en nuestra adoración y en nuestra oración. Así, «Su sangre sea sobre nosotros y sobre nuestros hijos» se convierte en una potente petición al Vencedor del Calvario para que venza ahora en nuestra propia vida y en la vida de aquellos a los que amamos. El enemigo conoce bien el poder abrumador de tal apelación. «Habladle [a Satanás] de la sangre de Jesús, que limpia todo pecado. No podéis salvaros del poder del tentador; pero *él tiembla y huye cuando se insiste en los méritos de aquella preciosa sangre.* ¿No aceptaréis, pues, agradecidos, las bendiciones que Jesús concede?» (*Testimonios para la iglesia,* t. 5, p. 296; la cursiva es nuestra). Bendiciones desencadenadas y movilizadas por el triunfo de Jesús en la cruz.

No es de extrañar que también nosotros podamos vencer por «los méritos de aquella preciosa sangre».

Más de mil doscientos estudios

«Bendice, alma mía, a Jehová, y no olvides ninguno
de sus beneficios. él es quien perdona todas tus maldades,
el que sana todas tus dolencias, el que rescata
del hoyo tu vida, el que te corona de favores
y misericordias». Salmo 103: 2-4

EN EL PROGRAMA de televisión *The Evidence* [La evidencia] de *Faith for Today* [Fe para hoy], tuve ocasión de entrevistar a Larry Dossey, a quien se conoce por sus estudios y su investigación sobre el poder de la oración. Aunque se crió como cristiano evangélico pero luego se convirtió en un entusiasta de la Nueva Era, defiende con ahínco, no obstante, la intervención de la oración por los enfermos, llegando a sugerir que la investigación demuestra que hasta las plantas por las que se ora se ven afectadas físicamente.

Hasta este momento más de mil doscientos estudios empíricos han examinado la relación entre la oración y la curación física. Desde el Hospital General de San Francisco hasta el Centro Médico de la Universidad Duke, uno puede examinar la investigación por uno mismo simplemente buscando en Google las palabras clave.

La conclusión ineludible es que haríamos bien en incluir a los necesitados de curación física en nuestras listas de oración personal. Pero, ¿qué creyente necesitaba esa certeza? Después de todo, Jesús era el Maestro sanador. Sus discípulos se movían entre la gente y «ungían con aceite a muchos enfermos y los sanaban» (Mar. 6: 13). Y la Biblia declara: «Y la oración de fe salvará al enfermo, y el Señor lo levantará» (Sant. 5: 15).

A lo largo de los años, parte de mi vida de pastor ha sido orar por los enfermos. Junto a una cama de hospital o a la cabecera de la cama en un hogar, ninguna parte de mi ministerio es más sagrada que este privilegio intercesor. ¿Son todos sanados? Por supuesto que no. ¿Por qué? Dios no respondió a la misma petición de Job o de Eliseo, el mayor obrador de milagros fuera de Jesús en todas las Escrituras. Job acabó siendo sanado; Eliseo no. Entonces, porque no sepamos por qué algunos son sanados y otros no, ¿dejaremos de orar por los enfermos? Jamás. «No tenéis, porque no pedís» (Sant. 4: 2, LBA).

Entrevisté a John Polkinghorne, afamado físico inglés y clérigo anglicano, y le pregunté sobre la oración. Dijo que, aunque no podamos conocer la mecánica de la oración intercesora, quizá sea como un rayo láser, en el que haces de luz agrupados pueden penetrar en los mayores de los obstáculos. ¿Pudiera ser que, en la oración unida, los haces acumulados de nuestras peticiones concentradas permitan que Dios haga lo imprevisible y, a veces, increíble? Puede que nunca lo sepamos hasta la eternidad, pero hasta la eternidad nunca debemos dejar de pedir a nuestro sabio y amante Dios que intervenga.

Las tres oraciones «consabidas» de Dios

«Vosotros, pues, oraréis así: "Padre nuestro que estás en los cielos, santificado sea tu nombre. Venga tu Reino. Hágase tu voluntad, como en el cielo, así también en la tierra"». Mateo 6: 9, 10

¿TE GUSTARÍA ELEVAR una oración en la que tengas «garantizado» que tu petición es la voluntad de Dios? Wesley Duewel, en su libro *Mighty Prevailing Prayer*, describe lo que llama oraciones «consabidas» de Dios, oraciones que son siempre la voluntad de Dios (pp. 96, 97).

Pimera oración: Siempre es voluntad de Dios salvar al pecador. «El Señor no retarda su promesa, según algunos la tienen por tardanza, sino que es paciente para con nosotros, no queriendo que ninguno perezca, sino que todos procedan al arrepentimiento» (2 Ped. 3: 9). Entonces, atestemos nuestra lista de oración con los nombres de los que necesitan la salvación de Jesús. Hijos perdidos, vecinos perdidos, colegas perdidos, amigos perdidos, ciudades y pueblos perdidos e incluso naciones: debemos añadirlos a nuestra lista de oración. Y nunca es preciso que agreguemos la condición «Si es tu voluntad», porque ya sabemos que *es* voluntad de Dios salvar a los perdidos —a todos—, si tan solo estuvieran tan dispuestos como él.

Segunda oración: Siempre es voluntad de Dios bendecir y reavivar a la iglesia. «¿No volverás a darnos vida, para que tu pueblo se regocije en ti?» (Sal. 85: 6). ¿Por qué no iba Dios a querer avivar a su iglesia de la tierra? ¿Por qué no iba a anhelar que nuestras congregaciones locales se convirtieran en las sedes del ministerio del Espíritu Santo en nuestros barrios, nuestros pueblos, nuestras ciudades? Nunca tenemos que orar «Si es tu voluntad, por favor, vuelve a dar vida a nuestra iglesia». *Es* voluntad de Dios.

Tercera oración: Siempre es voluntad de Dios glorificar su nombre. En víspera de su muerte durante su última visita al templo de Jerusalén, Jesús alzó los ojos al cielo y allí, ante la multitud, oró: «"Padre, glorifica tu nombre". Entonces vino una voz del cielo: "Lo he glorificado, y lo glorificaré otra vez"» (Juan 12: 28). A diferencia de nosotros, Dios no se vanagloria cuando glorifica su nombre. Antes bien, el nombre de Dios captura la gloria total del amante carácter divino. Y cuando Dios glorifica su nombre en medio de nosotros, es como fue en el templo: la atención está plenamente en Jesús. ¿Qué mejor oración puede elevarse, entonces, que esta petición, que busca que la gloria de Dios sea revelada en medio de nosotros, personal y colectivamente?

Aunque no podamos conocer la *mente* de Dios para cada necesidad que hayamos garabateado en nuestra lista de oración, sí queda claro que podemos conocer su *corazón*. Y, conociendo su corazón, ¿no podemos abrirle el nuestro por todos aquellos a los que él y nosotros valoramos tan profundamente?

La oración de los elegidos

«Señor, acuérdate de mí por amor a tu pueblo, con tu fuerza salvadora ven a mí,
para que me goce con tus elegidos, me alegre con la alegría de tu pueblo,
me llene de orgullo con tu heredad».
Salmo 106: 4, 5, LPH

¿NO ES ESTA UNA ORACIÓN extraordinaria? «Oh Dios, igual que has bendecido a los elegidos a lo largo de los siglos de la historia, ¿querrás, por favor, concederme el mismo favor, visitarme con la misma salvación y dejarme experimentar exactamente el mismo beneficio [la misma «prosperidad», LBA] que has dado a tus elegidos?». ¿No crees que Dios anhela con pasión que le presentemos peticiones para tener esa vida de beneficios que ha prometido a los elegidos?

¿Qué podría dar más felicidad a un progenitor (o dejarlo más atónito) que el adolescente que vive bajo su techo anuncie, sentado a la mesa familiar, que le encantaría pasar la tarde con su progenitor —los dos solos— para aprender de su sabiduría, beneficiarse de su consejo, llegar a conocer su corazón con mayor profundidad y, de paso, acercarse más a él? ¿No te daría gozo dar a tu hijo adolescente todo eso y más?

Entonces, ¿por qué habría un ápice de diferencia en el caso de nuestro Padre celestial, que nos eligió desde el mismo comienzo? Medita sobre esta hermosa promesa: «No necesitáis ir hasta los confines de la tierra para buscar sabiduría, pues Dios está cerca. No son las capacidades que poseéis hoy, o las que tendréis en lo futuro, las que os darán éxito. Es lo que el Señor puede hacer por vosotros. Necesitamos tener una confianza mucho menor en lo que el hombre puede hacer, y una confianza mucho mayor en lo que Dios puede hacer por cada alma que cree. Él anhela que extendáis hacia él la mano de la fe. Anhela que esperéis grandes cosas de él. Anhela daros inteligencia así en las cosas materiales como en las espirituales. Él puede aguzar el intelecto. Puede impartir tacto y habilidad. Emplead vuestros talentos en el trabajo; pedid a Dios sabiduría, y os será dada» (*Palabras de vida del gran Maestro*, p. 112).

¿Todo eso y más para los elegidos? ¿Por qué no? Entonces, ¿por qué no íbamos a solicitar diariamente a nuestro Padre celestial la abundancia que solo él puede proveer? Sin embargo, ¿no son las peticiones una forma de inmadurez y de egocentrismo? ¿No deberíamos dejar atrás la oración peticionaria?

Supongo que la dejaremos atrás el día que dejemos atrás el Padrenuestro. A algunos los toma por sorpresa saber que, de hecho, la oración modelo de Jesús consiste en una serie de siete peticiones (cuéntalas tú mismo) entre el «Padre nuestro que estás en los cielos» y el «porque tuyo es el reino…» (Mat. 6: 9-13). Siete peticiones, evidencia suficiente de que Dios anhela que también nosotros elevemos la oración de los elegidos.

El regalo que se renueva continuamente

*«Por eso os digo: Pedid, y se os dará; buscad, y hallaréis; llamad,
y se os abrirá, porque todo aquel que pide, recibe; y el que busca,
halla; y al que llama, se le abrirá». Lucas 11: 9, 10*

¿HAS TENIDO ALGUNA VEZ la impresión de que Dios quiere que pidas? Entonces, ¿por qué no lo hacemos más a menudo?

Hubo una vez un hombre a quien se le presentó a medianoche un amigo que vivía fuera de la ciudad. Una vez concluidos la bulliciosa bienvenida y todos los abrazos, el anfitrión se dio cuenta súbitamente de que no tenía nada que poner de comer a su hambriento amigo (la compra de comestibles no tocaba hasta el viernes). ¡Suerte que uno cuenta con vecinos! Pero cuando pulsó insistentemente el timbre de la casa de al lado, parecía que no podía despertar a la familia. Por fin se abrió con un chirrido una ventana del primer piso. Tras las necesarias disculpas y la explicación del vecino, el hombre de arriba refunfuñó que era demasiado tarde para buscar comida en su despensa, que los niños estaban dormidos y que podría despertarlos. Sin embargo, el anfitrión necesitado rehusó moverse. «Me tienes que dar algo de pan para mi huésped, *¡por favor!*». Cuánto se prolongó la situación, nadie lo sabe. La parábola de Jesús sí deja claro que el hombre de arriba por fin cedió ante su persistente vecino y le dio todos los alimentos que necesitaba. Fin.

¿La idea clave de la parábola? Pedir. ¿Pedir qué? Jesús está preparado con la respuesta: «Si vosotros, siendo malos, sabéis dar buenas dádivas a vuestros hijos, ¿cuánto más vuestro Padre celestial dará el Espíritu Santo a los que se lo pidan?» (Luc. 11: 13). ¡Pedir el Espíritu Santo!

Pedir el Espíritu Santo sería como pedir a tus padres que te dieran una tarjeta de crédito de reconocida solvencia, emitida a tu nombre, con privilegios de compra ilimitados. (Por supuesto, ¡ningún padre prudente con dos dedos de frente va a dar una tarjeta de crédito ilimitado a sus hijos!). Sin embargo, pide el Espíritu Santo a tu Padre celestial y es aún mejor que una tarjeta con crédito ilimitado. Porque Dios añadirá todos los demás dones que hayas necesitado alguna vez (o que quisieras en lo más hondo). «Cuando recibamos ese don [el Espíritu Santo], *todos los demás* serán nuestros» (*Mi vida hoy,* p. 61; la cursiva es nuestra).

¿Qué tipo de padre haría eso? Nuestro Padre celestial, dice Jesús. Según parece, el don del Espíritu es tan significativo a ojos del cielo que, cuando lo tenemos, ¡tenemos al único Ser del universo que puede acceder por nosotros a la tesorería misma del reino de Dios!

El rompecabezas - 1

*«Después de esto vi otro ángel que descendía del cielo
con gran poder, y la tierra fue alumbrada
con su gloria».* Apocalipsis 18: 1

¿TE GUSTAN LOS ROMPECABEZAS? Para mí, montar una escena de la naturaleza es un pasatiempo muy relajante. Pero, a decir verdad, mi paciencia llega al límite con 750 piezas. ¡Meter mil piezas revueltas al azar en una caja es decir adiós a los momentos de relax!

Así que montemos aquí mismo, entre todos, un simple rompecabezas de siete piezas. ¿Por qué? Porque de esas siete piezas surge una agenda irresistible de oración que los elegidos deben adoptar.

La **primera pieza del rompecabezas** es nuestro texto de hoy. En el Apocalipsis abundan los ángeles, ¿te has fijado? La mayoría recordamos a los tres ángeles de Apocalipsis 14. Pero aquí hay un cuarto ángel que, como un rayo de luz deslumbrante, desciende del cielo a la tierra cerca del tiempo final. (Sabemos que es cerca del fin, porque tres versículos después se oye una voz del cielo que clama: «¡Salid de ella, pueblo mío, para que no [...] recibáis parte de sus plagas!» [Apoc. 18: 4]). Así que, inmediatamente antes del fin, un cuarto ángel, con gran autoridad, incendia de gloria la tierra. ¿De quién es la gloria? ¿De él? Más bien no.

Los eruditos coinciden en que prácticamente todas las expresiones del Apocalipsis están tomadas del Antiguo Testamento. La clave para descifrar esta pieza del rompecabezas es Ezequiel 43: 2: «Y vi que la gloria del Dios de Israel venía del oriente. Su sonido era como el sonido de muchas aguas, y la tierra resplandecía a causa de su gloria». Está claro que Juan está citando este texto. Juntamos los dos y sabemos de quién es la gloria que llena la tierra en el tiempo del fin. Es la gloria de *Dios*, que surge del *oriente* como el *sol*. «Mas para vosotros, los que teméis mi nombre, nacerá el sol de justicia y en sus alas traerá salvación» (Mal. 4: 2). ¿Quién supones que es ese sol? ¿Quién declaró «Yo soy la luz del mundo» (Juan 8: 12; 9: 5)? ¿A quién describió Juan diciendo que «su rostro era como el sol cuando resplandece con toda su fuerza» (Apoc. 1: 16)?

Dejando que la Biblia se interprete a sí misma, la **primera pieza del rompecabezas** describe de forma gráfica el derramamiento de la gloria de Jesús sobre la última generación de la tierra, un último avivamiento global. Sin embargo, con Jesús ahora ligado a la humanidad con un cuerpo como el nuestro, ¿cómo podría derramarse a sí mismo? «Él me glorificará» (Juan 16: 14). ¿Quién? El poderoso Espíritu Santo, el Ser más cristocéntrico del universo. Cuando se derrama el Espíritu, la gloria de Jesús se esparce por doquier. No es de extrañar que hayamos de rogar «por el Espíritu Santo» (*Palabras de vida del gran Maestro*, p. 113). ¡No es de extrañar que esta solicitud de oración deba encabezar nuestra lista!

El rompecabezas - 2

«Miré, y vi una nube blanca. Sentado sobre la nube, uno semejante
al Hijo del hombre, que llevaba en la cabeza una corona de oro
y en la mano una hoz aguda. Y otro ángel salió del templo
gritando a gran voz al que estaba sentado sobre la nube:
"¡Mete tu hoz y siega, porque la hora de segar ha llegado,
pues la mies de la tierra está madura!"».
Apocalipsis 14: 14, 15

DIOS ES AGRICULTOR. ¿Dónde crees que aprendimos eso? Es asombrosa la frecuencia con la que la metáfora de la agricultura está entretejida en todas las Escrituras, desde parábolas hasta profecías. Aquí el Rey Jesús se sienta en la nube gloriosa de su segundo advenimiento, pero, ¿qué hay en su mano? Una hoz. ¿Por qué? Porque «la mies de la tierra está madura». ¿Te acuerdas del quid de la parábola de Jesús sobre el trigo y la cizaña? La tierra termina con una gran cosecha; ello es también el mensaje central de Juan aquí, en la **segunda pieza del rompecabezas.**

Y también es el meollo de Joel en la **tercera pieza del rompecabezas** cuando describe el juicio final con estas palabras: «Despiértense las naciones [...], porque allí me sentaré para juzgar a todas las naciones de alrededor. Meted la hoz, porque la mies está ya madura» (Joel 3: 12, 13). El mundo de la agricultura de Judea es el lenguaje de las Escrituras, y está claro que la metáfora de la cosecha describe el fin del mundo.

Toma ahora la **cuarta pieza del rompecabezas:** «Vosotros también, hijos de Sion, alegraos y gozaos en Jehová, vuestro Dios; porque os ha dado la primera lluvia a su tiempo, y hará descender sobre vosotros lluvia temprana y tardía, como al principio. Las eras se llenarán de trigo» (Joel 2: 23, 24). ¿Cómo se lleva la cosecha al punto de maduración? Con una abundante lluvia, responde Joel. Los agricultores hebreos solo conocían dos estaciones, la húmeda y la seca. Y por eso plantaban sus semillas al comienzo de la estación húmeda de las lluvias tempranas (otoño) para garantizar que sus cosechas arraigaran y se desarrollaran. Y luego aguardaban con impaciencia la estación de la lluvia tardía (primavera), cuando la última tanda de lluvias aceleraría los cereales hasta la total maduración de la cosecha antes de que empezase la estación seca.

Pero está claro que Joel tiene en mente mucho más que los modelos climáticos de Israel. **Quinta pieza del rompecabezas:** «Después de esto derramaré mi espíritu sobre todo ser humano, y profetizarán vuestros hijos y vuestras hijas; vuestros ancianos soñarán sueños, y vuestros jóvenes verán visiones. También sobre los siervos y las siervas derramaré mi espíritu en aquellos días» (vers. 28, 29). La lluvia que Dios promete es el derramamiento de su Espíritu. Solo quedan dos piezas más del rompecabezas. Pero ya tenemos un trozo suficiente de la imagen como para darnos cuenta de que ahora debemos pedir este derramamiento de lluvia.

El rompecabezas - 3

«Entonces Pedro, poniéndose en pie con los once, alzó la voz
y les habló diciendo: "Judíos y todos los que habitáis en Jerusalén,
esto os sea notorio, y oíd mis palabras [...]. Esto es lo dicho
por el profeta Joel: 'En los postreros días —dice Dios—,
derramaré de mi Espíritu sobre toda carne'"».
Hechos 2: 14-17

UN RECUERDO INOLVIDABLE en mi corazón es el de haber estado de pie en el silencio sagrado de aquel aposento alto de Jerusalén que los arqueólogos sugieren que fue el marco del derramamiento del Espíritu Santo en Pentecostés. Un grupo de pastores adventistas y de profesores de religión del mundo entero nos reunimos en aquella quietud para adorar y orar juntos, recordando que en «ese mismo lugar» un viento tremendo y lenguas de fuego se arremolinaron en torno a ciento veinte hombres y mujeres que oraban.

Tras aquel derramamiento, Pedro salió aprisa al balcón, bajo el cual parecía que toda Jerusalén era un hervidero por las extrañas manifestaciones que emanaban del piso superior. Y estoy muy agradecido de que en nuestro texto de hoy, la ***sexta pieza del rompecabezas***, Pedro insertara palabras que nunca aparecieron en la profecía de Joel, porque la expresión «en los postreros días» es exclusiva de la historia de Hechos narrada por Lucas. Pedro sabía que las palabras de Joel eran algo más que el lejano pasado: Dios había previsto que representaran el futuro de los elegidos. «En los postreros días [...], derramaré de mi Espíritu sobre toda carne».

Y, gracias a esa inserción, está claro que la Biblia aplica las palabras proféticas de Joel tanto al derramamiento del Espíritu Santo sobre sus elegidos al comienzo de la historia de la iglesia (lluvia temprana) como nuevamente al final de la historia de la iglesia (lluvia tardía). Recuerda que las lluvias tempranas ablandaban el suelo para plantar nueva semilla (Hech. 2) y que las lluvias tardías maduraban los cereales para la cosecha final (Apoc. 14 y 18). Y Apocalipsis 18: 1 (la ***primera pieza del rompecabezas***) predice y promete ese derramamiento final, sobrenatural y apocalíptico del Espíritu de Dios.

Podemos llamarlo «la segunda venida del Espíritu Santo», como hace mi amigo Norman Gulley. Porque si Pentecostés fue su «primera» venida poderosa, entonces, ciertamente, ¡la lluvia tardía del Espíritu será su «segunda» venida aún más poderosa! «El descenso del Espíritu Santo en el día de Pentecostés fue la primera lluvia, pero la última lluvia será más abundante. El Espíritu espera que lo pidamos y recibamos. Cristo ha de ser nuevamente revelado en su plenitud por el poder del Espíritu Santo» (*Palabras de vida del gran Maestro*, p. 92). ¿Lo entiendes? Un derramamiento «más abundante» del Espíritu de Jesús «espera que lo pidamos y recibamos». Entonces, ¿no oraremos continuamente, pidiéndolo con insistencia?

El rompecabezas - 4

«Cualquiera que beba de esta agua volverá a tener sed;
pero el que beba del agua que yo le daré no tendrá sed jamás,
sino que el agua que yo le daré será en él una fuente
de agua que salte para vida eterna». Juan 4: 13, 14

HE AQUÍ LA *séptima pieza del rompecabezas.* Dios promete: «El que beba del agua que yo le daré no tendrá sed jamás». Solo hay una condición previa: Hay que estar sediento, tanto como el estéril paisaje rojizo cuarteado de Sudán, tanto como la quebradiza hierba amarilla achicharrada del moribundo césped frente a tu casa. «Porque yo derramaré aguas sobre el sequedal, ríos sobre la tierra seca. Mi espíritu derramaré sobre tu descendencia, y mi bendición sobre tus renuevos» (Isa. 44: 3).

Toda esta insistencia en la lluvia es simplemente el llamamiento bíblico a un reavivamiento y una reforma espirituales. Estas siete piezas del rompecabezas ahora montadas no son más que el apasionado llamamiento de Dios a sus elegidos para que despierten a la sed desesperada tanto del mundo como de la iglesia. «"Si alguien tiene sed, venga a mí y beba. El que cree en mí, como dice la Escritura, de su interior brotarán ríos de agua viva". Esto dijo [Jesús] del Espíritu que habían de recibir los que creyeran en él» (Juan 7: 37-39). ¿Estás sediento del Espíritu de Jesús?

¿Puedo ser algo más directo? La urgente realidad es que, a no ser que tú y yo busquemos la segunda venida del *Espíritu Santo,* nunca estaremos listos para la Segunda Venida de *Jesús.* Aquella debe preceder a esta, o esta nunca se producirá. Jesús sigue clamando: «Si alguien tiene sed, venga a mí». ¿Hay alguien que siga orando por su lluvia tardía?

¡Podrás imaginar que alguien en esta guerra cósmica está orando desesperadamente que nunca lo hagamos! «No hay nada que Satanás tema tanto como que el pueblo de Dios despeje el camino quitando todo impedimento, de modo que el Señor pueda derramar su Espíritu sobre una iglesia decaída y una congregación impenitente. Si se hiciera la voluntad de Satanás, no habría ningún otro reavivamiento, grande o pequeño, hasta el fin del tiempo. [...] [Pero] así como Satanás no puede cerrar las ventanas del cielo para que la lluvia venga sobre la tierra, así tampoco puede impedir que descienda un derramamiento de bendiciones sobre el pueblo de Dios» (*Mensajes selectos,* t. 1, pp. 144, 145).

¡Aleluya! El enemigo de nuestra alma no puede detener la lluvia. No puede impedir indefinidamente el derramamiento global prometido y profetizado por Apocalipsis 18: 1 sobre los elegidos de Dios, igual que no puede cerrar las ventanas del cielo. Una buena nueva: ¡tanto las ventanas del cielo como la lluvia obedecen al mandato *de Dios*! Entonces, ¿no pediremos con pasión el Don prometido?

La niñita y el jarrón

«Pedid a Jehová lluvia en la estación tardía.
Jehová hará relámpagos, y os dará lluvia abundante
y hierba verde en el campo a cada uno». Zacarías 10: 1

ENTONCES, ¿ES ESO TODO? ¿Es eso lo que Dios espera de sus elegidos, simplemente que pidamos lluvia? ¿Qué tiene eso de complicado? En realidad, nada. Salvo que pedir es obviamente algo más que simplemente articular las palabras. Como saben todas las esposas y todos los esposos, un «Te quiero» de labios se corrobora con un «Te quiero» en la vida.

Sopesa esta invitación conmigo: «La mayor más urgente de todas nuestras necesidades es la de un reavivamiento de la verdadera piedad en nuestro medio. Procurarlo debiera ser nuestra primera obra. Debe haber esfuerzos fervientes para obtener las bendiciones del Señor, no porque Dios no esté dispuesto a conferirnos sus bendiciones, sino porque no estamos preparados para recibirlas. Nuestro Padre celestial está más dispuesto a dar su Espíritu Santo a los que se lo piden que los padres terrenales a dar buenas dádivas a sus hijos. Sin embargo, mediante [1] la confesión, [2] la humillación, [3] el arrepentimiento y [4] la oración ferviente nos corresponde cumplir con las condiciones en virtud de las cuales ha prometido Dios concedernos su bendición. Solo en respuesta a la oración debe esperarse un reavivamiento» (*Mensajes selectos,* t. 1, p. 141). Todos podemos abordar el prerrequisito número 4; sin embargo, ¿qué decir de los números 1 al 3?

Me recuerda la historia de una niñita cuya madre le dijo que no jugara con el caro jarrón que había en la sala de la casa. Poco tiempo después la mamá encontró a la niña con la mano literalmente dentro de la antigüedad de porcelana. ¡Y no podía sacarla! La madre intentó untar vaselina en la muñeca de su nena, luego aceite de cocina, de nuevo inútilmente. Desesperada, llamó a los bomberos. Pero ni siquiera su grasa de motor de tipo industrial pudo liberar la mano de la nenita. ¿Tendrían que romper el jarrón? El jefe de bomberos reflexionó un momento, y luego preguntó a la niña con dulzura qué tenía en la mano. «Una moneda», contestó ella con inocencia. «Si lo sueltas, tu mano saldrá de inmediato». Lo soltó y salió.

¿A qué nos aferramos que obstaculiza nuestra comunicación con Dios? ¿Un hábito, una posesión, una relación, un centavo o dos? «La confesión, la humillación, [y] el arrepentimiento» no son prerrequisitos que conlleven una mala noticia: son, simplemente, el acto por el que el alma suelta lo que obstaculiza la comunicación con Dios. La niñita suplicaba que le quitaran el jarrón, pero su oración solo fue contestada solo cuando soltó lo que había en su mano. ¿Quieres un reavivamiento? Entonces, ayudemos a Jesús a contestar nuestra oración. ¿Cómo? Soltando los obstáculos.

¿Es el reino de los cielos como un concurso de TV?

*«Entonces siguió diciéndome: "Esta es palabra de Jehová
para Zorobabel, y dice: 'No con ejército, ni con fuerza,
sino con mi espíritu', ha dicho Jehová
de los ejércitos"».* Zacarías 4: 6

¿QUÉ PASARÍA SI EL REINO de los cielos fuera como los concursos de la tele: uno de esos programas de talentos que tanto proliferan que, por lo visto, todo el mundo ve simultáneamente y en los que puede emitir un voto llamando al número mostrado en la pantalla? ¿Qué pasaría si el cielo pudiera organizar a todas las congregaciones de cada huso horario de la tierra para que se conectasen simultáneamente en un gigantesco encuentro global de oración, todo con el fin de dar apoyo unitario a una sola petición de oración? Si pudiéramos lograrlo, ¿qué supones que esperaría Dios que fuera esa petición de oración? ¿Más fe, más gracia, más poder, más amor, más victorias, más satélites, más bautismos, más participación, más dinero, más voluntarios, más tiempo?

«Si pudiese haber una asamblea de todas las iglesias de la tierra, *el objeto de su clamor unido debería ser pedir el Espíritu Santo.* Cuando tenemos eso, *Cristo* está siempre presente. Se suplirán todas nuestras necesidades. Tendremos la mente de Cristo» (Elena G. de White, *Manuscript Releases,* t. 2, p. 24; la cursiva es nuestra). Cuando uno ora pidiendo el Espíritu Santo, tienes a Jesús y, además, se suplen todas las necesidades. ¡Qué más podríamos pedir!

Incluye en tu consideración la apasionada misión de los elegidos de Dios de comunicar la verdad sobre Jesús a toda nación, tribu y pueblo en todos los husos horarios, y no hace falta ser muy listo para entender por qué nuestra comunidad de fe debería aunarse en esta petición de oración.

Haz la cuenta. Cada segundo nacen cuatro bebés en la tierra y fallecen dos seres humanos. Eso supone un crecimiento neto de nuestra población de dos por segundo, o un millón cada seis días, o sesenta millones cada año. Lo cual significa que mientras sigue costándonos alcanzar al vecino de al lado, ¡la población mundial aumenta a razón de un millón de personas por semana! ¿Quién va a ponerse en contacto con ellos?

Seamos sinceros. Si tenemos en cuenta la realidad de nuestra debilidad humana, no hay manera de que los elegidos jamás estén a la altura de la misión divina. Punto. A no ser que la promesa de nuestro texto de hoy resulte siendo verdad: que lo que nunca podrán lograr el poder humano o el poder eclesiástico ¡se puede realizar, de hecho, «"con mi espíritu", ha dicho Jehová de los ejércitos»! No es de extrañar que los elegidos seamos llamados a unirnos en torno a una sola petición de oración: «Oh Dios, ten misericordia de nosotros en nuestra debilidad y llénanos del poderoso Espíritu Santo, para que *nuestras* imposibilidades se transformen en *tus* gloriosas posibilidades a través de Cristo. Amén».

Dieciséis años dormida

«Entonces el reino de los cielos será semejante
a diez vírgenes que, tomando sus lámparas, salieron
a recibir al novio. […] Como el novio tardaba,
cabecearon todas y se durmieron». Mateo 25: 1-5

LUGAR: ALBUQUERQUE, Nuevo México. Nombre: Patricia White Bull. Edad: Cuarenta y dos años. Llevaba dieciséis años en estado inconsciente. Los médicos eran incapaces de explicar cómo había podido caer en aquel estado catatónico mientras daba a luz a su cuarto hijo. Durante los siguientes años, su esposo y sus hijos acudían a verla y volvían a irse, pero Patricia siguió dormida. Hasta que, de repente, una Nochebuena (historia real) despertó. ¡Te imaginarás el inmenso regocijo de aquella reunión! Podríamos escribir el titular así: «Mujer dormida durante años despierta y vuelve a la vida».

¿No es ese el titular de la parábola de Jesús sobre las diez vírgenes? Como indica nuestro texto de hoy, las diez se quedaron dormidas mientras aguardaban la llegada del novio. Por eso, quedarse dormidas no determinó si eran prudentes o insensatas. En el relato de Jesús, las jóvenes quedaron catalogadas por tener aceite o por la carencia del mismo. Las prudentes habían hecho acúmulo del precioso combustible, mientras que las insensatas habían olvidado traer una cantidad de reserva. Y cuando el novio volvió de repente, las insensatas quedaron en la oscuridad, sin aceite alguno para alumbrar su camino.

En las Escrituras, el aceite es a menudo un símbolo gráfico del Espíritu Santo. Este es el combustible del fuego divino, el bálsamo de la unción divina. Y cuando tu lámpara —o tu vida— está llena de él, la brillante llama del amor de Dios irradia de ti hacia las tinieblas circundantes.

La buena nueva es que no hace falta que nos pillen sin su aceite, como a las insensatas. «El transcurso del tiempo no ha cambiado en nada la promesa de despedida de Cristo de enviar el Espíritu Santo como su representante. No es por causa de alguna restricción de parte de Dios por lo que las riquezas de su gracia no fluyen a [nosotros]. […] *Si todos lo quisieran, todos serían llenados del Espíritu»* (*Los hechos de los apóstoles,* cap. 5, p. 39; la cursiva es nuestra). Ahí lo tenemos otra vez: este Don es nuestro con solo pedirlo. Aunque la iglesia a tu alrededor parezca profundamente dormida, no desesperes. No hace falta que esperes hasta el derramamiento final de la lluvia tardía para ser lleno del Espíritu. Abre ahora mismo de par en par las puertas de tu corazón y de tu vida, entrégate por entero a Jesús —el Don es tuyo— y serás colmado. ¿Quién sabe? Puede que seas tú la persona henchida del Espíritu a la que Dios use para despertar a tu iglesia con el grito: *«¡Aquí viene el novio!»* (Mat. 25: 6).

¿Puercoespines o rosa?

«Pedro estaba custodiado en la cárcel, pero la iglesia
hacía sin cesar oración a Dios por él. [...] Muchos
estaban allí reunidos, orando». Hechos 12: 5-12

A ALGUIEN CON SENTIDO del humor se le ocurrió decir que la iglesia es como una manada de puercoespines apiñados para darse calor en una ventisca. Cuanto más nos acercamos entre nosotros, ¡más nos pinchamos mutuamente! Quizá deberíamos volvernos como la Iglesia de Rosa.

Me encanta la historia, la de Pedro pasando durmiendo su última noche sobre la tierra. A la mañana del día siguiente, el rey Herodes iba a hacer que lo decapitaran, pero Pedro duerme. Tal es la fe de ese amigo de Jesús. De repente, un ángel de Dios aparece dentro de la celda de la prisión. El guarda de Pedro sigue roncando mientras el ángel «golpea» a Pedro (¡no hay tiempo para sutilezas cuando hay que salir corriendo!). Ya despierto, y sin cadenas, Pedro se pone de pie de un salto mientras el ángel, con el índice en los labios, le hace señas para que lo siga. Avanzan pasando frente a un centinela dormido tras otro mientras las puertas se abren y se cierran misteriosamente. *Debo de estar soñando,* piensa Pedro. Pero el aire frío de la noche de la calle de Jerusalén lo convence de que está libre realmente. Ido el ángel, Pedro va corriendo en busca de sus amigos.

Llama a la puerta con tanta fuerza como se atreve. Por fin, contesta una voz de mujer. Es Rode («rosa» en griego), la criada. Pero está tan atónita que deja a Pedro en la oscuridad mientras ella vuelve corriendo a la iglesia, que oraba, con la noticia de que sus oraciones han sido contestadas. Nadie la cree. Pero los golpes son persistentes, ¡hasta que *por fin* alguien abre la puerta! Fin.

¿Sabes por qué todo el mundo sabe lo de Rode? Porque estaba en una reunión de oración. La única razón de su fama, si te fijas, es que asistía a una reunión de oración aquella noche. ¿Se te conoce a ti por la misma razón?

Toda esta insistencia en orar por el Espíritu Santo, pero, ¿de qué sirve orar de forma aislada? Por supuesto, estamos ocupados —en el trabajo, en la escuela, en casa—, ¿quién no lo está? ¿Crees que no estaban ocupados en Jerusalén? «Sí, tenían una necesidad urgente, de vida o muerte, por la que orar». ¿Y nosotros no? ¿No vivimos ahora mismo al filo de la eternidad, con decenas de miles de vidas debatiéndose entre la vida y la muerte? ¿No necesitan nuestra ciudad y nuestra pequeña congregación la oración colectiva de sus hombres, mujeres, adultos jóvenes, adolescentes y niños? ¿Qué habría pasado si la Iglesia de Rosa hubiera sido demasiado espinosa como para mantener una cercanía entre sus miembros y no se hubiese reunido a orar por Pedro? ¿Cuánta historia se ha reescrito porque el pueblo de Dios se reunió para orar?

Velas en la oscuridad

«Josafat tuvo miedo y humilló su rostro para consultar a Jehová,
e hizo pregonar ayuno a todo Judá. Se congregaron los de Judá
para pedir socorro a Jehová; y también de todas las ciudades
de Judá vinieron a pedir ayuda a Jehová».
2 Crónicas 20: 3, 4

VOLABA YO DE VUELTA a casa, tras predicar en Sudáfrica. Nuestro avión sufrió un retraso en Johannesburgo, así que no despegamos hasta la una de la madrugada. Hay algunos tramos desprovistos de luces en la parte subsahariana del continente, oscuros como la boca del lobo cuando miras fijamente abajo. Pero de vez en cuando, parecía que salido de la nada, aparecía de repente el cuadriculado anaranjado de un centro urbano en rápido crecimiento en algún lugar de la noche africana. Negra noche, luz anaranjada.

Tú y yo podemos intentar realizar nuestra peregrinación a la tierra prometida solos, como una velita solitaria iluminando la noche. Pero con una noche tan oscura y premonitoria como la medianoche que ahora llega lentamente al último horizonte de la tierra, ¿no crees que este podría ser el momento oportuno para que los elegidos junten sus velas para convertirse en una cuadrícula anaranjada de luz en esta oscuridad?

«Lo que necesitamos en este tiempo de peligro son oraciones fervorosas mezcladas con una fe intensa, y confianza en Dios cuando Satanás arroja sus sombras sobre el pueblo de Dios. Todos deben recordar que *Dios se complace en escuchar las súplicas de su pueblo*, porque la iniquidad prevaleciente exige *oraciones más fervorosas*» (*Mensajes selectos*, t. 2, p. 427; la cursiva es nuestra).

¿No puede toda la iglesia acudir a la reunión de oración? No te preocupes. Seguro que hay otros siete u ocho como tú que estarían dispuestos a juntar sus velas una noche a la semana para pasar unos minutos cantando, estudiando la Biblia y orando. ¿No sabes cantar? Entonces, solo estudia y ora. ¿No sabes estudiar? Pero puedes orar. ¡E imagina la cuadrícula anaranjada de oración que las velas colectivas de ustedes formarán con su luz en la oscuridad creciente de esta hora!

Josafat y Judá se enfrentaban a un fiero enemigo que avanzaba. ¿Qué debían hacer ante la creciente oscuridad? Como describe nuestro texto, el mandatario convocó a su pueblo a una reunión de oración, y este acudió, incluidos los jóvenes y los ancianos, de todas partes. «No sabemos qué hacer», suplicó el rey ante Dios, «y a ti volvemos nuestros ojos» (vers. 12). ¿En quién mejor fijar nuestros ojos de noche que en el Omnipotente? Doce, siete, cuatro, dos de ustedes: encuentra a alguien —¿quieres?— con quien unir tu vela. Agrupémonos para invocar a la Luz del mundo por el bien de esta noche del mundo.

El mejor regalo para tu pastor

«Oren también por mí para que, cuando hable,
Dios me dé las palabras para dar a conocer con valor
el misterio del evangelio, por el cual soy embajador
en cadenas. Oren para que lo proclame
valerosamente, como debo hacerlo».
Efesios 6: 19, 20, NVI

LA VERDAD ES QUE lo descubrí como por casualidad, y si no hubiera sido por aquella santa encanecida, yo probablemente no estaría ahora halando de esto contigo. Se llamaba Ina Mae White, y un sábado después del culto tomó mis manos, me miró a los ojos y anunció: «Pastor, estoy orando por usted». Resultó que llevaba algún tiempo haciéndolo. Nunca le había pedido que orara por mí. No era su cometido en la iglesia. Al parecer, un día el Espíritu simplemente le tocó el hombro y ella obedeció orando por su pastor.

Pronto empecé a llamarla por teléfono (su número sigue guardado en mi memoria) con necesidades de oración concretas. Si yo tenía un encargo de predicación fuera de la ciudad, llamaba a Ina Mae para pedirle que intercediera por mí, y le decía en qué huso horario me encontraría y las veces que estaría predicando.

Y, sobre la marcha, Ina Mae reunía un grupo de compañeros de oración para orar por su pastor cada mañana de sábado cuando predicaba. Y yo podía percibir dentro de mí cómo cambiaban las cosas, en cuanto a poder se refiere, gracias a su intercesión. Ella oraba, oraban ellos, y todo lo que Dios hacía era responder a sus oraciones llenas de fe.

Y lo que te digo es cierto: a este pastor le fue mucho mejor gracias al ministerio altruista de esas personas.

Créeme. Tu pastor necesita profundamente tu intercesión. Si no se te ocurre otro ser humano en el mundo entero al que poner en tu lista de oración, por favor, garabatea el nombre de tu pastor. Estamos en guerra, y la batalla no hace más que aumentar de intensidad. Por razones mejor conocidas por el enemigo, es más que evidente que ha marcado a cada dirigente espiritual para un ataque concertado. Te cargas al dirigente y vences al pueblo: esa estrategia diabólica es más vieja que el mundo.

Y por eso Pablo no tenía complejos a la hora de pedir a sus congregaciones que oraran por él. «Oren también por mí [o sea, ustedes tienen muchas más cosas por las que orar, pero, por favor, inclúyanme] para que, cuando hable, Dios me dé las palabras para dar a conocer con valor el misterio del evangelio». Porque no hay ningún regalo más potente e influyente que una congregación pueda dar a su pastor que la promesa «Estoy orando por usted». Hoy Ina Mae duerme en Jesús. Pero él sabe, y yo también, que la influencia de sus oraciones jamás perecerá.

«¡Cúbreme cuando entre!»

«Porque no tenemos lucha contra sangre y carne,
sino contra principados, contra potestades, contra
los gobernadores de las tinieblas de este mundo,
contra huestes espirituales de maldad
en las regiones celestes».
Efesios 6: 12

N O ME PARECE QUE se pueda decir de John Wayne que fuera un dechado de virtudes. Pero lo que gritaba de espaldas mientras, agachado, corría hacia la guarida del forajido, desde la que le disparaban, es la verdad con respecto a la oración por tu pastor. «¡Cúbreme cuando entre!».

Pablo, apóstol, pastor, evangelizador y predicador, difícilmente podría haberlo expresado con más claridad. Con balas que pasan zumbando, rebotando por doquier a nuestro alrededor, estamos todos nosotros inmovilizados en el fuego cruzado y la mira de un enemigo invisible, «huestes espirituales de maldad en las regiones celestes» según los describe nuestro texto. Pero Pablo sabía que había ocasiones en las que, a pesar del fuego cruzado, le tocaba echar a correr y «entrar» por el bien de la causa y el reino a los que servía. «Ora por mí» simplemente significaba: «Cúbreme cuando entre». Porque Pablo sabía que la oración colectiva es también un blindaje protector y un poder habilitador.

Garrie Williams, en su libro devocional titulado *Welcome, Holy Spirit* [Bienvenido, Espíritu Santo], cuenta la historia del gran predicador escocés James Stewart, que se encontraba en una gran ciudad europea antes de la Segunda Guerra Mundial predicando un ciclo de sermones de avivamiento. Las reuniones empezaron con solo siete personas una noche de viernes, pero en cinco días la concurrencia había llegado a las nubes, llegando a millares en una sala, y se convirtió mucha gente. ¡Stewart quedó pasmado! Una noche, antes de predicar, sintiéndose del todo insuficiente para el reto de proclamar el evangelio a la gran multitud que se había reunido, bajó al sótano para elevar fervientemente su petición a Dios. Mientras oraba en la oscuridad, percibió una presencia de poder, y, dándose cuenta de que no estaba solo, encendió la luz. En un rincón alejado, con el rostro postrado sobre el suelo ante Dios, había doce mujeres. Y en un instante el predicador supo de dónde venía la efusión sobrenatural.

No hay ningún pastor o predicador vivo que no sepa de dónde viene ese poder. Y, por eso, en nombre de tu pastor, te ruego de todo corazón que te mantengas arrodillado por él, por su esposa e hijos. Solo la eternidad revelará plenamente el blindaje protector y el poder habilitador que desencadenó el Espíritu, todo porque dedicaste tiempo para orar diariamente por tu pastor.

Gracias.

«Más solo que la una»

«Dijo también el Señor: "Simón, Simón, Satanás
os ha pedido para zarandearos como a trigo;
pero yo he rogado por ti"». Lucas 22: 31, 32

NADIE DEBERÍA TENER que pasar por la vida en soledad. Hace años una vieja canción decía: «El uno es el número más solitario que jamás escribirás». Y es verdad, ¿no? Aunque más adelante en este año exploraremos el llamamiento de Dios en pro de la comunidad entre los elegidos, reflexiona ahora mismo durante un momento en la gozosa bendición de tener un compañero de oración y de serlo. ¿Tienes uno?

Hace más de una década, un profesor de inglés, Joseph Warren, entró en mi vida sin que nadie lo invitara, y he dado las gracias a Dios desde entonces. Joseph había adquirido el compromiso personal de orar por el predicador en un evento global de televisión por satélite denominado NET '98. Y, a medida que transcurrían aquellas cinco semanas, empecé a encontrar oraciones escritas bajo la puerta de mi despacho en la iglesia. Procedían de Joe, el cual, Biblia en mano, las tecleaba en su computadora. El hecho mismo de leerlas me levantaba el ánimo y daba energía a mi alma.

Pero solo después de que pasara la tempestad de la campaña de evangelización tuve ocasión de conocer a este desconocido compañero de oración. Resulta que éramos muy diferentes: diferente raza, diferente profesión, congregación diferente, estilos diferentes. Pero también descubrimos que teníamos mucho en común: el mismo Salvador, la misma comunidad de fe, los mismos valores, pasiones similares, hijos y esposas parecidos. Y así nació una asociación de oración que se ha convertido en amistad personal. Hemos orado el uno por el otro en momentos de alegría y en momentos de crisis. Hemos elevado nuestra voz en presencia del otro (y mientras estamos lejos) por nuestros hijos, nuestras esposas, nuestra universidad, nuestra denominación, nuestros dirigentes, nuestras necesidades y nuestras luchas particulares.

No conozco ningún libro sobre cómo ser un compañero de oración. Pero tenemos un ejemplo divino-humano. Cuando Jesús miró a los ojos de Pedro aquella noche de jueves a horas avanzadas y le recordó «Yo he rogado por ti», nuestro Señor creó un modelo de la regla imperante para los compañeros de oración: *oran el uno por el otro*. Una buena noticia para un Pedro que estaba a punto de caer: tenía a Alguien orando por él.

Y buena nueva para la persona a la que el Espíritu de Jesús te lleve. ¿No puedes pensar en nadie? ¿Por qué no pides a tu Compañero celestial de oración que te conduzca a alguien con quien puedas compartir el viaje durante una temporada? No solo se enriquecerá tu propia experiencia espiritual, sino que puedes ser la respuesta misma por la que otra persona viene orando. Igual que Jesús.

Reglas de enfrentamiento

*«He dicho a Jehová: "Dios mío eres tú; escucha, Jehová, la voz de mis ruegos.
Jehová, Señor, potente salvador mío, tú pusiste a cubierto mi cabeza
en el día de batalla». Salmo 140: 6, 7*

VIVIENDO, COMO VIVIMOS, con los titulares constantes de lo que siguen llamando esta «guerra global contra el terrorismo», toda noción de guerra, por trágica que nos resulte, se ha convertido en una realidad cotidiana. Y no necesitamos que los portavoces militares nos hablen por televisión de «reglas de enfrentamiento», esos principios que se entiende tácitamente que guían una contienda «civilizada» (otro triste oxímoron).

Pero resulta que la guerra cósmica espiritual en la que estamos inmersos este planeta y cada uno de nosotros también se atiene a obvias reglas de enfrentamiento. Una de ellas es crucial para una comprensión de por qué debemos insistir en orar por los demás.

«El mismo Salvador compasivo vive en nuestros días, y está tan dispuesto a escuchar la oración de la fe como, o cuando andaba en forma visible entre los hombres. Lo natural coopera con lo sobrenatural. *Forma parte del plan de Dios concedernos, en respuesta a la oración hecha con fe, lo que no nos daría si no se lo pidiésemos así»* (*El conflicto de los siglos,* cap. 33, p. 516; la cursiva es nuestra). O, dicho de otra forma, Dios no puede intervenir cuando no ha sido invitado.

En la lucha entre los reinos de la luz y de las tinieblas, ambas fuerzas respetan la libertad de elección humana o, más bien, una la respeta y la otra la acata, dado que el diablo intentaría a la primera obligarnos contra nuestra elección si Dios no le impusiese esta regla de enfrentamiento. Sin embargo, el propio Dios no puede intervenir en una vida que claramente ha elegido rechazarlo. Si fuera a hacer tal cosa, ¡el demonio de inmediato protestaría!

Por esa razón precisamente resulta tan estratégica la oración intercesora para el reino de Dios. Porque aunque es verdad que Dios no puede responder una oración que no se pronuncia —y está claro que el que se resiste no ora pidiendo intervención—, puede ciertamente responder a la oración de otra persona por el bien de esa alma recalcitrante. A la respuesta demoníaca, todo lo que Dios necesita responder es: «He acudido a esta hija por petición de su madre, que es amiga mía». Se sigue respetando el libre albedrío, pero ahora se da permiso (por así decirlo) al Amor mediante las piadosas intercesiones otro.

¿El meollo de esto? Con las listas de oración en mano, debemos mantenernos arrodillados. No abandones. Tus intercesiones pueden ser el semáforo verde que Dios ha estado necesitando para recuperar esa vida para la eternidad.

La ley del espejo

«Por tanto, nosotros todos, mirando con el rostro descubierto y reflejando como en un espejo la gloria del Señor, somos transformados de gloria en gloria en su misma imagen».
2 Corintios 3: 18

ANTES DE DEJAR el tema de la vida de oración de los elegidos, consideremos la ley del espejo. Me crie como hijo de pastor, lo que significaba que teníamos que hacer un culto cada mañana antes de salir corriendo a la escuela. (Nadie tiene que realizar un culto familiar matutino, por supuesto, pero, echando la vista atrás con el paso de los años, estoy agradecido de que lo hiciéramos). Mi padre viajaba a menudo por Japón, así que mamá solía ser la que nos reunía a los tres chicos y leía de una «matutina» (un libro no muy distinto de este). Pero para un niño de tercer curso de primaria hasta una corta meditación puede parecer demasiado larga. Hasta el día que descubrí que mi reloj de pulsera podía reflejar el sol que se colaba por la ventana. Asombrosamente, si colocaba mi muñeca de la forma precisa adecuada, era capaz de mover una bolita de luz dorada por toda la habitación, y directamente a los ojos de Greg o Kari. ¡Ya no había aburrimiento! Hasta que mamá descubrió mi travesura y prohibió toda la diversión.

Los espejos son así, ¿verdad? Un espejo refleja aquello hacia lo que los apuntas: esa es la ley del espejo. Y esa es la enseñanza de la observación de Pablo en nuestro texto de hoy. Igual que un espejo, miramos fijamente la gloria de Dios y se refleja en nuestro rostro, en nuestra vida. La versión Cantera-Iglesias dice «reflejando como espejo el esplendor del Señor». La ley del espejo.

Y, ¿adónde iremos a buscar la gloria de Dios? Solo unos versículos después Pablo responde: «Porque Dios, que ordenó que la luz resplandeciera en las tinieblas, hizo brillar su luz en nuestro corazón para que conociéramos la gloria de Dios que resplandece en el rostro de Cristo» (2 Cor. 4: 6, NVI).

Y ahí precisamente debemos acudir los elegidos mañana tras mañana, día tras día: a los Evangelios, al lugar en el que el rostro de Jesús brilla resplandeciente con la gloria de Dios. Y solos allí con él en nuestro oratorio, podemos reajustar nuestro espejo (tan sensible y que tan fácilmente pierde su enfoque por causa de nuestros pecados) para poder emprender nuestra jornada, por la gracia de Dios, inundando nuestro mundo con la gloria de Jesús reflejada en nuestro espejo.

Solo un espejito, sin duda, pero, enfócalo hacia el Hijo, y se ilumina toda la habitación.

Que no se nos crucen los cables

«Jehová, de mañana oirás mi voz;
de mañana me presentaré
delante de ti y esperaré».
Salmo 5: 3

COMO ÚLTIMA REFLEXIÓN sobre la oración, considera este conmovedor párrafo: «Conságrate a Dios todas las mañanas; haz de esto tu primera tarea. Sea tu oración: *"Tómame, ¡oh Señor!, como enteramente tuyo. Pongo todos mis planes a tus pies. Úsame hoy en tu servicio. Mora conmigo, y sea toda mi obra hecha en ti".* Este es un asunto diario. Cada mañana, conságrate a Dios por ese día. Somete todos tus planes a él, para ponerlos en práctica o abandonarlos, según te lo indique su providencia. Podrás así poner cada día tu vida en las manos de Dios, y ella será cada vez más semejante a la de Cristo» (*El camino a Cristo,* cap. 8, p. 104; la cursiva es nuestra).

¿Por qué por la mañana? Porque aunque seas un noctámbulo empedernido, ¿qué mejor forma de empezar un nuevo día que entrar a la presencia de Dios? Y, ¿por qué esa modélica oración matutina sobre poner todos nuestros planes a sus pies? Porque, ¿qué compromiso más significativo podemos adquirir que ofrecer la totalidad de nuestras horas de vigilia y de nuestros pensamientos a su señorío?

¿Te puedes imaginar una pequeña comunidad de elegidos de Dios en el oratorio con Jesús en la primera hora del día, y luego desplegándose en abanico por su pueblo o ciudad bajo su dirección directa a través del Espíritu? ¡Imagina a la ciudad así bendecida!

Cuando hacíamos labor pastoral en Salem, Oregón, a nuestro teléfono le ocurrió algo vergonzoso. Empezamos a captar la música de la emisora de *rock* pesado en nuestra línea telefónica. Y yo sabía que los santos que llamaban estaban sacando la conclusión de que habían sorprendido al pastor escuchando tal música, porque, por mucho que alzara mi voz, podía seguir oyéndose la estremecedora música *rock* en segundo plano. Llamé a la compañía telefónica. Hicieron de todo. Luego un día la música desapareció. El técnico informó que, al tender los nuevos cables, la compañía telefónica los había situado, sin querer, demasiado cerca de las líneas de alta tensión de la emisora de radio. Tan cerca, de hecho, que la potencia de estas se desbordaba hasta aquellos, de modo que cuando alguien marcaba nuestro número, también recibían la emisora.

¿No es ese el secreto al corazón de los elegidos: acercarse tanto a la Potencia que, cuando la gente marque su número, se pongan en contacto con Jesús? «Y reconocían que ellos habían estado con Jesús» (Hech. 4: 13, LBA). Entonces, ¿qué te parece si a todos se nos cruzan los cables con Jesús?

Una vista desde el espacio exterior

«En el principio creó Dios
los cielos y la tierra».
Génesis 1: 1

EN LA NOCHEBUENA de 1968, los tres astronautas a bordo de la nave espacial Apolo 8 observaron por las ventanillas de su cabina el verdeazulado globo terrestre a gran distancia. Y en una transmisión en directo oída alrededor del mundo citaron la línea más reconocida de todas las antiguas Escrituras: «En el principio creó Dios los cielos y la tierra». Con siete palabras en hebreo, diez palabras en inglés y en español, esta línea se ha convertido en *el prólogo de toda revelación divina y en la premisa de toda fe humana.*

Richard Dawkins, célebre biólogo ateo, tiene razón. O los cielos y la tierra fueron creados al principio por Dios o no lo fueron. No hay una tercera opción, un punto medio.

Por ello, solo hay dos cosmovisiones en lo que respecta al origen del universo. En una cosmovisión, la naturaleza aleatoria reina suprema. Se denomina *naturalismo. El origen de las especies,* de Charles Darwin, es su defensor de más amplia circulación, y el ateísmo es su filosofía resultante. En la otra cosmovisión (la más antigua), el Creador divino reina supremo. Se denomina *sobrenaturalismo.* Las Sagradas Escrituras son su defensor de más amplia circulación, y el teísmo es su filosofía resultante. No hay una tercera cosmovisión relativa a los orígenes. O Dios creó el universo o no lo hizo. Dios existe o no.

Génesis 1: 1 declara que la cosmovisión de un Creador divino es la única expresión auténtica de realidad en este universo. Eso quiere decir que la epopeya humana no es el cuento en el que la humanidad inventa a Dios (como sugieren nuestros amigos ateos), sino, más bien, la brillante epopeya en la que Dios crea al hombre y a la mujer según su propia imagen para que juntos pudieran compartir la amistad divino-humana en un prístino planeta jardín sumamente perfecto.

«En el principio [...] Dios...», porque, en lo relativo a esta planeta, hay que empezar por algún sitio. No queriendo empezar ahí, Richard Dawkins tituló su superventas *El espejismo de Dios.* Sin embargo, al relegar a Dios a un producto de la imaginación y los anhelos humanos, Dawkins deja a sus lectores sin nada que no sea la pura audacia de la supervivencia humana y la caprichosa suerte de una selección aleatoria. Puestos a escoger entre Dawkins y el Génesis, no es de extrañar que la mayoría de los habitantes de la tierra siga eligiendo a Dios.

La factura de la electricidad de Dios

*«¿Dónde estabas tú cuando yo fundaba
la tierra [...] cuando alababan todas
las estrellas del alba, y se regocijaban
todos los hijos de Dios?».*
Job 38: 4-7

PENNY DAWSON, de Weatherford, Texas, sabía que las facturas de los servicios públicos venían subiendo, pero ¿tanto? Con todo, cuando rasgó el sobre para abrirlo, su factura estaba clara como el agua: ¡24,200,700,004 dólares (efectivamente, veinticuatro mil millones y pico)! Resulta que otros mil trescientos clientes también recibieron facturas por más de mil millones de dólares cada uno. ¡Apaga y vámonos!

¿Qué pasaría si Dios decidiese facturarnos por vivir en su planeta? Después de todo, es tanto el Creador como el Sustentador. Mantiene las luces encendidas, a la tierra dando vueltas, el aire puro y las aguas limpias (salvo cuando los hemos contaminado), a las plantas creciendo, a los pájaros cantando y a todas las criaturas reproduciéndose. ¿Qué pasaría si recibiésemos una factura de nuestro Creador? Bueno, ¡quién podría pagarla!

Lo cierto es que este planeta verdeazulado suspendido en el sistema solar hacia el borde de la Vía Láctea es un regalo de Dios a sus hijos de la tierra. No, no para abusar de él, devastarlo y destruirlo. El planeta y su delicado ecosistema son un regalo divino para sus amigos humanos, una prenda de amor, una herencia de gracia, para quererlo y cuidarlo todos nuestros días.

«En todo lo creado se ve el sello de la Deidad. La naturaleza da testimonio de Dios. Una mente sensible, puesta en contacto con el milagro y el misterio del universo, no puede dejar de reconocer la obra del Poder infinito. La fuerza productiva de la tierra y el movimiento que efectúa año tras año alrededor del sol, no se deben a una energía inherente. Una mano invisible guía a los planetas en su recorrido por las órbitas celestes. Una misteriosa fuerza vital impregna toda la naturaleza, y ella sostiene los innumerables mundos que pueblan la inmensidad; alienta al minúsculo insecto que flota en el céfiro estival; que dirige el vuelo de la golondrina y alimenta a los pichones de cuervos que graznan; que hace florecer el pimpollo y convierte en fruto la flor» (*La educación*, cap. 10, p. 89).

No es de extrañar que un paseo serpenteante por un parque de una ciudad o una tranquila pausa bajo las estrellas a medianoche puedan convertirse en un acto de adoración. Y con el corazón sumiso reconoceremos, sin duda, con J. Pablo Simón: «El mundo es de mi Dios: escucho alegre son del ruiseñor, que al Creador eleva su canción. El mundo es de mi Dios; y en todo mi redor las flores mil con voz sutil declaran fiel su amor» (*Himnario adventista*, nº 65).

«Adorad a aquel que hizo el cielo y la tierra, el mar y las fuentes de las aguas» (Apoc. 14: 7).

Una selección al estilo del Reader's Digest

«Por la palabra de Jehová fueron hechos
los cielos, y todo el ejército de ellos por el aliento
de su boca. […] Porque él dijo, y fue hecho;
él mandó, y así fue».
Salmo 33: 6, 9

GÉNESIS 1 ES EL RELATO majestuoso del Creador acercándose cada vez más a sus nuevos hijos de la tierra. Así que apresurémonos a esa culminación gloriosa compartiendo una condensación del relato de la creación al estilo del *Reader's Digest* (puedes leer todo el capítulo cuando te venga bien, naturalmente). Te acordarás de que cada día termina con la fórmula hebrea «fue la tarde, fue la mañana, día __». La palabra hebrea traducida «día» es *yom,* la cual, cuando va unida a un número (como sucede ciento cincuenta veces en el Antiguo Testamento), *siempre* se refiere (salvo en Zac. 14: 7) a un período de veinticuatro horas. Así que aquí la tienes:

- ✓ *Primer día* de 24 horas: Dios creó la luz.
- ✓ *Segundo día* de 24 horas: Dios creó la atmósfera.
- ✓ *Tercer día* de 24 horas: Dios creó la tierra y la vegetación.
- ✓ *Cuarto día* de 24 horas: Dios creó el sol y el sistema solar.
- ✓ Quinto día de 24 horas: Dios creó los peces para las aguas y las aves para el aire.
- ✓ *Sexto día* de 24 horas: Dios creó a los mamíferos para la tierra.

Y luego, en un acto culminante de creación personalizada, el Creador se agacha y con sus propias manos divinas da forma a los dos primeros de un nuevo tipo de raza, un varón y una hembra humanos, en cuya combinación se encuentra la imagen misma del propio Creador.

Y, ¿qué decían las reseñas al final de esos seis días de creación? «Y vio Dios todo lo que había hecho, y he aquí que era *bueno en gran manera*» (Gén. 1: 31). Tú habrás hecho eso, ¿no? Acabaste de reconstruir un motor, culminaste una obra maestra culinaria o pusiste un brochazo final en aquel lienzo; luego diste un paso atrás con una gran sonrisa de satisfacción. «Esto está bien; ¡muy bien!».

Puede que el astrónomo ateo Carl Sagan tuviera razón. «Una religión, antigua o nueva, que recalcara la magnificencia del universo revelado por la ciencia moderna podría dar lugar a reservas de reverencia y asombro apenas explotadas por las fes convencionales» (citado en Richard Dawkins, *El espejismo de Dios,* p. 33). Quizá los creacionistas *hayamos* perdido el asombro de la reverencia ante la obra sobrecogedora del Creador. Sin embargo, si volvemos a recuperarlo, los que no creen podrían encontrar aún en esa reverencia compartida un paso de acercamiento al Creador inadvertido.

El mejor don de un padre

«Quedaron, pues, acabados los cielos y la tierra, y todo el ejército de ellos.
Y acabó Dios en el día séptimo la obra que hizo; y reposó
el día séptimo de toda la obra que hizo».
Génesis 2: 1, 2

PIÉNSALO. DIOS podría haber establecido una semana de seis días, ¿no? ¿Y por qué no? En un huerto perfecto, nadie se cansa realmente, así que, ¿quién necesita descanso? O el Creador podría haber elegido una celebración anual de cumpleaños del mundo, como hacemos nosotros con el nuestro: «¡Celebremos una fiesta!». O podría haber elegido una fiesta mensual para conmemorar su creación. Pero está claro que hay un anhelo en el corazón del Creador que no puede posponerse un año y ni siquiera un mes. Y, por eso, por la raza humana, celebra el séptimo día como el día del don divino. ¿Por qué?

Piénsalo un poco más. ¿Cuál es el don más perfecto que cualquier padre amante puede dar a su hijo? ¿No es el don del *tiempo* juntos sin interrupciones y sin prisas? Retrotráete a cuando eras un niño. ¿Qué es lo que más recuerdas? ¿Algún juguete que tu padre te regaló? ¿O el tiempo que tu padre te dedicó?

Mi padre era predicador. Y cuando vivíamos en la costa occidental de Japón, al pie de los Alpes Japoneses, estaba iniciando una iglesia en una gran ciudad en la que apenas había cristianos. Eso significaba que estaba ocupado día y noche. Pero una noche vino a casa y anunció a la familia que había estado sopesando el asunto y que, en lo sucesivo, iba a tomarse libre cada martes. Dado que estudiábamos en el propio hogar, eso quería decir que los martes de primavera, verano y otoño metíamos la comida en una cesta para comer al aire libre y nos dirigíamos a la playa, hacíamos una excursión en bicicleta o visitábamos un museo. Pero en invierno quería decir que cada martes nos levantábamos temprano, metíamos la comida en una cesta, íbamos en automóvil y en tren a los Alpes y pasábamos un día estupendo esquiando todos juntos. Ahora que mi padre ya ha fallecido, miro atrás con añoranza a través de los años que han pasado y me doy cuenta de que a sus chiquillos nos dio el mejor don de todos. No nos dio dinero; no tenía mucho. No nos dio juguetes: éramos bastante pobres. Nos dio algo aún mejor: el don del tiempo con él sin interrupciones y sin prisas. Precisamente el mismo don que nuestro Padre creador nos da a ti y a mí: veinticuatro horas de tiempo con él sin interrupciones y sin prisas cada séptimo día.

Lo que me deja con dos preguntas: ¿Por qué querría alguien alguna vez librarse del sábado? Y, ¿por qué íbamos a querer alguna vez que terminara el sábado?

La obra en tres actos - 1

*«Y bendijo Dios el día séptimo y lo declaró día sagrado, porque
en ese día descansó Dios de toda su obra creadora».*
Génesis 2: 3, LPH

Primer acto: Dios bendijo el séptimo día

¿SABÍAS QUE CUANDO Dios bendice algo o a alguien, se comporta de manera muy peculiar? Acuérdate de la famosa bendición: «Jehová te bendiga y te guarde. Jehová haga resplandecer su rostro sobre ti y tenga de ti misericordia; Jehová alce sobre ti su rostro y ponga en ti paz» (Núm. 6: 24-26). Cuando Dios bendice a alguien lo manifiesta volviendo su rostro hacia esa persona, dándole su atención plena.

Tú y yo nos comportamos de la misma manera, ¿no? ¿Te acuerdas de tu primer automóvil? El mío era un «flamante» Volkswagen conocido en muchos países como «escarabajo», de 1961 con un acabado verde que presentaba «descamación», neumáticos traseros sobredimensionados y un silenciador oxidado. Pero no le podía quitar los ojos de encima. ¿Por qué? Porque cuando algo te resulta de gran valor, te encanta mirarlo. Los maridos y las esposas conocen eso perfectamente: incluso después de todos esos aniversarios, o especialmente por todos esos aniversarios, recorres con la vista una habitación atestada y la ves a ella, una epifanía de belleza que acapara tu mirada. ¿Por qué? Porque cuando una mujer te resulta de gran valor, te encanta mirarla.

Y «bendijo Dios el séptimo día» (Gén. 2: 3). En esas conocidas palabras, cargadas de significado, Dios hace algo con ese día que no hace con ningún otro día de la semana. Vuelve su rostro hacia el séptimo día y, con esa bendición divina, da al sábado su total atención. Es el único día de la semana que el Creador contempla con una atención tan embelesada. Porque es su regalo para los elegidos y en ese día él y ellos celebrarán su amistad y su amor como en ningún otro día de la semana. Por eso, por más que lo intento, no me entra en la cabeza cómo alguien podría querer aparecer y anunciar que esta excepcional bendición de Dios, que hizo volver su rostro y acaparó su mirada, ha sido quitada del sábado y transferida a otro día. Especialmente cuando no hay ni un solo indicio de tal cambio en ningún texto de las Sagradas Escrituras.

«*Este* es el día que hizo Jehová; ¡nos gozaremos y alegraremos en él!» (Sal. 118: 24).

La obra en tres actos - 2

«Entonces bendijo Dios el séptimo día y lo santificó, porque en él reposó
de toda la obra que había hecho en la creación».
Génesis 2: 3

Segundo acto: Dios santificó el séptimo día

¿A quién no le gusta la historia de la zarza ardiente? El pastor octogenario, con aquella balante manada a sus talones, pensaba que lo había visto todo. Pero, allí, en medio del monte rocoso y estéril, hay una frondosa zarza verde envuelta en inquietas llamas anaranjadas, ¡y sigue frondosa y verde! Moisés avanza hacia aquella desconcertante rareza y está a punto de meter su vara en el crepitante fragor cuando una Voz retumba: «Quita el calzado de tus pies, porque el lugar en que tú estás, tierra *santa* es» (Éxo. 3: 5). Pregunta: ¿Qué confería santidad a la zarza ardiente? Respuesta: La presencia misma y la gloria de Dios.

Meses después, este mismo Moisés, entonces poderoso liberador de los hijos de Israel de Egipto, los vuelve a llevar a este mismo desierto. Y el Dios de la zarza ardiente establece su residencia, por así decirlo, en un tabernáculo portátil cubierto de piel de animales al que llamaron santuario. El día en que Israel dedicó su flamante «iglesia», aquella tienda se llenó de una gloria tan brillante que ni siquiera Moisés podía entrar en el santuario. Pregunta: ¿Qué confería santidad a la tienda? Respuesta: La presencia misma y la gloria de Dios.

Así que cuando este mismo Moisés describe a este mismo Dios al comienzo de la historia «santificando» el sábado, usa la misma expresión que usará luego en la zarza ardiente y en el santuario. Génesis 2: 3 podría leerse, literalmente, «Y Dios hizo santo el séptimo día». De hecho, la versión *Dios Habla Hoy* lo traduce: «lo declaró día sagrado». Así, el primer objeto de la historia de la creación que Dios declaró santo o sagrado fue el tiempo. Dios hizo del séptimo día un día santo.

¿Qué confiere santidad a algo? Que esté imbuido de la presencia misma y la gloria de Dios. Eso quiere decir que Dios no solo está presente *durante* el sábado; también está presente *en* el propio sábado. Me explico: el sábado Dios no es el invitado de la raza humana, sino que ¡la raza humana es la invitada de Dios! La presencia misma de Dios en el séptimo día hace del sábado tanto santo como totalmente suyo.

Entonces, ¿cómo puede alguien ponerse de pie y declarar que la santa presencia de Dios ha sido quitada del séptimo día y transferida a otro día sin un solo indicio en todas las Sagradas Escrituras? «*Este* es el día que hizo Jehová; ¡nos gozaremos y alegraremos en él!» (Sal. 118: 24).

La obra en tres actos - 3

*«Entonces bendijo el séptimo día
y lo declaró día sagrado, porque
en ese día descansó de todo
su trabajo de creación».*
Génesis 2: 3, DHH

Tercer acto: Dios descansó el séptimo día

¿TE ACUERDAS DE aquellas noches en que te quedabas dormido antes de que tu cabeza tocara la almohada? Ocurría en la niñez, y ocurre de adultos. Admitámoslo: a veces estamos tan reventados que ¡no hay nada mejor ni que más satisfacción dé que una almohada, un buen colchón y el sueño!

¿Fue así para Dios? ¿Estaba tan fatigado y agotado, tras seis días largos y extenuantes de creación de este flamante planeta que casi no veía la hora de llegar arrastrándose hasta la cama del sábado para dormir? ¡Más bien no! «El Dios eterno, el SEÑOR, el creador de los confines de la tierra no se fatiga ni se cansa. Su entendimiento es inescrutable» (Isa. 40: 28, LBA). Este pasaje nos recuerda que nuestro Dios infinito y omnipotente no necesita una siesta para recuperarse del agotamiento. Entonces, ¿por qué iba a tener que realizar un reposo sabático? (La palabra hebrea traducida «reposo» es *sabbat*, de donde proviene nuestra palabra «sábado»).

Ahora quiero que vayamos al relato de la pasión, porque existen algunos paralelos notables entre la creación de la tierra y la nueva creación del Calvario:

1er paralelo: Nuestro Creador y nuestro Redentor son el mismo. Génesis 1, Juan 1, Colosenses 1 y Hebreos 1 declaran la verdad de que el Dios que nos creó en el principio es el mismo que murió por nosotros. ¡No es de extrañar que sea tan buen amigo!

2º paralelo: Cristo terminó tanto su creación del mundo como su salvación del mundo con la misma conclusión triunfante: «¡Consumado es!» (Juan 19: 30; Gén. 2: 1). El sexto día de la semana de la creación y el sexto día de la semana de la Pasión acaban ambos con el pronunciamiento de la obra acabada de Dios. No podemos añadir, ni es preciso que lo hagamos, ni un ápice al don de la salvación que Cristo nos ofrece. ¡Aleluya!

3er paralelo: ¿Y qué hizo el Creador y Redentor cuando acabó su obra en el sexto día? *Reposó el séptimo día en un huerto.* Los Anales Sagrados no podrían expresarlo con más claridad. Cristo, nuestro Creador en la vida y nuestro Salvador en la muerte, *reposó* su sábado. Aquel que es Señor del sábado (Mar. 2: 28) se convirtió en Aquel que es Señor de salvación, y cuando murió aquel Viernes Santo hace tanto tiempo, guardó el sábado y reposó. Prueba suficiente de que el sábado es un don eterno de nuestro Amigo eterno. ¡Adorémoslo con gozo!

El hombre del ataúd

«Cuando llegó la noche de aquel mismo día, el primero de la semana,
estando las puertas cerradas en el lugar donde los discípulos estaban reunidos
por miedo de los judíos, llegó Jesús y, puesto en medio, les dijo:
"¡Paz a vosotros!"». Juan 20: 19

EN EL PUEBLECITO CHILENO de Angol, la familia y los amigos de Feliberto Carrasco, de 81 años de edad, se reunieron para su velatorio. Allí, los recuerdos y las lágrimas fluían con profusión sobre su amado padre, abuelo y tío, ahora ataviado en su mejor traje y yaciente e inmóvil en su ataúd. Uno de los sobrinos estaba sentado en un lateral de la habitación mientras los presentes hablaban unos con otros. Miró hacia donde yacía su tío. Por alguna razón, le dio la impresión de que su tío le devolvía la mirada. «Yo no podía creerlo», dijo después al periódico local. «Pensé que tenía que estar equivocado, y cerré los ojos. Cuando los volví a abrir, mi tío estaba mirándome [aún]. Empecé a gritar y corrí a buscar algo para abrir el ataúd y sacarlo».

¡Y vaya que si lo sacaron! Cuando ayudaron al caballero de 81 años a salir del ataúd ante las aclamaciones y las lágrimas de su estupefacta familia y de sus amigos, pidió tranquilamente un vaso de agua. Más tarde, la emisora local de radio anunció una rectificación al fallecimiento de Carrasco, diciendo que ¡la noticia había sido prematura!

¡Imagínate la enorme congoja del aposento alto convertida en gozo cuando Jesús, de repente, apareció en medio de sus afligidos amigos! Pese a que su primera palabra fue *Shalom,* el relato de Lucas es meridiano: «Entonces, espantados y atemorizados, pensaban que veían un espíritu» (Luc. 24: 37). Porque los hijos de la tierra conocen la amarga verdad: los difuntos no vuelven a la vida. De ahí que vivamos con la ominosa congoja de nuestra propia desaparición inevitable.

Pero el Dios de la creación se convirtió en el Señor de la salvación, y cuando gritó sus palabras finales —«¡Consumado es!» (Juan 19: 30)—, el universo supo, si no el mundo, que al fin se había encontrado un antídoto al veneno satánico de la muerte. «Así que, por cuanto los hijos participaron de carne y sangre, él también participó de lo mismo para destruir por medio de la muerte al que tenía el imperio de la muerte, esto es, al diablo, y librar a todos los que por el temor de la muerte estaban durante toda la vida sujetos a servidumbre» (Heb. 2: 14, 15). Por la resurrección de Cristo —pasa la noticia, ¿quieres?— la muerte está acabada, realmente, acabada de verdad, lo que solo puede querer decir que aquellos a los que hemos amado profundamente y enterrado con ternura también saldrán de sus ataúdes y sus urnas, como hicieron Carrasco y Cristo.

La verdad del esqueleto

«Acuérdate del sábado para santificarlo [...]
porque en seis días hizo Jehová los cielos y la tierra,
el mar, y todas las cosas que en ellos hay, y reposó
en el séptimo día; por tanto, Jehová bendijo
el sábado y lo santificó». Éxodo 20: 8-11

CONSIDERA EL ESQUELETO humano que está colgado en el aula de biología, con sus 206 huesos. ¿Sabes de cuántas maneras diferentes pueden unírse entre sí 206 partes? Si hubiera solo una parte, sería $1 \times 1 = 1$. Dos partes serían $1 \times 2 = 2$. Tres partes, $1 \times 2 \times 3 = 6$. Ya te haces la idea. Si haces eso para 206 partes diferentes, la respuesta es un enorme 10^{388}, o ¡un uno seguido por 388 ceros! Ese es el número de maneras diferentes en que puede montarse un esqueleto de 206 partes, y solo una de esas maneras es la manera acertada.

Entonces, ¿cuál es la probabilidad de que todo se montara al azar? Jerry Bergman, cuyo segundo doctorado es en Biología humana, explora este asunto en un ensayo titulado *In Six Days* [En seis días] (editado por John Ashton). Si pudiéramos reordenar al azar esos 206 huesos una vez por segundo «a lo largo de cada uno de los segundos disponibles en toda la visión evolutiva estimada del tiempo astronómico (entre unos diez mil y veinte mil millones de años) [...], la probabilidad de que se obtenga la posición general correcta al azar es inferior a una en diez mil millones de años» (p. 26). Y eso solo para el esqueleto. Considera los setenta y cinco billones de células que se calcula que tenemos en el cuerpo (diez mil millones de ellas en nuestra corteza cerebral por sí sola), teniendo presente que cada célula está compuesta de un sinnúmero de partes básicas y de muchos millones de proteínas complejas y de partes, lo que nos deja una «posibilidad nula» de que el esqueleto humano, por no hablar del cuerpo, pudiera haber evolucionado al azar (p. 27). En otras palabras, es *estadísticamente imposible* que un ser humano se ensamble por selección natural, ¡ni siquiera dándole veinte mil millones de años de ventaja!

Estas palabras del cuarto mandamiento están grabadas en la piedra con el dedo divino: «Porque en seis días hizo Jehová los cielos y la tierra, el mar, y todas las cosas que en ellos hay, y reposó en el séptimo día; por tanto, Jehová bendijo el sábado y lo santificó».

El desaparecido Stephen Jay Gould llegó a la conclusión de que los seres humanos somos «un magnífico accidente evolutivo que requirió sesenta billones de circunstancias contingentes» (p. 28). «¡No!», proclaman los anales divinos, no somos en absoluto un magnífico accidente. Somos un tipo de seres creados y elegidos personalmente por el Dios del universo, creados y elegidos para llegar a ser sus amigos.

Para que nunca lo olvidásemos, nos dio el sábado. No es de extrañar que diga «Acuérdate».

La hermana gemela

«Porque el Señor hizo en seis días el cielo,
la tierra, el mar y todo lo que hay en ellos,
y descansó el día séptimo. Por eso el Señor
bendijo el sábado y lo declaró
día sagrado». Éxodo 20: 11, DHH

¿HAS CONOCIDO alguna vez a gemelos idénticos? La mayoría lo hemos hecho. ¡Qué creación tan asombrosa son! Ves a uno y piensas en el otro. Buscas a uno y encuentras a los dos. ¿Y cuando están vestidos igual? ¡Socorro!

Puede que te sorprenda saber que el sábado tiene un hermano gemelo. Y no, no es el viernes ni el domingo. ¿Quién es? Al medir el tiempo en este planeta, los seres humanos hemos recurrido a los cielos a modo de reloj. Calculamos la duración del largo viaje de la Tierra alrededor del Sol, y la llamamos año. Medimos la duración del viaje de la luna alrededor de la Tierra y la llamamos lunación o mes. Calibramos una sola rotación de la Tierra sobre su eje y declaramos que era un día de veinticuatro horas. Pero, ¿qué medimos, qué movimiento celeste calibramos para idear nuestra semana? Nada. No hay ninguna evidencia astronómica (ni astrológica) de nuestra unidad septenaria de tiempo, la semana de siete días.

Según observó Robert Odom con perspicacia: «La semana de siete días no es una división de tiempo natural, y no está relacionada con los movimientos de ninguno de los cuerpos celestes. El registro de la creación del Génesis, el decálogo y la ley mosaica muestran claramente que fue una institución divinamente establecida y es *hermana gemela del sábado*» (*Sunday in Roman Paganism*, p. 241; la cursiva es nuestra).

Tanto el relato de la creación en Génesis como el cuarto mandamiento en Éxodo revelan un vínculo sagrado entre la semana de siete días y el sábado. Lógicamente, la única razón de la semana septenaria era que la raza humana pudiera seguir la pista al sábado y su cita semanal con su Creador. Porque «el sábado será un día de descanso, un día dedicado a mí» (Éxo. 20. 10, TLA). Así que no debería resultar sorprendente que la serpiente convertida en dragón desahogara su furia diabólica en ambos dones divinos relativos al tiempo: no sorprende que los siete días de la semana acabaran recibiendo los nombres de los dioses de la astrología, y tampoco lo hace que su falso día de reposo recibiera en varios idiomas el nombre del dios sol. Todo porque no sorprende que el Dios de los elegidos escogiese un día solo para ellos. Y para él. Al final de cada semana.

¿Qué haría Jesús?

«Jesús fue a Nazaret, el pueblo donde se había criado.
El sábado entró en la sinagoga, como era su costumbre,
y se puso de pie para leer las Escrituras».
Lucas 4: 16, DHH

EL LIBRO *IN HIS STEPS* [Siguiendo sus pisadas], de Charles Sheldon, es una obra modélica de muy amplia difusión que tiene más de un siglo de antigüedad. Es la historia de un pastor llamado Henry Maxwell y de su congregación, la Primera Iglesia de Raymond. Una soleada mañana, cuando el pastor terminaba su sermón, un vagabundo avanzó dando tumbos por el pasillo de la Iglesia, elevó la mirada hacia el pastor en su púlpito y preguntó si podía dirigirse a la congregación. El sorprendido pastor mostró deferencia al desconocido haciendo un gesto afirmativo con la cabeza. El hombre se giró, mirando a los fieles y, con voz vacilante, contó que había perdido su empleo en otra ciudad diez meses antes. Llevaba tres días errando por las aceras de Raymond en busca de empleo. Pero no había recibido ni siquiera una palabra de compasión de algunos de los rostros que había en la iglesia esa mañana. «He estado sentado en la gradería de ustedes mientras su pastor hablaba de seguir a Jesús. Pero, ¿qué quieren decir ustedes con «qué haría Jesús»? ¿Es eso lo que significa seguir sus pisadas?».

El mendigo se tambaleó y después se desplomó junto al estrado de la iglesia. Unos días más tarde, murió. Charles Sheldon urde entonces la inspiradora historia de una congregación que se esforzó por hallar y conocer la respuesta a la pregunta del mendigo: «¿Qué haría Jesús?».

En nuestros días hay gente que lleva puestas pulseras QHJ con ese interrogante. No obstante, qué haría o qué hacía Jesús sigue siendo una pregunta válida en lo que respecta al sábado, ¿no? ¿Cuál es el ejemplo de Jesús?

En el texto de hoy Lucas observa que Jesús adoraba en sábado «conforme a su costumbre». Todo el mundo tiene costumbres o hábitos personales. Generalmente empezamos con el mismo pie cuando nos ponemos los calcetines, nos sentamos en el mismo banco cuando adoramos en la iglesia, nos damos la mano cuando nos presentan a un desconocido: simples costumbres que adoptamos que se convierten en un modo de vida habitual. El Creador encarnado no era diferente. Y, ¿se sorprende alguien de que fuera tan natural para él esta costumbre de guardar el sábado y adorar en él semana tras semana? ¿No guardaría él el don mismo que dio? Lo guardó en vida y lo guardó en su muerte. «Por tanto, el Hijo del hombre es Señor aun del sábado» (Mar. 2: 28).

Conociendo lo que Jesús hacía con el sábado, la pregunta más pertinente es ¿Qué deberíamos hacer nosotros? «Venid a mí […] y yo os haré descansar» (Mat. 11: 28). ¡Qué mejor costumbre pueden abrazar los elegidos que acudir a Jesús para disfrutar de su reposo cada sábado!

En pos de los tres ángeles - 1

«Luego vi a otro ángel que volaba en medio del cielo,
y que llevaba el evangelio eterno para anunciarlo
a los que viven en la tierra, a toda nación,
raza, lengua y pueblo».
Apocalipsis 14: 6, NVI

CREO QUE ES INMINENTE la mayor contienda espiritual de la historia y me temo (y uso esa palabra deliberadamente) que bien puede estar mucho más cerca de lo que ninguno de nosotros capta. Esta crisis global espiritual será entre dos comunidades religiosas opuestas: una que lleva a la gran mayoría del mundo en la defensa de lo que ha sido su posición histórica a lo largo de los siglos, y la otra que lleva a una oposición minoritaria a la hegemonía del primer poder.

Tres ángeles apocalípticos que recorren los cielos dejan de manifiesto que habrá solo dos posiciones, dos ideologías, dos bandos en esa crisis final. Por raro que resulte, el mundo estará dividido —cada religión, gobierno, tribu y nación— en dos facciones. Este combate desigual, como el de David y Goliat, zanjará de una vez por todas el asunto de la lealtad de la tierra al Dios creador del universo: ¿es leal o no? Y si en esa crisis escoges tu bando en función de los números, será la elección más fácil del mundo.

Apocalipsis 14: 6-12 muestra claramente a estos tres ángeles apocalípticos presentando su aviso final a la tierra inmediatamente antes del regreso de Cristo (ver el versículo 14). Nuestro texto de hoy presenta al primer ángel dejando su estela muy en lo alto con un mensaje a toda la civilización. Y recuerda que el suyo es un mensaje identificado como «el evangelio eterno», o sea, la buena nueva por antonomasia, que es tan antigua como el trono del Eterno. Dedicamos las reflexiones del mes de enero al ADN evangélico del incesante amor de Dios por toda la creación, por todos sus hijos. Que quede claro que, aunque la crisis inminente es de mal presagio, la pasión divina en esta advertencia final mana de un corazón ya quebrantado una vez en el Calvario. ¡Es una buena noticia para los pecadores rebeldes!

«¡Temed a Dios y dadle gloria, porque la hora de su juicio ha llegado. Adorad a aquel que hizo el cielo y la tierra, el mar y las fuentes de las aguas!» (vers. 7). No es accidente que la fraseología en sí de este grito del primer ángel a la tierra esté tomada literalmente del lenguaje en el Antiguo Testamento griego del llamamiento del cuarto mandamiento a recordar el sábado.

¿Qué significa eso para el mundo, para los elegidos? Es una prueba convincente de que el sábado, el recordatorio del Creador, estará en el centro de la crisis final. ¿Entonces? Entonces, ahora mismo, en el culto, sería un momento perfecto para reafirmar nuestra lealtad a nuestro Creador, ¿no crees?

En pos de los tres ángeles - 2

> *«Aquí está la perseverancia*
> *de los santos, los que guardan*
> *los mandamientos de Dios*
> *y la fe de Jesús».*
> Apocalipsis 14: 12

UNA DE LAS HISTORIAS favoritas de mi padre que nos contaba a sus niños a la hora de dormir era la de Sadrac, Mesac y Abed-nego. ¡Qué hay que no emocione en ese drama! Tienes al monarca de Babilonia, a lo Jekyll y Hyde, en un momento de orgullo demencial, ordenando la construcción de una estatua de oro de gran altura y ordenando al mundo que la adore (que lo adore a él). Y cuando la banda real toca el himno, todos los dirigentes políticos del imperio congregados se inclinan, salvo esos tres jóvenes hebreos. Al ser amenazados con la ira del rey y el horno encendido, su lealtad al Dios creador es inquebrantable: «Has de saber, oh rey, que no serviremos a tus dioses ni tampoco adoraremos la estatua que has levantado» (Dan. 3: 18). Y, así, con un grito, Nabucodonosor ordena su inmediata ejecución. Pero, ¡aleluya!, el Eterno anda con ellos entre las llamas y los libera. Fin.

Esa historia proporciona la clave para entender a los mensajes de los ángeles segundo y tercero, que surcan el cielo nocturno. Uno grita que Babilonia —la suma de la confusión espiritual y la rebelión contra el Creador— ha caído. El otro advierte que cualquier habitante de la tierra que se incline ante la imagen rebelde declarará con ello su plena y completa rebelión contra el Creador. Sin duda, son «las advertencias más solemnes y terribles que Dios haya enviado alguna vez a los hombres» (*Eventos de los últimos días,* p. 43). Y en el centro de cada uno de los mensajes de los tres ángeles se encuentra la adoración al Creador. El primer ángel llama a la tierra a adorarlo en su sábado. Y el tercer ángel advierte contra la postración ante la imagen de la falsificación del sábado. Dos lealtades enfrentadas, dos días de culto opuestos, dos bandos globales. Pero una sola elección: ¿Aceptaremos la autoridad del Creador o el gobierno de la coalición caída?

Para los elegidos la elección no será sencilla, pero será clara. Con independencia de los números, de las medidas económicas de presión y hasta de la amenaza de la pena de muerte —como ocurrió con los tres jóvenes hebreos—, el grupo de los elegidos en la crisis final mostrará lealtad a Cristo por encima de todo. Lo que convierte la observancia del sábado hoy en algo más que un ejercicio de herencia cultural. Cuando guardes el próximo sábado, estarás declarando a cualquiera que pregunte y a todos los que sean testigos de ello que tu lealtad suprema pertenece al Creador.

La fiesta de Dios

«Será una señal permanente entre los israelitas y yo.
Porque el Señor hizo el cielo y la tierra en seis días,
y el día séptimo dejó de trabajar y descansó».
Éxodo 31: 17, DHH

¿TE HAS FIJADO EN QUE casi todos los aparatos que tenemos en estos días funcionan con baterías? Haz rápidamente una lista mental de todos los objetos repartidos por tu casa que tienen que ser recargados. La lista conjunta de Karen y mía incluye: nuestros iPods, los teléfonos móviles, los cepillos de dientes, linternas, cámaras, videocámaras, computadoras portátiles, PalmPilots o agendas electrónicas, máquinas de afeitar, taladros y ahora hasta automóviles. ¡La lista es casi interminable! Y, ¿hay algo más frustrante que un teléfono móvil que pite, *mientras lo estás usando,* para avisarte de que está perdiendo su carga rápidamente? Nuestros aeropuertos están plagados de puntos de carga de baterías (de pago, naturalmente) para garantizar que no perdamos una llamada.

He aquí, entonces, la pregunta para todos los partidarios de la alta tecnología entre ustedes: ¿Para qué sirve un cargador? Simplemente *para reponer la potencia y la energía de aquello que se ha quedado sin ellas.*

Y eso precisamente declara nuestro texto de hoy sobre el sábado. Es el día de la semana que «recarga» o, con el significado literal de la palabra hebrea *napas,* que te permite «tomar un respiro». Cuando vuelves a casa después de correr, como hago yo cada mañana, estás sudado, apestas y, generalmente, estás agotado. Y te «recargas» reduciendo el ritmo, sentándote y recobrando el aliento.

Tal como observa James Richard Wibberding en *Sabbath Reflections,* la palabra *napas* tiene un primo, *nepes,* que Moisés usó para describir la creación de Adán: «y fue el hombre un ser [o alma] viviente» (Gén. 2: 7). Así que cuando el sábado te «renueva», literalmente «restaura tu alma» o «te devuelve el aliento», es decir, «recarga» tu propio ser. ¡Qué don!

¿Qué quiero decir? Dios no nos dio un día ante el que debamos sentir pavor. Tras seis largos días de descarga de nuestras baterías emocionales, mentales, físicas y hasta espirituales, ¿no es una buena nueva que Dios ofrezca un cargador de veinticuatro horas que pueda «restaurarnos el alma» y «recargarnos»? Veinticuatro horas para reducir el ritmo, sentarse y recobrar el aliento colectivamente: el don perfecto para nuestra vida en los tiempos de la alta tecnología.

No es de extrañar que Dios declare que el sábado es «una señal perpetua» entre él y los elegidos. No es de extrañar que lo llame «delicia» (Isa. 58: 13). Considerando todo eso, ¿hay alguna razón por la que no podamos llamar a este día «la fiesta de Dios»? Entonces, ¡salgamos a celebrarla con él!

El día de Dios liberados de Internet

«Estad quietos y conoced que yo soy Dios;
seré exaltado entre las naciones;
enaltecido seré en la tierra.
Salmo 46: 10

S E CALCULA QUE los usuarios de las redes sociales en todo el mundo llegaron ya a dos mil millones en 2015. Esto significa que pronto un tercio dela población mundial estará conectada en línea con multitud de otros usuarios o con información de casi siempre ignota procedencia. Pero, ¡quién va a sorprenderse por ello, dado que esta es la generación más tecnológicamente entendida de la historia de la tierra! Pero ¿tiene también realmente Dios espacio en Facebook, Twiter, Instagram, WhatsApp, Linkedin… YouTube…?

La palabra hebrea traducida reposar, *sabat,* resulta interesante, porque literalmente significa «cesar» o «desistir». Y, con ese matiz, ciertamente tiene más sentido la afirmación de Génesis 2: 2, 3 de que Dios «reposó» el séptimo día. El Creador del cosmos difícilmente podía estar agotado por pronunciar menos de una docena de órdenes y traer a la existencia, esculpiéndolos con sus manos, a dos seres humanos. Dios no necesitaba recargar sus baterías ni dar reposo a su cuerpo el séptimo día. Por eso, cuando la Biblia declara que reposó, quiere decir que simplemente *dejó de hacer lo que había estado haciendo durante toda la semana.*

Y eso nos invita a hacer en el cuarto de los Diez Mandamientos: «Durante los primeros seis días de la semana podrán hacer todo el trabajo que quieran, pero el sábado será un día de descanso, un día dedicado a mí» (Éxo. 20: 8, 9, TLA). Dios declara: «No me opongo al trabajo. Pero es preciso que se tomen un respiro y vengan a mí para que disfruten del descanso. Dejen todo lo que los haya mantenido absortos toda la semana». ¿Por qué? Porque es el secreto de las amistades duraderas: desconectar las distracciones para centrarse en la relación.

Entonces, ¿qué pasaría si el sábado desconectáramos todos nuestros cachivaches? Ya sabes: el televisor, la radio, Internet, Google, los correos electrónicos, los mensajes de texto, las tabletas… ¡Puede que hasta la computadora portátil! ¡Probablemente te preguntes en qué tipo de fanático me he convertido! Pero me temo que es más bien en qué nos hemos convertido todos: la generación más conectada pero más adicta de la historia, adicta a nuestra información veinticuatro horas al día, siete días a la semana. No se desconecta ni se apaga nada —ni siquiera en la iglesia— por temor a perder una información. Pero, ¿qué pasaría si acordásemos «cesar y desistir» con parte de nuestra tecnología y decidiéramos devolver a Dios su sábado? ¿Pudiera ser que al desconectarnos de nuestros dispositivos pudiéramos estar conectados más profundamente con nuestro Dios? Desconectarse para conectarse parece contrario al sentido común, pero también supone la paz.

El Facebook de Dios

*«Venid a mí todos los que estáis trabajados y cargados,
y yo os haré descansar. Llevad mi yugo sobre vosotros
y aprended de mí, que soy manso y humilde de corazón,
y hallaréis descanso para vuestras almas».*
Mateo 11: 28, 29

¿SABES algo que hacen todos los que están en Facebook que, de hecho, es una de las más contagiosas de todas las actividades humanas? Bostezar. Según *howstuffworks.com*, el cincuenta y cinco por ciento bostezaremos menos de cinco minutos después de ver bostezar a otro. Y para una persona ciega todo lo que hace falta es oír bostezar a alguien. De hecho, solo leer sobre el bostezo te hace bostezar. Sin embargo, aunque el bostezo es un acto sumamente contagioso, los científicos no están del todo seguros de por qué bostezamos. ¿Causan el bostezo la fatiga, el aburrimiento, el sopor? Pero, entonces, ¿por qué bostezan más los atletas olímpicos inmediatamente antes de la competición? ¿Y por qué bostezan los fetos de once semanas? Nadie lo sabe con certeza. ¡Sencillamente lo hacemos!

Quizá nacimos cansados. Una cosa es segura: Dios anhela muchísimo que cada persona encuentre descanso. La conmovedora invitación de Jesús en nuestro texto de hoy, ciertamente, explota una necesidad manifiesta de nuestra sociedad del tercer milenio, ¿verdad? El descanso. ¿Quién no bosteza por tener más descanso?

La palabra «descansar» aquí en Mateo 11 es, en realidad, una palabra compuesta en griego: «nuevamente» más «detenerse» o «cesar», que quiere decir «detenerse nuevamente». Es lo que haces cuando asciendes a una montaña. Nadie a quien yo conozca sube hasta la cima sin parar. Llegar a la cumbre del monte Fuji, en Japón, a tiempo para la salida del sol es una aventura que lleva toda la noche. Pero, esparcidos por la ladera ascendente del volcán, hay pequeños albergues de reposo, fulgores anaranjados en la noche, que ofrecen un momento de calidez para el deshielo y una siesta sobre el suelo cubierto de esterillas. Eso ofrece también Jesús. «En tu ascenso, a lo largo de la vida, tienes que detenerte y descansar, o nunca llegarás a la cumbre. Por eso, ven a mí y permíteme que sea tu parada de descanso vez tras vez».

Y lo que sigue de inmediato a la invitación de Cristo en Mateo 11 es un relato sobre el sábado en Mateo 12, lo cual no deja ninguna duda de que Mateo quería que sus lectores vinculasen el reposo en Jesús con el reposo en sábado. «Porque el Hijo del hombre es Señor del sábado» (vers. 8). Y, ¿puedes pensar en una cura más satisfactoria para nuestros bostezos que las veinticuatro horas de su descanso sabático?

«En estas palabras, Cristo habla a todo ser humano. Sépanlo o no, todos están cansados y cargados. Todos están agobiados con cargas que únicamente Cristo puede suprimir. [...] Él sacará la carga de nuestros hombros cansados. Nos dará reposo» (*El Deseado de todas las gentes,* cap. 34, p. 300).

La cura de Dios para tus bostezos - 1

«A su amado dará Dios el sueño».
Salmo 127: 2

NUESTRO MUNDO vive cansado. Si no puedes dormir de noche, sencillamente acude a Google e introduce «estudios sobre el sueño», «investigación sobre el sueño» o «problemas de sueño». ¡Ahí hay suficiente lectura e investigación para curar cualquier insomnio! Hay quien dice que más de cincuenta millones de estadounidenses padecen algún tipo de falta de sueño. Nadie está de acuerdo del todo en lo que respecta a cuánto dormimos cada noche en promedio. Sin embargo, según la mayoría, no es suficiente.

Y ahora no somos solo los adultos. Un número creciente de adolescentes (un informe sugería que una cuarta parte de sus participantes jóvenes) se queja de insomnio. En consecuencia, la prescripción de pastillas para dormir para jóvenes de menos de diecinueve años va en aumento. Soy pastor en una ciudad universitaria. Los jóvenes adultos tienen la fama de quemarse las pestañas, o, si se prefiere, de hacer de la noche día. ¡Somos una sociedad somnolienta!

Por eso me encanta la buena noticia que el Salmista expresa en una sola frase en nuestro texto de hoy. Dios da sueño a los que ama —y eso nos incluiría a la totalidad de sus hijos de la tierra—. A algunos les gustaría diluir toda noción de sueño o descanso físico de esta promesa. Pero hacer tal cosa distorsionaría la imagen de Dios. Sin duda, el Dios que diseñó a Adán y Eva al principio para que disfrutaran de una noche de sueño y descanso profundamente satisfactorios no está molesto cuando sus cansados hijos llegan al sábado ansiosos de tal refrigerio. (¿Por qué, si no, habría creado Dios la «tarde» o la «noche» en Génesis 1?).

Hubo un tiempo en que los ancianos, en nuestro medio, hablaban en términos despectivos sobre dormir en sábado. Pero quizá el quid de su preocupación fuera que no deberíamos desperdiciar el día de regalo de Dios durmiendo todo el tiempo. Y estoy seguro de que todos, ciertamente, estaríamos de acuerdo. ¿De qué serviría hacer polvo nuestra mente y nuestro cuerpo durante seis días y seis noches de trabajo incesante solo para poder caer rendidos el sábado a fin de recargar nuestras baterías lo bastante para reiniciar nuevamente la carrera de locos otros seis días? Hay algo en esa imagen que está claramente mal.

Pero la imagen oculta en nuestro texto de hoy —«A su amado dará Dios el sueño»— es un recordatorio bendito de que una buena noche satisfactoria de descanso es, verdaderamente, un regalo de nuestro Creador. Disfruta de ese sueño cada noche de descanso de esta semana. Y sé bienaventurado con su don del sueño la noche del próximo sábado. Después de todo, el sábado es la cura de Dios para tu primer bostezo: la fatiga física.

«Venid a mí [...] y yo os haré descansar» (Mat. 11: 28).

La cura de Dios para tus bostezos - 2

«El Señor está cerca de los afligidos,
salva a los que están tristes».
Salmo 34: 18, LPH

EL SÁBADO TAMBIÉN ES la cura de Dios para el segundo bostezo: la fatiga emocional. Rebecca Brillhart escribió un bonito artículo en la *Adventist Review* hace unos años titulado «The Jade Belt Bridge» [El puente del cinturón de jade] (10 de enero de 2008, p. 10). En él medita sobre la sanación interior que el sábado nos puede dar. Cita la observación de una mujer: «Ahora entiendo que si no tengo en cuenta ese ritmo de descanso en mi vida ajetreada, la enfermedad se convierte en mi sábado». ¿Qué quería decir? Nuestro cuerpo y nuestra mente van a obtener el descanso que necesitan, se lo demos voluntariamente o no. Si fundimos nuestro cuerpo y nuestro corazón, el sistema se apagará por su cuenta para obtener el descanso merecido hace tanto tiempo. Rebecca describe el símbolo o ideograma chino que se usa para decir «demasiado ocupado». Es la combinación de dos palabras: «corazón» y «matar». Estar «demasiado ocupado» es «mortal para el corazón». ¿Habrá alguien que no esté de acuerdo?

Como pastor, he observado que nada mata nuestro corazón y asfixia nuestras emociones de forma más efectiva y profunda que nuestro loco trajín durante la semana. ¡Qué precio estamos dispuestos a pagar por los elogios en la oficina, por el ascenso en nuestra carrera, por el acúmulo de posesiones! Y, ¡qué peaje tan enorme para el espíritu humano!

El sábado es el bálsamo y la cura de Cristo para nuestra fatiga emocional que resulta «mortal para el corazón». «Venid a mí […] y yo os haré descansar» (Mat. 11: 28). ¿Cuántos matrimonios, cuántas familias, cuántas vidas podrían evitarse la muerte emocional si echásemos mano de descanso sabático emocionalmente sanador?

«Cercano está Jehová a los quebrantados de corazón y salva a los contritos de espíritu». ¿No es esta una certeza bendita? El Dios encarnado que plantó su tienda en medio de nuestras emociones rotas, que se crio en una familia como las nuestras, que se rodeó de doce colegas con problemas emocionales, que vivió en un entorno emocionalmente tóxico de legalismo extremo, que fue un imán para personas disfuncionales de la sociedad (prostitutas y cobradores de impuestos): es el mismo Señor del sábado que llama a todos los que estamos quebrantados y adoloridos; que nos invita a encontrar en el don de su día el descanso emocional que nuestro espíritu ansía. ¡Cuán vital, cuán apremiante es entonces la cura del reposo sabático de Jesús en el séptimo día! Búscala este sábado.

«Venid a mí […] y yo os haré descansar».

La cura de Dios para tus bostezos - 3

«¿A quién sino a ti tengo en el cielo?
A tu lado no me agrada ya la tierra.
Aunque mi corazón y mi cuerpo desfallezcan,
mi refugio y mi heredad por siempre es Dios».
Salmo 73: 25, 26, LPH

Ú LTIMAMENTE, los estadounidenses nos venimos gastando diez mil millones de dólares al año simplemente por cambiar el tono de llamada de nuestros teléfonos móviles. La mitad del mundo se va a dormir por la noche con hambre y nosotros gastamos diez mil millones de dólares cambiando el tono de llamada. Seamos sinceros: los occidentales somos dados a gastar, ¿no? No importa la economía (por la que, por supuesto, todos estamos muy preocupados estos días). Cuando hay que tener algo lo compramos sin importar los líos que tengamos que hacer para ello. Y así, la mayor colección del mundo en juguetes (tanto para niños como para adultos), cachivaches, herramientas, gangas que no necesitamos compradas en liquidaciones, vajillas de porcelana, discos de DVD, ropa, tonos de llamada, zapatos, cortacéspedes y demás sigue creciendo más y más.

Quizá por eso nos hayamos convertido en la nación con mayor déficit de la tierra. Exprimiendo nuestras tarjetas de crédito más allá de su límite, hemos descubierto una manera de no ser más que el vecino y de pagar nuestra colección de posesiones y nuestro costoso estilo de vida. Un comentarista lo describió como nuestra negativa a reconocer los límites naturales. ¿Es eso?

Y entonces se presenta el sábado, el más inmaterial de todos los dones confiados a la raza humana. No puedes envasarlo, cortarlo en trocitos y luego venderlo al mayor postor. No puedes recogerlo ni pintarlo. Es, más bien, de la sustancia de lo inmaterial, lo invisible, un trozo de tiempo eterno esbozado en los calendarios de la supervivencia humana, que nos ofrece *lo máximo en lo inmaterial:* una amistad personal con nuestro Creador.

El grito del Salmista en nuestro texto de hoy proviene de alguien que ha adquirido la dura conciencia de que las posesiones materiales de la tierra se desvanecen en la insignificancia frente al ofrecimiento divino de que poseamos a Dios. «¿A quién tengo yo en los cielos sino a ti?». Como un progenitor que se goza en el sentido de posesión de un niño —«Este es *mi* papá, esta es *mi* mamá»—, Dios anhela ser así poseído. Y, siendo sinceros, junto a él, ¿qué tenemos realmente en el cielo o en la tierra que sea comparable? Su don del sábado llega fielmente con una liberación silenciosa de esa fatiga que nos consume los huesos. Impulsados a dar cada vez más, oímos el llamamiento del sábado a menos: menos de nuestras querencias y cada vez más de nuestro Dios. Es la libertad que venimos anhelando.

«Venid a mí […] y yo os haré descansar» (Mat. 11: 28).

La cura de Dios para tus bostezos - 4

«Vengan a mí todos ustedes que están cansados de sus trabajos y cargas, yo los haré descansar.
Acepten el yugo que les pongo, y aprendan de mí, que soy paciente y de corazón humilde;
así encontrarán descanso. Porque el yugo que les pongo y la carga
que les doy a llevar son ligeros». Mateo 11: 28-30, DHH

FATIGA FÍSICA, fatiga emocional, fatiga económica y, ahora, fatiga espiritual: el sábado es el ofrecimiento de Jesús para sanarnos de todos nuestros bostezos, ¿no? En la paráfrasis *The Message*, Eugene Peterson pone en boca de Jesús en el texto de hoy la hermosa expresión, vertida al español, «Háganme compañía». ¿Qué pasaría si empezáramos a considerar cada sábado como «hacer compañía» a Jesús? Hace un siglo, Elena G. de White escribió una carta a una amiga anciana que estaba en su lecho de muerte, y contenía esta hermosa certeza: «Descanse en sus brazos [los de Jesús], y sepa que es su Salvador, *su mejor Amigo*, que nunca la dejará ni la abandonará. Usted ha dependido de él durante tantos años; por eso su alma puede descansar en esperanza» (*Cada día con Dios,* p. 313; la cursiva es nuestra).

Entonces, ¿qué pasaría si cambiásemos nuestro paradigma de observancia del sábado de un día de normas y reglas obligatorias (como lo entendían los fariseos) a un día de hacer compañía de forma especial a nuestro Amigo por antonomasia? Inténtalo cuando empiece el próximo sábado. Lee Mateo 11: 28 y 29, y luego ora: «Querido Jesús, recibo tu ofrecimiento de reposo en sábado. Deseo hacerte compañía de forma especial estas veinticuatro horas. Permite que vea el rostro de mi mejor Amigo. Amén».

Ahora pasa el sábado buscando su rostro. ¡Quedarás absolutamente asombrado (y encantado) de dónde lo ves!

Luego, cuando el sábado se acerque a su término, lee el tercer versículo de la invitación de Jesús, Mateo 11: 30. Y di en tu oración algo como: «Señor, quiero recibir tu "yugo" o estar unido a ti a lo largo de toda la semana venidera. Por favor, hazme compañía hasta que volvamos juntos a tu sábado. Amén».

¿Qué logramos al comenzar y finalizar el sábado con nuestra mente centrada en nuestro mejor Amigo? Hacemos más sencillo hacerle compañía durante toda la semana.

«Fija tus ojos en Cristo, tan lleno de gracia y amor, y lo terrenal sin valor será a la luz del glorioso Señor».

El día YouTube de Dios también para ti

«Preocupémonos los unos por los otros, a fin de estimularnos al amor y a las buenas obras.
No dejemos de congregarnos, como acostumbran hacerlo algunos, sino
animémonos unos a otros, y con mayor razón
ahora que vemos que aquel día se acerca».
Hebreos 10: 24, 25, NVI

¿QUÉ HARÍAMOS sin YouTube? El eslogan del popularísimo sitio Web «Transmite tú mismo». Está abierto a cualquiera que tenga tan alta consideración de sí mismo como para apuntarse con una videocámara y luego publicarlo, convirtiéndolo en ¡la tienda de intercambio de vídeo más frecuentada del universo! Bebés riéndose, desconocidos dando saltos: es eso y más. Y cuantos más, mejor.

Eso también se aplica al propio espacio YouTube de Dios —el día YouTube también para ti que llama sábado—, donde está su pasión: cuantos más, mejor. Solo que el «eslogan» no es «Transmite tú mismo», sino «Ven tú mismo», según señala nuestro texto de hoy.

¿No ves nada sobre el sábado en ese texto? En realidad, la palabra traducida «congregarse» es una inflexión del verbo griego *episynagoge,* de la que proviene nuestra palabra «sinagoga», un lugar de culto sabático. De hecho, en todo el libro de Hechos, encontramos a cristianos y judíos adorando juntos en las sinagogas por todo el Imperio romano (Hech. 13: 14, 42, 44; 17: 2; 18: 4). Aquí en Hebreos 10 el autor está simplemente advirtiendo a sus lectores cristianos que no dejen de reunirse para adorar a Dios en sábado. Durante el turno de preguntas y respuestas después de una conferencia pública, preguntaron a C. S. Lewis, brillante apologeta cristiano del siglo XX, si la asistencia a la iglesia era necesaria para un cristiano. Contestó: «Esa es una pregunta que no puedo responder. Mi propio testimonio es que, al principio de mi experiencia cristiana, [...] pensé que podía hacerlo por mi cuenta, retirándome a mis aposentos y leyendo teología, y que no acudiría a las iglesias ni a los salones de conferencias de asuntos religiosos» (*God in the Dock*, p. 61). ¿Te suena? «Voy a estar solo cuando adore: Dios y yo, y un buen libro, o la Biblia». O: «Tengo un iPod, y me he descargado varios sermones, así que solo estaré perfectamente. No necesito este rollo de congregarse». O «Tenemos planes de pasar el día en el lago, quizá haciendo una caminata. Ya sabes, disfrutar de la naturaleza del Creador. ¿Por qué molestarse con esto de congregarse?». En el comienzo de su experiencia cristiana, Lewis luchó con esta invitación a congregarse, y llegó a una firme conclusión que compartiremos mañana. Pero, ¿qué piensas tú? ¿Por qué puso Dios Hebreos 10 en nuestras Biblias? ¡Tiene que haber algo más en la adoración sabática que recoger una ofrenda!

«Llévame al juego de béisbol»

«El siguiente sábado se juntó
casi toda la ciudad para oír
la palabra de Dios».
Hechos13: 44

ANTES DE QUE NOS VAYAMOS a ver el juego de béisbol, fíjate, por favor, en el resto de la respuesta de C. S. Lewis a si un cristiano debería acudir o no a la iglesia cada semana: «Posteriormente, [tras adorar solo en su habitación durante un tiempo] descubrí que [... si] hay algo en la enseñanza del Nuevo Testamento que tiene la naturaleza de un mandato, es que estás obligado a [celebrar la comunión], y no puedes hacerlo sin ir a la iglesia. Me disgustaban mucho sus himnos, que yo consideraba que tenían letra de quinta categoría con música de sexta. Sin embargo, al persistir, vi el gran mérito de todo ello. Me topé con personas diferentes de distintas perspectivas y diferente formación, y luego mi engreimiento simplemente empezó a desprendérseme gradualmente. Me di cuenta de que los himnos [...], pese a todo, eran entonados con devoción por parte de un santo anciano que había en el banco al otro lado del pasillo y que llevaba puestas botas, y entonces te das cuenta de que no eres digno de limpiar esas botas. Te saca de tu engreimiento solitario» (*God in the Dock*, pp. 61, 62). C. S. Lewis descubrió el valor divino de congregarse en adoración.

Se ha puesto de moda en algunos círculos demostrar la capacidad intelectual y el discernimiento artístico de uno negándose a adorar con los que cantan «letras de quinta categoría con música de sexta» (los estudiosos lo llaman «música de alabanza»). Pero Lewis se dio cuenta de que tal actitud era «engreimiento solitario» disfrazado de gusto exquisito. Porque en la reunión comunal de adoradores de varias generaciones, varias situaciones socioeconómicas, distintas razas y diferentes niveles de formación se experimenta de manera óptima la realidad incluyente de la familia de Dios.

Naturalmente que se puede adorar a Dios a solas: yo lo hago todos los días. ¡Pero estar solo en casa no es sustitutivo del estadio de béisbol! Dado que estamos en temporada de béisbol, al menos en los Estados Unidos, fíjate lo comunitaria que es la vieja canción *«Take me out to the ball game»* muy popular en su día, cuyo estribillo en español vendría a decir: «Llévame al partido de béisbol; sácame al gentío. Cómprame unos cacahuetes y una bolsa de palomitas. Me da igual si no volvemos. Quiero animar, animar, animar al *equipo local*. Si no ganan, será una pena. Porque con uno, dos, tres *strikes,* ¡te eliminan en el viejo partido de béisbol!». ¡Comunitario hasta la médula! Ir a un estadio de béisbol (léase una iglesia) robustece tu resolución («¡Otros comparten mi pasión!»), refuerza tu lealtad («¡No soy el único leal!») y hace más intrépido tu testimonio («¡También otros están dispuestos a ponerse de pie y animar!»). El mensaje subyacente de toda reunión de adoración es *«Estamos en esto juntos».* «Porque donde están dos o tres congregados en mi nombre, allí estoy yo en medio de ellos» (Mat. 18: 20). ¡Para que luego hablen de equipo ganador!

El retrato familiar

«"Porque como los cielos nuevos y la nueva tierra que yo hago permanecerán delante de mí",
dice Jehová, "así permanecerá vuestra descendencia y vuestro nombre. Y de mes en mes,
y de sábado en sábado, vendrán todos a adorar delante de mí",
dice Jehová». Isaías 66: 22, 23

A LO LARGO DE GENERACIONES, uno de los rituales familiares de nuestra «tribu» (o sea familia) ha sido hacernos un retrato familiar en Navidad antes de abrir los regalos. Para los niños hay un elemento de expectación en el ambiente, dado que, una vez que todos los flashes de las cámaras han dejado de producir destellos, no puede tardar en llegar el momento de abrir los regalos. Y para mamá y papá, y cualquier familiar que esté de visita, está el gozo de crear otro recuerdo a todo color de ese tiempo juntos.

Dios también es muy aficionado a los retratos familiares, y por eso cada sábado nos reúne para que posemos. Ahora bien, es verdad que no nos reunimos en nuestra congregación para mirarnos entre nosotros. Dios es el objeto de nuestra atención colectiva, y todos tenemos enfocado en su dirección el objetivo de nuestra alma. No obstante, en un sentido muy real, la mañana de los sábados nos hacen un «retrato familiar». Igual que es una desilusión que uno de los niños u otro miembro de la familia no esté presente para nuestra foto familiar en Navidad, que uno de los miembros de nuestra familia espiritual falte el sábado por la mañana también crea un vacío en un sentido muy real, ¿no es así? Y si ese miembro de la familia espiritual falta sábado tras sábado, ¿haremos simplemente como que esa persona ya no existe?

Dios es muy aficionado a los retratos de familia. Bueno, hasta en la eternidad, según nos recuerda nuestro texto de hoy, Dios va a reunir a sus hijos del mundo entero para otra experiencia inolvidable de adoración, en plan de retrato familiar, al pie de su trono. «De sábado en sábado» iremos a casa para estar con la familia y el Padre. ¡Y será una celebración espiritual —la fiesta de Dios, si la quieres llamar así— como no hemos visto nunca!

Entonces, si a Dios le gusta tanto el culto colectivo, comunitario, en su hogar en lo alto, ¿no debería gustarle con la misma intensidad aquí abajo? «Sí, pero realmente no saco nada de adorar en la iglesita cercana». ¿Pudiera ser que tengas la cámara apuntándote a ti? ¿Qué pasaría si adoraras a Dios, acompañado por su familia, centrándote en lo que pudieras aportar para profundizar la experiencia de adoración de los demás? ¿Crees que podrías descubrir, como C. S. Lewis, a un santo o dos con botas que realmente «no eres digno de limpiar»? La familia, después de todo, somos *todos,* ¿no?

El ascua de la chimenea

«Y considerémonos unos a otros [...], no dejando de congregarnos,
como algunos tienen por costumbre, sino exhortándonos; y tanto más,
cuanto veis que aquel día se acerca. [...] "Porque aún un poco
y el que ha de venir vendrá, y no tardará».
Hebreos 10: 24, 37

¿CUÁL ES ESE DÍA D que aparece en nuestro texto? Lee un poco más adelante en el capítulo, y queda claro que el autor está describiendo la Segunda Venida de Jesús. ¿Y el quid de lo que quiere decir? Si quieres salir en el retrato entonces, tienes que meterte en la foto de grupo ahora. Cuanto más cerca de nosotros esté el Día de Cristo, más cercanos debemos estar unos de los otros en el día de Cristo, el sábado. ¡No encontrarás un llamamiento más firme al culto sabático comunitario en ningún otro lugar de las Escrituras!

Lo cual, interpretado, significa que los días de ausentaros del culto se han terminado. Hemos sido demasiado permisivos en cuanto al culto sabático, tratándolo demasiado a menudo como una elección opcional basada en un capricho personal. «Me parece que hoy no voy. No tengo ganas». Pero la pasión de Hebreos 10 declara que dejar «de congregarnos» debe terminarse en vista del Salvador próximo a venir. El culto colectivo está ligado a la preparación personal para su regreso. Repitámoslo: si queremos salir en el retrato entonces, debemos meternos en la foto de grupo ahora. ¿Cuánto más al filo necesita estar este mundo antes de que lo captemos? No es preciso que nadie analice los titulares por nosotros para que afirmemos que vivimos en el filo de la eternidad. ¡Ahora más que nunca nos necesitamos mutuamente cada sábado!

Dwight L. Moody, gran predicador estadounidense del siglo XIX, estaba de visita una noche en el hogar de un hombre de negocios de mucho éxito. Sentado junto a la chimenea, el hombre se estaba poniendo elocuente con su invitado en cuanto a por qué no necesitaba ir a la iglesia para adorar. Después de todo, encontraba mucho más satisfactorio adorar a Dios a solas, con un buen libro o un paseo por la naturaleza, o con un estudio tranquilo de la Biblia. «¿Quién necesita el jaleo y la molestia de bancos atestados y de un viaje inconveniente?», protestó el hombre. Moody no llegó a decir palabra. En vez de ello, cuando el caballero acabó, Moody se estiró tranquilamente hasta la chimenea, agarró las tenazas y sacó un trozo de carbón al rojo vivo del fuego crepitante. Soltó el ascua encendida en la chimenea fuera de las llamas, dejándola allí. Los dos hombres, en silencio, se quedaron mirando el brillante trozo de carbón… que lenta pero inexorablemente perdió su fuego y su resplandor… hasta que, al final, no fue más que una voluta de humo y un trozo de carbón frío y calcinado.

No hubo necesidad de más palabras, como creo que tampoco aquí.

El día verde de la tierra designado por Dios

«Entonces dijo Dios: "Hagamos al hombre a nuestra imagen, conforme a nuestra semejanza;
y tenga potestad sobre los peces del mar, las aves de los cielos y las bestias, sobre toda
la tierra y sobre todo animal que se arrastra sobre la tierra"».
Génesis 1: 26

E. O. WILSON, CÉLEBRE científico y naturalista de Harvard, captó mi atención con sus primeras palabras de su libro *The Creation*: «Pastor, necesitamos su ayuda. La creación —la naturaleza viva— tiene serios problemas. Los científicos calculan que, si la conversión del hábitat y otras actividades humanas destructivas prosiguen a su ritmo actual, la mitad de las especies de plantas y animales de la tierra podría o desaparecer o, al menos, quedar condenada a una extinción temprana para finales de siglo. Nada menos de la cuarta parte caerá hasta este nivel durante el próximo medio siglo como consecuencia del cambio climático por sí solo. Se calcula que la tasa de extinción actual, según las estimaciones más conservadoras, es aproximadamente cien veces superior a la imperante antes de que los seres humanos aparecieran sobre la tierra [nosotros diríamos desde la caída], y se espera que llegue a ser hasta al menos mil veces mayor o más en las próximas décadas. Si este aumento prosigue sin cesar, el coste para la humanidad en riqueza, seguridad ambiental y calidad de vida será catastrófico» (*The Creation*, pp. 4, 5).

¿Cómo responderías tú? El mundo en esta época piensa, habla y vota «verde»: la conservación de la naturaleza y de la madre tierra. Pero nuestro texto de hoy revela que Dios viene pensando «verde» desde la primera semana de la creación. Por ello, ¿sorprende que el sábado sea el «Día de la Tierra» designado en su origen por Dios para su «agenda verde» desde el comienzo? Y, dada la apasionada preocupación de científicos como E. O. Wilson, ¿no debería seguirse que el pueblo del sábado, de entre toda la gente de la tierra, estaría en la vanguardia de conservar la creación de Dios?

Como adventistas del séptimo día, escogemos vivir por los credos siguientes: 1º. No somos el producto de la probabilidad aleatoria de la selección natural, sino que somos la creación de un Creador amante e inteligente. 2º. Dios dio a la humanidad, como memorial de su creación, el sábado, en el cual reposamos en su amistad y celebramos su obra. 3º. Así que se nos recuerda cada séptimo día que este mundo de la naturaleza es el legado de Dios a nosotros para que lo cuidemos. 4º. Finalmente, aunque reconocemos que la creación nunca sanará del todo de su obvia disfunción hasta la erradicación final del mal, y aunque, verdaderamente aguardamos con impaciencia el regreso de nuestro Creador y Salvador, creemos, no obstante, que se requiere de todos los que somos hijos del Creador nuestro cuidado de la creación de Dios. ¿No estás de acuerdo?

Plantar un árbol

*«Porque el anhelo ardiente de la creación es el aguardar
la manifestación de los hijos de Dios. [...] Sabemos que
toda la creación gime a una, y a una está con dolores
de parto hasta ahora».* Romanos 8: 19-22

PAUL HAWKEN, en *Blessed Unrest,* cuenta una vieja enseñanza rabínica en el sentido de que si oímos que se acaba el mundo y que viene el Mesías, debemos en primer lugar plantar un árbol y luego ir a determinar si la historia es verdad o no. Para los adventistas del séptimo día, que defendemos el memorial de la creación de Dios y que esperamos el regreso del Creador, plantar un árbol no es tan mala idea, ¿verdad?

Nuestro texto nos recuerda que nuestra creación, desde hace milenios, viene sufriendo profundamente bajo los efectos de nuestra rebelión. ¿Te puedes imaginar el anhelo latente dentro del mundo natural de la liberación prometida? Pero, hasta entonces, ¿cómo hemos de vivir los observadores del sábado?

Podríamos empezar comiendo saludablemente. Efectivamente, el vegetarianismo disminuiría el número de animales criados y sacrificados para el consumo y, así, reduciría la quinta parte de gases de efecto invernadero en nuestro planeta que produce el ganado. Podemos apagar las luces de las habitaciones de las que salimos. Podríamos inflar nuestros neumáticos y ahorrar, según dicen algunos, aproximadamente 7,600 millones de litros de gasolina al año. Podríamos acortar nuestras duchas dos minutos, ahorrando 45 litros de agua. Podríamos reciclar. Podríamos salvar algunos árboles no pidiendo recibos en los cajeros automáticos ni en los surtidores de combustible, ahorrando lo que se calcula que son 279 millones de metros cuadrados de papel. Podríamos usar nuestros propios termos y dejar de beber agua embotellada, dado que una botella de un litro requiere cinco litros de agua para enfriar el plástico, ¡lo que resulta en seis litros de agua por cada botella!

Hay listas de maneras de vivir «verde» o amistosas con el medio ambiente (como las de Ashleigh Burnette, del *Student Movement* aquí en la universidad) por toda Internet, y puedes crearte las tuyas.

¿El sentido de todo esto? Como amigos de Jesús, adoradores del Creador, observadores del sábado y conservadores de la naturaleza, ¿no deberíamos estar en la vanguardia de la conservación ecológica y del cuidado y la protección medioambientales? A decir verdad, hubo una vez en que el propio Dios plantó un árbol para salvar a su creación. «A la muerte de Cristo debemos aun esta vida terrenal. El pan [nuestra tierra de labranza] que comemos ha sido comprado por su cuerpo quebrantado. El agua [nuestros ríos y arroyos] que bebemos ha sido comprada por su sangre derramada. [...] La cruz del Calvario está estampada en cada pan. Está reflejada en cada manantial» (*El Deseado de todas las gentes,* cap. 72, p. 630). Dado el coste infinito de plantar ese árbol, debemos unirnos a él en la salvación de su creación.

Cómo decir «¡*Yahoo!*» con Dios

«Por tanto, queda un reposo para el pueblo de Dios,
porque el que ha entrado en su reposo, también ha reposado
de sus obras, como Dios de las suyas. Hebreos 4: 9, 10

Aquí tienes cinco estrategias simples para mantener la presencia de Dios viva en tu sábado:

1. **Guarda las puertas.** Las puertas del sábado son los ocasos en el atardecer el viernes y el sábado. Dios inició la creación de la tierra con la oscuridad convertida en luz, y el cálculo bíblico ha llevado desde entonces la cuenta del tiempo con la cadencia de «la tarde y la mañana» (ver Gén. 1). Por ello, «desde la tarde hasta la tarde siguiente, guardaréis vuestro sábado» (Lev. 23: 32, NC). Jesús lo hizo (Mar. 1: 21, 32) y nosotros también podemos hacerlo. ¿Cómo? Guardar las puertas significa estar a la puerta para dar a Dios la bienvenida a tu sábado. Reproducir tu CD favorito de música religiosa. Cantar (si eres de los que canta) o interpretar un himno. Juntar a tu familia o reunirte con amigos y reivindicar la promesa de Jesús: «Venid a mí [...] y yo os haré descansar» (Mat. 11: 28). Escoger un Salmo o un capítulo de la Biblia para memorizarlo. Luego unirse en oración para dar la bienvenida al Señor del sábado. Guarda la puerta trasera haciendo algo similar cuando termine el sábado a la puesta de sol.

2. **Tómate un descanso.** Según un sabio chino, esta es la biografía de Occidente en tres palabras: Apresúrate, preocúpate, entierra. ¿Quién tiene tiempo para reducir la marcha y reposar? Leo que los políticos hablan un cincuenta por ciento más deprisa de lo que lo hacían en la década de 1940 y que interpretar la Quinta Sinfonía de Beethoven lleva ahora un veinte por ciento menos de tiempo que cuando se compuso. ¡No es de extrañar que estemos agotados! Mi amigo Larry Ulery, miembro del cuerpo docente aquí en Andrews, me dijo que su epitafio favorito para una lápida es: «Lo acabó todo. Pese a ello, ¡murió!». Reduce la marcha y tómate un descanso (en la noche del sábado).

3. **Acude a la iglesia.** M. L. Andreasen dice de los elegidos de Dios que son «tres veces bienaventurados»: bienaventurados por ser elegidos, por adorar en un lugar que es bendito en un día que está bendecido. «Sin duda, en tales circunstancias, cabe esperar la más rica bendición de Dios» (*The Sabbath*, pp. 47, 48). Comparte el gozo del culto colectivo.

4. **Da de ti mismo.** Isaías 58, que termina con el sábado, es, en realidad, un amplio llamamiento a atender a los necesitados (un llamamiento que examinaremos posteriormente este año). Los siete milagros que Juan registra de Jesús en sábado son prueba suficiente de que es un día para servir a los demás. Asilos para ancianos, gente discapacitada que no puede salir de casa, hospitales, viviendas en zonas urbanas deprimidas: el sábado no consiste en servirse a uno mismo. Consiste en darse.

5. **Gloríate en tu Dios.** «Deléitate asimismo en Jehová y él te concederá las peticiones de tu corazón» (Sal. 37: 4). Porque solo hay una palabra para un Dios como el nuestro: «¡*Yahoo!*».

Leer la mente del enemigo

*«Entonces el dragón se llenó de ira contra la mujer y se fue a hacer la guerra
contra el resto de la descendencia de ella, contra los que guardan
los mandamientos de Dios y tienen el testimonio
de Jesucristo».* Apocalipsis 12: 17

ENTONCES, ¿POR QUÉ todo este jaleo por el sábado? Los servicios de inteligencia celebraron su suerte increíble al localizar y recuperar la computadora portátil del cerebro de una organización terrorista. En él aparecían nombres, direcciones, estrategias y documentación: un auténtico tesoro que dejaba al descubierto los planes más secretos de su antagonista. La verdad sobre el sábado tampoco es una opción intrascendente para los elegidos de Dios en esta hora de la historia: es medular para el enfrentamiento final. Por esa razón, la siguiente cita textual arroja luz sobre los planteamientos estratégicos del archienemigo del cielo y de la tierra: el gran dragón.

«Satanás dice: "Trabajaré en forma contraria a los propósitos de Dios. Daré a mis secuaces poder para desechar el monumento de Dios, el séptimo día como día de reposo. Así demostraré al mundo que el día santificado y bendecido por Dios fue cambiado. Ese día no vivirá en la mente del pueblo. Borraré su recuerdo. Pondré en su lugar un día que no lleva las credenciales de Dios, un día que no puede ser una señal entre Dios y su pueblo. Induciré a los que acepten este día a que lo revistan de la santidad que Dios dio al séptimo día. Mediante mi vicerregente, me exaltaré a mí mismo. El primer día será ensalzado, y el mundo protestante recibirá este falso día de reposo como verdadero. Mediante el abandono de la observancia sabática que Dios instituyó, haré despreciar su ley. [...] De esta manera el mundo llegará a ser mío. Seré gobernante de la tierra, príncipe del mundo. Regiré de tal modo los ánimos que estén bajo mi poder que el sábado de Dios será objeto especial de desprecio. ¿Una señal? Yo haré que la observancia del séptimo día sea una señal de deslealtad hacia las autoridades de la tierra. Las leyes humanas se volverán tan estrictas que hombres y mujeres no se atreverán a observar el séptimo día como día de reposo"» (*Profetas y reyes*, cap. 14, p. 123).

En su rebelión contra el cielo, el dragón ha declarado el sábado como un blanco de gran valor en una estrategia desesperada por borrar al Creador de la mente de los habitantes de la tierra. ¿Cabe sorprenderse, entonces, de que, de todas las generaciones de los elegidos, esta sea llamada a desplegar la bandera de la lealtad al Creador mediante la fidelidad a su sábado? Porque, estar del lado de Cristo, aunque sea solos, es, sin duda, el mayor honor de todos para sus amigos.

Un cuento de dos historias

«Vuestra perversidad ciertamente será reputada como barro de alfarero.
¿Acaso la obra dirá de su hacedor: "No me hizo"?
¿Dirá la vasija de aquel que la ha formado:
"No entiende"?». Isaías 29: 16.

A MEDIADOS DEL siglo XIX dos historias contrapuestas fueron catapultadas hasta el escenario de la conciencia humana, dos historias destinadas a quedar enzarzadas en una lucha desesperada hasta el final del tiempo humano.

Ambas historias nacieron el año 1844: la primera surgió de un movimiento apocalíptico que prendió la mecha de un avivamiento espiritual que buscaba restaurar la Palabra de Dios; la otra, en julio de ese mismo año, cuando se terminaron de redactar 189 páginas de manuscrito (aunque el mundo no sabría de ese alumbramiento hasta que la historia se publicó en 1859). Ambas historias surgieron con una misión implícita ante toda nación, tribu, lengua y pueblo. Sabiendo lo que sabemos ahora, difícilmente puede ser mera coincidencia que las dos historias nacieran en el mismo momento de la historia y que compitieran por la misma lealtad global.

La primera historia clama desde los cielos: «¡Temed a Dios y dadle gloria, porque la hora de su juicio ha llegado. Adorad a aquel que hizo el cielo y la tierra!» (Apoc. 14: 7) en un llamamiento imperturbable a la tierra para acudir ahora al Creador. La segunda historia también clama desde el cielo, solo que es la antítesis misma de la primera historia, su contrario es: no hay *ningún* creador al que adorar, *ningún* juicio que tener en cuenta, *ningún* Dios al que obedecer, salvo el dios de tu propia confección. Me refiero, por supuesto, a la teoría de la evolución de Charles Darwin, que también ha llegado a los confines de la tierra.

Dos historias con dos comienzos muy opuestos y dos finales diametralmente opuestos. No se trata de una elección entre la religión y la ciencia, como algunos querrían que creyeses. Se trata, más bien, de la elección entre dos cosmovisiones, dos historias cósmicas, dos reinos contrapuestos. Y a la cabeza de uno de ellos se alza Jesucristo, que sigue declarando: «El sábado ha sido hecho para el hombre [...]. Y dueño del sábado es el Hijo del hombre» (Mar. 2: 27, 28, NC).

Y por eso, al final, todo se reduce a la elección entre las dos. Porque nadie puede servir a dos reinos ni a dos señores. El apasionado llamamiento de las Escrituras es que escojas a Aquel que te eligió «en el principio». Y, francamente, ¿cómo podría ser errada nuestra elección si elegimos a Aquel que eligió que vivamos *para* él, y *con* él *para siempre*?

Fin de curso, ¡casi!

«Aquí está la perseverancia de los santos,
los que guardan los mandamientos
de Dios y la fe de Jesús».
Apocalipsis 14: 12

¿POR QUÉ LO QUE ES un año escolar estupendo se echa a perder con algo como un examen final? Hace tiempo, los que vivimos en comunidades académicas como esta ciudad universitaria tuvimos que hacer las paces con la noción de que los exámenes finales son métodos efectivos de medir la comprensión y la retención de ideas y conocimiento. (Pero, ciertamente, ¡resulta más placentero impartirlos que tomarlos!).

En lo que a Dios respecta tenemos que admitir que las pruebas de Dios (como señala Marvin Moore en *¿Será que podría pasar?*) son *muy simples y sumamente visibles.* Aun desde el principio. Fíjate, por ejemplo, en el árbol que había en medio del huerto —no tomen fruto de él ni lo coman—: una prueba muy simple y sumamente visible. Caín y Abel —tráiganme un sacrificio de sus rebaños cuando acudan a adorar—: una prueba muy simple y sumamente visible. Y para los hijos de Israel —no habrá maná el séptimo día, el sábado, así que el sexto día recojan el doble—: una prueba muy simple y sumamente visible. La estatua de oro de Nabucodonosor —no se inclinen ante ninguna imagen—: una prueba muy simple y sumamente visible. Una orden de no adorar a nadie salvo al rey, y la elección de Daniel de arrodillarse de todos modos frente a una ventana abierta: una prueba muy simple y sumamente visible. El mandato, en el tiempo del fin, de rechazar el sábado del Creador y adoptar en su lugar el falso día de adoración: una prueba muy simple y sumamente visible.

¿Es el sábado una prueba demasiado simple para los elegidos? Pero, ¿cuál sería el objeto de hacer complicado el examen final? Si el solemne propósito de nuestra existencia humana es encontrarnos personalmente con el Creador que nos eligió y nos destinó «en el principio» para nacer en esta vida, entonces, ¿por qué diseñar un examen complicado que diferencie matices filosóficos o ideológicos, cuando hay en juego una relación de confianza? La prueba más efectiva y eficaz posible, ¿no sería una muy simple (para que nadie necesitase equivocarse al leer las instrucciones escritas en la parte superior de la hoja de examen) y muy visible? El sábado no es una pregunta capciosa divina en el examen final. Desde el comienzo, su quid siempre ha estado y siempre estará en el don de una amistad muy simple y sumamente visible por los siglos de los siglos. Amén.

El undécimo mandamiento

«Un mandamiento nuevo os doy: Que os améis unos a otros; como
yo os he amado, que también os améis unos a otros.
En esto conocerán todos que sois mis discípulos,
si tenéis amor los unos por los otros».
Juan 13: 34, 35

ME ENCONTRABA ENCAJONADO en la última fila de nuestro vuelo de escala entre South Bend, Indiana, y Chicago. A mi lado iba un asesor de gestión empresarial para empresas integradas en la lista *Fortune 500*. No tardamos en entablar conversación, sacando el mayor provecho de nuestro breve vuelo sobre el lago Míchigan. Él iba camino de otra empresa, y yo a predicar en otra parte del país. Él era judío; yo, cristiano.

—¿Y de qué va a hablar usted? —preguntó él.

—Del undécimo mandamiento —respondí.

—¿El undécimo mandamiento? —inquirió incrédulo—. ¡Ya lo hemos pasado bastante mal con los diez! ¡Qué íbamos a hacer con uno más...

Perspicaz pregunta la suscitada por el caballero judío. Me pregunto: ¿Qué *haremos* con el undécimo?

Otro judío, y, verdaderamente, otro caballero (aunque este es mucho más joven), está a punto de hablar. Estará muerto en menos de veinticuatro horas, y él lo sabe. Y cuando un hombre sabe que está a punto de morir, puedes estar seguro de que sus últimas palabras estarán llenas de aquello que más le afecte. Cuando estás en una cuenta regresiva, cada palabra cuenta.

«Un mandamiento nuevo os doy: Que os améis unos a otros; como yo os he amado, que también os améis unos a otros. En esto conocerán todos que sois mis discípulos, si tenéis amor los unos por los otros» (Juan 13: 34, 35). En caso de que te sientas tentado a concluir que este mandato de amarse es simplemente un aparte, un pensamiento aislado de pasada pronunciado por el Maestro, debes saber que aquí, entre esas cuatro paredes del aposento alto, Jesús declarará estas palabras cinco veces: Ámense mutuamente, ámense mutuamente, ámense mutuamente, ámense mutuamente, ámense mutuamente. Y cuando lees el contexto de su llamamiento en vísperas de la crucifixión, no puedes evitar observar que la palabra «amar» o una de sus derivadas aparece 31 veces en los labios de un Jesús que está en el corredor de la muerte, 33 veces en total aquí en Juan 13 a 17. El amor está de manera inequívoca, en el pensamiento del Maestro.

«Un mandamiento nuevo os doy: Que os améis unos a otros». Un undécimo mandamiento para los elegidos; porque, sin duda, lo que estaba en su pensamiento debe estar en nuestro corazón: el amor mutuo.

El hombre del río helado

«"Amarás a tu prójimo
como a ti mismo".
Yo, Jehová».
Levítico 19: 18

¿CÓMO PUDO JESÚS llamar «mandamiento nuevo» a su orden de amarnos unos a otros? ¡Los discípulos a los que la dirigió venían oyendo esas palabras desde que eran niños! Todo el mundo sabía que más de un milenio antes, Dios había pronunciado esas palabras a todo volumen desde el Sinaí. Y hasta el mismo Jesús había reiterado esas mismas antiguas palabras en su propia enseñanza y predicación durante su ministerio (Mat. 22: 39; Mar. 12: 31).

Sin embargo, ¿podría ser que lo que hizo del undécimo mandamiento algo tan «nuevo» para los discípulos del aposento alto fuera que, en menos de veinticuatro horas, serían testigos de un amor tan radical que reescribiría para siempre la definición de «amor»?

El presidente Ronald Reagan tocó el corazón de sus conciudadanos cuando citó las palabras de Jesús en el aposento alto la noche que siguió al trágico accidente de aviación de Air Florida en el río Potomac helado, situado inmediatamente después de la pista de aterrizaje del Aeropuerto Nacional (ahora *Ronald Reagan Washington National Airport*) de Washington, D. C. Los helicópteros de rescate y las cámaras de los medios informativos se cernían sobre la río helado azotado por el viento mientras los supervivientes del accidente intentaban salir a la superficie entre el hielo y los restos. Se arrió una cuerda de salvamento a uno de los pasajeros que se movía, un hombre calvo. Sin embargo, en vez de aferrarse a esa cuerda para ponerse a salvo, pasó el salvavidas a otra víctima en apuros, que entonces fue puesta a salvo por el helicóptero. El salvavidas volvió al mismo hombre calvo, quien de nuevo se lo pasó a otro superviviente que estaba a flote. Se fueron desarrollando las idas y venidas de aquel drama de vida y muerte. Pero cuando el helicóptero volvió una última vez a rescatar al altruista desconocido, no estaba allí, habiéndose cobrado su vida las frígidas aguas de la muerte. Al hacer una semblanza del valor altruista de aquel desconocido, el presidente Reagan, dirigiéndose a la nación, se refirió a las palabras de Jesús: «Nadie tiene mayor amor que este, que uno ponga su vida por sus amigos» (Juan 15: 13).

Esas fueron las palabras de color carmesí pronunciadas por Cristo en aquel mismo aposento alto solo momentos después de que declarara su nuevo mandamiento: «Que os améis unos a otros» (Juan 13: 34). Un antiguo mandamiento que se haría nuevo para siempre por la mañana, cuando aquellos once hombres serían testigos de que no hay «mayor amor» que la gloria del Hombre que, en medio de la cruz, puso «su vida por sus amigos». El Calvario reescribió para siempre la definición de amor en el lenguaje humano, haciéndola fresca y nueva para cuantos quisieran seguir a este mismo Jesús.

Es lo que no dijo

«En esto conocerán todos que sois mis discípulos,
si tenéis amor los unos por los otros».
Juan 13: 35

TE SERÉ FRANCO. Cuando medito en el mandato de Jesús en el aposento alto relativo al amor mutuo y reconozco que dijo a sus discípulos lo que ha de ser la característica distintiva de sus verdaderos seguidores en la tierra, lo que me resulta tremendamente novedoso y tristemente evidente es lo que no dice. Por favor, observa que Jesús *no* dice: «En esto conocerán todos que sois mis discípulos, *si guardáis el sábado»*. Que nadie se confunda. Se está dirigiendo a un recinto lleno de seguidores que observaban el sábado, los cuales lo hacían desde su primer aliento hasta el último. Es el día de los elegidos. Pero, curiosamente, Jesús no declara que el sábado sea la característica distintiva de sus verdaderos seguidores.

Tampoco declara: «En esto conocerán todos que sois mis discípulos, *si esperáis mi segunda venida»*. Aunque solo momentos después en el aposento alto Jesús pronunciará la más amada de las promesas —«No se turbe vuestro corazón; [...] vendré otra vez» (Juan 14: 1-3)—, no declara que la esperanza en el segundo advenimiento sea la característica distintiva de su pueblo verdadero. Aunque, obviamente, no denigra ni niega ninguno de los dos, Jesús declaró que el mundo no reconocería a sus elegidos ni por el «séptimo día» ni por el «adventismo» de la verdad bíblica.

Ni siquiera *la purificación del santuario y el juicio final* o *las 28 Creencias Fundamentales* aparecen en la terminación de la declaración de Jesús en el aposento alto: «En esto conocerán todos que sois mis discípulos, ...».

La verdad que tan tremendamente obvia resulta en la instrucción y orden final de Jesús a sus discípulos se vuelve aún más irresistible si observamos lo que Jesús *no* declara que sea la marca identificativa de su verdadera iglesia en la tierra. En vez de ello, leemos su declaración inconfundible, inequívoca, incondicional de aquella noche: «En esto conocerán todos —rojos y amarillos, negros y blancos, gente con formación e iletrados, países desarrollados y en vías de desarrollo— que sois mis discípulos, *si tenéis amor los unos por los otros»*.

Sí, puedes celebrar la alegre nueva de la gracia divina de que has sido elegido. Pero que quede claro que ¡has sido elegido para amar de la misma forma que lo hizo Jesús!

Se llamaba Jack

«Amados, si Dios así nos ha amado,
también debemos amarnos unos a otros».
1 Juan 4: 11

M E GUSTARÍA COMPARTIR contigo una carta que recibí de una señora que vive en el extremo opuesto de los Estados Unidos: «Querido pastor Nelson: Hace unos cinco años falleció de sida un amigo mío muy cercano. Se llamaba Jack, y tenía 34 años. Jack se bautizó en la iglesia adventista unos quince meses antes de su fallecimiento, y yo llegué a conocerlo principalmente por las reuniones de oración. Jack resultó infectado con el VIH varios años antes de que entrara a formar parte de la iglesia [...]. No fue consciente de tener el VIH hasta que enfermó de neumonía. Sobrevivió a la neumonía, conoció a unos vecinos suyos que eran adventistas y por ese medio llegó a formar parte de la iglesia. Desgraciadamente, algunos miembros de iglesia no podían aceptar a Jack porque tenía sida. Algunos dejaron de acudir a la iglesia y a las reuniones de oración por su presencia, y temían contagiarse de sida por el aire o por sentarse en el mismo banco que él. Mi ex-pastor [...] se empeñó con ahínco en educar a estas personas, pero no quisieron hacerle caso. Cuando el pastor [...] pasaba tiempo en el hospital con Jack todos los días antes de que este falleciese [¡bien hecho, pastor!], decían cosas como: "¡Espero que nuestro pastor no se contagie de sida en el hospital y que luego vuelva y nos lo transmita a todos!". ¡Cómo deben de llorar los ángeles en el cielo por la dureza de los corazones, incluso de profesos cristianos! Gracias al Señor, Jack permaneció fiel hasta el fin e incluso manifestó un espíritu de amor y perdón hacia los miembros que lo rechazaban. Jack sabía cuánto lo amaba Jesús, y eso bastaba».

Pero, ¿basta realmente? ¿Basta saber que «Cristo me ama [...], la Biblia dice así» —según el conocido corito infantil—? Por lo visto, para Jesús *no* basta con que el mundo conozca su amor. Al parecer, para él solo basta cuando el mundo también conoce *nuestro* amor. «En esto conocerán todos que sois mis discípulos, si tenéis amor los unos por los otros» (Juan 13: 35).

¿Me dejas que formule una pregunta embarazosa? ¿Pudiera ser que, en nuestro entusiasmo por que el mundo recuerde el cuarto mandamiento, hayamos olvidado recordar el undécimo? Mientras abogamos por la obediencia a los Diez Mandamientos, ¿desobedecemos el undécimo mandamiento? No hace falta ser teólogo ni sociólogo para observar que hoy la humanidad no pide a voces los Diez Mandamientos. Sin embargo, en el mundo entero, seres humanos como Jack padecen por falta del undécimo mandamiento. Si Dios ha de ganarse la mente de esas personas, nosotros debemos ganarnos su corazón. Porque ahí precisamente está el meollo del amor de los elegidos.

La luz debajo de la puerta

*«Yo soy la vid, vosotros los pámpanos; el que permanece en mí y yo en él,
este lleva mucho fruto, porque separados de mí nada
podéis hacer».* Juan 15: 5

EDWINA HUMPHREY FLYNN, cantante de música clásica de gran talento de la ciudad de Nueva York, fue nuestra invitada en la Iglesia *Pioneer Memorial* en un concierto nocturno, durante el cual relató el incidente siguiente. Era su primer día en el Conservatorio de Nueva York, y al comienzo de aquella mañana oró para que Dios brillase, a través de ella, para todas las personas a las que viera. Subida en el metro atestado a primera hora de la mañana hasta el centro de Nueva York, fue aprisa hasta el conservatorio para sus clases de música. Semanas después, en un día libre (con los demás estudiantes ausentes), Edwina ensayaba sus ejercicios vocales en una de las salas de práctica del conservatorio. De repente, creyó oír voces distantes, voces enfadadas, que se acercaban y se hacían más sonoras al ir avanzando por el vacío pasillo. Contuvo el aliento hasta que, por fin, pareció que la furia se encontraba al otro lado de su puerta. A continuación, de un porrazo, la puerta de su sala se abrió completamente y entraron en tropel cuatro individuos que, según resultó, eran, como ella, alumnos de música del conservatorio. «¡Sabía que estabas aquí!», anunció un joven triunfalmente. Resultaba que estaban discutiendo cuál era más poderosa para el bien, la «magia negra» o la «magia blanca». Eran un grupo de brujas y hechiceros jóvenes, que debatía los «valores» de lo oculto.

Edwina, recuperándose de su entrada por sorpresa, estaba perpleja. «Pero, ¿qué tiene que ver eso conmigo? ¡No sé nada sobre la magia negra ni sobre la blanca!». Ante esto, el joven portavoz señaló que la había visto bajarse del metro el primer día de clase. «Había una luz resplandeciente que te rodeaba y parecía ir por delante de ti». Incrédula, ella preguntó cómo supieron encontrarla en el conservatorio vacío. «Estábamos fuera del edificio hace unos minutos, discutiendo, cuando observé una luz inusual que brillaba desde debajo de la puerta. La reconocí como la misma luz que te rodeaba aquel día. Sabía que tenías que estar dentro».

¡Qué testimonio tan gráfico y fascinante de lo que puede ocurrir cuando una persona elige vivir para Jesucristo con pasión! Al parecer, los elegidos pueden llegar a estar tan repletos del amor de Cristo que este ¡brille por medio de ellos incluso al bajarse del metro! Es lo que sucede cuando a la promesa «Permaneced en mí, y yo en vosotros» (Juan 15: 4) se une la oración «Cristo, brilla en mí, que tu luz yo pueda reflejar», la promesa y la oración debidas para los elegidos hoy.

La vid y los pámpanos

«Permaneced en mí, y yo en vosotros.
Como el pámpano no puede llevar fruto por sí mismo,
si no permanece en la vid, así tampoco vosotros,
si no permanecéis en mí». Juan 15: 4

U N VERANO SEGUÍ sus pisadas desde el mismo aposento alto de Jerusalén, subiendo por la callejuela, saliendo por el portalón y bajando por el camino adoquinado bastante cuesto y lleno de salientes que desciende desde el muro hasta un desfiladero en el valle que hay debajo denominado Cedrón. Los arqueólogos nos dicen que en la Jerusalén moderna quedan muy pocos caminos romanos de la época de Cristo. Pero este sobrevivió, y los eruditos creen que es el mismo camino que siguieron las sandalias de Jesús y los once discípulos bajo la luz plateada de la luna llena de Pascua del año 31 d. C. En algún punto de aquel camino sinuoso, el Maestro se detuvo junto a un emparrado bañado por la luna y pronunció las palabras del texto de hoy.

A través de una metáfora, Jesús vierte los secretos de la eternidad en una sola enseñanza. Toma una palabra que había usado a la luz de las lámparas del aposento alto y ahora, diez veces seguidas, convierte el sustantivo en un verbo. «En la casa de mi Padre muchas *moradas* hay» (Juan 14: 2) se convierte en «*Permanezcan* en mí, y yo *permaneceré* en ustedes» (Juan 15: 4, NVI). Lo que significa que la traducción también podría decir: «Moren en mí, y yo moraré en ustedes». O «Residan en mí, como yo residiré en ustedes». Por eso, en su paráfrasis en inglés *The Message*, Eugene Peterson vierte el versículo 4 con el equivalente de «Vivan en mí. Hagan su hogar en mí, como yo en ustedes».

Con independencia de cómo desees expresarla, la dinámica enseñanza de Jesús es clara: Ofrece a cada amigo y a cada seguidor una unión tan estrecha e íntima que solo puede ser comparada con la unión entre un pámpano vivo y la vid que le da vida. ¡Qué podría ser más cercano! En palabras de Oswald Chambers: «Es un gozo para Jesús cuando un discípulo emplea tiempo para andar más íntimamente con él. Dar frutos siempre es mencionado como la manifestación de una unión íntima con Jesucristo» (*My Utmost for His Highest*, 7 de enero). ¿Qué clase de fruto? «Que os améis unos a otros; como yo os he amado» (Juan 13: 34).

No hace falta ser botánico ni horticultor para saber que el único objeto de la conexión de un pámpano con la vid es dar fruto. «Porque separados de mí nada podéis hacer» (Juan 15: 5). No es de extrañar, entonces, que el amor de los elegidos no sea más que el fruto fragante, floreciente, de su unión con Cristo. No extraña que, como dijimos ayer, la luz brille por debajo de la puerta.

Atragantarse con un camello - 1

«¡Ay de vosotros, escribas y fariseos, hipócritas!, porque diezmáis la menta, el anís y el comino,
y dejáis lo más importante de la ley: la justicia, la misericordia y la fe.
Esto era necesario hacer, sin dejar de hacer aquello».
Mateo 23: 23

¿NOS ATRAGANTAMOS con un camello? Antes de que respondamos, yo desearía que Jesús no nos hubiese llamado hipócritas. ¿Tú no? No me importa que llame así a los fariseos; por supuesto, se lo merecían. Pero, ¿tú y yo? ¡Por favor! Desde luego, no es ningún cumplido. Aunque los niñitos griegos anhelaban hacerse mayores para un día llegar a convertirse en *hipócritas,* nombre técnico de los actores griegos (que podían cambiar de máscara varias veces en una obra, lo que les hacía tener dos caras o hasta cuatro caras), ¡hoy nadie quiere que le digan que tiene «dos caras»! ¿Qué suscita tal reproche del Maestro?

«Dejáis *lo más importante de la ley*: la justicia, la misericordia y la fe». ¿Te has fijado? Jesús revela aquí con claridad la existencia de una jerarquía de valores y verdades dentro de la voluntad revelada de Dios, de su ley. Y las más importantes de todas son la justicia, la misericordia y la fe. Dos de esos valores tienen una incidencia horizontal: el trato mutuo ecuánime (justicia) y con compasión (misericordia). Y el otro es vertical: confiar en Dios (o, como en el relato paralelo de Lucas, el amor de Dios: Luc. 11: 42). Pero observa que Jesús identifica que dos de los tres aspectos más importantes de la ley tienen que ver con nuestras interacciones entre seres humanos. De algún modo, ¿tiene Jesús falta de sintonía con la ley y los profetas? Más bien no. De hecho, ha tomado la grandiosa declaración del Antiguo Testamento sobre la verdadera religión y la ha metido de lleno en la vida de la comunidad del Calvario: «Hombre, él te ha declarado lo que es bueno, lo que pide Jehová de ti: solamente hacer justicia, amar misericordia y humillarte ante tu Dios» (Miq. 6: 8). Justicia, misericordia y fe.

¿Te atragantas con un camello? Fíjate en los fariseos a los que se dirige Jesús. La criatura inmunda de menor tamaño enumerada en el código alimentario de Levítico 11 era el mosquito, y la criatura inmunda de mayor tamaño era el camello. La mordaz hipérbole de Jesús se basaba en la práctica de los fariseos de filtrar sus bebidas con un trozo de tela de lino o una gasa para evitar la ingestión de bichos inmundos. Sin embargo, al mismo tiempo —replicó Jesús—, se tragan el jorobado dromedario peludo de gruesos labios. Y nosotros hacemos igual, ¿no crees? Haciendo hincapié sobre cosas secundarias y quitando importancia a las trascendentales. Diezmando nuestros centavos, pero ignorando a nuestro prójimo. Amando la verdad sin vivirla. ¡Quién, si no Jesús, puede salvar a los elegidos de nuestro desamor de doble cara capaz de tragarse un camello!

Atragantarse con un camello - 2

«Si alguno dice: "Yo amo a Dios", pero odia
a su hermano, es mentiroso, pues el que no ama
a su hermano a quien ha visto, ¿cómo puede
amar a Dios a quien no ha visto?». 1 Juan 4: 20

¿NOS TRAGAMOS EL CAMELLO peludo del racismo? «En esto conocerán todos que sois mis discípulos, si tenéis amor los unos por los otros» (Juan 13: 35).

¿Te has fijado alguna vez en que Jesús pasó su ministerio procurando desesperadamente derribar los muros del prejuicio, las barreras raciales y étnicas que se habían levantado en el corazón de los elegidos? Observa su trato hacia los odiados samaritanos. Reservó para una solitaria mujer de esa raza la verdad más sublime que jamás pronunció; y se trataba de una persona que tenía tres grandes defectos, a la vista de los judíos de la época: porque era samaritana, mujer y adúltera. Y cuando el Señor se esforzó por abrirse paso a través del prejuicio y el orgullo judíos contando un relato sobre la compasión misericordiosa, requirió audacia hacer al héroe samaritano; más que eso, requirió osadía presentar a un *buen* samaritano. Una y otra vez —ya fuera con la suplicante madre sirofenicia o con el centurión romano lleno de reparos—, Jesús trascendió a los prejuicios sociales en un empeño apasionado por derribar los muros divisorios.

El racismo en todas sus formas no es solo omitir «lo más importante de la ley»; ¡es un ataque directo contra el propio Legislador! Los chistes racistas y las calumnias raciales son fáciles de identificar, y el fariseo en todos nosotros es rápido a la hora de afirmar nuestra distancia de tal pecado. Pero, ¿qué decir de nuestra tendencia a caricaturizar a los miembros de una raza (con independencia de que seamos negros, marrones, blancos o amarillos) en función de nuestra experiencia con un miembro de esa raza? Eso se llama estereotipación racial. ¡Qué prestos estamos a prejuzgar (la raíz de «prejuicio») a un ser humano en función de nuestros sesgos raciales innatos o adquiridos! Sigue siendo verdad que la hora de la semana de mayor segregación en Estados Unidos es la mañana del domingo o del sábado. Elegimos nuestra congregación, escogemos nuestro barrio, seleccionamos nuestros restaurantes y nuestros centros comerciales, contratamos a nuestros empleados, otorgamos nuestra amistad en función de una preferencia y un prejuicio raciales tácitos, a veces hasta inconscientes.

Nuestro texto de hoy suscita una verdad embarazosa pero esencial para los elegidos. ¿De qué sirve encumbrar nuestro amor a Dios, a quien nunca hemos visto personalmente, mientras ignoramos o hacemos como que no vemos a los hermanos que tendríamos que estar ciegos para no ver? «Que os améis unos a otros; como yo os he amado» (Juan 13: 34) sin duda significa pedirle a Dios que nos dé los ojos y el corazón de Jesús.

Atragantarse con un camello - 3

«En esto hemos conocido el amor, en que él puso su vida por nosotros;
también nosotros debemos poner nuestras vidas por los hermanos».
1 Juan 3: 16

HACE UNOS AÑOS, la revista *USA Weekend* publicó un artículo de portada sobre dos iglesias bautistas de Saint Paul, Minnesota, una negra y otra blanca. Es el relato de un amor que vence a las diferencias culturales y raciales. No es una historia sobre la integración racial. Es, más bien, un maravilloso relato sobre la reconciliación racial. Y existe una diferencia: «La reconciliación racial no es lo mismo que la integración. Esta última elimina las barreras formales, fundamentalmente leyes, que separan a la gente, pero deja intactas las imágenes, las creencias y las barreras culturales de siglos que dividen a la gente: los muros de kilómetros de altura que tenemos en el corazón y en la mente. En la reconciliación racial, los individuos luchan conscientemente por superar el legado de racismo, forjando en primer lugar vínculos genuinos con al menos una persona de una raza diferente» (10-12 de septiembre de 1999, p. 6).

¿Te has fijado? El llamamiento de la reconciliación racial es que cada uno nos convirtamos en un comité unipersonal y busquemos forjar «vínculos genuinos con al menos una persona de una raza diferente». Debe de haber alguien donde vives, donde trabajas, donde estudias, donde juegas que pudiera ser la persona con la que forjes una amistad nueva y genuina. ¿Sencillo? No. Nuestro texto de hoy llega a sugerir que, a veces, es cuestión de renunciar a nuestra vida en pro de tan radical amor por un hermano. No es fácil, pero resulta del todo esencial: el tipo de amor del propio Jesús, capaz de eliminar divisiones, es prueba suficiente.

¿Podemos cambiar a una denominación entera? Quizá no. Aunque si un número suficiente de los elegidos se preguntase en voz alta sobre la necesidad de seguir teniendo congregaciones o asociaciones «separadas pero iguales», ¿no crees que el Espíritu de Cristo podría repetir la historia de Saint Paul una y otra vez por todo Estados Unidos? Si nadie ha oído hablar de los Automóviles Ford Negros y Automóviles Ford Blancos, ¿por qué existe tal diferenciación entre los elegidos? Todo lo que hace falta es un único impulsor dispuesto a forjar vínculos genuinos de amistad «con al menos una persona de una raza diferente». Porque, aunque puede que no seamos capaces de cambiar toda una comunidad de fe o ni siquiera una congregación entera, podemos, a pesar de todo, llegar a ser los impulsores del amor yendo de ser humano en ser humano, ¿no?

¿Podría ser esa la razón misma, para empezar, por la que tú y yo fuimos elegidos? Entonces, ¡vivamos nuestro divino destino con pasión y amor como hizo Jesús!

Sala de Emergencias - 1

«Recorría Jesús todas las ciudades y aldeas, enseñando en las sinagogas de ellos,
predicando el evangelio del reino y sanando toda enfermedad
y toda dolencia en el pueblo». Mateo 9: 35

SALA DE EMERGENCIAS. No hace falta que seas enfermero ni médico de emergencias para que sepas lo que ocurre detrás de las dobles puertas batientes y de las cortinas que cuelgan de una sala de urgencias. Gracias al interés de la televisión en el drama y el trauma cargados de adrenalina de una sala de urgencias, parece que todo el mundo conoce el funcionamiento interno de ellas. Puede que hayas pasado tiempo en la atestada sala de esperas de una sección de urgencias hospitalarias cercana, o quizá fueras tú la persona a la que introdujeron en silla de ruedas por esas dobles puertas. Pero con independencia de que hayas experimentado o no personalmente una sala de urgencias, hay una simple verdad sobre Emergencias que todos conocemos intuitivamente: son lugares sucios.

¿Sabes por qué? Porque la gente acude a ellas en medio de una crisis. Entras en la sala de Emergencias y podrías percibir los olores de vómitos, orina, sangre coagulándose, desinfectantes, antisépticos antibacterianos y medicinas exóticas, todo ello flotando en el aire frenético de ese lugar salvador de vidas. Solo unos momentos antes, esas camillas y esas camas habían estado cubiertas de limpísimas sábanas blancas esterilizadas, rodeadas por paredes y suelos y por cortinas asépticos. Pero en una fracción de segundo ese entorno estéril se ensució, se salpicó y se contaminó. Pero está bien, porque todos los que trabajan y viven en un hospital lo saben: «Por esto existimos, por esto estamos aquí: para mancharnos y quedar expuestos mientras nos lanzamos como un equipo para salvar otra vida», dirían ellos.

¿No se supone que es así en la iglesia de Jesús? ¿No se supone que hemos de ser lugares de salvación sucios y manchados, y en ocasiones malolientes, para la gente en medio de una crisis, gente que acude tal cual con la esperanza desesperada de salvarse y sanarse antes de que sea demasiado tarde? ¿No define el propio ejemplo de Cristo mientras estuvo aquí en medio de nosotros (como presenta nuestro texto de hoy) la misión de urgencias de la iglesia como un hospital para pecadores?

Entonces, ¿puedes imaginar una sala de Emergencias que requiera que sus pacientes se limpien antes de ingresar? ¡Ni de broma! No hay ningún hospital ni sala de urgencias en el mundo que requiera que te limpies y que te sanes antes de que te admitan. Se supone que has de acudir tal cual. Porque las salas de Emergencias y las iglesias se supone que son lugares sucios, en los que sigue apareciendo gente en medio de crisis que suponen una amenaza para la vida. ¿Qué mejor lugar para presentarse que la iglesia de Jesús?

Sala de Emergencias - 2

«Cuando vieron esto los fariseos, dijeron a los discípulos:
"¿Por qué come vuestro Maestro con los publicanos
y pecadores?". Al oír esto Jesús, les dijo:
"Los sanos no tienen necesidad
de médico, sino los enfermos"».
Mateo 9: 11, 12

EL BARRIO NUNCA había visto tantas limusinas en su vida: limusinas de todos los colores, de distintos tonos, tamaños y formas, alineadas y estacionadas en ambos sentidos junto a las aceras de las manzanas. (Todo el mundo sabe que las limusinas son alquiladas o para gente que es importante o por gente que cree que lo es y se esfuerza por demostrar esa percepción). Y así llegaron, en sus alquilados símbolos de estatus, hombres con trajes baratos arrugados y el pelo echado para atrás con mucha brillantina, con pálidas novias chabacanas agarradas a su brazo. ¡Que empiece la fiesta! Pero, ¿dónde está el invitado de honor? Llega por fin a la entrada un viejo Dodge Caravan destartalado. Y sale él, sin traje, sin chica, solo con un traje de la sección de rebajas, y una furgoneta llena de discípulos arrugados pero admirativos. El anfitrión de la fiesta sale corriendo de la ruidosa casa, con su cámara Kodak lanzando destellos. ¡Quién necesita fotógrafos de la prensa rosa! Jesús está aquí.

Mateo, Marcos y Lucas. Los tres consignan aquella noche de gala. ¡Tan profundo fue lo que Jesús enseñó! Verás, el propio Mateo había sido uno de los odiados recaudadores de impuestos. Y cuando Jesús lo llamó a ser uno de los elegidos, Mateo organizó una fiesta para Jesús tanto por profunda gratitud hacia su Maestro como por un ilusionado deseo de que sus antiguos colegas conocieran al Salvador. ¡Pero los aguafiestas no quedaron excluidos! De pie debajo de una de las ventanas abiertas de Mateo, los fisgones fariseos sisean a los discípulos cercanos de Jesús el dardo acerado de nuestro texto de hoy: «¿Qué le pasa al maestro de ustedes, juntándose con gentuza como esta?». Y Jesús —como tu madre, que podía seguir tus conversaciones mientras estaba enzarzada en una suya— ¡devuelve el fuego con una respuesta a una pregunta que no era suya! «Los sanos no tienen necesidad de médico, sino los enfermos [...] porque no he venido a llamar a justos, sino a pecadores» (Mat. 9: 12, 13). ¿Qué clase de pecadores? No lo dice.

Pecadores heterosexuales y pecadores homosexuales, pecadores éticos y pecadores poco éticos, pecadores alcohólicos y no alcohólicos, pecadores de todos los partidos políticos, pecadores blancos, negros y amarillos, ricos y pobres, pecadores jóvenes y viejos, pecadores adventistas y pecadores no adventistas. Al parecer, no hay ninguna limitación a los tipos de pecadores para los que la iglesia ha de ser una sala de Urgencias, porque Jesús simplemente dijo: «He venido a llamar [...] a pecadores». A todos los pecadores. ¡Y estamos agradecidos y contentos por ello!

Sala de emergencias - 3

«Se acercaban a Jesús todos los publicanos y pecadores
para oírlo, y los fariseos y los escribas murmuraban, diciendo:
"Este recibe a los pecadores y come con ellos"». Lucas 15: 1, 2

¡QUÉ CODICIABLE CRÍTICA! «Este recibe a los pecadores y come con ellos». Afrontémoslo. Jesús era así. Nunca conoció a un pecador que no le gustara o al que no amara. Y por eso los fariseos sisearon lo que leemos en los textos de ayer y de hoy. ¿No sería maravilloso si también dijeran lo mismo de ti y de mí? «Este hombre, esta mujer, da la bienvenida a los pecadores y come con ellos». Lamentablemente, conozco algunas iglesias que dan la bienvenida a los pecadores *¡y se los comen!* Pero la diferencia es abismal, ¿no?

Mientras codiciamos las acusaciones presentadas contra nuestro Señor en otro tiempo, hay más que podríamos añadir a nuestra lista. En otra ocasión, Jesús reparó en sus críticas cuando expuso la típica doblez de la religión hipócrita, en la que —según suele decirse—, hagas lo que hagas, te van a echar la culpa igual: «Vino Juan el Bautista, que ni comía pan ni bebía vino, y decís; "Demonio tiene". Vino el Hijo del hombre, que come y bebe, y decís: "Este es un hombre comilón y bebedor de vino, *amigo de publicanos y de pecadores*"» (Luc. 7: 33, 34). Juan vivió separado de la sociedad con fidelidad a Dios, y lo llamaron amigo de los demonios. Jesús vivía en medio de la sociedad con fidelidad a Dios, y lo llamaban amigo de pecadores. Con algunos individuos, no hay forma de que salgan bien las cosas, ¿verdad?

¡«Amigo de pecadores»! ¡Qué codiciable condena, qué descripción digna de reflexión, qué ejemplo asequible de lo que han sido llamados a ser los elegidos! Exactamente como Jesús. Igual que la sala de Emergencias de un hospital.

Algunos se preocupan porque, si la iglesia de los elegidos llega a centrarse demasiado en los pecadores menos respetables, quedará, de alguna manera, disminuida y marginada. Pero esta observación de hace un siglo señala completamente lo contrario: «Si quisiéramos humillarnos ante Dios, *ser amables, corteses y compasivos* [llenos de piedad], se producirían cien conversiones a la verdad allí donde se produce una ahora» (*El ministerio de la bondad,* cap. 10, p. 91; la cursiva es nuestra). ¡Da la impresión de que ser amigo de los pecadores es la forma más efectiva de Jesús de dar crecimiento a su iglesia! Entonces, ¡hagámoslo!

¿Museo u hospital?

*«Jesús le dijo: "'Amarás al Señor tu Dios con todo tu corazón, con toda tu alma
y con toda tu mente'. Este es el primero y grande mandamiento. Y el segundo es semejante:
'Amarás a tu prójimo como a ti mismo'. De estos dos mandamientos dependen toda
la Ley y los Profetas».* Mateo 22: 37-40

¿DISFRUTAS DE un buen museo? Chicago se enorgullece de una de las mayores colecciones de antigüedades del mundo en su Museo Field de Historia Natural. Y el imponente esqueleto (llamado «Sue») de *Tyrannosaurus rex* cerca de la entrada es suficiente evidencia de que el museo se especializa en lo «antiguo».

¿Es un museo mejor metáfora para la iglesia que un hospital? Después de todo, ¿no es la misión de la «iglesia remanente» conservar la verdad antigua y defender la ortodoxia histórica? «Aquí está la perseverancia de los santos, los que guardan los mandamientos de Dios y la fe de Jesús» (Apoc. 14: 12). ¿Ves? Ahí lo tienes: la prueba de que hemos de defender lo que es antiguo, lo que está probado y es verdad. Cierto, pero ten cuidado con lo que descartas.

Un maestro de la ley preguntó en una ocasión a Jesús cuál era el mayor mandamiento de todos. En el texto de hoy vemos la respuesta de Jesús, que define *los dos mayores mandamientos* de todos: en primer lugar, el amor supremo a Dios, y, en segundo lugar, el amor imparcial a nuestro prójimo. Lo que significa que los elegidos de Dios en el tiempo del fin, que Apocalipsis 14: 12 define que guardan los mandamientos de Dios, serán conocidos como una comunidad que ama a Dios de forma suprema y que ama a su prójimo de manera imparcial.

Y cuando Apocalipsis 12: 17 define al mismo «remanente» diciendo que tiene «el testimonio de Jesús» (NVI), ¿no incluiría ese testimonio el «undécimo mandamiento» que Jesús dio en vísperas de su crucifixión?: «Un mandamiento nuevo os doy: Que os améis unos a otros; como yo os he amado, que también os améis unos a otros. En esto conocerán todos que sois mis discípulos, si tenéis amor los unos por los otros» (Juan 13: 34, 35). De nuevo, lo que importa es que los elegidos de Dios en el tiempo del fin serán conocidos en el mundo entero por su supremo amor a él y por su amor imparcial a su prójimo.

No hemos sido llamados a ser una vitrina de museo de santidad y ortodoxia. Más bien, los «santos de la ortodoxia», o sea los elegidos, han sido llamados a vivir el amor sucio, radical, sanador, de sala de Urgencias por los pecadores de todos los colores y todos los matices. ¡Buena noticia! Fuiste destinado a trabajar en Emergencias, no a quitar el polvo de un museo. Hay un pecador que sufre en el lugar al que te encaminas hoy. Por ello, sé el amor sanador para el que Dios siempre te ha elegido que seas. Igual que Jesús.

La iglesia de la Cruz Roja

«Para esto fuisteis llamados, porque también Cristo padeció por nosotros, dejándonos ejemplo para que sigáis sus pisadas. [...] Él mismo llevó nuestros pecados en su cuerpo sobre el madero, para que nosotros, estando muertos a los pecados, vivamos a la justicia. ¡Por su herida habéis sido sanados!». 1 Pedro 2: 21, 24

PUEDE QUE RECUERDES el audaz rescate de rehenes retenidos por la guerrilla hace varios años en Colombia. Fue óbjeto de encomio en el mundo entero como una brillante estratagema que engañó a los captores para que, de hecho, entregaran a los rehenes a comandos disfrazados del gobierno a bordo de un helicóptero. Desgraciadamente, unos días después del rescate coronado por el éxito, una secuencia de vídeo reveló que, como parte del ardid, uno de los soldados del gobierno llevaba puesto como parte del disfraz un brazalete de la Cruz Roja. Como entenderás perfectamente, Cruz Roja Internacional presentó inmediatamente una protesta formal. Si la Cruz Roja se convierte en un símbolo vacío expropiado como disfraz, ¿quién volverá a confiar en ella?

En la víspera de su propia muerte en una «cruz roja», Jesús describió de forma comedida cómo sería conocida en el mundo su comunidad de seguidores: «En esto conocerán todos que sois mis discípulos, si tenéis amor los unos por los otros» (Juan 13: 35). Para nosotros, dos mil años después, puede significar únicamente que una comunidad de fe debe convertirse en una comunidad de amor. En un hospital para pecadores; porque no puede haber un amor más radical ni un llamamiento más exaltado para la iglesia que ser como Jesús y convertirse en un hospital para pecadores, ¿no crees?

Jim Cymbala, pastor del Tabernáculo de Brooklyn, hace este llamamiento: «Los cristianos a menudo vacilan en tender la mano a los que son diferentes. Quieren que Dios limpie los peces antes de capturarlos. Si el anillo de oro de alguien está en una parte poco usual del cuerpo, si [esas personas] no tienen el mejor de los olores o si el color de la piel no es igual, los cristianos tienden a vacilar. Pero piensa en un momento en Dios tendiéndonos la mano. Si alguna vez hubo un "tendido", fue ese: la Deidad santa y pura extendiéndose hacia nosotros, que estamos sucios y somos malvados e impíos» (*Fresh Wind, Fresh Fire*, p. 8).

El Calvario se convirtió en la sala de Emergencias de toda la raza humana, el lugar en el que el Médico sacrificó su vida por salvarnos a todos. Entonces, ¿no deberíamos estar dispuestos a abrir de par en par las puertas de nuestro corazón y de nuestra iglesia a los pecadores para poder amarlos y amarnos los unos a los otros de la misma manera? Porque, ¿no somos los elegidos la Iglesia de la Cruz Roja? No como disfraz, sino como una comunidad genuina del amor sanador del Calvario, una sala de Urgencias para todos. ¡Lo cual es una cobertura universal que ni la más prestigiosa compañía de seguros puede igualar!

La copa rota

*«Porque cualquiera que guarde toda la ley,
pero ofenda en un punto, se hace
culpable de todos».*
Santiago 2: 10

SOBRE LA MESA de mi oficina en la iglesia guardo el pie de una copa rota. La conservo así para que no olvide las leyes de la física ni la ley de Dios. Predicaba sobre el texto de hoy y quería ilustrar la sustancia de lo dicho por Santiago en el sentido de que si quebrantas un solo mandamiento acabarás quebrantándolos todos. Así que decidí agarrar un martillo y hacer añicos una copa de vidrio durante el sermón. Lo había hecho una vez con anterioridad. Pero, dado que esta vez era en directo ante una cámara de televisión de emisión por satélite, el director sugirió que pegásemos la copa al atril con cinta adhesiva para garantizar que ningún trozo de vidrio se proyectase hacia delante. Lo siento, Isaac Newton, ¡pegando la base con cinta adhesiva, garantizamos el cumplimiento de una ley de la física que envió el vidrio despedazado hacia delante, esparcido por toda la primera fila!

La enseñanza de Santiago es, no obstante, verdad. Quebranta la ley en cualquier punto y toda ella queda hecha añicos. Durante años prediqué ese texto para insistir en la importancia de observar el cuarto mandamiento («Acuérdate del sábado para santificarlo» [Éxo. 20: 8]) junto con los otros nueve. Pero unos meses después del sermón de la copa rota repasé Santiago 2, descubrí, para mi sorpresa, que, en realidad, mi aplicación previa ¡no estaba a la altura de la enseñanza radical que Santiago quiere transmitir! Aunque la verdad sobre el sábado es bíblicamente incontrovertible, Santiago, en realidad, *no* está defendiendo el *cuarto* mandamiento, sino que está refiriéndose apasionadamente al *undécimo* mandamiento.

Santiago describe una congregación en la que aparecen para el culto un rico y un pobre. Si hacéis pasar al rico hasta un asiento escogido al frente y hacéis gestos al pobre para que se siente en un banco de la parte trasera, «¿no hacéis distinciones entre vosotros mismos, y venís a ser jueces con malos pensamientos?» (Sant. 2: 4). ¡Pues claro! «Si en verdad cumplís la ley regia, conforme a la Escritura: Amarás a tu prójimo como a ti mismo, bien hacéis» (vers. 8). La «ley regia» de Dios (el amor imparcial a tu prójimo) significa que amamos a todos de la misma manera, con independencia de la situación económica en la vida.

Santiago prosigue afirmando que *no* amar imparcialmente es quebrantar la ley regia de Dios «en un punto» y, así, ¡hacer añicos toda la copa! Por favor, observa nuevamente que la ofensa que cita no se refiere, por crítico que resulte, al quebrantamiento del cuarto mandamiento, sino al del undécimo. «Que os améis unos a otros; como yo os he amado» (Juan 13: 34). Dada su ley regia, ¿no crees que el Rey del Calvario se alegraría de responder nuestra oración hoy y colmarnos por adelantado de su amor para las personas con las que nos encontremos?

El sistema de castas

«No haré ahora acepción
de personas». Job 32: 21

M E ENCONTRABA RODEADO de fieles en el imponente, florido y colorido templo hindú de Madurai, en la India. Intentando impregnarme de las vistas, los sonidos y los olores con los que estaba tan poco familiarizado, me dejé llevar por el río de humanidad. Pero cuando estábamos entrando al santuario interior, carteles en la pared y señales realizadas por los clérigos dejaron claro que yo no había de proseguir más allá. Solo continuaron los iniciados de la casta debida. Asombra, ¿verdad? Aunque no seamos hindúes, ¿vivimos también con un sistema tácito pero nada sutil de castas —juicios arbitrarios con los que (aun inconscientemente) clasificamos a las personas en pulcras (o no tan pulcras) casillas marcadas «superior» o «inferior»—?

La *formación* o su carencia pueden crear castas. Algunas personas confunden sus logros académicos con superioridad personal o intelectual (e insisten en que su titulación sea objeto de reconocimiento), olvidando al brillante Dios-hombre que nunca tuvo formación académica. La situación económica sucumbe rápidamente al pensamiento de casta. Sin embargo, dado el cautivador precedente de Dios haciéndose pobre hasta lo sumo por salvar a gente como tú y yo, ¿cómo podría la riqueza personal ser vez alguna un barómetro preciso del valor personal? La *posición* (en la iglesia o en la comunidad) puede atrofiarse en un valor de casta. Los dignatarios de la época de Jesús oraban con voces de vitral, pero la parábola de Jesús del fariseo y el publicano expuso penosamente la verdad de que estar situado y acomodado no significa que vuelvas a casa desde la iglesia habiendo sido declarado recto ante Dios. Las opiniones personales pueden llegar a ser candidatas a casta. Las congregaciones que, literalmente, se han dividido por diferencias de preferencia de culto («Tú adora a Dios a tu manera, ¡y yo lo adoraré a *la suya*!») revelan cuán destructivamente potente puede llegar a ser la preferencia personal. Y, ¿qué decir de nuestro sutil sistema de castas de *diferencias teológicas*? ¿Se supone que hemos de amar a las personas que difieran de nosotros teológicamente, o publicaremos y promoveremos nuestras críticas y nuestros juicios, enviándolos directamente por correo o, al menos, por correo electrónico, a cuantas direcciones podamos encontrar?

Seamos sinceros: el enemigo de la imparcialidad ha ideado un catálogo interminable de maneras y de muros para dividirnos diabólicamente. «Que se vayan a otro sitio; ¡no los necesitamos aquí!». Pero es que sí los necesitamos, exclaman tanto Santiago como Jesús. La ley regia, el undécimo mandamiento y el Calvario lo dejan perfectamente de manifiesto: Los brazos extendidos de Dios son para todos, y también nosotros hemos de serlo. Lo que hace de la oración de Eliú la acertada para los elegidos, ¿no crees?

«Señor, que no haga, te ruego, acepción de personas». Amén.

El Club del Buen Samaritano - 1

«Pero él, queriendo justificarse
a sí mismo, dijo a Jesús:
"¿Y quién es mi prójimo?"».
Lucas 10: 29

EN CIERTA OCASIÓN, un urbanita intérprete de la ley se levantó, carraspeó y se dispuso a abochornar a un predicador provinciano itinerante delante de todo el gentío. Preguntó: «¿Qué tengo que hacer para ser salvo?». Pero el predicador no era ningún pueblerino y respondió con sabiduría la pregunta del erudito con otra pregunta: «¿Qué lees en la ley?». A lo cual el maestro de la ley, cabalmente formado, contestó de inmediato: «Amarás al Señor tu Dios con todo tu corazón, y con toda tu alma, y con todas tus fuerzas, y con toda tu mente» (Luc. 10: 27). Era el conocido Shemá de Israel y venía siendo un versículo aprendido de memoria desde los días de la infancia. Pero, para redondear la cosa, el intérprete de la ley añadió una línea familiar adicional tomada de la antigua ley solo para asegurarse: «Y a tu prójimo como a ti mismo». ¡Perfecto!

Pero la sonrisa encantada de conocerse se desvaneció rápidamente cuando el predicador provinciano felicitó al doctor de la ley por haber dado respuesta a su propia pregunta. Ante el cuchicheo del gentío, el casuista se lanzó a recuperar la ventaja en su cruce verbal con el Maestro. «¿Y quién es mi prójimo?» (vers. 29).

Como respuesta, Jesús urde una historia sacada directamente de las noticias cotidianas con matices raciales nada sutiles sobre una víctima judía, un sacerdote judío, un levita y un comerciante samaritano. Según apuntamos antes, requería osadía tan siquiera mencionar a los samaritanos (los odiados mestizos de Palestina), pero ¡aquí es puro descaro elevar al samaritano al papel de héroe ante aquella audiencia judía! Y cuando llega al final de la historia, Jesús se vuelve al doctor de la ley y reformula la pregunta de este: «¿Cuál de estos fue el auténtico prójimo?». Y cuando el maestro de la ley ni siquiera osó mencionar el gentilicio, sino que se contentó con mascullar «El que se compadeció de él», Jesús estaba preparado y listo con su revolucionario remate: «Ve y haz tú lo mismo» (vers. 37).

Considera este modélico resumen de *El Deseado de todas las gentes*: «Así la pregunta: "¿Quién es mi prójimo?" está para siempre contestada. Cristo demostró que nuestro prójimo no es meramente quien pertenece a la misma iglesia o fe que nosotros. No tiene que ver con distinción de raza, color o clase. Nuestro prójimo es toda persona que necesita nuestra ayuda. Nuestro prójimo es toda alma que está herida o magullada por el adversario. Nuestro prójimo es todo aquel que pertenece a Dios» (cap. 54, p. 473).

¿Para quién seré prójimo hoy? *Para cualquiera que tenga necesidad.* Por eso los elegidos son el mejor prójimo de todos, porque, como Jesús, pertenecen al Club del Buen Samaritano.

El Club del Buen Samaritano - 2

«Pero un samaritano que iba de camino, vino cerca de él y, al verlo,
fue movido a misericordia. Acercándose, vendó sus heridas
echándoles aceite y vino, lo puso en su cabalgadura,
lo llevó al mesón y cuidó de él. Otro día, al partir,
sacó dos denarios, los dio al mesonero y le dijo:
"Cuídamelo, y todo lo que gastes de más
yo te lo pagaré cuando regrese"».
Lucas 10: 33-35

EL TITULAR CAPTARÍA la atención de cualquiera: «Pareja pone a prueba la fe acogiendo a un depredador sexual. El vecindario, furioso de que un expresidiario se instale con una familia de cuatro» (*South Bend Tribune*, 2 de septiembre de 1999). Es la historia real de Nate Sims, agresor sexual soltado de la cárcel después de veinte años, y de Mark y Tammy LaPalme, cristianos recién convertidos que decidieron poner a prueba su fe y su compasión renacidas invitando a Sims a compartir su hogar en Danville, Kentucky. «En lugar de en una celda carcelaria, Sims, de 52 años de edad, se encontró viviendo en [...] los exclusivos Riverview Estates con una pareja que confió en él lo suficiente como para darle un lecho al otro lado del pasillo frente a la habitación de juego de sus hijos. "Quedé atónito", dijo recientemente Sims con una voz que parecía demasiado dulce para provenir de su cuerpo de 193 centímetros de altura. "Nunca nadie me echó una mano"» (*ibíd.*). Pero no acaba ahí la historia, porque los vecinos se enteraron y el barrio no tardó en quedar empapelado con pasquines de color amarillo chillón que advertían de la presencia de un depredador sexual en el hogar de los LaPalme. Siguieron cartas anónimas. La prensa se precipitó sobre aquella pacífica calle. Fue más de lo que Nate Sims podía soportar, y unos días después huyó.

Entonces, ¿quién fue el prójimo en este relato moderno del buen samaritano? ¿Los iracundos moradores de Riverview Estates? ¿La prensa? ¿Qué pasaría si te dijera que la familia LaPalme era negra y que Nate Sims era blanco? No voy a decírtelo. La enseñanza radical fundamental de la parábola del buen samaritano está más que clara: *cualquier persona necesitada es mi prójimo*. Y «amarás a tu prójimo como a ti mismo» (Lev. 19: 18). Entonces, ¿lo haces tú? ¿Lo hago yo?

¿Qué pasaría si todos ingresásemos en el Club del Buen Samaritano? Claro está que podríamos pasar de largo en nuestro vehículo y hacer como que no lo vimos. Pero, ¿qué pasaría si actuásemos con conciencia y pusiésemos en práctica nuestra compasión? Tengo un amigo que comienza cada día con esta discreta oración: «Señor, llévame hoy a alguien a quien pueda decir una palabra amable o echarle una mano para ayudarlo. Guíame a alguien que necesite un buen prójimo. No hace falta que yo salve hoy al mundo. Ruego únicamente que me permitas aportar algo a una vida. Amén».

El ruego del soldado moribundo

«Jesús decía: "Padre,
perdónalos, porque
no saben lo que hacen"».
Lucas 23: 34

E N SU INQUIETANTE libro *El girasol,* el desaparecido Simon Wiesenthal revive el absorbente y oscuro relato de aquel momento en que, un día, fue sacado sigilosamente de su trabajo que, como joven prisionero judío, tenía asignado en un campo de concentración nazi y conducido por una inexpresiva enfermera escaleras arriba y a lo largo de un pasillo de un hospital polaco cercano. Al fin se encontró (a su pesar y con nerviosismo y temor) de pie a la cabecera de la cama de un soldado moribundo nazi de las SS, que tenía la cara completamente vendada, salvo cuatro aberturas: una para la boca, otra para la nariz y dos para las orejas. Había manchas amarillentas resultado de la supuración producida a través de las vendas procedente de donde debían haber estado los ojos. La enfermera se marchó y el soldado buscó a tientas las mano del muchacho. Y cuando el hombre habló con un susurro ronco, lo que se oyó era la confesión surrealista pero atormentada de un acto de genocidio contra una casa atestada con entre 150 y 200 judíos indefensos. Atormentado por las pesadillas de su complicidad en aquel crimen espantoso, la última petición desesperada del moribundo a su enfermera había sido que le trajera a un judío, a cualquier judío, al que pudiera confesarle su pecado. Y, por eso, el ruego de la cabeza vendada fue: «¿Me perdonas?». Wiesenthal describe la fiera batalla dentro de su propio joven corazón mientras permanecía sentado en las sombras junto a aquella cama: «¿Lo perdono o no?». Al fin, se fue de la habitación sin decir palabra.

Veinticinco años después, aún perseguido por aquella confesión en un lecho de muerte y por su decisión de no perdonar, Simon Wiesenthal —que sobrevivió milagrosamente al Holocausto, que, no obstante, le arrebató a 86 miembros de familia y seres queridos— termina su relato con estas palabras: «Tú, que acabas de leer este triste y trágico episodio de mi vida, puedes ponerte mentalmente en mi lugar y hacerte esta pregunta crucial: "¿Qué habría hecho yo?"» (p. 98).

¿Lo habrías perdonado tú? ¿Si fueras judío? ¿Si fueras afroamericano? ¿Si fueras víctima de maltrato infantil? ¿Si fueras objeto de discriminación laboral? ¿Si fueras la víctima de una aventura extramarital? ¿Si encabezaras una familia monoparental? ¿Si fueras el progenitor de un fugitivo? ¿Perdonarías?

Sabemos lo que habría hecho Jesús de Nazaret: hemos vuelto a oír como lo hace en el texto de hoy: «Padre, perdónalos, porque no saben lo que hacen». ¿Qué harías tú? ¿Qué haría yo? Todas las grandes religiones del mundo permiten que Dios pueda perdonar. Pero, ¿que nos perdonemos mutuamente? ¿Hasta qué límite y cuánto? ¡No es de extrañar que necesitemos la cruz de Jesús!

Los dos Padrenuestros

«Vosotros, pues, oraréis así: "Padre nuestro que estás en los cielos,
santificado sea tu nombre. Venga tu reino. Hágase tu voluntad,
como en el cielo, así también en la tierra. El pan nuestro
de cada día, dánoslo hoy. Perdónanos nuestras deudas,
como también nosotros perdonamos
a nuestros deudores"».
Mateo 6: 9-12

UNA DE LAS GRANDES historias de perdón en esta era moderna es la biografía de Nelson Mandela, nombre conocidísimo aún en toda la República de Sudáfrica. He estado en su pequeñísimo hogar de Soweto, donde se sembraron las semillas de su visión para la libertad de su pueblo y de todos los pueblos. La imagen en blanco y negro de un joven Mandela, que miraba al exterior a través de los barrotes de la prisión de la Isla Robben, se difundió al mundo cuando, después de veintisiete años de encarcelamiento, perdonó a su carcelero y se alzó para llevar a su país a la reconciliación y al perdón nacionales.

Dos mil años antes se desarrolló la mayor de todas las historias de perdón en el drama atroz y carmesí en la cima del Gólgota, cuando, con respiración torturada, Jesús oró pidiendo el perdón no solo de sus carceleros, sino el de sus acusadores, sus jueces y sus verdugos: «Padre, perdónalos, porque no saben lo que hacen» (Luc. 23: 34). Considera este profundo comentario de *El Deseado de todas las gentes* sobre la oración elevada por el Señor en el Calvario: «Esa oración de Cristo por sus enemigos abarcaba al mundo. *Abarcaba a todo pecador que hubiera vivido desde el principio del mundo o fuese a vivir hasta el fin del tiempo*. Sobre todos recae la culpabilidad de la crucifixión del Hijo de Dios. A todos se ofrece libremente el perdón. "El que quiere" puede tener paz con Dios y heredar la vida eterna» (cap. 78, p. 707; la cursiva es nuestra). ¿Te has fijado? Tú y yo fuimos perdonados aquel viernes hace tanto tiempo en el segundo Padrenuestro.

No es de extrañar que el primer Padrenuestro, en griego, diga literalmente: «Perdónanos nuestras deudas, como también nosotros *hemos perdonado* a nuestros deudores». Y, por eso, el único comentario que Jesús hiciera vez alguna sobre su oración modélica la sigue inmediatamente: «Por tanto, si perdonáis a los hombres sus ofensas, os perdonará también a vosotros vuestro Padre celestial; pero si no perdonáis sus ofensas a los hombres, tampoco vuestro Padre os perdonará vuestras ofensas» (Mat. 6: 14, 15). ¿A qué se debe ese lenguaje tan directo en el primer Padrenuestro? A la profunda promesa del segundo Padrenuestro. Si cada pecado tuyo y mío quedó cubierto por la oración pronunciada por Jesús en la cruz en procura de perdón, ¿no debería nuestro corazón, perdonado con tanta generosidad, perdonar a los que han pecado o siguen pecando contra nosotros? ¿Como Mandela? ¿Como Jesús?

Cuando la tasa de endeudamiento es de 600,000 a 1

*«Den gratuitamente
lo que gratuitamente
recibieron».*
Mateo 10: 8

HUBO UNA VEZ un hombre que debía tanto dinero que si tradujeses su deuda a monedas de un dólar y las apilaras una encima de otra, ¡habrían alcanzado una altura de 229 kilómetros! Y cuando el rey se enteró, no fue una escena muy agradable. Pero el desesperado siervo cayó a los pies del rey y suplicó paciencia. (Debería haber suplicado misericordia: su deuda de diez mil talentos era ¡1,250 veces todos los impuestos anuales combinados de la región de Palestina en los días de Jesús!). Según contó Jesús la historia, el rey, entonces, «movido a misericordia, lo soltó y le perdonó la deuda» (Mat. 18: 27). ¡Te imaginas! El siervo debe al rey el equivalente de sesenta millones de días de salarios atrasados ¡y el rey lo perdona todo!

Ojalá que la historia acabase ahí, pero no lo hace. Porque, nada más salir del palacio, el siervo (silbando, sin duda) se topa con uno de sus consiervos, que daba la casualidad que le debía cien días de salarios atrasados. Y cuando este segundo siervo presenta la misma súplica de paciencia, no recibe ni paciencia ni misericordia. En vez de ello, el siervo perdonado arroja a este desventurado individuo a la cárcel por una irrisoria deuda de ¡1/600,000 de lo que él debía al rey! Y cuando el rey se entera de la lamentable historia en su integridad, ¡adivina quién se pone furioso! «Siervo malvado, toda aquella deuda te perdoné, porque me rogaste. ¿No debías tú también tener misericordia de tu consiervo, como yo tuve misericordia de ti?» (vers. 32, 33). Y con eso el rey arroja en prisión al siervo ahora no perdonado ¡hasta que salde los sesenta millones de días o se muera, lo que ocurra primero!

¿La frase clave de Jesús? «Así también mi Padre celestial hará con vosotros, si no perdonáis de todo corazón cada uno a su hermano sus ofensas» (vers. 35). Dos veces en Mateo Jesús usa este mismo lenguaje directísimo del *quid pro quo*. ¡Dónde está nuestro amante Dios en eso! Pero, piénsalo. ¿Cómo puede Dios perdonarme cuando le niego el área de mi vida que, por antonomasia, necesita perdón: mi espíritu implacable? Ruego «Condóname mi deuda» mientras durante todo el tiempo me aferro a ella. ¿Qué ha de hacer un Dios amante? De ahí la regla de oro divina sobre el perdón: Cualquier perdón que quieran de mí deben ofrecérselo a los demás; si no hay perdón para ellos, no hay perdón para ustedes.

¿La moraleja de la historia? Igual que has sido perdonado generosamente por Dios, perdona con generosidad a todos los demás.

El proverbio de Confucio

«Ya conocéis la gracia de nuestro Señor Jesucristo,
que por amor a vosotros se hizo pobre siendo rico,
para que vosotros con su pobreza
fuerais enriquecidos». 2 Corintios 8: 9

EN CIERTA OCASIÓN, Confucio, antiguo sabio chino, enseñó: «Si dedicas tu vida a buscar venganza, cava primero dos tumbas». Es verdad, ¿no? Cuando me niego a perdonar a quien me ha ofendido y, en vez de ello, gasto mi energía y mi vida en buscar desquitarme, acabo destruyéndome también a mí, ¿no crees?

En su libro *El girasol*, Simon Wiesenthal no solo relata la oscura historia de su decisión de juventud de no aceptar la súplica de perdón de un soldado nazi moribundo (como señalamos el 19 de mayo); también incluye las respuestas de 53 personas distinguidas, hombres y mujeres, a su pregunta: «¿Qué habría hecho usted?». Uno de aquellos encuestados fue Harold Kushner, autor de superventas y rabino, que, en su ensayo, cuenta la historia de una mujer de su congregación: «Encabeza una familia monoparental; está divorciada y trabaja para sostenerse a sí misma y a sus tres hijos pequeños. Me dice: "Desde que mi esposo nos abandonó, cada mes es una lucha pagar nuestras facturas. Tengo que decir a mis hijos que no tenemos dinero alguno para ir al cine mientras él vive con su nueva esposa en otro Estado. ¿Cómo puede usted decirme que lo perdone?". Yo le contesto: "No te pido que lo perdones porque lo que hizo fuera aceptable. No lo fue; fue malo y egoísta. Te pido que lo perdones porque no merece el poder de vivir en tu cabeza convirtiéndote en una mujer amargada y furiosa. Me gustaría verlo salir de tu vida emocionalmente tan completamente como está fuera de ella físicamente, pero tú sigues aferrándote a él. No le haces daño a él aferrándote a ese resentimiento, sino que te haces daño a ti misma"» (pp. 185, 186).

Puede que seas una de las personas que han sido gravemente heridas a manos de otra. El dolor que has sufrido es tan agudo, tan profundo, tan cercano a la superficie, que ahora palpita casi todos los días a la hora de despertarte. Algo en lo más hondo de ti clama por venganza. Y, por ello, te niegas a perdonar una herida tan dolorosa y a quien la asestó con tanta maldad. Sin embargo, al final, ¿merece la pena?

El rabí y el sabio tienen razón. Nos destruimos a nosotros mismos cuando nos negamos a perdonar.

El Hombre en medio de la cruz no solo nos perdonó a nosotros en su oración; también perdonó a los que han perpetrado algo contra nosotros. Entonces, quizá la mayor sanación de Jesús se producirá cuando aprendamos no solo a orar por nuestro propio perdón, sino a orar por el perdón de nuestros enemigos.

La bienaventuranza central

*«Bienaventurados los misericordiosos,
porque alcanzarán misericordia».*
Mateo 5: 7

CORRÍA EL MES de marzo de 1935, y el caballero de 77 años de edad yacía muriendo de cáncer en el *Glendale Hospital* de Los Ángeles. El corazón de aquel agotado y desgastado guerrero de la fe estaba turbado, porque sabía que había habido un distanciamiento entre él y otro veterano líder de la fe. Antes de fallecer, debía arreglar las cosas. De modo que el moribundo, Arthur Grosvenor Daniells, presidente de la Iglesia Adventista del Séptimo Día hace un siglo, envió un mensaje apresuradamente. Pronto, Willie White, hijo de Elena G. de White y secretario del Patrimonio White, estaba sentado a la cabecera de la cama de Arthur. G. Daniells.

Bert Haloviak, responsable de la oficina de archivos de la iglesia, pasó a limpio, en la *Adventist Review* del 27 de marzo de 1997, esta porción de la conversación subsiguiente que mantuvieron:

«*White:* "Anhelo el momento en que podamos sentarnos juntos, como solíamos, para hablar del avance de la obra de Dios".

»*Daniells:* "Hermano White, permítame que tome su mano [...]. No le he prestado muy buen servicio".

»*White:* "Oh, no piense en eso. Piense en lo que hicimos cuando trabajábamos juntos".

»*Daniells:* "Sí, [...] encontramos algunos principios inmortales, sentados en cubierta de aquel viejo vapor. [...] Yo quería que mi mano apretase la de usted como uno de mis amigos más verdaderos en la tierra".

»Cuando terminaba la visita, Daniells dijo a su colega que sabía que había cometido errores en su liderazgo, pero que se regocijaba de haber estado "estrechamente ligado con el mayor personaje" que había vivido en la era moderna: Elena G. de White.

»Dos días después, Daniells falleció».

«Bienaventurados los misericordiosos, porque alcanzarán misericordia». Algo de misericordia puede llegar muy lejos, ¿no crees? Incluso hasta el umbral de la muerte. No es de extrañar que, de las nueve bienaventuranzas del Sermón del Monte en Mateo, *sea esta* la que se encuentre en medio, constituyendo un imponente centro de atracción a la presentación de los elegidos por parte de Jesús. Porque, ¿qué podría tener más semejanza con su Maestro que el que los elegidos se tuvieran mutua misericordia?

La madre de Willie White tenía razón: «Y en la hora de necesidad final, los compasivos se refugiarán en la misericordia del clemente Salvador y serán recibidos en las moradas eternas» (*Así dijo Jesús (El discurso maestro de Jesucristo),* cap. 2, p. 47). ¡Misericordia para los misericordiosos incluso más allá de la muerte!

Lo que sabe todo carpintero

«No juzguéis, para que no seáis juzgados,
porque con el juicio con que juzgáis
seréis juzgados, y con la medida
con que medís se os medirá».
Mateo 7: 1, 2

TENER DOS DELANTALES de carpintero colgados de la pared del garaje no te convierte en carpintero, ¡según podrán atestiguarte mi esposa y mis hijos! Pero sé justo lo suficiente de carpintería como para darme cuenta de que puede enseñarnos una ley invariable sobre la naturaleza humana; una ley que, si llegamos a entenderla y a vivirla, cambiará para siempre la manera en que nos tratamos mutuamente en el hogar, en la escuela, en el trabajo, en el juego. De hecho, si comprendes bien esta ley, no volverás a ser la misma persona.

Todo carpintero sabe aserrar madera. Y con independencia de que tú hayas aserrado una pieza alguna vez o no, sabes que cuando los dientes de hierro de la sierra cortan la madera, caen al suelo partículas diminutas de madera residual: serrín. Entonces, pregúntate: ¿Qué preferirías que se te clavase en el ojo, esa partícula diminuta de serrín... o toda la tabla?

Hubo una vez un Carpintero que declaró que ¡la respuesta es pan comido! «¿Por qué miras la paja que está en el ojo de tu hermano y no echas de ver la viga que está en tu propio ojo? ¿O cómo dirás a tu hermano: "Déjame sacar la paja de tu ojo", cuando tienes la viga en el tuyo?» (Mat. 7: 3, 4). Ahí tienes esa gran ley de la naturaleza humana: *lo que criticas en los demás es invariablemente verdad sobre ti.* Que la motita de aserrín que ves en la vida de otro, si la verdad se supiera (como Dios la sabe), ¡ocurre que es un tablón en tu propia vida!

No es de extrañar que Jesús inicie esta enseñanza con las palabras de nuestro texto de hoy: «No juzguéis, para que no seáis juzgados, porque [...] con la medida con que medís se os medirá». Porque en el momento que abro la boca para señalar tus faltas y tus debilidades, ¡también las estoy identificando de forma inconfundible y muy poco sutil como mías! Verás, la medida o la destreza con la que te critico han sido enormemente potenciadas por mi propia experiencia personal con esos mismos pecados y debilidades. ¿Por qué crees que soy tan rápido para notarlos en ti? Por la misma razón que una vez que conduces un Ford Taurus ves de repente ese tipo de automóvil por doquier. Todos conocemos las historias de predicadores televisivos que han clamado contra los pecados de otros solo para que, tiempo después, la prensa acabara descubriendo los mismos pecados en ellos. Pero no seamos demasiado duros con ellos. Lo cierto es que todos criticamos en los demás lo que se da en nosotros mismos. Por eso el Carpintero insistió tanto: ¡No juzguen!

La línea delgada

«Uno solo es el dador de la ley, que puede salvar y condenar;
pero tú, ¿quién eres para que juzgues a otro?».
Santiago 4: 12

AL VIVIR EN UNA COMUNIDAD académica, me doy cuenta de que la savia de las instituciones educativas es la «crítica». Hay ramas enteras del saber basadas en la crítica: crítica literaria, crítica historia, alta y baja crítica, etcétera. Por eso tenemos universidades, para poder desarrollar la agudeza mental del estudiante a fin de que plantee retos a teorías, critique ideas, escudriñe la evidencia y critique conclusiones. Debemos aprender a «pensar críticamente» para no tragarnos nociones o afirmaciones que distan de ser verdad. Después de todo, nuestro Creador diseñó nuestra mente para que eligiésemos con raciocinio meticuloso nuestra senda en la vida.

En su Sermón del Monte, Jesús no rechaza el pensamiento crítico, pero sí condena la actitud crítica. «¡Hipócrita! saca primero la viga de tu propio ojo, y entonces verás bien para sacar la paja del ojo de tu hermano» (Mat. 7: 5). *Hypocrites*, palabra griega traducida «hipócrita», es un término que designa al actor en un escenario del teatro griego —alguien que finge ser lo que no es—, una persona que lleva una máscara y hace que la audiencia se lo crea. Cuando engaño a todo el mundo actuando o fingiendo ser lo que no soy, soy un hipócrita. Y he cruzado la delgada línea que separa el pensamiento crítico de la actitud crítica. Y ahí está el peligro, no solo para los académicos, sino para todos.

Pero, ¿no es pecado criticar a otro? La palabra española «criticar» deriva de la palabra «crítico», que proviene del griego *krites*, que se traduce «juez». Cuando criticamos a alguien, en esencia nos constituimos jueces y emitimos sentencia. Sin embargo, tal como nos recuerda nuestro texto de hoy, solo hay un Juez en el universo. Por ello, cuando te critico, ¡asumo la prerrogativa exclusiva del propio Dios! Y, lo mires por donde lo mires, hacer de Dios, juzgándote, es pecado.

¿Te acuerdas de la ley del Carpintero? Lo que criticas en los demás es invariablemente verdad sobre ti. Oswald Chambers explica esa verdad con gran claridad: «Todo lo malo que veo en ti, Dios lo encuentra en mí. Cada vez que juzgo, me condeno a mí mismo. […] Deja de tener una vara de medir para otras personas. En el bagaje de cada cual siempre hay un hecho más del que nada sabemos […]. Nunca he conocido a nadie a quien pudiera dar por perdido tras discernir lo que hay en mí fuera de la gracia de Dios» (*My Utmost for His Highest*, 17 de junio). Entonces, ¿por qué ser el crítico/criticón permanente de tu matrimonio, de tu congregación, de tu oficina, de tu escuela? Que Dios sea el juez, y que su paz sea contigo.

La regla de oro

«Así que todas las cosas
que queráis que los hombres hagan
con vosotros, así también haced vosotros
con ellos, pues esto es la Ley y los Profetas».
Mateo 7: 12

¿CABE MISERICORDIA para individuos criticones como tú y yo? ¡Aleluya, la hay! Y encontrarás el secreto en uno de los instrumentos de carpintería. Es una cinta métrica, o regla, que todo carpintero necesita para guiarse por una medida uniforme invariable. Usas la regla y siempre consigues dimensiones idénticas y los mismos resultados cada vez. Pero, como todo carpintero sabe, debes atenerte a las medidas de esta regla. Si te desvías de ella, arruinarás tu trabajo.

Ese fue, por supuesto, el meollo de la enseñanza del Carpintero divino al darnos su norma directriz uniforme que seguimos llamando la regla de oro. La hemos memorizado desde la niñez: «Obra con los demás de la forma en que te gustaría que obrasen contigo». Hablando en plata, trata a los demás como te gustaría que te tratasen a ti. Para esto no hace falta saber latín. Es la regla de oro de la carpintería del carácter.

Y, como observa mi amigo y colega Skip MacCarty, viene siendo la regla de oro del Padre, el Hijo y el Espíritu Santo desde la eternidad en el pasado: «El pacto de amor trinitario se revela en que cada uno trata a los demás como querría ser tratado si se invirtieran sus papeles […]. La "regla de oro" (Mat. 7: 12) sondea las profundidades del compromiso de Dios hacia el interior, dentro de la Trinidad, y hacia el exterior, a toda su creación» (*In Granite or Ingrained?*, pp. 4, 5). El Carpintero divino siempre ha vivido según su propia regla de oro. Por eso Jesús, que tenía todo el derecho de condenar a Judas, quien lo traicionó, en voz baja lo llamó «Amigo» (Mat. 26: 50). Jesús trataba a Judas de la forma precisa en la que él anhelaba ser tratado, como un amigo. Fíjate en cómo trató a sus burlones verdugos. El Juez de toda la tierra (Juan 5: 22) —el único que con justificación podía lanzar invectivas contra toda aquella pandilla de malhechores— se negó a condenarlos. En vez de ello, cuando extendieron las manos del divino Carpintero para clavarlas a la madera misma que él había modelado una vez, con su último vestigio de fuerza buscó en su corazón quebrantado y sacó su regla, *la* regla. Y trató a sus enemigos de la forma misma en que querría que lo trataran a él si sus posiciones se intercambiaran. Oró por misericordia para salvarlos.

¿No te parece que el ejemplo de Jesús puede ser el antídoto más simple para el espíritu de crítica de nuestro tiempo? Interceder por la mujer en vez de criticarla. Orar por el hombre en vez de juzgarlo. ¿Te puedes imaginar qué ocurriría si viviéramos según la regla de oro del Carpintero del Calvario?

¿Cuál sería el mayor acto de misericordia que podemos realizar?

*«Porque misericordia quiero y no sacrificios, conocimiento de Dios
más que holocaustos».* Oseas 6: 6

¡ME ENCANTAN LAS BODAS! El radiante afecto que brilla en los ojos de los contrayentes mientras miran conteniendo la respiración el rostro del otro, agarrados de la mano, casi sin moverse mientras el predicador habla incesantemente. ¿Hay algún joven que en ese momento no diera alegremente la mitad de su reino si la damisela lo pidiera? Porque cumplir el anhelo del otro es el gozo del amor, ¿no? ¡Al menos lo fue el día de nuestra boda!

Oseas 6: 6 debe de haber sido un versículo de memoria que Jesús aprendió de niño, porque es el único que lo cita en el Nuevo Testamento (dos veces en Mateo). Puede que sea una vieja línea polvorienta de un antiguo profeta, pero en labios de Jesús se convierte en una poderosa representación de qué quiere por encima de todo Dios, el Novio, de sus hijos de la tierra. «Deseo misericordia». ¿Podría haberlo dicho más claro? El término hebreo *hesed* puede traducirse «cariño», «misericordia», «amor constante». Aúna en una sola palabra el profundo compromiso contractual de contrayentes y amantes de por vida. Es la esencia misma de Dios, y está claro que él anhela que sea vivida en la vida de sus elegidos. El propio Jesús declaró: «Sed misericordiosos, así como vuestro Padre es misericordioso» (Luc. 6: 36, LBA).

Al meditar sobre este llamamiento a la misericordia (vivir compasivamente, o llenos de compasión), he empezado a dar vueltas a una simple pregunta. Quizá te resulte útil: *¿Cuál sería la respuesta más misericordiosa que pudiera dar en este caso?* Por ejemplo, alguien me llama por teléfono y me pide ayuda; ¿cómo debería responderle? O un colega está en apuros, sobrecargado, agobiado; ¿qué debería hacer yo? O dos conductores intentamos parquearnos en el mismo espacio; ¿cuál es la respuesta más misericordiosa? ¿O si alguien me pidiera dinero? ¿O si tengo a un conocido que está perdido y sin Jesús? ¿O si a mi perro le urge salir, pero yo llego tarde a una cita? (Quizá suene trivial, pero «el que ama a Dios no solamente amará a sus semejantes, sino que considerará con tierna compasión las criaturas que Dios ha hecho» [*Hijos e hijas de Dios,* p. 54]). ¿No crees que Dios podría hacernos madurar y guiarnos para que busquemos hacer de su misericordia nuestra configuración por defecto, para que, en vez de criticar podamos vivir el camino de la Misericordia con una paz interior y un gozo otorgado por Aquel que nos tuvo misericordia primero?

La Vía Dolorosa

«Desde entonces comenzó Jesús a declarar a sus discípulos que le era necesario
ir a Jerusalén y padecer mucho a manos de los ancianos, de los principales sacerdotes
y de los escribas, y ser muerto, y resucitar al tercer día».
Mateo 16: 21

¿SABÍAS QUE CUANDO la Misericordia corre, siempre toma la misma calle? La calle se llama Vía Dolorosa y, como indica su nombre, es la «vía del dolor», la «vía de la pena» o la «vía del sufrimiento». De hecho, una calle actual de la parte vieja de Jerusalén se llama Vía Dolorosa. He atravesado esa callejuela donde la tradición dice que tropezaron los pies ensangrentados de Jesús. La Vía Dolorosa, la vía del sufrimiento. Porque, sin sufrimiento, la Misericordia no podría ser misericordia, ¿verdad?

«Desde entonces comenzó Jesús a declarar a sus discípulos que *le era necesario [...] padecer mucho*» (Mat. 16: 21).

Pero ahí precisamente está el problema, ¿no? Esa parte del «le era necesario [...] padecer» ninguno de nosotros la quiere. Goethe, poeta y filósofo alemán, comentó en una ocasión: «Hay cuatro cosas que detesto: el humo del tabaco, el ajo, las chinches y la cruz». Porque nadie quiere la parte del «le era necesario [...] padecer» que la cruz representa de forma tan ostensible.

No es de extrañar que, nada más que Jesús hubo pronunciado ese sombrío reconocimiento de sufrimiento inminente, Pedro lo tomara aparte y se pusiera «a reconvenirlo» (vers. 22). Porque, igual que Goethe, Pedro tenía su propia lista de cuatro cosas que detestaba, ¡y «la cruz» era una de ellas! «¡En ninguna manera esto te acontezca!» (vers. 22). Ni loco, ni se te ocurra, Jesús: ¡No hay Vía Dolorosa que valga para ti, ni (si pudiéramos leer la trama secundaria entre las líneas de la vehemente protesta de Pedro) para mí!

Y cuando Jesús se zafó del abrazo paternalista de Pedro y miró a su amigo directamente a los ojos y pronunció la represión más punzante que jamás salió de sus labios, aprendimos la verdad de que, sin sufrimiento, la Misericordia no podría ser misericordia. «¡Quítate de mi vista, Satanás! Eres un peligro para mí, porque tu idea no es la de Dios, sino la humana» (vers. 23, NBE).

Porque, desde el punto de vista de Dios, la Vía Dolorosa es la calle que siempre toma la Misericordia. La vía del sufrimiento es la vía de la misericordia. Por eso, si tú eres el que sufre hoy, tu corazón puede conocer estas dos realidades: estás en la senda que siempre toma la Misericordia, y la Misericordia está contigo.

La noche

«Todo pámpano que en mí no lleva fruto,
lo quitará; y todo aquel que lleva fruto,
lo limpiará, para que lleve
más fruto». Juan 15: 2

ELIE WIESEL, AUTOR galardonado con el Premio Nobel de la Paz, en su modélico libro *La noche,* evoca su supervivencia de muchacho en un campo de concentración para judíos durante la Segunda Guerra Mundial. Estuvo en la cárcel-barracón junto con su padre, que se consumía de disentería. Cada noche les daban un cuenco de sopa aguada y una corteza dura de pan. Una noche, mientras Elie, que contaba con doce años de edad, daba aquella corteza de pan a su padre para alimentarlo, uno de los judíos colaboracionistas que supervisaba a los prisioneros gruñó al muchacho que debía comerse aquel trozo de pan y olvidarse de su padre moribundo. Wiesel describe la angustiosa lucha subsiguiente de su joven corazón, que vacilaba en aliviar su propio sufrimiento dejando a su padre morir.

Porque nadie quiere sufrir, ¿verdad? ¿Crees que a Jesús le resultó fácil?

Y, no obstante, ¿pudiera ser que la vía del sufrimiento sea la única vía a través de la cual los elegidos de Cristo pueden ser llevados a la plenitud definitiva de florecimiento espiritual, igual que él? ¿Qué, si no, podría haber querido decir Jesús cuando, en la víspera de su propia muerte, pronunció las palabras de nuestro texto de hoy? «Todo aquel que lleva fruto, [el Padre] lo limpiará, para que lleve más fruto». En esa sola declaración profunda, Jesús pone de manifiesto que la poda y el corte penosos de la Vía Dolorosa, la vía del sufrimiento, son ¡la senda divina a la floración y la fructificación más exquisitas posibles en la vida humana! La vía del sufrimiento es la vía de la misericordia.

Piénsalo un momento. ¿Quiénes son las personas que mejor te atienden en tu dolor? ¿Los que no tienen ni idea de lo que estás soportando? ¿O los que personalmente han experimentado lo mismo? Cuando te han despedido de tu empleo, ¿quién te atiende mejor? ¿Cuando has suspendido una asignatura? ¿Cuando estás luchando con un cáncer? ¿Cuando estás sufriendo un divorcio? ¿Cuando lloras la pérdida de un hijo? ¿Cuando lloras por tu pecado? ¿Quién quieres que acuda corriendo, sino alguien que haya recorrido esa misma Vía Dolorosa, la misma vía del sufrimiento?

¿Cómo puede ser eso? Ah, porque, cuando sufres, la Misericordia te concede la capacidad —no disponible hasta entonces— de convertirte en misericordia empática hacia los demás. Porque la Misericordia no podría ser misericordia sin sufrimiento. Y esa realidad precisamente les hace a Jesús y a ti tan enormemente especiales.

Unas cataratas del Niágara para tu propio corazón

«La esperanza no nos defrauda,
porque el amor de Dios ha sido derramado
en nuestros corazones por el Espíritu Santo
que nos fue dado». Romanos 5: 5

¿HAS VISTO LAS CATARATAS del Niágara? Ocupan el tercer lugar mundial en términos de caudal de agua, con aproximadamente 2,400,000 litros de agua que caen por segundo por esos precipicios. Solo dos personas han sobrevivido a la caída desde esa arista líquida sin ningún dispositivo acrobático de protección. Un niño de siete años, que llevaba puesto un chaleco salvavidas, cayó al río en un accidente en barca y resbaló por el salto de 55 metros de las cataratas Horseshoe y, de hecho, flotó hasta uno de los barcos turísticos *Maid of the Mist* y fue rescatado. El otro sobreviviente fue un sujeto temerario que saltó al agua con solo una camisa y pantalones, llegó flotando al borde sobre su espalda (los testigos dicen que con una sonrisa en el rostro) y sobrevivió a una caída libre equivalente a un edificio de veinte pisos, nadó hasta la orilla sin problemas, fue arrestado de inmediato y le impusieron una multa de diez mil dólares (no hay multa si no sobrevives).

Nuestro texto de hoy tiene que ver con ¡las cataratas del Niágara de las Sagradas Escrituras! ¿Quieres saber de dónde sale el amor de los elegidos? Proviene de las cataratas descritas en Romanos 5: 5: «el amor de Dios ha sido derramado en nuestros corazones por el Espíritu Santo que nos fue dado». Más de dos millones de litros por segundo, ¡lo cierto es que en el don de Jesús se ha derramado hasta la última gota del amor de Dios en el universo!

Fíjate en el tema del agua en esta impresionante descripción: «Todo el amor paterno que se haya transmitido de generación a generación por medio de los corazones humanos, todos los manantiales de ternura que se hayan abierto a las almas de los hombres, son tan solo como una gota del ilimitado océano, cuando se comparan con el amor infinito e inagotable de Dios. La lengua no lo puede expresar, la pluma no lo puede describir. Podéis meditar en él cada día de vuestra vida; podéis escudriñar las Escrituras diligentemente a fin de comprenderlo; podéis dedicar toda facultad y capacidad que Dios os ha dado al esfuerzo de comprender el amor y la compasión del Padre celestial; y aun queda su infinidad. Podéis estudiar este amor durante siglos, sin comprender nunca plenamente la longitud y la anchura, la profundidad y la altura del amor de Dios al dar a su Hijo para que muriese por el mundo. La eternidad misma no lo revelará nunca plenamente» (*Testimonios para la iglesia*, t. 5, p. 691).

Recuerden los elegidos que el amor mismo que Cristo requiere para esta última generación es «tan solo como una gota» de las ilimitadas cataratas del Niágara del «amor infinito e inagotable de Dios».

El Bebé Número 81

*«Cristo, cuando aún éramos débiles, a su tiempo murió por los impíos.
Ciertamente, apenas morirá alguno por un justo; con todo, pudiera ser que alguien
tuviera el valor de morir por el bueno. Pero Dios muestra su amor para con nosotros,
en que siendo aún pecadores, Cristo murió por nosotros».* Romanos 5: 6-8

EL «BEBÉ NÚMERO 81» debe de haber sido el bebé más querido y amado del mundo aquellos primeros días. La historia que subyace a su nombre era simple, pero triste: era la octogésima primera víctima llevada a aquel pequeño hospital de Sri Lanka después del devastador *tsunami* de las Navidades de 2004. No tenía madre, ni padre, ni hermanos; aquel bebé sobrevivió al maremoto y fue dejado en el hospital por un desconocido que lo halló con vida. Sin embargo, la trama se complicó cuando, en los días que siguieron, ¡aparecieron *nueve madres* que lo reivindicaban como propio! Una de ellas estaba tan afligida que, frente a las cámaras de los servicios de noticias, entró por la fuerza en la sección de neonatología del hospital y arrebató al bebé, aunque las enfermeras acudieron de inmediato a la sala y la agarraron por los pelos para recuperarlo. Un juez dictaminó que las emotivas súplicas de las nueve madres tendrían que esperar hasta que un análisis de ADN pudiera determinar el vínculo genético y a la medre legítima. Hasta entonces, el Bebé Número 81 fue el bebé más amado del mundo.

Y esa es la verdad evangélica sobre ti, sobre mí y los elegidos, ¿no? Dada la conmovedora declaración de nuestro texto de hoy, ¿quién de nosotros no puede acostarse de noche, como el Bebé Número 81, con la certeza sumamente fehaciente de que somos amados, amados de verdad, por el Dios y Padre de todos nosotros? No necesitamos nueve madres que nos reivindiquen; solo un Padre, que mostró «su amor para con nosotros, en que siendo aún pecadores, Cristo murió por nosotros» (Rom. 5: 8).

¿Hay un «vínculo genético» entre el Padre y tú y yo? ¿Coincide el ADN de su amor con la forma en que tú y yo amamos al mundo que nos rodea? La buena noticia sobre el undécimo mandamiento para los elegidos es que Jesús no nos ordena que apretemos los dientes y nos esforcemos por agenciarnos un amor que, por raro que parezca, no esté disponible o resulte inaccesible. Más bien, su discreta orden de que nos amemos mutuamente como él nos ha amado es, en realidad, simplemente una invitación a permitir que el amor de Dios que el Espíritu Santo ha derramado *en* nuestro corazón se derrame *hacia el exterior* de nuestros corazones por el mismo Espíritu. «Dejen que mi Espíritu derrame fuera de ustedes lo que mi amor ha derramado en ustedes».

El Calvario es prueba suficiente de que los elegidos son elegidos no por el amor *de ellos,* sino por el *de él.* Y entender eso es el primer paso para amar este mundo como respuesta a él.

«¡En la confluencia de eternidades!»

*«Estas cosas [...] fueron escritas como
enseñanza para nosotros, para quienes
ha llegado el fin de los siglos».*
1 Corintios 10: 11, LBA

UNA NOCHE, EL GRAN filósofo inglés Thomas Carlyle se encontraba en una casa llena de invitados en una fiesta de Año Nuevo en un hogar del norte de Inglaterra. Al extenderse la velada, la ociosa cháchara y el frívolo palique de los asistentes a la celebración empezaron a crisparlo. Decidiendo dejar al gentío a su danza y sus canciones, Carlyle salió un momento de la casa y se adentró en la noche negra y ominosa, ocultas las argénteas estrellas por furiosas nubes de tormenta que cruzaban el oscuro horizonte. Un viento frío y quejumbroso le tiraba de la capa. En la oscuridad, Carlyle se orientó hasta el mar embravecido, hasta que al fin se encontró de pie en la costa inglesa. Mientras las grandes olas barridas por el viento se estrellaban a sus pies, los truenos de medianoche retumbaban en lo alto y la negra noche se vertía en la oscuridad del abismo. El año viejo se desvanecía ante el nuevo, y el alma del gran filósofo, atrapada en la enormidad de todo ello, exclamó: «¡Me hallo en el centro de inmensidades, en la confluencia de eternidades!» (Llewellyn A. Wilcox, *Now Is the Time*, p. 15).

Y nosotros también, porque nunca ha habido una generación sobre la tierra que haya afrontado las «inmensidades» acumuladas que afrontamos nosotros. Ecológicamente, los agoreros predicen la desaparición del ecosistema delicadamente equilibrado de nuestro planeta. Económicamente, los expertos más sabios de la tierra pierden la esperanza de dar la vuelta alguna vez a nuestras economías globales en caída libre. Moralmente, la sociedad se desangra, y ningún poder parece capaz de detener el mal. Políticamente, los gobiernos de la tierra buscan desesperadamente algún dirigente carismático que aún pueda unir al mundo en la paz. Espiritualmente, las religiones de esta civilización buscan urgentemente una colaboración para salvar a los habitantes del planeta.

¿Y proféticamente? Los antiguos profetas, unánimemente, pronosticaron la unión de estas mismas fuerzas en vísperas de la destrucción (léase liberación) de la tierra. Sin embargo, tras su propia letanía de predicciones escatológicas (que suenan a los titulares cotidianos de nuestros días), Jesús cambió radicalmente el centro de interés, pasando del juicio a la esperanza, cuando prometió: «Cuando estas cosas comiencen a suceder, erguíos y levantad vuestra cabeza, porque vuestra redención está cerca» (Luc. 21: 28).

Y eso quiere decir que a esta generación de los elegidos, «para quienes ha llegado el fin de los siglos», ha sido legada la mayor «confluencia de eternidades», la mayor esperanza de todas: el próximo regreso de Cristo. ¡No es de extrañar que nos mande erguirnos con esperanza!

«¿Hay alguna E-S-P-E-R-A-N-Z-A?»

«Aguardamos la esperanza bienaventurada y la manifestación gloriosa
de nuestro gran Dios y Salvador Jesucristo».
Tito 2: 13

H ACE AÑOS UN SUBMARINO experimental quedó panza arriba frente al litoral oriental de los Estados Unidos y, con su tripulación encerrada dentro, se hundió hasta el fondo del mar. Las iniciativas de salvamento empezaron de inmediato. Por fin, las lecturas de sonar acabaron recogiendo el golpeteo de código Morse hecho por los supervivientes dentro del submarino volcado. Lentamente, su mensaje fue tecleado a base de ruidos a través del casco del navío hundido: «¿H-A-Y-A-L-G-U-N-A-E-S-P-E-R-A-N-Z-A?».

Es una pregunta colectiva que se formula en el mundo entero, ¿no? «¿Hay alguna esperanza?». Puedes oír el golpeteo del código Morse procedente de las preguntas vociferantes de los corresponsales de prensa a tal o cual presidente o este o aquel primer ministro, que se coloca ante un montón de micrófonos para pronunciar otra declaración en medio de una de tantas crisis nacionales. «¿Hay alguna esperanza?». Oyes su golpeteo tras los titulares de los portales electrónicos dedicados a la economía, que monitorizan veinticuatro horas al día y siete días a la semana los crudos detalles de las fluctuaciones monetarias de las bolsas de valores. «¿Hay alguna esperanza?». Captan el golpeteo las cámaras de vídeo de los servicios informativos que sacan un primer plano del rostro angustiado y afligido de los supervivientes de aquel atentado, entrevistados para obtener su reacción aturdida a la absurda tragedia. «¿Hay alguna esperanza?». Mantente de pie al lado de los familiares amontonados junto a aquella tumba y podrás oírlo en sus sollozos apagados. «¿Hay alguna esperanza?».

¿Por qué? Porque de esperanza está hecha la supervivencia humana; por eso. El proverbio (29: 18) también podría formularse: «Cuando falta la *esperanza,* el pueblo se desenfrena».

Entonces, ¿cuál es la esperanza de los elegidos, la esperanza que aún puede salvar a esta generación? «Una de las verdades más solemnes y más gloriosas que nos presenta la Biblia es la de la Segunda Venida de Cristo para completar la gran obra de la redención. Al pueblo peregrino de Dios, que por tanto tiempo tuvo que habitar "en región y sombra de muerte" (Mat. 4: 16), se nos ofrece una *valiosa esperanza inspiradora de gozo* en la promesa de la venida de Aquel que es "la resurrección y la vida" y que "trae a los desterrados de vuelta" (Juan 11: 25; Sal. 147: 2, NTV). La doctrina del segundo advenimiento es lo que realmente da sentido a las Escrituras» (*¡Maranata: El Señor viene!,* p. 13; la cursiva es nuestra).

Esa verdadera nota tónica es el mensaje mismo que el mundo tuyo y mío precisa desesperadamente ahora mismo. Por ello, salgamos hoy con esperanza —la esperanza como es en Jesús—, ¡lo que la hace verdaderamente bienaventurada!

El grano y la paja

«No se angustien ustedes. [...] Voy a prepararles un lugar. Y después de irme
y de prepararles un lugar, vendré otra vez para llevarlos conmigo,
para que ustedes estén en el mismo lugar en donde
yo voy a estar». Juan 14: 1-3, NVI

PHILIP GULLEY, EN su delicioso libro *Front Porch Tales,* recuerda un día en que él, sus cuatro hermanos y sus padres estaban de vacaciones y pararon para comer en un restaurante de carretera de la cadena Stuckey's. Cuando la familia volvió a apretujarse en su vehículo y reemprendió la marcha, el joven Philip estaba en el baño. Después de haber recorrido treinta y dos kilómetros por la carretera, ¡alguien contó las cabezas y descubrió la omisión! Según lo describe Gulley, hizo falta «una votación sobre la marcha para volver por mí. Casi hubo empate, pero en el último minuto mamá cambió de opinión» (pp. 68, 69).

Aunque eso no llega a ser descartar el grano con la paja, es, no obstante, un aviso de que hay cosas (o personas) que nunca debemos dejar olvidadas. Dado el fenomenal éxito en ventas hace unos años de la colección de novelas evangélicas titulada *Dejados atrás* — una representación novelada del rapto secreto de Cristo y los siete años subsiguientes de horrenda tribulación en la tierra—, el regreso de Jesús se encuentra, de forma muy obvia, en la mente de al menos los cristianos de Estados Unidos. Para mí, personalmente, ello es motivo de gratitud. Y aunque es evidente que las novelas de *Dejados atrás* dejaron atrás algunas verdades vitales de las Escrituras, no debemos, no obstante, descartar el grano (Jesús) con la paja. En nuestro entusiasmo por defender la verdad y corregir los errores sobre la segunda y pronta venida de Cristo, no debemos olvidar afirmar y celebrar la buena nueva que está en el centro de todo ello: ¡el regreso de Jesús!

Después de todo, la promesa más amada de las Sagradas Escrituras (junto con Juan 3: 16) se encuentra en las palabras de Jesús en el aposento alto que son nuestro texto de hoy. «No se turbe vuestro corazón. [...] Volveré».

¡Y fíjate en lo que significa esa promesa! «Por largo tiempo hemos esperado el retorno del Señor. Pero la promesa es, de todos modos, segura. Pronto estaremos en nuestro hogar prometido. Allí Jesús nos pastoreará junto al río de la vida que sale del trono de Dios y nos explicará las tenebrosas providencias a través de las cuales nos condujo para perfeccionar nuestros caracteres. Allí contemplaremos con clara visión las bellezas del Edén restaurado» (*Testimonios para la iglesia,* t. 8, p. 265).

¡No es de extrañar que la llamen la esperanza «bienaventurada»!

¿Buena noticia o mala noticia?

«Entonces se verá llegar al Hijo del hombre en las nubes con gran poder y gloria.
Y él enviará a los ángeles para que convoquen a sus elegidos de los cuatro
puntos cardinales, del confín de la tierra hasta el confín del cielo».
Marcos 13: 26, 27, LPH

UNA NOCHE INVERNAL Karen y yo salimos con unos amigos a dar un paseo a la luz de la luna pisando la nieve hasta el cercano Cementerio de Rose Hill. El cielo nocturno estaba despejado y era cristalino, el aire frío y en calma. Y, bañado, como estaba, por la luz argéntea de la luna llena, el cementerio —al menos aquella noche— relucía como un paraje de helada belleza. Cruces de piedra y lápidas de granito sobresalían del manto nevado que cubría sus lechos, proyectando largas sombras plateadas sobre el blancor. ¿Cuántas veces se han dirigido los enlutados dolientes de mi congregación por la senda serpenteante que lleva a esta última morada de este pueblo? Para ellos, para ti y para mí, que nos aferramos a la promesa de Jesús —«Yo soy la resurrección y la vida» (Juan 11: 25)—, ¿es la pronta venida de Jesús a este mundo una buena noticia o una mala noticia? ¡Por qué molestarse tan siquiera en preguntar!

Pero coincidió que aquella misma noche de invierno, muy al sur, siete presos de una penitenciaría de Texas se habían dado a la fuga. Puedes tener la seguridad de que ¡no tenían en absoluto ningún deseo de toparse cara a cara con las patrullas del alguacil que les estaban dando caza! ¿Quién quiere encontrarse con el Legislador cuando estás huyendo de la ley? El capítulo seis del Apocalipsis describe gráficamente a los habitantes de la tierra que gritan a las rocas que los oculten del rostro del Salvador que vuelve. Obviamente, que el pronto regreso de Jesucristo sea una buena noticia o una mala noticia depende por entero de la perspectiva de cada cual.

Entonces, ¿cuál es *tu* perspectiva? Si el Dios que ha de volver pronto no es alguien digno de temor, sino, más bien, alguien a quien conoces como un amigo, ¿no sería la Segunda Venida de Jesús la mayor noticia del mundo, la más resplandeciente de todas las esperanzas? Todo depende de la perspectiva de cada cual.

Te invito a que, en las páginas y los días siguientes, me acompañes en el repaso de algunas antiguas profecías apocalípticas que tienen mucho que ver con la Segunda Venida de nuestro Señor. Quizá te apartaras de ellas en el pasado, quizá las desestimases por ser poco diplomáticas. Sin embargo, dados estos momentos trascendentales en los que vivimos, ¿no va siendo hora de que repasemos la fe de nuestros padres y nuestras madres? Porque, ¿cómo podemos llamar «bienaventurada» a la esperanza si es una esperanza que no abrigamos y una promesa que no reclamamos?

Buenas vibraciones

*«Bienaventurado el que lee y los que oyen las palabras
de esta profecía, y guardan las cosas en ella escritas,
porque el tiempo está cerca».*
Apocalipsis 1: 3

¡APENAS ME PODÍA CREER su historia! La joven Evelyn Glennie, titulada de la prestigiosa Real Academia de Música de Londres, llegó a ser una virtuosa de la percusión, carrera que los médicos dijeron que era imposible. Porque Evelyn redobla, agita o estruja más de seiscientos instrumentos musicales (de tambores a marimbas, xilófonos, platillos y panderetas) como única solista de percusión del mundo entero. Con su cantarín acento escocés y su perfecta tesitura musical, Evelyn hizo historia cuando dio el primer recital de percusión solista en los 95 años de los *Promenade Concerts* de la BBC en el Royal Albert Hall. Siguieron actuaciones en el Centro John F. Kennedy para las Artes Escénicas y en el Hollywood Bowl. Pero el aplauso desatado de sus elogiosas audiencias cae, literalmente, en oídos sordos, porque desde los doce años de edad ha sido incapaz de oír nada en absoluto. Aprendió a «sentir» las notas de la escala musical poniendo su mano en la pared exterior de la sala de música mientras su profesor tocaba las notas dentro de la misma. Llegó a identificar las notas por las variaciones en el cosquilleo de las vibraciones. Ahora domina partituras completas de música compleja poniendo en funcionamiento una grabadora entre las rodillas. Su autobiografía se titula, con mucho acierto, *Good Vibrations* [Buenas vibraciones].

Juan inicia el Apocalipsis (griego *apokalypsis*, «revelación») con una bendición pronunciada sobre los que leen sus profecías, «porque el tiempo está cerca». Ya en los días de Juan, las vibraciones del cumplimiento apocalíptico podían ser captadas en la punta de los dedos de las personas con mentes y corazones perceptivos al consejo profético del Apocalipsis. Y aunque tú y yo vivimos dos mil años después de que Juan escribiera sus profecías en un pergamino, la irresistible realidad para cuantos leen el Apocalipsis es que el mismo Cristo que habló con el solitario apóstol desterrado en Patmos habla por medio de su Espíritu a todo lector que acude en busca de la «revelación».

«Porque el tiempo está cerca». Las vibraciones exclusivas de esta hora de la historia del mundo repercuten ahora por todo el planeta. Es una realidad que estamos más cerca del regreso de Cristo que ninguna otra generación que haya vivido. Entonces, de entre toda la gente, los elegidos deben buscar y encontrar en el Apocalipsis una revelación nueva de Jesucristo (leer el versículo 1). Porque «cuando como pueblo comprendamos lo que significa este libro […], se verá entre nosotros un gran reavivamiento» (*Testimonios para los ministros*, p. 113). ¡No es de extrañar que el lector sea bienaventurado!

La Belleza y la bestia -1

«Me paré sobre la arena del mar y vi subir del mar una bestia que tenía siete cabezas
y diez cuernos: en sus cuernos tenía diez diademas, y sobre sus cabezas,
nombres de blasfemia. La bestia que vi era semejante a un leopardo,
sus pies eran como de oso y su boca como boca de león.
El dragón le dio su poder, su trono y gran autoridad».
Apocalipsis 13: 1, 2

CUANDO NUESTRO HIJO Kirk era niño, lo llevamos, junto a unos amigos suyos, a un museo de historia natural en Indiana, para adentrarnos en un mundo surrealista de antiguas bestias. Mediante una iluminación y un sonido meticulosamente puestos en escena, aquellos dinosaurios prehistóricos con piel de goma se retorcían y se movían, gruñían y mordían con rugidos espeluznantes. Aunque nos repetíamos que eran todos modelos sin vida controlados electrónicamente, créeme cuando confieso que ¡parecían y sonaban alarmantemente vivos y absolutamente feroces!

Imagina el horror del anciano apóstol Juan cuando vio en visión, avanzando hacia él, una bestia amalgamada que salía de un mar agitado por el viento. ¿Qué rayos es esta feroz amalgama?

«Sobre sus cabezas nombres blasfemos». Lo de blasfemia (griego *blasfemia*) podemos entenderlo todos: tomar el nombre de Dios en vano, naturalmente. Pero fíjate en cómo expande el diccionario la definición de blasfemia: «Habla impía o profana sobre Dios, o de personas o cosas sagradas». Y luego añade este giro teológico: «El acto de reivindicar los atributos de Dios». Entonces, con independencia de qué más sea este poder de la bestia, es una potencia que, entre otras características, reivindica los atributos y las prerrogativas de Dios.

Además, hasta una lectura superficial de Apocalipsis 13 pone de manifiesto que es un poder *religioso*, porque recibe adoración (vers. 4, «y adoraron a la bestia»). También es un poder *político,* porque solo un poder político tiene un trono y coronas y amplio dominio (vers. 1, 2). Y también es una potencia político-religiosa que tiene influencia global (vers. 3, «Toda la tierra se maravilló en pos de la bestia»). Entonces, ¿cuál es esta potencia político-religiosa global que domina la historia 42 meses (vers. 5) o 1,260 días? Usando la clave interpretativa de un día por un año (Eze. 4: 6; Núm. 14: 34), los estudiosos de la Biblia desde Ticonio (siglo IV) han visto en esta bestia una poderosa institución dominante en la historia cristiana durante más de 1,200 años.

Con independencia de quién sea esta bestia, el Apocalipsis está claro. ¡Debemos escoger la belleza del Cordero!

La Belleza y la bestia - 2

*«Pelearán contra el Cordero, y el Cordero los vencerá,
porque es Señor de señores y Rey de reyes; y los que están
con él son llamados, elegidos y fieles».* Apocalipsis 17: 14

FÍJATE AHORA, POR FAVOR, de qué lado están los elegidos. El texto de hoy es inequívoco. Los elegidos son los seguidores del *Cordero*. Y, ¿quién es el «Cordero que fue sacrificado desde la creación del mundo» (Apoc. 13: 8, NVI)? El Cristo crucificado, resucitado y ascendido, ¡la Belleza del cielo!

Sin embargo, antes de identificar a la bestia, debemos fijarnos en siete imitaciones asombrosas, prueba convincente de que la potencia de la bestia es una falsificación intencional del Cordero:

1º. tanto el Cordero como la bestia surgen del agua para iniciar su influencia sobre la tierra (uno del río Jordán en su bautismo; la otra, del mar apocalíptico);

2º. ambos ejercen su poder durante tres años y medio (uno, durante tres años y medio literales de ministerio en Israel; la otra, durante tres años y medio proféticos o simbólicos [1.260 días/años]);

3º. ambos son mortalmente heridos (de hecho, en Apoc. 5: 6 y 13: 8, la misma palabra griega describe las heridas de ambos);

4º. ambos vuelven a la vida (uno, como el divino Hijo de Dios [Apoc. 1: 18]; la, otra como una falsificación global vuelta a la vida [Apoc. 13: 3]);

5º. ambos tienen cuernos (el Cordero, siete [Apoc. 5: 6]; la bestia, diez [Apoc. 13: 1]);

6º. ambos reciben honra y adoración, a las que solo Uno de ellos tiene derecho (el lenguaje de adoración global para la bestia en Apoc. 13: 4 es el mismo lenguaje atribuido a la adoración divina en Éxo. 15: 11 y Sal. 35: 10; de ahí la «blasfemia» de ese poder);

7º. ambos procuran alcanzar a toda nación, tribu, lengua y pueblo (uno, a través de sus tres ángeles [Apoc. 14: 6]; la otra, a través de su coalición tripartita [Apoc. 13: 7]).

Ahí están: siete falsificaciones que la bestia hace del Cordero (la Belleza). Siete evidencias de que alguien se está tomando muchas molestias para ser como el Cordero, para tener el aspecto del Cordero, para ocupar abiertamente el lugar del Cordero en esta tierra. De hecho, la palabra griega *anti* significa «en lugar de», por lo que *anti*cristo significa «en lugar de Cristo». ¿Quién, entonces, es este orgulloso personaje que ha tenido su mirada cínica y celosa en la posición del Hijo de Dios desde el inicio de la rebelión intergaláctica llamada el gran conflicto? ¿Podría ser que el dragón haya creado esta pantalla de la bestia para sus propios fines malévolos y egoístas?

¿La Belleza o la bestia? Verás, hasta los elegidos tienen que elegir cada día.

Pero, ¿quién es la bestia?

«Vi una de sus cabezas como herida de muerte,
pero su herida mortal fue sanada.
Toda la tierra se maravilló
en pos de la bestia».
Apocalipsis 13: 3

A LA HORA DE IDENTIFICAR a este poder de la bestia, considera esta importante salvedad: nunca olvides que el Apocalipsis describe un poder y no a una persona o a un pueblo, una institución y no un individuo. En función de esta profecía, nadie tiene derecho de apuntar con el dedo a un vecino o a un amigo o colega y declarar: «Aquí debe estar hablando de ti». El propio Cordero nos enseñó: «No juzguéis, para que no seáis juzgados» (Mat. 7: 1). El orgullo teológico es hijo de Lucifer, no del Cordero.

No obstante, a lo largo de los siglos ha habido una asombrosa unanimidad entre los estudiosos de la Biblia al identificar a este poder de la bestia. Tengo en mi biblioteca la obra de LeRoy Froom *The Prophetic Faith of Our Fathers,* compendio en cuatro tomos objeto de elogio por parte de Wilbur M. Smith, del *Fuller Theological Seminary,* por carecer de precedentes en la lengua inglesa en su «exhaustividad, originalidad y fiabilidad». En esos tomos, Froom ha seguido la historia de la interpretación de Apocalipsis 13 en la iglesia cristiana. A partir de Eberardo II, arzobispo de Salzburgo (1200–1246), hay una larga lista de estudiosos que creyeron y enseñaron que este poder de la bestia, tanto en Apocalipsis como en Daniel, representa a la institución del papado en Roma.

Tan pronto como uno llega a esta conclusión, resulta fácil desechar tal convicción como nada más que un protestantismo estereotípico anticuado refrito, un apéndice arcaico del pensamiento medieval. Después de todo, los 1,260 años de la Edad Media están en el pasado, y el mundo ahora es progresista y las barbaridades previas ya no son relevantes. ¿Qué importa que en 538 d. C. se interrumpiera el sitio de Roma por los bárbaros, elevando así al obispo de Roma al liderazgo preeminente en la Iglesia Católica? ¿Qué importa que 1,260 años después el papado fuera herido mortalmente cuando Berthier, general de Napoleón, se llevó cautivo al papa y proclamó el fin del gobierno político papal? ¿Qué importa que la herida mortal sanara el pasado siglo cuando el concordato de Mussolini restauró el territorio vaticano e inició la recuperación de Roma de su dominio geopolítico?

Pero para los elegidos la pregunta no es realmente *¿Qué importa?,* sino, más bien, *¿Qué viene después?* ¿Pudiera ser que en el pasmoso dominio global actual de Roma percibamos vibraciones apocalípticas que avisan que el fin está próximo? ¿Y no sería este, entonces, el momento oportuno para que los elegidos compartan activa y humildemente la verdad como es en Jesús con sus vecinos y amigos católicos?

«Heme aquí»

*«Pero conserven lo que tienen,
hasta que yo venga».* Apocalipsis 2: 25, DHH

CONSERVAR HA SIDO la característica de los elegidos a través de los milenios. Tengo un cuadro en la pared de un hombre que, hace mucho, se alzó en solitario contra la potencia político-religiosa global de la iglesia medieval. Es un cuadro de Lutero, emplazado ante los mayores personajes de la iglesia y el estado de su época, en la Dieta de Worms la noche del 18 de abril de 1521.

La noche anterior a su regreso a la Dieta (o concilio) a defender sus escritos y su fe en las Sagradas Escrituras, Lutero sufrió lo que hoy llamaríamos un ataque de pánico. Aquejado por la parálisis helada del temor agobiante, se derrumbó al suelo de su pequeña alcoba, con el rostro angustiado postrado en tierra mientras sollozaba en medio de aquella noche oscura. «¡Oh Dios mío! ¡Asísteme contra toda la sabiduría del mundo! Hazlo […] tú solo […] porque no es obra mía sino tuya. […] ¡Oh Señor!, ¡sé mi ayuda! ¡Dios fiel, Dios inmutable! ¡No confío en ningún hombre […]! […] Me elegiste para esta empresa […]. Permanece a mi lado en nombre de tu Hijo muy amado, Jesucristo, el cual es mi defensa, mi escudo y mi fortaleza» (J. H. Merle D'Aubigné, *History of the Reformation of the Sixteenth Century*, p. 259).

En el transcurso de la larga noche, Lutero derramó su alma ante Dios. Cuando por fin lo hicieron pasar nuevamente, avanzado ya el día, en las cámaras judiciales del emperador Carlos V y los prelados congregados de la iglesia, se preguntó de nuevo a Lutero si quería defender sus libros o deseaba retractarse. Sin vestigio de temor ni de vergüenza esta vez, el joven pastor y profesor defendió firmemente su fe en las Sagradas Escrituras y sus humildes esfuerzos por publicar la verdad que había descubierto en las mismas. Y cuando hubo terminado su defensa en alemán, los magistrados solicitaron que se repitiera en latín. Lutero obedeció hasta que, sudando y agotado, acabó su segunda defensa: «Si no se me convence con testimonios bíblicos, o con razones evidentes, y si no se me persuade con los mismos textos que yo he citado, y si no sujetan mi conciencia a la Palabra de Dios, *yo no puedo ni quiero retractar nada*, por no ser digno de un cristiano hablar contra su conciencia. Heme aquí; no me es dable hacerlo de otro modo. ¡Que Dios me ayude! ¡Amén!» (*ibíd.*, p. 265).

¿Cómo lo expresó Jesús? «Conserven lo que tienen, hasta que yo venga». Ante la fuerza creciente, intensifica tu fe. Y aférrate a él. Porque el Cristo que estuvo junto a Lutero cuando mantuvo su fidelidad también estará a tu lado. Después de todo, ¿no te eligió precisamente para eso hace mucho?

«God bless America»

«Después vi otra bestia que subía de la tierra.
Tenía dos cuernos semejantes a los de un cordero,
pero hablaba como un dragón». Apocalipsis 13: 11

DESDE LAS TRÁGICOS hechos del 11 de septiembre de 2001, el *God Bless America* del inmigrante ruso Irving Berlin se ha convertido en el himno nacional *de facto* de los Estados Unidos, ¿no crees? ¡Qué ciudadano estadounidense no canta con fervor el estribillo *«God bless America, my home sweet home»* [Dios bendiga a los Estados Unidos, mi hogar, mi dulce hogar]!

Y, no obstante, la enigmática profecía de Apocalipsis 13 también incluye el relato de una segunda bestia —una potencia que surgió de la tierra en el momento mismo en que la primera bestia (o bestia marina) estaba mortalmente herida—. Solo este poder surgiría lejos de las encrucijadas pobladas del Viejo Mundo. En un desolado Nuevo Mundo, esta criatura de dos cuernos semejantes a los de un cordero se desarrollaría y llegaría a ser la potencia política dominante sobre la tierra, según describe la profecía subsiguiente.

Entonces, en la historia, ¿qué potencia global semejante a un cordero (semejante a Cristo o de naturaleza cristiana) surgió (la palabra griega describe el rápido crecimiento de una mala hierba) de la tierra desolada lejos del dominio de la primera bestia (Roma) en el momento de la herida de esta (década de 1790) y después se elevó a una posición de dominio político global? En la actualidad solo hay una potencia que encaje en los parámetros proféticos de Apocalipsis 13.

«Dios bendiga a los Estados Unidos», y lo ha hecho, en efecto. «El Señor ha favorecido a los Estados Unidos más que a cualquier otro país» (*¡Maranata: El Señor viene!,* p. 193). Pero, trágicamente, la sombría profecía representa un futuro para esta nación en el que las bendiciones divinas son desperdiciadas y su destino divino abandonado.

¿Cómo podrían los Estados Unidos, una tierra de libertades políticas y religiosas sin precedentes, fundados por colonizadores en busca de un país sin rey y de una iglesia sin papa, dar un giro negativo de forma tan decisiva al final? Por la destructiva alianza entre Iglesia y Estado. La siniestra cosecha que se siega siempre que la iglesia recurre al estado para imponer sus preceptos está documentada en los anales de la humanidad. Apocalipsis 13 representa convincentemente a los Estados Unidos, al final, ordenando la adoración y la lealtad del mundo a Roma, «diciendo a los habitantes de la tierra que le hagan una imagen a la bestia que fue herida de espada y revivió» (vers. 14).

Y siempre que la iglesia y el estado colaboran, una víctima inocente es sacrificada, como demuestra sobradamente la crucifixión de Jesús. ¡No es de extrañar que los elegidos deban mantenerse cerca de la cruz!

«Mejor encender una vela»

«Exhorto ante todo, a que se hagan rogativas, oraciones, peticiones y acciones de gracias
por todos los hombres, por los reyes y por todos los que tienen autoridad,
para que vivamos quieta y reposadamente en toda piedad y honestidad.
Esto es bueno y agradable delante de Dios, nuestro Salvador,
el cual quiere que todos los hombres sean salvos y vengan
al conocimiento de la verdad». 1 Timoteo 2: 1-4

NADIE SABE A CIENCIA CIERTA quién acuñó el dicho «Es mejor encender una vela que maldecir la oscuridad». No obstante, es un proverbio digno de consideración cuando reflexionamos sobre las profecías apocalípticas de Apocalipsis 13. La alianza global predicha entre las dos superpotencias (una dominantemente religiosa, la otra dominantemente política, pero ambas una alianza de iglesia y estado) es razón suficiente para que los elegidos encendamos una vela de oración intercesora por el bien de sus gobiernos y por el bien del mundo. Más que una arena de combate espiritual, la Palabra profética de Dios es, sin duda, un emplazamiento a la oración.

Y, ¿por quién hemos de orar? En nuestro texto de hoy, Pablo se apresura a presentarnos un llamamiento para que oremos por nuestros dirigentes políticos. Presidentes, primeros ministros, miembros del Parlamento, miembros del Congreso, gobernadores, alcaldes: la lista de dirigentes políticos es larga. Pero ellos también están necesitados. A decir verdad, hay personas en posiciones influyentes en el mundo entero que están siendo dirigidas por el Espíritu Santo para mantener a raya las fuerzas de las tinieblas un poco más por el bien de la misión final de Dios en la tierra. «Los gobernantes y el pueblo seguirán sintiendo la influencia refrenadora del Espíritu Santo, la cual seguirá también dominando hasta cierto punto las leyes del país. [...] Dios tiene también [sus agentes] entre los caudillos de la nación. [...] Los estadistas que temen a Dios están bajo la influencia de santos ángeles para oponerse a tales proyectos [la unión de iglesia y estado] con argumentos irrefutables. Es así como unos cuantos hombres contienen una poderosa corriente del mal» (*El conflicto de los siglos*, cap. 39, pp. 595, 596).

En vez de clamar contra la creciente oscuridad resultante de la unión de iglesia y estado y de lamentar el abandono de sus libertades constitucionales por parte de Estados Unidos, encendamos la vela de la oración en nuestro hogar. «Dios bendiga a los Estados Unidos» aún puede ser una oración para la intervención divina en estos tiempos inciertos. Que los elegidos sean conocidos en sus comunidades como hombres, mujeres y niños que aman a su país, que aman a su Señor y que, en función de estas lealtades gemelas, se conviertan en guerreros de la oración en nombre de su doble ciudadanía: su patria y el reino de los cielos.

Hay oscuridad más que de sobra en la que moverse. En lugar de espaciarnos en ella, levantemos la luz de Jesús.

El tercer raíl

«Vi salir de la boca del dragón, de la boca de la bestia y de la boca del falso profeta,
tres espíritus inmundos semejantes a ranas. Son espíritus de demonios, que hacen señales
y van a los reyes de la tierra en todo el mundo para reunirlos para la batalla
de aquel gran día del Dios Todopoderoso». Apocalipsis 16: 13, 14.

¡CUIDADO CON EL TERCER RAÍL! Si alguna vez has viajado en metro o en tren en algunos países, sabes que, junto con los dobles raíles de acero sobre los que traquetean los vagones del tren, puede haber entre los mismos un tercer raíl. Carteles de aviso puestos por todo el andén recuerdan a los viajeros que se mantengan alejados de las vías, porque el tercer raíl es una peligrosa toma de corriente de alta tensión que hace que los trenes avancen por las vías.

En el Apocalipsis Dios nos avisa del tercer raíl que se encuentra entre las dos potencias proféticas de Apocalipsis 13, representadas por bestias. «El dragón le[s] dio su poder, su trono y gran autoridad» (vers. 2). Y, por supuesto, el dragón es «la serpiente antigua, que se llama Diablo y Satanás» (Apoc. 12: 9). Él es el tercer raíl de engaño y maldad insidiosos.

Y, como revela nuestro texto de hoy, es el tenebroso cerebro que subyace a una alianza trilateral final, una falsa trinidad demoníaca escatológica procurará llevar a todo el planeta a una lealtad unánime al triunvirato impío. Y, según advierte *El conflicto de los siglos,* será un golpe de estado global: «Merced a los dos errores capitales, el de la inmortalidad del alma y el de la santidad del domingo, Satanás prenderá a los hombres en sus redes. Mientras aquel forma la base del espiritismo, este crea un lazo de simpatía con Roma. Los protestantes de los Estados Unidos serán los primeros en tender las manos a través de un doble abismo al espiritismo y al poder romano; y bajo la influencia de esta triple alianza ese país marchará en las huellas de Roma, pisoteando los derechos de la conciencia» (cap. 37, p. 574).

¡Cuidado con el tercer raíl! Trágicamente, demasiados, aun de los escogidos, ignoran las advertencias y se aventuran en su terreno de millones de voltios. No merece la pena, ¿no crees? ¿Por qué intentar ir acercándose a pasitos al tercer raíl sin pisarlo? ¿No tiene sentido crítico alejarse de él todo lo posible?

Sin duda, de toda la gente de la tierra, los elegidos, en esta hora de la historia, escogerán a la Trinidad divina como Compañeros suyos para el viaje final. Con nuestras esperanzas puestas en el Salvador que regresa, ¿no tiene todo el sentido del mundo quedarse a bordo de su tren que va rumbo a la eternidad?

«La amenaza fantasma»

«Y esto no es sorprendente, porque el mismo Satanás se disfraza de ángel de luz.
Así que, no es extraño si también sus ministros se disfrazan de ministros
de justicia; cuyo fin será conforme a sus obras».
2 Corintios 11: 14, 15

FANTASMAS EN LA IGLESIA, fantasmas en Hollywood, fantasmas en la universidad, fantasmas en la sala de juntas, fantasmas en la alcoba: ¡están en todas partes! ¿De dónde vienen? ¿Y por qué han venido tan en tropel? ¿Nos están engordando para el día de la matanza?

Una categoría inusual de fantasmas son las «apariciones marianas», supuestas apariciones de María, la madre de Jesús. Hoy hay una Biblioteca Mariana y un Instituto Internacional de Investigación Mariana en la Universidad de Dayton. Según sus estadísticas, se registraron 386 casos de apariciones marianas en el siglo XX, 87 de las cuales han sido analizadas por Roma. Cientos de informes de apariciones quedan sin documentar y sin estudiar. Quizá las apariciones puedan ser explicadas por el título *«Pontifex Maximus»* que fue adoptado por el obispo de Roma hace dieciséis siglos. Se trata de una expresión latina que significa «el mayor constructor de puentes», título que había pertenecido al sumo sacerdote del culto romano pagano y lo oculto. «El mayor constructor de puentes»: ¿no leímos algo ayer sobre manos tendidas sobre el abismo el espiritismo?

Cuando analizamos las supuestas comunicaciones con los muertos hemos de tener en mente que la Palabra de Dios es clara. El «alma» y el «espíritu» de los seres humanos son objeto de referencia más de mil setecientas veces en la Biblia, pero ni una vez se dice que sean inmortales ni eternos. De hecho, la Biblia declara que solo Dios es inmortal por naturaleza (1 Tim. 6: 14-16). El espíritu que vuelve a Dios en el momento de la muerte no es una entidad consciente, sino que se trata del hálito de la vida (Ecl. 12: 7; Gén. 2: 7). Las palabras «espíritu», «viento» y «aliento» de nuestras traducciones españolas provienen de las mismas palabras originales hebreas y griegas. De aquí que los únicos fantasmas que conoce la Biblia sean las suplantaciones demoníacas de los difuntos (1 Sam. 28). El texto de hoy avisa sobre ángeles «de luz», que no son más que demonios de las tinieblas disfrazados.

Las manifestaciones «sobrenaturales» en los servicios de culto por doquier, la fascinación de la televisión con los médiums y sus comunicaciones con los difuntos ante las cámaras, la obsesión de Hollywood con lo oculto y el espiritismo, las apariciones marianas: ¿es este un esfuerzo estratégico concertado para atrapar a toda la civilización en la red de un gigantesco engaño escatológico?

¡No es de extrañar que tengamos esperanza! Porque vuelve el Jesús que predijo «que harán señales y milagros para engañar, de ser posible, aun a los elegidos.» (Mar. 13: 22, NVI) en vísperas de su regreso. ¡Hasta la mala noticia es buena!

Otros también aguardan

«Porque surgirán falsos cristos y falsos profetas, y harán grandes señales
y prodigios, de tal manera que, de ser posible, engañarán
incluso a los elegidos». Mateo 24: 24, LPH

NO SOMOS LOS ÚNICOS que aguardamos. Un amigo de la India me pasó un recorte de prensa con el titular «La India aguarda el regreso de Visnú». Los hindúes creen que vivimos en la última era y que Visnú, miembro de la trinidad hindú, volverá a esta tierra. Tenemos compañía.

En Londres, entré a comprar papas fritas en un pequeño café bar que tenía sillas y mesas en la acera, cuyo dueño era musulmán. Me preguntó qué hacía yo en Londres, y le dije que estaba en una iglesia predicando sobre la pronta venida de Cristo. «Oh», contestó él, «también nosotros creemos que Jesús va a venir pronto». En efecto, un repaso del Corán revela que, de hecho, el islam enseña el segundo advenimiento.

Y, por supuesto, nuestros amigos judíos también aguardan la llegada del Mesías. Una facción ultraortodoxa judía de Israel señala que los sabios talmúdicos predijeron que la llegada del Mesías estaría precedida por un tiempo de gran caos y confusión. Y, por ello, han llegado a la conclusión de que su llegada debe de estar próxima. Hasta los jainistas y los zoroastrianos aguardan a sus dioses.

¿Qué quiero decir? No hace falta un doctorado para llegar a la conclusión de que Lucifer ha preparado el camino por todo el planeta para su subyugante engaño final. ¿Qué más potente engaño podría haber que aparecer súbitamente ante las embobadas cámaras de los informativos de la prensa internacional y afirmar que él es el «ángel de luz» que vienen anhelando las abatidas masas de la humanidad? «Su voz es suave y acompasada aunque llena de melodía. En tono amable y compasivo, enuncia algunas de las verdades celestiales y llenas de gracia que pronunciaba el Salvador; cura las dolencias del pueblo, y luego, en su fementido carácter de Cristo, asegura haber mudado el día de reposo del sábado al domingo y mana a todos que santifiquen el día bendecido por él. [...] *Es el engaño más poderoso y resulta casi irresistible*» (*El conflicto de los siglos,* cap. 40, pp. 608, 609; la cursiva es nuestra).

Y, ¿cómo será para los elegidos? «Solo los que hayan estudiado diligentemente las Escrituras y hayan recibido el amor de la verdad en sus corazones serán protegidos de los poderosos engaños que cautivarán al mundo» (*ibíd.,* p. 609).

Sí, debemos tener esperanza, y la tendremos. Pero debe ser una esperanza informada e inteligente basada en un conocimiento fundamental de la Biblia. Ahora más que nunca debemos estar a solas con Jesús diariamente, sumergidos en su Palabra. Es cierto que la mala noticia es buena noticia. Pero la mejor noticia es andar con él.

«No lo creáis»

«Entonces, si alguno os dice: "Mirad, aquí está el Cristo", o "Mirad, allí está",
no lo creáis [...]. Ya os lo he dicho antes. Así que, si os dicen: «Mirad,
está en el desierto», no salgáis; o «Mirad, está en los aposentos»,
no lo creáis». Mateo 24: 23-26

LA CREENCIA MÁS ACEPTADA hoy en día sobre el regreso de Jesús se denomina el «rapto secreto». La colección de novelas titulada *Dejados atrás* hizo fortuna diseminando la idea de que, cuando Jesús regrese a la tierra, lo hará de forma secreta, silenciosa, como un «ladrón en la noche» (1 Tes. 5: 2). En la primera escena, el piloto de 747 Rayford Steele vuelve apresuradamente a su hogar de Chicago de su vuelo trasatlántico abortado (en el que desaparecieron pasajeros misteriosamente a treinta y cinco mil pies), pero entonces descubre bajo las mantas el camisón de su esposa, su collar con el crucifijo y su anillo de casada: todo lo que quedó cuando fue raptada secretamente durante la noche por Jesús. Y ahora también su afligido esposo ha sido «dejado atrás».

¿Es esa la forma en que Jesús enseñó que volvería un día? Su advertencia en nuestro texto de hoy es sucinta y clara: «Si alguien les dice que he venido en secreto, *no lo crean*». De hecho, se repite para asegurarse de que sus seguidores lo captan: ¡*No lo crean!* ¿Qué podría resultar más claro que «no lo crean»? Para recalcar su enseñanza, Jesús presenta una ilustración.

¿Has intentado alguna vez dormir en medio de una tormenta eléctrica? ¡Aquí en Míchigan tenemos unas tormentas eléctricas en primavera que son una maravilla! Siempre que Karen y yo nos despertamos con una de esas atronadoras explosiones a medianoche, con nervios, damos inicio a la rutina del recuento de «cero uno, cero dos» para intentar calibrar el lapso entre el destello de luz blanca que ilumina la habitación y el estruendoso trueno. Lo que de verdad te pone los pelos de punta es ¡cuando la luz blanca y el retumbante trueno son simultáneos! ¡Significa que el rayo cayó cerca de ti!.

Y así, declaró Jesús, será la Segunda Venida: «Porque igual que el relámpago sale del oriente y se muestra hasta el occidente, así será también la venida del Hijo del hombre» (vers. 27). ¡Nadie despertará a la mañana siguiente deseando no haber estado dormido durante el regreso de Cristo!

¿Qué cambia las cosas la forma en que venga Jesús, con tal de que venga? Sigue la lógica. Si la Biblia realmente enseñase que los que se pierdan su venida secreta disponen de siete años más para prepararse para la Grande, ¿por qué prepararse ahora? La engañosa noción de una «segunda oportunidad» también adormeció a los antediluvianos con sus arrullos. No es de extrañar que el llamamiento de Jesús para que nos preparemos ahora sea «No lo crean».

El IMAX apocalíptico

*«Entonces aparecerá en el cielo la señal del Hijo del hombre, y todos los pueblos del mundo
llorarán al ver que viene el Hijo del hombre sobre las nubes del cielo con gran poder
y gloria. Y él enviará a sus ángeles para que a toque de trompeta
convoquen a sus elegidos desde los cuatro puntos cardinales,
de un extremo al otro del cielo».* Mateo 24: 30, 31, LPH

¿HAS ESTADO ALGUNA VEZ embelesado en un cine IMAX, con su sonido envolvente y su pantalla gigante de ocho pisos de altura? El sonido produce tal vibración en las paredes y la pantalla es tan enorme que es como si realmente estuvieras atravesando el Gran Cañón por el aire o en el interior de ese avión acrobático dando vueltas o encima del transbordador espacial con el estruendo del despegue. Hay verdad en la publicidad del sistema IMAX: es la mejor alternativa a estar allí.

En nuestro texto de hoy, Mateo ¡nos presenta una imponente pantalla IMAX cuando los cielos explotan «con gran poder y gloria» (el término griego traducido «poder» es la misma de la que deriva nuestra palabra «dinamita»)! De una altura de más de ocho pisos, ¡el telón de Mateo llena literalmente cada milímetro del cielo llameante con un Jesús que vuelve acompañado de varios millares de millones de ángeles! ¿Y los efectos de sonido? Bueno, ni siquiera un millón de altavoces de sonido envolvente haría justicia a ese glorioso acontecimiento.

Es más, Mateo consigna el asombroso anuncio de Jesús en el sentido de que todo el globo será testigo de su regreso: «todos los pueblos del mundo» —o, según la descripción del Apocalipsis, «Todos lo verán con sus propios ojos» (1: 7, NVI)—. ¡Cada hombre, mujer y niño de este planeta lo verá regresar!

Entonces, ¿cómo rayos ha adquirido tanta popularidad la enseñanza del «rapto secreto» entre los creyentes en la Biblia de nuestros días? Dos cortas frases de Mateo llevaron a la antibíblica conclusión. En primer lugar, Jesús comparó su regreso con un ladrón en la noche (Mat. 24: 43). «¡Ajá! ¿Ven? ¡Viene en secreto!». Pero, ¿es eso lo que quiere decir Jesús? En absoluto. Sus palabras inmediatas son: «Por tanto, también vosotros estad preparados, porque el Hijo del hombre vendrá *a la hora que no pensáis*» (vers. 44). La efectividad de los ladrones no está en su silencio o en su secretismo, sino, más bien, en que no se los espera. Nunca envían una postal anunciando el momento de su llegada prevista. En segundo lugar, Jesús describió a dos personas juntas en su venida: «uno será tomado y el otro será dejado» (vers. 40, 41). *Dejados atrás* concluyó que ser dejado significa una segunda oportunidad, pero Jesús es absolutamente claro: los dejados no son dejados para que prosigan sus actividades, porque *no quedan con vida,* según pone ampliamente de manifiesto el repaso por parte de Jesús de las historias del diluvio y Sodoma y Gomorra (vers. 37, 38; Luc. 17: 28-30).

¿Qué quiere decir Jesús? *Ahora es el único momento de seguir a Jesús.* Y ese es el significado de estar preparado.

El aplazamiento de la muerte

«El Señor mismo, con voz de mando, con voz de arcángel y con trompeta de Dios,
descenderá del cielo. Entonces, los muertos en Cristo resucitarán primero. Luego nosotros,
los que vivimos, los que hayamos quedado, seremos arrebatados juntamente
con ellos en las nubes para recibir al Señor en el aire, y así
estaremos siempre con el Señor. Por tanto, alentaos
los unos a los otros con estas palabras».
1 Tesalonicenses 4: 16-18

¿CÓMO PODEMOS HABLAR de esperanza sin considerar la muerte o su gloriosa antítesis? ¿Sabías que la investigación médica ha demostrado que los seres humanos somos capaces de posponer nuestra muerte? Los médicos llevan tiempo suponiéndolo, pero ahora estudios empíricos confirman la verdad. Un caso famoso de aplazamiento de la muerte fue el fallecimiento de Thomas Jefferson, autor de la Declaración de Independencia de Estados Unidos, que sobrevivió hasta el quincuagésimo aniversario de la firma del documento, y luego falleció el 4 de julio de 1826. Los estudios en las muertes de los judíos y las chinas que viven en California revelan una caída significativa perceptible en sus tasas de mortalidad antes de la Pascua (caída del 25%) y antes del Festival del Medio Otoño (caída del 35%), lo que ha llevado a los investigadores a concluir que algunas personas son capaces de posponer brevemente su fallecimiento para alcanzar una ocasión significativamente importante para ellas.

Pero olvídate de esa palabra, «brevemente». ¿Te gustaría posponer tu fallecimiento para siempre?

Sin duda, la verdad más apasionante de la esperanza bienaventurada de la Segunda Venida de Jesús es el pronunciamiento divino de que la muerte (implacable maldición y mortal enemigo nuestro) no solo se pospondrá sino que, de hecho, quedará eternamente erradicada para todo hombre, toda mujer y todo niño que confíe en Dios para su salvación. De hecho, la muerte no solo se «pospondrá» eternamente para los amigos del Señor que estén vivos y aguardándolo cuando regrese, sino que la muerte también será eternamente erradicada para aquella «gran multitud, la cual nadie podía contar» (Apoc. 7: 9) que será resucitada en la Segunda Venida. El pronunciamiento triunfante de las Escrituras es que viene el día en que la palabra «muerte» será eliminada para siempre del vocabulario humano.

¡No es de extrañar que se llame a la esperanza «bienaventurada»! Una bienaventurada esperanza para nuestras familias desconsoladas que, entre lágrimas, se alejan por fin del campo santo y vuelven a una casa solitaria y a una vida que ha dejado una persona a la que tanto se amaba. «Porque yo vivo, vosotros también viviréis» (Juan 14: 19) es la promesa concreta que puede hacer que superemos la más negra noche hasta que él vuelva.

«Aún un poco más»

«Aconteció después, que él iba a la ciudad que se llama Naín, e iban con él muchos
de sus discípulos y una gran multitud. Cuando llegó cerca de la puerta de la ciudad,
llevaban a enterrar a un difunto, hijo único de su madre, que era viuda;
y había con ella mucha gente de la ciudad. Cuando el Señor la vio,
se compadeció de ella y le dijo: "No llores"». Lucas 7: 11-13

¡CUÁNTAS VECES HE ESTADO, con dolor en el corazón, en un cementerio silencioso al lado de un esposo o una esposa desolados, de un padre o una madre desconsolados, o de hijos anonadados y afligidos, con el anhelo de que este Jesús de Naín pudiera entrar de repente en nuestro pueblo, tocar el frío ataúd y volver a llamar a la vida a la persona tan trágicamente arrebatada por la muerte! Hay mucho gozo en la vida de un pastor, ¡pero hay tantas lágrimas! Y las lágrimas por la muerte son las más dolorosas de todas.

Solo semanas antes de fin de curso y en la cima de su nueva carrera, la muerte de una joven dejó anonadada a la ciudad universitaria. A la conclusión de su funeral me mantuve de pie junto a su féretro mientras los dolientes pasaban junto a su cuerpo inerte. A solo unos metros del ataúd, su familia estaba sentada en la primera fila de la iglesia. Y parecía que, con cada doliente, joven o viejo, que se inclinaba ante ellos con un abrazo o un beso de condolencia, el dolor de los padres solo se agravaba. ¿Cómo puede un pastor tan siquiera ocultar sus lágrimas cuando brotan de forma tan copiosa a su alrededor?

Pero las lágrimas serían aún más amargas si solo tuviéramos esperanza para esta vida. No, refractada a través de nuestro dolor cristalino está esa esperanza resplandeciente que seguimos llamando bienaventurada. Y me encanta la forma en que *El Deseado de todas las gentes* enmarca su promesa: «Cristo va a venir en las nubes y con grande gloria. Le acompañará una multitud de ángeles resplandecientes. Vendrá para resucitar a los muertos y para transformar a los santos vivos de gloria en gloria. Vendrá para honrar a los que le amaron y guardaron sus mandamientos, y para llevarlos consigo. No los ha olvidado ni tampoco ha olvidado su promesa. *Volverán a unirse los eslabones de la familia.* Cuando miramos a nuestros muertos, podemos pensar en la mañana en que la trompeta de Dios resonará, cuando "los muertos serán levantados sin corrupción, y nosotros seremos transformados" [1 Cor. 15: 52]. Aún un poco más, y veremos al Rey en su hermosura. Un poco más, y enjugará toda lágrima de nuestros ojos. Un poco más, y nos presentará "delante de su gloria irreprensibles, con grande alegría" [Jud. 24]» (cap. 69, p. 602; la cursiva es nuestra). Aún un poco más, amigo mío; aferrémonos a la esperanza.

La leyenda de Samarra

«Le dijo Jesús: "Yo soy la resurrección y la vida; el que cree en mí, aunque esté muerto, vivirá. Y todo aquel que vive y cree en mí, no morirá eternamente. ¿Crees esto?"». Juan 11: 25, 26

CUENTA LA LEYENDA QUE, en las calles de Bagdad, un comerciante envió a su siervo al mercado. Pero el hombre volvió pronto, pálido y temblando. «Oh, amo», dijo, «en el mercado fui empujado por una mujer, y cuando me volví vi que era la Muerte. Me miró y me hizo un gesto amenazante. Por favor, amo, présteme un caballo. Huiré a Samarra. ¡La Muerte no me encontrará allí!».

Más tarde, el comerciante fue al mercado, donde vio a la Muerte entre el gentío. Él preguntó: «¿Por qué asustaste a mi siervo esta mañana con ese gesto amenazante?».

La Muerte respondió: «No fue un gesto amenazante; fue un sobresalto de sorpresa. Me asombró verlo aquí en Bagdad, porque tengo una cita con él esta noche en Samarra».

¿Tienes miedo de la muerte, miedo de ese momento inevitable e insoslayable en que tú y ella se encontrarán? Alan Seeger, que falleció en la Primera Guerra Mundial con 28 años de edad, escribió las famosas líneas: «Tengo una cita con la muerte en alguna barricada objeto de disputa cuando vuelva la primavera con su sombra susurrante y las flores de los manzanos inunden el aire con su fragancia». Todos tenemos esa cita, ¿verdad?

Hasta los amigos de Jesús enfermaban y morían. Le pasó a Lázaro. Y, asombrosamente, Cristo aguardó cuatro días antes de acudir junto a Marta y María. Jesús informó a su conjunto de seguidores: «Nuestro amigo Lázaro duerme, pero voy a despertarlo» (Juan 11: 11). Contestaron unánimemente: «Señor, que descanse». «Entonces Jesús les dijo claramente: "Lázaro ha muerto"» (vers. 14).

Verás, para el Dador de la vida, la muerte no es más que un sueño del que podemos ser despertados. A la afligida Marta dijo: «Yo soy la resurrección y la vida; el que cree en mí, aunque esté muerto, vivirá» (vers. 25). Y luego, para demostrar sus credenciales, que serían certificadas triunfantemente en su propia muerte y su resurrección pocas semanas después, Jesús se plantó ante la tumba de Lázaro y ordenó a su amigo que volviera a la vida. Y cuando el Dador de la vida da la orden, ¡hasta los muertos obedecen!

Sí, si Jesús no vuelve con suficiente celeridad o uno no vive lo bastante, habrá una lápida con nuestro nombre cincelado en el granito. Pero no importa, porque, en Cristo, nuestra cita con la muerte ¡no es más que un pacífico sueño hasta que él venga! Y eso no es leyenda en absoluto.

Historia de tensiones gemelas

«Muy de mañana, el primer día de la semana,
vinieron al sepulcro, recién salido el sol.
Pero decían entre sí: "¿Quién nos removerá
la piedra de la entrada del sepulcro?"».
Marcos 16: 2, 3

EL MUNDO CONOCE la célebre introducción de la novela de Charles Dickens *Historia de dos ciudades:* «Era el mejor de los tiempos, era el peor de los tiempos». Alguien estampó estas palabras en una camiseta: «Decídase, Señor Dickens. ¿Era el mejor de los tiempos o el peor de los tiempos? Difícilmente podría haber sido ambas cosas».

Pero, por supuesto, realmente puede ser ambas cosas, ¿no te parece? Viviendo como vivimos en un mundo de tan clamorosos contrastes —opulencia y pobreza, formación académica y analfabetismo, Oriente y Occidente, creación y evolución, esperanza y desesperanza, fe e incredulidad, vida y muerte—, ¿no luchamos todos con la a veces sofocante tensión de intentar armonizar nuestro desequilibrio o, al menos, de darle apariencia de cordura? «Era el mejor de los tiempos, era el peor de los tiempos». Realmente lo fue para las mujeres que se dirigían al sepulcro temprano aquella mañana de domingo: Está muerto, no lo está. Y realmente lo es para nosotros, que también recorremos el inevitable camino al sepulcro: Viene pronto, no lo hace.

Entonces, ¿cómo viviremos los que estamos atorados en algún punto entre el tiempo del fin y el fin del tiempo? En una ocasión, el autor estadounidense llegó a esta conclusión: «La prueba de una inteligencia de primera fila es la capacidad de tener en mente dos ideas opuestas a la vez y seguir manteniendo la cordura». ¿Qué pasaría si retocásemos esa frase así?: *La prueba de una fe duradera es la capacidad de tener en mente dos ideas opuestas a la vez y seguir manteniendo la capacidad de confiar.* La vida es difícil… Dios es amor. Tengo temor… tengo fe. Dudo… confío. Peco… Cristo salva. Descenderé a la sepultura… él volverá por mí. La fe duradera es la necesidad de tener en mente dos ideas opuestas a la vez y, pese a ello, mantener nuestra confianza en Dios.

«Así como en Adán todos mueren, también en Cristo todos serán vivificados» (1 Cor. 15: 22). Dos ideas opuestas, una confianza: sí, moriremos; pero sí, en Cristo todos podemos volver a ser vivificados. Y por eso no nos entristecemos como «otros que no tienen esperanza» (1 Tes. 4: 13). Porque confiamos en él. *Confianza.* Sin ella, los elegidos carecen de esperanza y de elección. Pero por la resurrección de Cristo podemos tener esperanza, podemos confiar, podemos elegir. «Era el mejor de los tiempos, era el peor de los tiempos». Pero elige tú a Jesús hoy de nuevo, y la promesa es segura: la piedra será removida.

Esperanza de ganchillo

«Y a Aquel que es poderoso para hacer todas las cosas mucho más abundantemente
de lo que pedimos o entendemos, según el poder que actúa en nosotros,
a él sea gloria en la iglesia en Cristo Jesús por todas las edades,
por los siglos de los siglos. Amén». Efesios 3: 20, 21

SEGÚN OBSERVÓ con fino humor británico *The Guardian* de Londres, «con independencia de los defectos que Maria D'Antuono pueda tener, desaprovechar el tiempo no se encuentra entre ellos». La mujer de 98 años fue uno de los pocos supervivientes que fueron sacados de entre los escombros del terremoto de magnitud 6,3 que sacudió la Italia central. Durante treinta horas oscuras e interminables yació atrapada bajo las ruinas de su hogar, no lejos del epicentro de L'Aquila. ¡Pero la encontraron! Y cuando la anciana fue puesta a salvo entre las aclamaciones del gentío expectante, alguien le peguntó qué había hecho para pasar las horas mientras aguardaba el rescate con esperanza. «Bueno, ¡ganchillo, naturalmente!». Se le vino el mundo encima todo a su alrededor, pero la matriarca de 98 años sobrevivió con una aguja de ganchillo, un ovillo de hilo y un corazón lleno de esperanza.

Ni siquiera un terremoto puede sepultar la esperanza. «De pronto hubo un gran terremoto, porque un ángel del Señor descendió del cielo y, acercándose, removió la piedra y se sentó sobre ella» (Mat. 28: 2). Sus enemigos podrían haber amontonado mil montes como el Everest encima del sepulcro de Jesús en el huerto, pero habría dado igual, porque ni siquiera un terremoto puede enterrar la esperanza. Y cuando salió de aquella cripta agitada por el temblor y declaró sobre los escombros antes del amanecer «Yo soy la resurrección y la vida» (Juan 11: 25), se garantizó para siempre la esperanza última de la humanidad. La muerte puede enterrarnos, pero la esperanza aún puede resurgir en el poder del Salvador resucitado.

¿Y cambian en algo las cosas para el sinnúmero de crisis que se nos echan encima, enterrándonos bajo su peso aplastante, que deja sepultadas tanto la vida como la esperanza? Emocional, económica, social, física, espiritualmente, puede que te sientas ahora mismo enterrado entre los escombros. Sin salida del desplome, sin esperanza de rescate, sin promesa de resurrección. Pero no repitas el error de cálculo de los once discípulos que descuidaron tener en cuenta el poder de la omnipotencia divina en su crisis. Porque solo después descubrieron que, con independencia de lo pesada que sea la roca que nos sepulta, el Cristo resucitado puede hacerla rodar.

Así que pon el dedo en esta promesa de resurrección y «haz ganchillo» de tu futuro con una nueva esperanza: «Dios […] puede hacer muchísimo más de lo que nosotros pedimos o pensamos, gracias a su poder que actúa en nosotros» (Efe. 3: 20, DHH).

El reino no mágico - 1

«En la fe murieron todos estos sin haber recibido lo prometido, sino mirándolo de lejos, creyéndolo y saludándolo, y confesando que eran extranjeros y peregrinos sobre la tierra». Hebreos 11: 13

¿QUÉ TIENE DISNEYLANDIA que capta la fantasía de jóvenes y adultos por igual? Recuerdo la primera vez que mis ojos contemplaron ese parque temático. Yo era el hijo de cinco años de un misionero que nunca había pisado suelo estadounidense en su vida al que sus tíos anunciaron: «Bienvenido a Estados Unidos; ¡te vamos a llevar a Disneylandia!». Hoy *Disney World* es el mayor parque de atracciones del mundo, movido (desde 1987) por una campaña de mercadotecnia insuperable. Después de que se anuncia el jugador de fútbol americano más valioso en la final de la NFL, o *Super Bowl*, y este se ve rodeado por un grupo de periodistas y de cámaras, uno de los agentes puestos por Disney grita una pregunta oída en directo por televisión en el mundo entero: «Oye, acabas de ganar el *Super Bowl*. ¿Qué vas a hacer ahora?». Y el MVP, acrónimo inglés de «jugador más valioso» (todos los jugadores ensayan con Disney antes del partido), conoce la respuesta: «¡Me voy a *Disney World*!» (si el equipo es del Este) o «¡Me voy a Disneylandia!» (si es del Oeste). Tremendamente habilidosa mercadotecnia esta capitalización de los grandes héroes deportivos de los niños.

Pero, ¿sabías que Disney simplemente arrancó una página del manual de estrategia del propio Dios? Este lleva milenios usando a sus héroes para publicitar su reino, no mágico sino real. ¡Lee simplemente el capítulo de la Biblia que contiene el Salón de la Fama! Nuestro texto de hoy resume la vida de los mayores ciudadanos de la tierra: Abel, Enoc, Noé, Abraham y Sara, Isaac, Jacob, José, Moisés, Rahab, Gedeón, Sansón, David (por nombrar algunos), con la salvedad de que todos ellos se consideraban «extranjeros y peregrinos» en la tierra. ¿Por qué? Porque tenían su esperanza puesta en otra tierra, en otro reino. Y precisamente esa esperanza alimentaba su vida.

Me encanta viajar. Pero, para mí, la mejor parte es el regreso a casa. Cuando aterrizas en un país extranjero, lo extranjero no es el país: ¡eres tú! Y te lo recuerdan en el control de pasaportes: «Fila para extranjeros». Pero cuando vuelvo a casa, el (a veces) jovial «¡Bienvenido a casa!» del agente coincide con mi propio ánimo alegre. ¡Al fin estoy en casa!

Como los amigos de Dios a lo largo de la historia sagrada, tú y yo somos extranjeros, forasteros en esta tierra, peregrinos que van de camino, contando los días hasta que nuestro Salvador regrese. Así que cuando te pregunten qué vas a hacer ahora, puedes gritarlo con gozosa esperanza: «¡Me estoy preparando para ir a casa!».

El reino no mágico - 2

«Antes bien, anhelaban una patria mejor, es decir, la celestial. Por lo tanto,
Dios no se avergonzó de ser llamado su Dios,
y les preparó una ciudad».
Hebreos 11: 16, NVI

TED DEKKER, EN *The Slumber of Christianity: Awakening a Passion for Heaven on Earth,* realiza una perspicaz observación sobre la esperanza. «¿Qué eleva nuestras emociones y qué las echa por tierra? ¿Qué nos hace saltar de alegría y qué nos lanza al pozo del profundo desánimo? Las respuestas son sorprendentemente simples: La esperanza. Y la desesperanza. [...] Si piensas en qué cambia tu estado de ánimo de una situación de felicidad a una de tristeza, siempre encontrarás la desesperanza». Y luego describe la esperanza: «La esperanza es la fuerza primaria que mueve a los seres humanos de hora en hora. El deseo de un simple placer, un abrazo, un beso [...]. La salud restaurada de un niño enfermo o de una madre que está entrando en años. Estas figuran entre las muchas esperanzas que motivan nuestra vida cotidiana. Todo lo que hacemos está movido por la esperanza o la desesperanza de una u otra forma» (pp. 34, 35).

Si eso es verdad —y tengo la sensación de que estaríamos de acuerdo—, ¿qué pasaría si dedicásemos tiempo cada día a meditar en la esperanza del cielo —mediante un canto, un poema, algo de música, una promesa bíblica o dos—? ¿Qué pasaría si apartásemos nuestra mente de las incesantes malas noticias de una economía quebrada, de un mundo patas arriba, de un ecosistema en apuros, de una cultura moralmente insolvente, si nos apartásemos del cotidiano menú carente de esperanza de los medios de comunicación y centrásemos la mente, en cambio, en esa «patria [...] celestial», según lo expresa nuestro texto de hoy, esa ciudad y esa tierra eternas que Dios ha prometido a sus amigos? ¡Sería una inyección de esperanza! No durante horas, sino unos momentos cada nueva mañana durante el culto, ¿qué pasaría si soñásemos con el cielo?

«Pablo tuvo una visión del cielo, y al ocuparse de las glorias de allí, lo mejor que podía hacer era no tratar de describirlas. Nos dice que ojo no había visto ni oído escuchado, ni han subido en corazón de hombre, las cosas que Dios ha preparado para los que le aman. De modo que podéis *llegar al límite de vuestra imaginación,* podéis usar vuestras facultades hasta lo máximo para que abarquen y consideren el eterno peso de gloria, y sin embargo vuestros sentidos limitados, desfallecientes y cansados con el esfuerzo, no pueden captarlo porque hay un infinito más allá. Se necesitará de toda la eternidad para desplegar las glorias y revelar los preciosos tesoros de la Palabra de Dios» (*Comentario bíblico adventista del séptimo día,* «Comentarios de Elena G. de White», t. 6, p. 1107; la cursiva es nuestra). Se necesitará toda la eternidad, ¡pero eso no quiere decir que no podamos empezar hoy! Así que pon al límite tu imaginación del cielo ahora mismo y deja que el Espíritu te inyecte una nueva dosis de esperanza.

«Imagina»

«Porque he aquí que yo crearé
nuevos cielos y nueva tierra.
De lo pasado no habrá memoria
ni vendrá al pensamiento. Isaías 65: 17

HASTA JOHN LENNON SOÑÓ con el cielo antes de morir en un charco de su propia sangre en una fría acera de Nueva York. Meses antes de que fuera trágicamente abatido a tiros, Lennon escribió, compuso y cantó lo que se convirtió en su obra solista más popular, «Imagine». Entre las líneas de su composición, ¿puedes oír una melancólica petición de un cielo en la tierra? La traducción de su letra al español viene a decir: «Imagina que no hay cielo/Es fácil si lo intentas/Sin infierno bajo nosotros/encima de nosotros, solo el cielo/Imagina a toda la gente/ Viviendo el día a día/Imagina que no hay países/No es difícil hacerlo/Nada por lo que matar o morir/Ni tampoco religión/Imagina a toda la gente viviendo la vida en paz/Puedes decir que soy un soñador/Pero no soy el único/Espero que algún día te unas a nosotros/Y el mundo será uno solo».

¡Si tan solo John Lennon hubiera sabido que el cielo y la tierra mismos con los que él soñaba ya habían sido prometidos, de hecho, hace muchísimo tiempo! En el texto de hoy, Dios declara lo que Lennon deseaba con tanta melancolía, lo que también Dios viene anhelando: un mundo nuevecito en el que los viejos usos y costumbres hayan dejado de ser por los siglos de los siglos. Amén.

Pero, ¿te fijaste en que la tierra nueva que Dios anuncia lo será hasta tal punto que de «lo pasado no habrá memoria ni vendrá al pensamiento»? Una vez estudiaba yo la Biblia con un hombre que leyó este texto y quiso saber por qué Dios iba a dejar nuestros recuerdos en blanco. Pero en realidad Isaías está empleando una figura retórica que usa Jeremías unas páginas después cuando el profeta escribe: «No vendrá al pensamiento ni se acordarán de ella, no la echarán de menos» (Jer. 3: 16).

En otras palabras, cuando Dios cree el cielo nuevo y la tierra nueva con su nueva sociedad, nadie va a cantar melancólicamente lo contrario del deseo de Lennon: «Imagina que hay cáncer / Es fácil si lo intentas / Imagina que hay homicidios y violaciones y atracos a escondidas / Imagina que hay más asesinato, guerras y morgues, y tribunales / Puedes decir que soy un soñador / Pero no soy el único / Espero que algún día podamos volver a cuando el mundo estaba echado a perder».

Esa vieja tierra enferma, decrépita, disfuncional y muerta ¡nunca será echada de menos, ni será recordada nuevamente con anhelo! Tan absoluta y totalmente emocionados estaremos con la prístina nueva creación de Dios que ni un solo amigo redimido de Dios imaginará ni una vez tan siquiera acercarse a Jesús y preguntarle si podríamos repetir la desgraciada rebelión que le dio sus cicatrices. ¡Te lo puedes imaginar!

«Rumbo al hogar»

«Entonces vi un cielo nuevo y una tierra nueva, porque el primer cielo
y la primera tierra habían pasado y el mar ya no existía más.
[…] Enjugará Dios toda lágrima de los ojos de ellos;
y ya no habrá más muerte, ni habrá más llanto
ni clamor ni dolor, porque las primeras cosas
ya pasaron». Apocalipsis 21: 1, 4

UNA DE MIS PIEZAS CLÁSICAS favoritas es la obra de Antonín Dvorak: su «Sinfonía nº 9 en mi menor» a la que dio el nombre «Del Nuevo Mundo». Hoy se la conoce como «Sinfonía del Nuevo Mundo». La mayoría estamos especialmente familiarizados con la porción del largo, y confieso que el largo es la parte que me encanta canturrear. Especialmente desde que un letrista escribió unas palabras para acompañarlo que, traducidas al español, dicen: «Rumbo al hogar, rumbo al hogar, Señor, voy rumbo al hogar. Rumbo al hogar, rumbo al hogar, Señor, voy rumbo al hogar».

¿Crees que en el fondo de cada corazón humano hay un instinto puesto por Dios, un persistente anhelo de volver a casa? ¿Pudiera ser que el «Rumbo al hogar» sea la letra de esa melodía sin palabras cantada en todas las lenguas y en todos los pueblos de la tierra? Después de todo, ¿no señaló el sabio que Dios «ha puesto eternidad en el corazón del hombre» (Ecl. 3: 11)? Y el corazón, ¡cuánto anhela y sueña el corazón con un lugar mejor que este al que llamar hogar!, ¿no crees?

Por esa razón es tan querida la descripción dada por Juan de la tierra nueva en nuestro texto de hoy y la citamos tan a menudo cuando nos reunimos con pesar para enterrar a nuestros muertos. Sin embargo, ¿te has fijado en que Juan tiene que recurrir a lo negativo para que captemos lo positivo? «¡Deja que te cuente lo que no habrá allí!». Ya no habrá lágrimas, ni muerte, ni pena, ni llanto ni dolor. Ya no habrá hospitales, ni tribunales de pleitos matrimoniales, ni cárceles, ni delitos, ni guerra. No, no, no.

Harry Blamires reflexiona de forma conmovedora: «¡Si tan solo pudiéramos tener las cosas positivas de la vida terrenal sin las negativas! Pero eso precisamente ofrece el cielo: la eliminación de las negativas [… En el cielo] ambos [el pecado humano y el dominio del tiempo] serán barridos. Aquí abajo, el tiempo marchita las flores y la belleza humana, fomenta la evaporación de las buenas intenciones, nos priva de nuestros seres queridos. Dentro del universo gobernado por el tiempo, el matrimonio más feliz acaba en la muerte, la mujer más hermosa se convierte en un esqueleto. Marchitarse y envejecer, perder y fallar, verse privado y frustrado: estos son los aspectos negativos de la vida en el tiempo. La vida en la eternidad nos librará de toda pérdida, de toda privación» («The Eternal Weight of Glory», *Christianity Today,* 27 de mayo de 1991, p. 30). No es de extrañar que la distante melodía «Rumbo al hogar» siga sonando en nuestro corazón.

185

Complacidos con demasiada facilidad

«Antes bien, como está escrito: "Cosas que ojo no vio
ni oído oyó ni han subido al corazón del hombre, son las que Dios
ha preparado para los que lo aman"». 1 Corintios 2: 9

EN EL PUEBLO DONDE vivo, ¡es uno de nuestros vecinos favoritos! Después de todo, ¿a quién no le gusta tener por vecino a un hombre que puede tomar un pincel y transformar una paleta de colores pegajosos en un impresionante panorama? Simplemente pregunta a la gente del Museo Nacional del Aire y del Espacio de la Institución Smithsonian, sito en Washington, D. C., donde el imponente lienzo del paisaje lunar, obra de Nathan Greene, adorna una de las paredes de la exposición. He tenido el privilegio de que el prodigioso arte de Nathan adorne las tapas de cuatro libros que he escrito. Y colgado junto a la puerta de mi despacho de iglesia está su conmovedora representación, titulada «Intercediendo siempre», de Jesús postrado en oración sobre la curvatura de la Tierra.

Pero una de las obras de arte más populares de Nathan Greene es la titulada «El León y el Cordero». Una de mis feligresas eligió ese lienzo como un regalo en recuerdo de su esposo, y ahora está colgado donde todos pueden verlo junto a un lugar de paso muy transitado en la Iglesia *Pioneer Memorial*. Nathan ha imaginado una escena futura del cielo, en la que el amigable Jesús está rodeado de niños, con una niñita sentada en sus brazos y apoyada en su pecho. A los pies del Salvador está echado un enorme león; ¡menudo minino! Y al lado de ese rey de la selva se encuentra un rizoso cordero negro. «No harán mal ni dañarán en todo mi santo monte» (Isa. 11: 9).

El cielo. Como nos recuerda nuestro texto de hoy, es simplemente imposible que nuestra mente finita y caída abarque, y menos que visualice, las glorias de ese paraíso que Dios tiene reservado para sus elegidos, sus amigos de esta tierra. Pero, aunque lleve nuestra imaginación hasta su límite más elevado, nunca debemos permitir que lleguemos a volvernos tan cínicos con los paisajes rotos y las atracciones de pacotilla de este mundo que acabemos cambiando la esperanza del cielo por la miserable inmediatez de los mismos.

C. S. Lewis se preguntó un día por qué no nos ocupamos más en la absolutamente gloriosa esperanza del cielo: «Si consideramos las promesas de recompensa, dichas con tal falta de rubor, y la naturaleza pasmosa de las recompensas prometidas en los Evangelios, parecería que nuestro Señor encuentra nuestros deseos no demasiado fuertes, sino demasiado débiles. Somos criaturas tibias, que hacen el ridículo con la bebida, el sexo y la ambición cuando se nos ofrece gozo infinito, como un niño ignorante que quiere seguir haciendo pasteles de barro junto a una choza porque no puede imaginarse qué significa el ofrecimiento de unas vacaciones junto al mar. Se nos complace con demasiada facilidad» (*The Weight of Glory*, p. 4). ¿No es así?

Entropía crónica

«Estas cosas os he hablado para que en mí
tengáis paz. En el mundo tendréis aflicción,
pero confiad, yo he vencido
al mundo». Juan 16: 33

ME ENCONTRABA AFUERA de mi casa, caminando en medio del frío de Míchigan antes del amanecer, pensando en la avalancha de titulares interminables a los que últimamente estamos acostumbrados. Y mientras reflexionaba en todo ello, me vinieron a la mente dos palabras: «Entropía», una palabra que los científicos han metido en la segunda ley de la termodinámica para describir la desintegración gradual que experimenta nuestro universo, que va degradándose, lenta pero implacablemente, hacia el desorden. Con «entropía», también me vino a la cabeza la palabra «crónica» (como en la tos o el dolor de cabeza crónicos), porque, ¿cómo, si no, se puede explicar la incesante marcha de malas noticias que se ha convertido en nuestro pan de cada día? Así, en estos días, «entropía crónica» se convierte en una descripción adecuada de la vida en el planeta, que marcha incesantemente hacia la desintegración. ¿No estás de acuerdo?

No es una noción muy alegre, lo entiendo. Y por eso, a ese par de palabras es preciso que le añadamos otro rápidamente. Porque si leemos correctamente las porciones apocalípticas de las Sagradas Escrituras (Mateo 24, Marcos 13 y Lucas 21, junto con Daniel y el Apocalipsis), la entropía crónica que todas describen no es más que el heraldo del segundo advenimiento de Cristo y de la restauración final de todo el cosmos previamente destinado a la desintegración. Y eso quiere decir que el más lamentable de los titulares con los que vivimos estos días —desde la debacle económica y moral de la sociedad hasta la desintegración ecológica y eclesiástica del mundo— es la certidumbre profética de que, pisando los talones de la peor noticia, viene la promesa de la mejor noticia de todas: el pronto regreso de Jesús. «Entropía crónica», te presento a otro par de palabras: ¡«Esperanza bienaventurada»!

No es de extrañar que, en la víspera misma de su propia muerte, Jesús pudiera hacernos un llamamiento a una confianza tan optimista: «En el mundo van a afrontar un titular debilitante tras otro, pero no importa; tengan buen ánimo, porque yo he vencido a la entropía crónica de este siglo; y voy a volver por ustedes» (ver Juan 14: 1-3; 16: 33).

Sopesa esta reflexion sobre la promesa de Jesús: «Con independencia de cuál pueda ser la tribulación que nos sobrevenga en el mundo, hemos de tener buen ánimo, sabiendo que Cristo ha vencido al mundo. Tendremos tribulación en el mundo, pero paz en Jesucristo. Volved los ojos, apartándolos de vuestro interior, y recurrid a Jesús, que es vuestro único ayudador» (*Review and Herald*, 19 de mayo de 1896).

«Entropía crónica», te presento al Salvador y ¡ten buen ánimo!

¿Quién lleva las riendas?

«Sea bendito el nombre de Dios de siglos en siglos, porque suyos son el poder y la sabiduría. Él muda los tiempos y las edades, quita reyes y pone reyes; da la sabiduría a los sabios y la ciencia a los entendidos. Él revela lo profundo y lo escondido, conoce lo que está en tinieblas y con él morala luz». Daniel 2: 20-22

RALPH W. EMERSON, sabio del siglo XIX, tuvo esta ocurrencia: «Los acontecimientos llevan las riendas y tienden a ir a lomos de la humanidad». Aunque puede que eso haya sido cierto en su época, ¿está resultando cierto en nuestro siglo XXI? La siguiente vez que escuches al presidente de Estados Unidos en una rueda de prensa, fíjate en la lista de control de acontecimientos que él y los periodistas irán marcando uno a uno: los inmensos desafíos que todo el mundo sabe que afronta esa nación y el resto del mundo. Verdaderamente, ¡«los acontecimientos llevan las riendas»!

Pero los antiguos profetas pedían constantemente a sus audiencias y a sus lectores que recordasen a Alguien más que también lleva las riendas. Entrando a medianoche en aquel palacio de ebria orgía, el anciano profeta Daniel interpretó al petrificado rey Belsasar (sobrio ya del susto) la misteriosa escritura de la pared: «El Altísimo Dios tiene dominio sobre el reino de los hombres, y que pone sobre él al que le place. [...] Nunca honraste al Dios en cuya mano está tu vida y de quien son todos tus caminos» (Dan. 5: 21-23). Apenas se habían pronunciado esas palabras, el poderoso imperio de Babilonia se vino abajo a altas horas de esa misma madrugada. «Los acontecimientos llevan las riendas», ¡pero también las lleva Dios!

Y por eso estoy convencido de que podemos afrontar el futuro con esperanza confiada y con tranquila certidumbre. No vale la pena temer a la debacle económica que viene drenando el poderío económico de esta civilización. Si Dios decide restaurar nuestra viabilidad económica en aras de su reino y de su misión en la tierra, lo hará. Por otra parte, si decide permitir que la hemorragia monetaria desangre nuestra vitalidad económica en aras del avance de su reino y de su misión en la tierra, «ni todos los caballos ni todos los hombres del rey» podrán recomponer a Zanco Panco otra vez. Saber que su voluntad se hace en la tierra «como en el cielo» (Mat. 6: 10; Luc. 11: 2) garantiza al que confía en Dios que en nuestras muy presentes circunstancias, Dios sigue alcanzando su propósito supremo y que todas las cosas obran conjuntamente para el bien: «Dios dirige el complicado manejo de los acontecimientos humanos. En medio de la lucha y el tumulto de las naciones, Aquel que se sienta por encima de los querubines todavía dirige los asuntos terrenales» (*La educación*, cap. 19, p. 161). ¡Hay lugar para la esperanza en la silla de montar!

«Hoy, hoy y hoy»

«Pero el día del Señor vendrá como ladrón en la noche.
Entonces los cielos pasarán con gran estruendo, los elementos
ardiendo serán deshechos y la tierra y las obras que en ella hay
serán quemadas. Puesto que todas estas cosas han de ser deshechas,
¡cómo no debéis vosotros andar en santa y piadosa manera de vivir,
esperando y apresurándoos para la venida del día de Dios,
en el cual los cielos, encendiéndose, serán deshechos,
y los elementos, siendo quemados,
se fundirán!». 2 Pedro 3: 10-12

EL 10 DE NOVIEMBRE DE 1844, un granjero bautista metido a predicador echó mano de su pluma y con un suspiro de congoja garabateó las siguientes palabras. Y cuando las leemos hoy, aunque siguen brillando con una esperanza reflejada, no nos es posible llegar a entender el agudo y amargo desengaño disimulado en su cuidadosa caligrafía. Después de todo, ¿cómo podríamos tú o yo llegar a saber qué supuso haber creído con tan completa confianza y luego haber declarado a todos con tan absoluta certeza que Cristo volvería a la tierra el 22 de octubre? Declarar la predicción de antemano era una cosa. Pero tener que vivir en la secuela de su realidad carente de cumplimiento era algo completamente distinto. ¿Chasqueado? ¡No es de extrañar que lo llamaran el «gran chasco»!

Diecinueve días después de que sus esperanzas quedasen hechas pedazos, William Miller tomó su pluma, allí en su tranquila casa de Low Hampton, Nueva York, y escribió las siguientes palabras a su colega en el ministerio Joshua Himes: «Aunque he llevado dos desengaños, aún no estoy deprimido ni desanimado. Dios ha estado conmigo en espíritu y me ha consolado. Ahora tengo mucha más evidencia de que sí creo en la Palabra de Dios; y [...] mi mente está en perfecta calma, y mi esperanza en la venida de Cristo es tan firme como siempre. He hecho únicamente lo que, tras años de sobria consideración, creí que era mi deber solemne hacer. Si he errado, ha sido del lado de la caridad, del amor a mis semejantes y de mi convicción del deber hacia Dios».

Y entonces Miller escribe la nueva fecha en la que ha fijado su esperanza: «*Hermanos,* retengan lo que tienen, para que ninguno tome su corona. He fijado mi mente en otro momento, y aquí pretendo quedarme hasta que Dios me dé más luz. Y ese momento es Hoy, HOY y HOY, hasta que él venga y yo vea a AQUEL a quien mi alma anhela» (citado en F. D. Nichol, *The Midnight Cry,* pp. 266, 267).

Ahí lo tienes: el escrito de esperanza escrito en la pared de los elegidos de Dios, la esperanza misma que prendió el movimiento en el que tú y yo nos hemos alistado. «Hoy, HOY y HOY». Pero, por otra parte, ¿se te ocurre un día en el que esperar que venga Jesús mejor que... hoy?

El rostro del Padre

«Dios es nuestro amparo y fortaleza, nuestro pronto auxilio en las tribulaciones.
Por tanto, no temeremos, aunque la tierra sea removida y se traspasen los montes
al corazón del mar; aunque bramen y se turben sus aguas, y tiemblen
los montes a causa de su braveza. […] ¡Jehová de los ejércitos
está con nosotros! ¡Nuestro refugio es
el Dios de Jacob!». Salmo 46: 1-7

ESTAS FUERON LAS PALABRAS que inspiraron a Lutero a escribir «*Ein feste Burg ist unser Gott*» —«Castillo fuerte es nuestro Dios»—, el conmovedor himno de batalla de la Reforma. Y cuando hoy cantamos ese himno, expresamos nuestra esperanza, nuestra fe, nuestra confianza en «el Dios de Jacob», que es nuestro refugio, «Señor de Sabaoth, omnipotente Dios, él triunfa en la batalla». No es de extrañar que el Salmista exclame: «Por tanto, no temeremos».

En *Now Is the Hour,* Llewellyn Wilcox contó un relato, enmarcado en la Segunda Guerra Mundial, de un padre y su niñita, que huyeron al refugio antiaéreo de su patio trasero durante la guerra relámpago sobre Londres. Sobre ellos llovía la muerte y la destrucción. La niñita estaba asustada. Con la esperanza de que ambos pudieran quedarse dormidos y olvidar su peligro por una noche, el padre puso a su hija en una de las camitas plegables, apagó la luz y se echó en la cama plegable contra la otra pared.

Pero la niña no podía dormirse. El retumbar de los aviones en el cielo, la extrañeza del refugio con sus negras sombras y sin su mamá, era más de lo que podía soportar. «Papá», susurró, tratando de que su voz llegase al otro extremo del habitáculo, «¿estás ahí?».

«Sí, cariño. Aquí estoy. Ahora duérmete», respondió él en voz baja. Y ella lo intentó. Pero, sencillamente, no podía. Y un ratito después aquella vocecita volvió a hablar: «Papá, ¿sigues ahí?». La respuesta de él fue rápida: «Sí, cariño. Estoy aquí. No tengas miedo; simplemente duérmete. Todo va bien». Y durante un tiempo hubo solo silencio, absorto cada cual en sus pensamientos.

Pero, por fin, cuando la quietud y la oscuridad ya no eran soportables, la voz de la pequeña, anhelante de consuelo, habló por tercera vez. «Papá», gritó ella, «por favor, dime solo una cosa más: ¿*Tienes el rostro mirando hacia mí?*». Y, atravesando la oscuridad, pronto vino la voz de su padre como respuesta: «Sí, cariño. Papá está aquí, y tiene el rostro mirando hacia ti». En un instante la niña se durmió, con la perfecta confianza de un niño pequeño.

«Dios es nuestro amparo y fortaleza […]. Por tanto, no temeremos». Buena noticia para los elegidos en la crisis inminente de la tierra: Con independencia de lo que tengamos por delante, *el rostro de nuestro Padre está vuelto hacia nosotros.*

¿Soy yo el guardián de mi hermano? - 1

«El hombre se unió a su mujer Eva, y ella concibió y dio a luz a Caín.
Y dijo: "¡Con la ayuda del Señor, he tenido un hijo varón!".
Después dio a luz a Abel, hermano de Caín. Abel se dedicó
a pastorear ovejas, mientras que Caín se dedicó
a trabajar la tierra». Génesis 4: 1, 2, NVI

HACE UNOS AÑOS, el Servicio Postal de los Estados Unidos emitió un sello conmemorativo que rendía homenaje a la célebre Boys Town USA [Ciudad de los Muchachos EE. UU.], situada a las afueras de Omaha, Nebraska. Iniciada en 1917 por el Padre Flanagan para un grupo de cinco muchachos vagabundos que se habían fugado de casa y que el sacerdote había acogido, la Ciudad de los Muchachos EE. UU. ha llegado a ser, partiendo de ese humilde comienzo, un centro aclamado internacionalmente por la compasión y el cuidado de muchachos delincuentes y privados de derechos… y hoy también de muchachas. El sello conmemorativo representa a un joven «golfillo» (como los llamaba la generación de mi padre), un granujilla de la calle, de pie, a la entrada de la Ciudad de los Muchachos. Por lo visto, se le ha formulado una pregunta sobre lo que lleva a la espalda y si no es tremendamente pesado. Porque, bajo esa célebre imagen, figura la respuesta del muchacho no tan pequeño: «No es pesado, señor; es mi hermano». En busca de ayuda, el joven había llevado a su hermanito todo el camino andando hasta las puertas de la Ciudad de los Muchachos.

«No es pesado; es mi hermano». ¡Si tan solo hubiéramos oído esas palabras en otras circunstancias mucho tiempo atrás tiempo! No puedes leer el primer «relato familiar» de toda la Biblia y no esperar que quizá esa vez la historia acabe de forma diferente. Pero nunca lo hace.

Hubo una vez, hace muchísimo tiempo, tras una terrible debacle moral, un padre y una madre a los que nacieron dos muchachos. A su hijo mayor lo llamaron «Adquirido» —dado que la madre estaba casi segura que este era «el Hombre» que Dios había prometido enviar al linaje humano para librarlos a todos de la terrible caída de Edén—. (El hebreo pone, literalmente, «He adquirido un hombre Señor», lo que sugiere que Eva esperaba que Caín pudiera ser el Libertador de Génesis 3: 15). Sin embargo, a medida que fue pasando el tiempo y nació un segundo muchacho, se refleja la cruda realidad de una espera quizá muy larga en la forma en que Adán y Eva llamaron a su segundo hijo: «Vanidad/Vapor».

Cuán rápidamente en la familia humana (incluso hoy), callada, dolorosamente a veces, devaluamos nuestros sueños y nuestras esperanzas más queridos de la promesa de liberación a la vanidad de la vacuidad… a solo unos pasos del ara matrimonial del jardín. Sin embargo, ¡qué tranquilizadora es la promesa de que el Dios que nos hizo familia nos llevará sobre su espalda, llena de cicatrices de latigazos, hasta las puertas de la eternidad! «No es pesado; no es pesada; no son pesados: son mis hijos».

■ Este es el mes para renovar tus suscripciones de 2017 (ver página 376).

¿Soy yo el guardián de mi hermano? - 2

«Pasado un tiempo, Caín trajo del fruto de la tierra una ofrenda a Jehová.
Y Abel trajo también de los primogénitos de sus ovejas, y de la grasa de ellas.
Y miró Jehová con agrado a Abel y a su ofrenda; pero no miró con agrado a Caín
ni a su ofrenda, por lo cual Caín se enojó en gran manera y decayó su semblante».
Génesis 4: 3-5

ME ENCANTA IR la sección de productos hortofrutícolas del supermercado de nuestro pueblo. ¿Qué podría ser más agradable para la vista que esas brillantes filas de gradas (gracias a los pulverizadores automáticos que rociaban suavemente las hortalizas bajo las luces fluorescentes) de berenjenas moradas, remolachas escarlata, nabicoles blancas, verdes y frondosas lechugas y espinacas, espárragos y brécoles, calabazas amarillas, zanahorias anaranjadas y tomates rojos? ¡No es de extrañar que lo llamen el huerto de las delicias!

Así que, por favor, no malinterpretes a Dios. No tiene absolutamente nada en contra de todos esos relucientes productos hortofrutícolas. Después de todo, ¡es el Creador vegetariano que los inventó a todos! Así que Caín no era más que un joven conforme al corazón del propio Dios al que le gustaba, como a Dios, la producción de la fértil tierra parda. No había ni hay nada de malo en llevar «las primicias» de la tierra al Creador.

Pero está claro en el relato que aquel no era el momento de «recoger la ofrenda». Se trataba de un servicio de culto ordenado divinamente en el altar familiar sobre el que había de representarse la promesa del futuro sacrificio de Dios matando a un cordero inocente. El antiguo credo estaba más claro que el agua: «Sin derramamiento de sangre no hay perdón» (Heb. 9: 22, NVI; ver Lev. 17: 11). Debe estar claro que el pecado siempre produce como resultado la muerte. Caín lo sabía, y lo sabía bien. Pero el nombre completo de Caín bien podría haber sido Frank Caín Sinatra —porque su lema también era «A mi manera»—. Y amontonó sobre *su* altar *sus* mejores mangos, piñas, aguacates y berenjenas.

Pero Abel acudió a su altar «por la fe» en el Cordero de Dios prometido y «ofreció a Dios un sacrificio más aceptable que el de Caín» (Heb. 11: 4, NVI). «Y miró Jehová con agrado a Abel y a su ofrenda» (Gén. 4: 4). Los cuatro adoradores vieron aquella llama anaranjada caída del cielo y cómo consumió el sacrificio de Abel pero dejó intacto tanto el altar orgulloso y frío de Caín, como su corazón. Fue un momento crítico para la incipiente comunidad divina de los elegidos. ¿Los mantendrían unidos a Dios y entre sí la fe, la esperanza y el amor? ¿O desgarraría la desobediencia para siempre a la familia de Dios? En lo que respecta a la comunidad de los elegidos, ¿has notado que siempre hay mucho en juego?

■ Este es el mes para renovar tus suscripciones de 2017 (ver página 376).

¿Soy yo el guardián de mi hermano? - 3

«Caín dijo a su hermano Abel: "Salgamos al campo". Y aconteció que estando ellos
en el campo, Caín se levantó contra su hermano Abel y lo mató. Entonces
Jehová preguntó a Caín: "¿Dónde está Abel, tu hermano?". Y él respondió:
"No sé. ¿Soy yo acaso guarda de mi hermano?". Jehová le dijo:
«¿Qué has hecho? La voz de la sangre de tu hermano clama
a mí desde la tierra». Génesis 4: 8-10

EL DESGARRADOR RELATO de la primera familia de la historia es prueba suficiente de que el Libro que consideramos sagrado no es, ni mucho menos, una colección de mitos enjalbegados de «vivieron felices para siempre». La vertiginosa velocidad con la que el pecado eviscera la comunidad humana y la precipita en la tan habitual disfunción familiar es asombrosa.

Siete veces en este trágico relato, Moisés, autor del Génesis, describe intencionalmente a Abel como «hermano» de Caín, para que nunca olvidásemos que este hecho nefando fue perpetrado contra un hermano. Y, para la culminación del relato, las últimas tres referencias al «hermano» son posesivos: «guarda de mi hermano», «la sangre de tu hermano» y «la sangre de tu hermano».

¿Quién puede llegar a entender el horror y el desmayo que derribaron a aquellos queridos padres cuando, más tarde, se preguntaron dónde estarían ambos hijos y salieron a los campos en su busca? «¡Caín! ¡Abel! ¿Dónde están?». ¿Cuánto tiempo pasaría hasta que descubrieron la verdad? ¡Quién lo sabe! Pero cuando Adán y Eva se desmoronaron sobre el cuerpo magullado de su hijo menor y mezclaron sus lágrimas con la primera sangre humana derramada en tierra, sin duda su corazón quebrantado supo que habían perdido a ambos hijos en un mismo día.

Y cuando Dios sale al encuentro de un Caín (del que se soñó que sería el Libertador de la tierra, pero que, en vez de ello, es el primer homicida de la tierra) fugitivo y sin aliento, la confesión del joven es dolorosamente instructiva para la comunidad de los elegidos hoy. «¿Dónde está tu hermano?». Fingiendo inocencia, Caín se encoge de hombros ante la pregunta divina: «¿Cómo voy a saberlo? *¿Soy yo el guardián de mi hermano?*». Pero Dios no se deja engañar: «Oigo la sangre de tu hermano clamando a mí desde la tierra».

Dos imponentes verdades en un trágico relato, y Dios es inequívoco en ambas. En primer lugar, tú y yo somos guardianes humanos vicarios para cada ser humano al que conozcamos, no solo dentro de nuestra familia, sino dentro de nuestra comunidad. No hay ninguna excepción humana. En segundo lugar, el clamor de aquellos a los que nos negamos a atender puede ser silenciado en nuestro propio corazón, pero es oído en el del Padre. Verdades gemelas que son razón suficiente para una oración ahora mismo: Oh Dios, por favor, hazme guardián de aquellos a los que me envíes hoy.

■ Este es el mes para renovar tus suscripciones de 2017 (ver página 376).

El día de la dependencia

*«El Dios que hizo el mundo y todas las cosas que en él hay,
siendo Señor del cielo y de la tierra, no habita en templos hechos
por manos humanas ni es honrado por manos de hombres, como si necesitara
de algo, pues él es quien da a todos vida, aliento y todas las cosas.
De una sangre ha hecho todo el linaje de los hombres para que
habiten sobre toda la faz de la tierra; y les ha prefijado el orden
de los tiempos y los límites de su habitación».* Hechos 17: 24-26

ESTADOS UNIDOS LLAMA al día de hoy el Día de la Independencia, pero, dadas las siguientes estadísticas, quizá podríamos pensar que es el Día de la Dependencia.

Alguien me envió un correo electrónico (ya conoces de qué tipo: reenviado por quincuagésima séptima vez) que me abrió los ojos a las realidades de esta civilización a la que tú y yo pertenecemos. Dicen que si pudiéramos comprimir la población de la tierra hasta la escala de una aldea de precisamente 100 habitantes y mantuviéramos iguales todas las proporciones demográficas, nuestro mundo sería más o menos así: Habría

✓ 57 asiáticos, 21 europeos, 14 del hemisferio occidental (norte y sur) y 8 de África.

✓ 52 serían mujeres y 48 hombres; 70 no blancos y 30 blancos.

✓ 70 serían no cristianos y 30 cristianos.

✓ 6 de los 100 poseerían el 59% de toda la riqueza mundial, y los 6 serían de Estados Unidos.

✓ 8 vivirían en infraviviendas; 70 no sabrían leer; 50 padecerían malnutrición; uno estaría próximo a su fallecimiento, y uno estaría próximo a su nacimiento; uno tendría formación universitaria; y uno (sí, solo uno) sería propietario de una computadora.

«¿Soy yo el guardián de mi hermano y de mi hermana?». ¿E incluirían a todos estos? Obviamente, es imposible que mental y emocionalmente llevemos al mundo entero en nuestro corazón, y menos sobre los hombros. Nuestro texto de hoy nos recuerda que solo Dios tiene el mundo entero en sus manos. Pero en un mundo que, mediante la tecnología de las comunicaciones se ha reducido a una aldea global, y que, no obstante, sigue tan tremendamente dividido entre los que tienen y los que no, ¿cómo vamos a poder ser guardianes unos de otros? Quizá deberíamos al menos empezar por casa.

Norman Mailer, autor estadounidense, dio en el clavo cuando observó: «Nos han robado algo que no acertamos a identificar». ¿Podría ser lo que Richard Swenson en su libro *Margin* llama el «mutualismo» de cada cual? ¿Hemos perdido nuestra conciencia de comunidad? ¿Hemos abandonado nuestra «condición de familia» divina en pro de nuestros cubículos de aislamiento privado de alta tecnología propios del siglo XXI? En vez de nuestra independencia, puede que necesitemos declarar nuestra dependencia mutua. Quizá el primer cubículo que haya que ampliar sea el mío. ¿Quieres entrar?

■ Este es el mes para renovar tus suscripciones de 2017 (ver página 376).

«Mutualismo»

«Después dijo Jehová Dios:
"No es bueno que el hombre esté solo:
le haré ayuda idónea para él"».
Génesis 2: 18

RICHARD SWENSON, médico autor de *Margin,* lo expresa perfectamente, ¿no crees? «Casi todos los índices de la vida relacional ordenados en las Escrituras han sufrido reveses importantes en las últimas tres décadas. El matrimonio, a peor; la paternidad, a peor; la cohesión entre parientes, a peor; la conciencia de comunidad, a peor; el sistema de apoyo social, a peor; el compromiso con la iglesia, a peor; la unidad en la iglesia, a peor; y el mutualismo en la iglesia, a peor. Y ocurrió, según parece, de la noche a la mañana. No es de extrañar que nuestros dolores sean tan agudos» (p. 55).

¿Podría ser que la reflexión de Dios allí en el huerto del Edén sobre la necesidad de Adán de compañía sea, de hecho, cierta para toda la humanidad, casada o no? Concretamente, ¿podría ser que todos hayamos sido creados con necesidad de la comunidad mutua?

Un estudio realizado en el condado de Alameda, California, subraya los efectos de este «aislamiento» del que padece nuestra generación. Richard Swenson presenta este informe al respecto: «Un estudio tras otro confirma que un matrimonio, una familia, o una estructura de apoyo comunitario sanos producen mejor salud y mayor longevidad: una especie de sistema de amortiguación contra el dolor de la angustia. Uno de los mayores estudios realizó un seguimiento de cinco mil residentes del condado de Alameda, California, durante nueve años. ¿La conclusión? Tras corregir las variables: "Los no casados tenían pocos amigos o parientes, y los que rehuían las organizaciones comunitarias tenían más del doble de probabilidad de morir durante ese lapso que las personas que tenían estas relaciones sociales"» (*Margin,* p. 62).

¡Si el «aislamiento» es todo lo que experimento en el lugar de trabajo, en el lugar de estudio, en el lugar de culto —y estoy sin comunidad—, mi mortalidad se resiente! «No es bueno que mis hijos estén solos». Dios difícilmente podría haberlo expresado con mayor claridad, ¿no te parece?

Entonces, ¿qué hará falta para transformar nuestras iglesias en comunidades en las que practiquemos el «mutualismo»? ¿Quién será el que convierta nuestros lugares de culto en lugares de afecto? ¿No sería lógico concluir que los elegidos, de entre toda la gente de la tierra, ofrecerían las experiencias y los entornos más compasivos y afectuosos para una comunidad genuina? ¿Somos guardianes de nuestros hermanos? Y, si no, ¿por qué no? Las estadísticas se han publicado. Sin el «mutualismo» comunal de Dios, ¿morirán los elegidos exactamente igual que el resto del mundo —solos y solitarios—?

■ Este es el mes para renovar tus suscripciones de 2017 (ver página 376).

¿Está ahí Alegría? - 1

*Y perseveraban en la doctrina de los apóstoles, en la comunión
unos con otros, en el partimiento del pan y en las oraciones. [...]
Todos los que habían creído estaban juntos y tenían en común
todas las cosas: vendían sus propiedades y sus bienes y lo repartían
a todos según la necesidad de cada uno. Perseveraban unánimes
cada día en el Templo, y partiendo el pan en las casas comían juntos
con alegría y sencillez de corazón, alabando a Dios y
teniendo favor con todo el pueblo. Y el Señor añadía cada día
a la iglesia los que habían de ser salvos».* Hechos 2: 42-47

KATHLEEN PIPER compartió su historia en la página de *Give and Take* de la *Adventist Review*: «Una noche, mientras asistía a una reunión de la junta en el sótano de nuestra iglesia, el teléfono de la habitación contigua no paraba de sonar. Siendo la más próxima a la puerta, me levanté para contestarlo. Una voz al otro extremo de la línea preguntó: "¿Está ahí Alegría?". Sin pensar, contesté: "No, señor, aquí no hay ninguna Alegría; esto es una iglesia". A menudo me he preguntado si quien llamó captó la plena implicación de mi respuesta».

¿Qué tal en tu iglesia o en la mía? ¿Hay alegría en ellas? Ciertamente, ¡estaba presente en la iglesia en sus orígenes en el libro de Hechos! Tres mil nuevos creyentes se agolpan en la comunidad espiritual nuevecita «con alegría [...] de corazón». La palabra griega vertida «alegría» puede traducirse «gozo profundo». Tanto, que hacían cultos siete días a la semana, o «cada día», según lo expresó el Dr. Lucas. ¡Eso sí que es iglesia!

Y, ¿qué hacían? La versión *Dios Habla Hoy* expresa nuestro texto así: «Y eran fieles en conservar la enseñanza de los apóstoles, en compartir lo que tenían, en reunirse para partir el pan y en la oración» (Hech. 2: 42). Ahí están los cuatro ingredientes vitales de la edificación de la comunidad entre los elegidos. De hecho, si hoy decides que quieres cultivar el espíritu de comunidad entre cinco o seis hermanos y hermanas de tu iglesia, estas cuatro claves serán el secreto de la experimentación del tipo de comunidad «mutualista» de Hechos: la Palabra (no había Biblias en aquella época, solo la enseñanza de los apóstoles extraída de las Escrituras), el grupo (la reunión de algunos en sus hogares; solo un puñado, ya que ¡no puedes amontonar a los tres mil en una sola habitación!), el pan (compartían una comida, no todos los días pero lo suficiente para construir un fuerte vínculo social) y las oraciones (hablaban juntos con Dios, sin lenguaje florido ni oraciones elaboradas, solo una pequeña comunidad de hermanos hablando detenidamente en voz alta con Jesús entre todos). La iglesia primitiva no necesitaba doctorados en crecimiento de iglesia. Todo lo que el Espíritu necesitó fue un puñado de hombres y mujeres, ansiosos y deseosos de amar a Dios de forma suprema y de amarse mutuamente de manera imparcial.

Y eso es cuanto necesita hoy, siempre que alguien llame a tu iglesia buscando alegría.

■ Este es el mes para renovar tus suscripciones de 2017 (ver página 376).

¿Está ahí Alegría? - 2

«Todos los días se reunían en el templo, y en las casas partían el pan y comían juntos con alegría y sencillez de corazón. Alababan a Dios y eran estimados por todos; y cada día el Señor hacía crecer la comunidad con el número de los que él iba llamando a la salvación». Hechos 2: 46, 47, DHH

¡QUIÉN NO QUERRÍA entrar a formar parte de una iglesia tan alegre y exuberante como aquella! Reflexionando en el tipo de comunidad «mutualista» demostrado en Hechos 2, el historiador de la iglesia Stephen Neill sacó esta conclusión: «Dentro de la comunión de los que están ligados entre sí por la lealtad personal a Jesucristo, la relación de amor alcanza una intimidad y una intensidad desconocidas en otros ámbitos. La amistad entre los amigos de Jesús de Nazaret es distinta de cualquier otra amistad. [...] Que en las congregaciones cristianas existentes sea tan rara es una medida del fracaso de la iglesia en su conjunto en lo que respecta a estar a la altura del propósito de su Fundador para ella. Cuando se experimenta, especialmente al cruzar las barreras de la raza, la nacionalidad y el idioma, es una de las pruebas más convincentes de la actividad permanente de Jesús entre los hombres» (*Christian Faith Today*, p. 174).

Recibí una carta anónima de un superviviente de divorcio, que describía la depresión que padecía y cómo, fuera de la comunidad de la iglesia, experimentaba realmente más «comunidad» entre sus colegas ajenos a la iglesia que en su propia congregación. «Dios me ama. ¿Por qué nadie de aquí puede hacerlo?». Entonces, ¿cómo le respondemos tú y yo, que somos de la iglesia de ese hombre?

¿Crees que Dios está aguardando que tú y yo tomemos la iniciativa, que busquemos a cinco o seis más dispuestos a compartir el viaje una vez por semana? ¿Podría ser tan simple como abrazar los cuatro ingredientes de ayer (la Palabra, el grupo, el pan, las oraciones) y, humildemente ponerse a cultivar ese tipo de comunidad «mutualista» de afecto amante?

«Puede ser que las cosas vayan mal para cada uno, que la tristeza y el desánimo puedan oprimir a cada alma; entonces la presencia personal, un amigo que anhela consolar e impartir valor, rechazará los dardos del enemigo lanzados para destruir. No hay la mitad de los amigos cristianos que debiera haber en las horas de tentación. En una crisis, ¡qué valioso es un verdadero amigo! [... L]os verdaderos amigos que aconsejarán, que impartirán una esperanza reanimadora, la fe tranquilizante que eleva el alma, ¡oh, una ayuda tal vale más que perlas preciosas!» (*Comentario bíblico adventista del séptimo día*, Comentarios de Elena G. de White, t. 3, pp. 1181, 1182).

Por ello, la próxima vez que alguien llame interesado en alegría, ¿por qué no eres el amigo que responde?

■ Este es el mes para renovar tus suscripciones de 2017 (ver página 376).

La comunidad del beso retorcido

«Sobrellevad los unos las cargas
de los otros, y cumplid así
la ley de Cristo».
Gálatas 6: 2

EL CIRUJANO RICHARD SELTZER cuenta el inolvidable relato en su libro *Mortal Lessons*: «Me encuentro junto a la cama en la que yace una mujer joven, cuyo rostro refleja que acaba de ser operada, con la boca retorcida en parálisis, como de payaso. Un minúsculo ramal del nervio facial, el que va a los músculos de su boca, ha sido amputado. Ese será el aspecto que tenga en lo sucesivo. El cirujano había seguido con fervor religioso la curva de la carne de la mujer, lo prometo. No obstante, para extirpar el tumor de su mejilla, tuve que cortar ese nerviecillo.

»Su esposo se encuentra en la habitación. Está de pie al otro lado de la cama, y juntos parecen ensimismados a la luz de la lámpara, encendida al anochecer, aislados de mí. ¿Quiénes son —me pregunto— él y esta mueca que he creado, que se cruzan las miradas y se tocan tan generosamente, con tanta avidez? La joven habla: "¿Siempre tendré así la boca?". "Sí", digo yo. "Es porque el nervio fue cortado". Asiente con la cabeza y queda en silencio. Pero el joven sonríe. "Me gusta", dice. "Resulta coqueto".

»De inmediato *sé* quién es. Comprendo, y bajo la mirada. Uno no es osado en un encuentro con un dios. Sin importarle mi presencia, se inclina para besar la boca torcida de su mujer, y estoy tan cerca que puedo ver cómo retuerce sus propios labios para acomodarlos a los de ella, para demostrarle que su beso sigue funcionando» (en Brennan Manning, *The Ragamuffin Gospel*, pp. 105, 106).

¿No es una historia preciosa? ¿Podría ser que eso sea lo que hemos sido llamados a ser: la comunidad del beso retorcido? ¿Retorcer nuestra vida, regular nuestro corazón, amoldar nuestros abrazos para atraer a aquellos que, en su amargura, anhelan que alguien se fije en ellos y ser abrazados y amados?

«Sobrellevad los unos las cargas de los otros, y cumplid así la ley de Cristo». ¿Qué ley? Sin duda, Pablo evoca el segundo gran mandamiento del Salvador: «Amarás a tu prójimo como a ti mismo» (Mat. 22: 39). Porque, en última instancia, ¿qué, si no, puede significar sobrellevar los unos las cargas de los otros? ¿No es la ley de Cristo convertirte en el guardián de tu hermano y de tu hermana? ¿No es la voluntad de Cristo que lleguemos a ser una comunidad real candente conocida por doquier (o, al menos, al otro lado de la ciudad) por la forma en que determinamos amar a los moralmente retorcidos, a los social y espiritualmente doblados? Cumplir la ley de Cristo, ¿no significa, de hecho, que los elegidos deben llegar a ser más que simplemente una comunidad de *fe;* que debemos convertirnos también en una *comunidad* de carne y sangre de *amor* de carne y sangre vivido en el mundo retorcido en el que Dios nos ha puesto? La comunidad del beso retorcido. Después de todo, así nos amó él primero.

■ Este es el mes para renovar tus suscripciones de 2017 (ver página 376).

La lección de los suecos

*«Ayúdense entre sí
a soportar las cargas,
y de esa manera cumplirán
la ley de Cristo.*
Gálatas 6: 2, DHH

LOS SUECOS TIENEN UN DICHO: «La alegría compartida es alegría por partida doble, y la pena compartida es media pena». Cuando comparto contigo mi alegría, la duplico, y cuando comparto mi pena contigo, la parto por la mitad. Porque la vida se concibió para ser compartida, ¿no? Dios nunca nos hizo para que fuéramos Llaneros Solitarios. Entonces, ¿cómo podemos ayudarnos entre nosotros a soportar las penas y los problemas? ¿Qué tal estos tres simples pasos?

1. Tengo que *salir de mi zona de confort*. Por supuesto, nunca me resulta cómodo ir más allá de un contacto superficial contigo (ya sabes, el clima, las noticias), pasando a preguntarte cómo te va realmente y si puedo ayudar. Porque, una vez que pregunte, estoy obligado a actuar. Pero lo cierto es que, hasta que hagamos lo que no sale de forma natural de nosotros —inhalar profundamente, armarse de valor y preguntar: «¿Hay algo que pueda hacer por ayudarte?»—, nunca saldremos de nuestra esterilidad carente de riesgos ni nos convertiremos en la comunidad compasiva para cuya constitución fueron suscitados los elegidos.

2. Tengo que *entrar en tu zona de cargas*. Porque si yo no entro, tú no puedes salir. El corazón agobiado anhela que alguien levante esa pesada carga emocional, espiritual o económica. Nadie desea realmente sufrir en soledad. Quieres contarme lo de tu agobio, pero tienes miedo de atosigarme. Por eso precisamente necesitas que yo tome la iniciativa y acuda a ti.

3. Tengo que *atraerte a mi zona de amistad*. Aunque ello no quiera decir que lleguemos a ser uña y carne, sí quiere decir que te atraigo a mi propia comunidad. Puedo llamar a otros amigos que me acompañen para proporcionarte una pequeña comunidad nueva. Porque cuando la comunidad es más numerosa que nosotros dos solos, te das cuenta de que no soy una aberración ni una excepción, que Dios realmente tiene, de verdad, una familia «mutualista» de hermanos y hermanas para ti.

¿De dónde salieron estos tres pasos? Sencillo: son los tres pasos que dio Jesús para llevar nuestras cargas. Salió de su zona de confort en el cielo. Entró en nuestra zona de cargas de la tierra y el pecado. Y luego llevó a su amistad a todas las personas con las que se relacionó: «Con amor eterno te he amado»; «Venid a mí»; porque «os he llamado amigos» (Jer. 31: 3; Mat. 11: 28; Juan 15: 15). No es de extrañar que dijeran de él: «Este recibe a los pecadores y come con ellos» (Luc. 15: 2). Lo cierto es que con los pecadores Jesús construía una comunidad. Y no es menos cierto que nunca tendremos comunidad hasta y al menos que hagamos lo mismo.

■ Este es el mes para renovar tus suscripciones de 2017 (ver página 376).

El día de mayor soledad

«Hay en Jerusalén, cerca de la Puerta de las Ovejas,
un estanque, llamado en hebreo Betesda, el cual tiene
cinco pórticos. En estos yacía una multitud de enfermos,
ciegos, cojos y paralíticos [...]. Había allí un hombre
que hacía treinta y ocho años que estaba enfermo. Cuando Jesús
lo vio acostado y supo que llevaba ya mucho tiempo así,
le dijo: "¿Quieres ser sano?". El enfermo le respondió:
"Señor, no tengo quién me meta en el estanque
cuando se agita el agua; mientras yo voy,
otro desciende antes que yo"». Juan 5: 2-7.

¡QUÉ TRISTE TENER que admitirlo!: «No tengo quién me ayude». Sin embargo, ¿de verdad crees que aquel inválido arrugado junto al estanque de Betesda era el único de la tierra que podía haber hecho esa triste confesión? ¿Junto a cuántos apartamentos, viviendas móviles, casas, residencias estudiantiles, vehículos estacionados y pasos subterráneos pasará Jesús esta noche y oirá el mismo sollozo apagado: «No tengo quién me ayude»? ¿Cuántos bancos de la iglesia están atestados el sábado con ese mismo grito del corazón? O quizá deberíamos preguntarnos cuántos bancos de la iglesia quedarán vacíos este próximo sábado por ese grito.

¿Puedo compartir un secreto contigo? Para muchos de los elegidos, *el día de mayor soledad de la semana es el sábado.* Claro está que se armarán de valor, se pondrán su mejor sonrisa, se subirán en su automóvil, entrarán por nuestra puerta, se sentarán en nuestra clase (aunque la mayoría viene solo al culto), cantarán de nuestro himnario y escucharán nuestro sermón. Pero la parte más penosa de su fiel ritual de observancia del sábado aún está por venir. Porque, una vez que se ha pronunciado la bendición y se ha interpretado el postludio, deben ponerse en pie y pasar justo por delante de nosotros, sabiendo que no habrá quien les devuelva la sonrisa, nadie que les tome la mano y pregunte: «¿Cómo te fue la semana?» o «¿Por qué no vienes a casa hoy a cenar?». Solo en sus sueños se dan alguna vez tales conversaciones. Pero este sábado deben volver a pasar desapercibidos por nuestro ruidoso vestíbulo, saliendo al sol, a la lluvia o a la nieve, y arrastrarse de nuevo a su automóvil, salir de nuestra iglesia y sus instalaciones y volver a casa. Otra vez solos. Y otra. Y otra.

«Era sábado aquel día» (Juan 5: 9). Si Jesús no hubiese tomado la iniciativa personal con aquel inválido aquel sábado, no tendríamos ni idea de lo que viene aguardando mucho tiempo que hagamos por los hombres, las mujeres y los niños que siguen viniendo a nosotros el sábado con la desgarradora confesión: «No tengo quién me ayude». En el nombre de Cristo, ¿por qué no podemos ayudarlos?

■ Este es el mes para renovar tus suscripciones de 2017 (ver página 376).

«El don del fracaso, el don de sentirse más desmadejado»

«La multitud de los que habían creído era de un corazón
y un alma. Ninguno decía ser suyo propio nada de lo que poseía,
sino que tenían todas las cosas en común. Y con gran poder
los apóstoles daban testimonio de la resurrección
del Señor Jesús, y abundante gracia
era sobre todos ellos». Hechos 4: 32, 33

¿POR QUÉ SOMOS tan severos con nosotros mismos cuando fracasamos? ¿De verdad crees que se puede navegar esta vida sin fracasos reiterados y dolorosos? Anne Lamott, en su libro *Traveling Mercies*, habla de la invitación que recibió como autora novel a compartir estrado con un autor de talla mundial. Concebida para ser una noche de réplicas agudas entre ese autor y ella, acabó en desastre cuando Anne expresó mal sus comentarios y avergonzó a su invitado delante de una numerosa audiencia. Mucho después, reflexionando sobre el episodio, escribió: «Mi temor al fracaso me ha perseguido toda la vida y ha sido profundo. Si eres lo que haces, y lo haces deficientemente, ¿entonces qué? La cosa ha terminado; te barren» (p. 142). Sin embargo, al reflexionar sobre la gracia, su paradigma de fracaso pasó a convertirse en un don. «El don del fracaso —concluyó ella— se abre paso a través de todo lo que contenía el aliento y la tensión isométrica de querer dar buena impresión: es el don de sentirse más desmadejado» (p. 143).

¿Podría ser que los elegidos precisemos ese «don de sentirse más desmadejado»? Contener nuestro aliento y adoptar nuestra pose espiritual podría hacernos dar buena impresión un momento, ¡pero es la muerte de la comunidad! Porque al fomentar que surja el rumor de que para entrar a formar parte de nuestra comunidad hay que ser un musculoso gigante espiritual no solo nos engañamos a nosotros mismos, sino que mantenemos nuestra comunidad vacía. Lo cierto es que —igual que la iglesia de Hechos— necesitamos que haya «abundante gracia» sobre todos nosotros.

«La gracia no es ni más ni menos que el rostro que el amor lleva puesto cuando se encuentra con la imperfección, la debilidad, el fracaso, el pecado» (Joseph Cooke, *Celebration of Grace*, p. 13). Y ¡cuánto necesitamos ese rostro los elegidos! Piensa en todas las personas a las que Dios podría sanar y restaurar ¡si la gracia fuese el rostro que el amor llevase puesto en torno a nuestra iglesia! ¿Una comunidad de «abundante gracia»? Bueno, ¡no podríamos quitárnoslas de encima!

Lutero tenía razón: «El reino [léase comunidad] ha de estar en medio de los enemigos de ustedes. Y el que no quiera soportar esto no quiere ser del reino [de la comunidad] de Cristo; quiere estar entre amigos, sentarse entre rosas y lirios, no con la mala gente, sino con la gente devota. ¡Oh, blasfemos y traidores de Cristo! Si Cristo hubiera hecho lo que hacen ustedes, ¿quién habría llegado a salvarse?».

La verdad es que hemos recibido «abundante gracia»; ahora, démosla a todos gratuitamente.

■ Este es el mes para renovar tus suscripciones de 2017 (ver página 376).

Jugar a los bolos en solitario

«Aunque el cuerpo es uno solo, tiene muchos miembros, y todos los miembros,
no obstante ser muchos, forman un solo cuerpo. Así sucede con Cristo. [...]
Si uno de los miembros sufre, los demás comparten su sufrimiento;
y si uno de ellos recibe honor, los demás se alegran con él.
Ahora bien, ustedes son el cuerpo de Cristo,
y cada uno es miembro de ese cuerpo».
1 Corintios 12: 12-27, NVI

A MEDIADOS DE la década de 1990, un profesor universitario no muy conocido se vio catapultado de repente a la palestra de la atención pública. Fue invitado a Camp David a pasar un fin de semana con el presidente de Estados Unidos. Su foto apareció en la portada de la revista *People*. Una importante editorial se ofreció a publicar su investigación. Todo por la provocadora tesis de Robert Putnam de que Estados Unidos padece una «creciente carencia de capital social». Defiende que la propia sociedad civil se está descomponiendo a medida que más y más estadounidenses se desvinculan de su familia, de su comunidad y de la propia república, todo ello precipitado por la televisión, por el exagerado crecimiento urbano, por cambios generacionales en los valores, etcétera. Estados Unidos se ha convertido en una nación de gente solitaria. Y Putnam encuentra en las boleras su metáfora probatoria. Aunque hace años miles de estadounidenses jugaban a los bolos formando parte de una liga, hoy la gente tiende a jugar a los bolos sola (cuando lo hace). «Jugar a los bolos en solitario» se ha convertido en la forma de vida estadounidense.

¡Qué tremendo contraste con la presentación de Hechos sobre la vida comunal de la iglesia primitiva! «Tenían todas las cosas en común» (Hech. 4: 32). Hombres y mujeres, judíos y gentiles, los que tenían y los que no, santos y pecadores: ¡la iglesia en sus orígenes era una comunidad de lo más variada! Hay quien se ha sentido inquieto porque la iglesia de Hechos fuese un imponente experimento de socialismo cristiano, en el que los bienes de todos eran echados en una olla para todos. Pero una lectura cuidadosa revela que no había coacción alguna (como pone de manifiesto el episodio de Ananías y Safira): todos liquidaban sus activos y los entregaban por propia voluntad, y los receptores de los donativos eran los necesitados, no toda la iglesia. Lo que también está claro es que nadie «jugaba a los bolos en solitario». Nadie tenía por qué hacerlo.

¿Por qué? Como Pablo defendió en nuestro texto de hoy, la iglesia de Cristo es el cuerpo mismo de Cristo. ¿Te puedes imaginar que uno de tus órganos sucumba a una «creciente carencia de capital social» y decida vivir y funcionar aisladamente? La noción misma es ridícula, dado que la salud del organismo depende de la salud colectiva de los órganos. Ningún corazón puede latir de forma aislada y sobrevivir. Precisamente la naturaleza colectiva de la comunidad mantiene la salud óptima de toda tu persona, y de la iglesia local. Y por eso necesitas la iglesia ¡y la iglesia te necesita a ti!

■ Este es el mes para renovar tus suscripciones de 2017 (ver página 376).

«Vengan a la unidad»

*«Padre santo, a los que me has dado,
guárdalos en tu nombre, para que sean uno,
así como nosotros».* Juan 17: 11

ESTABA YO UNA NOCHE de miércoles en nuestro servicio Casa de Oración considerando la tarjeta de oración entregada a la puerta cuando de repente caí en la cuenta de que, en el idioma inglés, la palabra *community*, «comunidad», combina los sonidos de otras dos palabras inglesas: *come*, «venir», y *unity*, «unidad». Cuanto más pensaba en ello, más apropiado me parecía concluir que cualquier llamamiento a la «comunidad» es, en realidad, un llamamiento a la unidad. De hecho, si quitamos la «unidad» de «comunidad», no queda «comunidad» alguna.

Por eso es tan profunda la oración sumo sacerdotal de Jesús de Juan 17. Tenía mucho por lo que interceder ante el Padre: la seguridad de sus discípulos en el inminente arresto clandestino y el juicio ilegítimo que afrontaba, la expansión global del incipiente movimiento que dejaba detrás, la victoria de la nueva teología que reventaría las costuras del judaísmo. Sin embargo, en vez de ello, cuatro veces en esa sola oración Cristo implora al Padre «que sean uno» (Juan 17: 11, 21-23). Nuestra unidad ocupaba un lugar preponderante en el corazón del Salvador.

¿Por qué? Considera estas palabras, escritas hace más de un siglo, centradas en nuestra «comunidad»: «La unidad en la diversidad entre los hijos de Dios, la manifestación de amor y tolerancia, a pesar de las diferencias de disposición, este es el testimonio de que Dios envió a su Hijo al mundo para salvar a los pecadores. [...] Esta unidad es para el mundo la prueba más convincente de la majestad y la virtud de Cristo, y de su poder para quitar el pecado. Los poderes de las tinieblas tienen poca ocasión contra los creyentes que se aman mutuamente como Cristo los amó, que rehúsan crear desunión y contienda, que permanecen juntos, que son bondadosos, corteses y compasivos, fomentando la fe que obra por amor y purifica el alma» (*Hijos e hijas de Dios*, p. 288). «En la unidad hay una vida y un poder que no pueden ser obtenidos de ninguna otra manera» (*Sons and Daughters of God*, p. 286).

¿Lo has captado? ¡Solo a través de la comunidad podemos obtener el poder vital de Cristo! Su llamamiento a la unidad es un emplazamiento a «la prueba más convincente» asequible a este mundo secular del poder del Salvador. ¿Por qué? Porque cuando personas tan diversas como tú y yo estamos unidos en comunidad por un amor radical mutuo, ¿qué podría ser más convincente que eso sobre el poder del evangelio para transformar y elevar a la humanidad caída? Por esta razón por sí sola, la comunidad no es una opción para los elegidos. Es el mandato de Cristo, su oración apasionada.

■ Este es el mes para renovar tus suscripciones de 2017 (ver página 376).

La máscara

«Jesús comenzó a hablar, dirigiéndose primero a sus discípulos:
"Cuídense de la levadura de los fariseos, es decir, de su hipocresía.
Porque no hay ningún secreto que no llegue a descubrirse,
ni nada escondido que no llegue a saberse"».
Lucas 12: 1, 2, DHH.

EN CIERTA OCASIÓN un equipo pastoral al que yo pertenecía fue a un retiro espiritual. Una noche, en una de las habitaciones del motel, tres de nosotros, bastante inocentemente, nos metimos en una conversación bastante dolorosa (para mí) sobre la transparencia y la vulnerabilidad. Y, dado que yo dirigía aquel intercambio de pareceres, mis dos colegas empezaron a sonsacarme con suavidad y amabilidad por qué yo no era más transparente personalmente con el grupo. ¿Por qué no compartía con ellos algunas de las luchas dolorosas que experimentaba como padre? ¿Por qué tenía que proyectar una imagen de tenerlo todo atado cuando, de hecho, no lo tenía? ¿Por qué no presentaba más un modelo de fracaso, dando permiso que los demás hicieran lo mismo?

Cuando terminó la velada, mis dos amigos y yo sabíamos que era preciso que lo que habíamos compartido fuera experimentado por todo el equipo. Así que al día siguiente nos apiñamos como una pequeña comunidad y nos lanzamos a una introspección colectiva. Hubo lágrimas, naturalmente. Y también confesiones. Y oraciones, muchas. Pero, remontándome a aquel momento, ahora me doy cuenta de que fue un catalizador vital, un paso necesario (e incluso necesariamente doloroso) para un grupito en busca de la comunidad que Jesús vino a construir. Él avisó que no podíamos ocultarnos indefinidamente detrás de una máscara.

Unas semanas después, me topé con estas palabras de Henri Nouwen: «La mejor cura para la hipocresía es la comunidad». De hecho, ¿hay otra cura para nuestra propensión a tener dos caras? ¿Qué puede mantener mejor nuestra sinceridad *con* nosotros mismos, *sobre* nosotros mismos, que un círculo de colegas en el pecado salvados por la gracia? Si tú y yo podemos adquirir el compromiso de amarnos mutuamente en Cristo con independencia de lo que pudiéramos descubrir el uno del otro, ¡qué apertura liberadora y que transparencia descubrimos! No hace falta que sigamos fingiendo cuando estemos cerca, porque aprendemos que podemos tenernos confianza mutua.

Y, ¿qué ocurre en los círculos en los que vives y te mueves y trabajas y estudias? ¿Podría ser que los demás estén aguardando a que tú des el primer paso y avances hacia la vulnerabilidad y la transparencia? ¿Un paso demasiado doloroso? Pero, por evitarte el dolor, ¿de verdad estás dispuesto a sacrificar la libertad llena de gozo de una comunidad de genuino «mutualismo»? No si supieras cuán verdaderamente bendito es el don de «venir a la unidad» por cuya obtención murió Jesús. Confía en mí: ¡se merece todas las penas!

■ Este es el mes para renovar tus suscripciones de 2017 (ver página 376).

El porche delantero - 1

«Mira, yo estoy llamando a la puerta;
si alguien oye mi voz y abre la puerta,
entraré en su casa y cenaremos juntos».
Apocalipsis 3: 20, DHH

¡PUEDE QUE LO QUE esta generación necesite sea un viejo porche delantero! Cuando se va en automóvil por nuestro pueblecito de Berrien Springs, resulta evidente de inmediato que solo las casas viejas de verdad —las que crujen de recuerdos de hace un siglo— ofrecen ese elemento de arquitectura estadounidense que seguimos llamando porche delantero. Todavía en muchos países se conservan, en otros solo quedan en las viejas fotos de principios de siglo pasado.

En realidad, los sociólogos como Joseph Myers sugieren que nuestra vida, en el marco del siglo XXI, ya ha creado nuevos «porches delanteros» para esta generación —desde las redes sociales del ciberespacio (Facebook, Twitter, etcétera) a los omnipresentes cafés Starbucks que ahora están esparcidos por el mundo entero—, lugares de encuentro de tipo «porche delantero» para la conexión social y la comunidad. Todo ello está relacionado con lo que Myers denomina «espacio mediana», ese espacio intermedio entre la privacidad de mi propio pequeño mundo y mi hogar y el azaroso mundo rutinario de la supervivencia, un espacio intermedio en el que podemos encontrarnos y conectar socialmente sin inmiscuirnos en el mundo privado de los demás. «Es la experiencia de conexión social que lleva a la gente a no salir ni por un instante» (*The Search to Belong*, p. 127).

Entonces, ¿cómo podemos edificar porches delanteros fuera de nuestras iglesias (y en su interior)? ¿Qué pasó con nuestras comidas de fraternidad, tan chapadas a la antigua? Antes de que cierres este libro de golpe, permíteme que me apresure a recordarte, como nos recuerda a todos nuestro texto, que, cuando Dios quiere aludir a un encuentro cara a cara con nosotros, se describe a sí mismo llamando a nuestra puerta, esperando entrar y compartir una comida como amigos. ¡Quizá Dios también disfrute de una buena comida fraternal! En la Iglesia *Pioneer Memorial* venimos luchando por mantener la viabilidad de la celebración de una cena semanal de hermandad para familias y amigos visitantes. Ya sé que requiere mucho trabajo. Pero hemos llegado finalmente a la conclusión de que los beneficios sociales del «porche delantero» —los visitantes se sienten bienvenidos, los miembros se sienten necesarios— hacen de la tarea un trabajo de amor que merece la pena. Entonces, ¿qué tal si organizases a algunos miembros para formar un equipo que prepare una cena una vez al mes, al trimestre o incluso al año? Mejor aún, ¿qué tal si las clases de Escuela Sabática de tu iglesia se turnasen en la organización de una cena de «porche delantero»? Si esta generación tiene hambre de ser una comunidad de porche delantero, incluso nuestras congregaciones más pequeñas podrían satisfacer esa hambre, ¿no crees?

■ Este es el mes para renovar tus suscripciones de 2017 (ver página 376).

El porche delantero - 2

«Por tanto, si hay algún consuelo en Cristo, si algún estímulo de amor, si alguna comunión
del Espíritu, si algún afecto entrañable, si alguna misericordia, completad mi gozo,
sintiendo lo mismo, teniendo el mismo amor, unánimes,
sintiendo una misma cosa». Filipenses 2: 1, 2

¿NO SERÍA ESTUPENDO que la mejor forma de cerrar la puerta de atrás de nuestra iglesia fuera construir un porche delantero? La carta que la mujer me envió no era anónima, aunque la mantengo como tal: «Querido pastor Nelson: Debo decirle por qué recurrí a escuchar el sermón por la radio esta mañana. Llevo siete años siendo miembro activo de la Iglesia *Pioneer Memorial*. Aunque me siento cada sábado entre tres mil personas, la experiencia de culto es, para mí, penosamente solitaria. Ha habido veces en que he faltado a la iglesia durante varias semanas seguidas. La semana pasada presenté la solicitud de transferencia. Espero que [otra] iglesia proporcione la sensación de comunidad que ando buscado». Quizá necesitemos un porche delantero.

Joseph Myers presenta un informe sobre una investigación que ha definido cuatro espacios que los seres humanos utilizamos en el desarrollo de nuestra personalidad y en nuestro sentido de pertenencia: el *espacio público* (4 metros y más allá): integrarse entre ruidosos forofos en un estadio; el *espacio social* (de uno a 4 metros): pertenecer a un club cívico o a una organización de servicio; el *espacio personal* (entre medio y un metro): un encuentro semanal de un grupo pequeño; el *espacio íntimo* (de cero a medio metro): mi cónyuge. Myers llega a esta conclusión: «Toda pertenencia [en los cuatro espacios] es significativa. Se logra una comunidad sana cuando mantenemos conexiones armoniosas en los cuatro espacios. Armonía significa más pertenencias públicas que sociales. Más sociales que personales. Y muy pocas íntimas. Una estrategia sana para los que trabajan en la edificación de la comunidad conlleva permitir que la gente cultive relaciones significativas en los cuatro espacios» (*The Search to Belong*, p. 51).

Entonces, ¿cómo podemos edificar un nuevo porche delantero para la iglesia? ¿Qué hizo la iglesia de Hechos? Acogieron a tres mil miembros e inmediatamente subdividieron esa cantidad en pequeños grupos de *koinonia* («comunión», en griego), edificando porches delanteros «de casa en casa» (Hech. 2: 46, NVI). Mete a cien personas en una iglesia; eso es celebración. Pon a diez juntas en una sala de estar; eso es comunidad. Los elegidos llevamos décadas practicando la celebración. Pero la gente nos deja a pesar de todo. Prueba suficiente de que es hora de edificar comunidades con porche delantero. Por favor, sigue leyendo.

■ Este es el mes para renovar tus suscripciones de 2017 (ver página 376).

El porche delantero - 3

*«Así nosotros, siendo muchos, somos un cuerpo
en Cristo, y todos miembros los unos de los otros.
Tenemos, pues, diferentes dones, según
la gracia que nos es dada».*
Romanos 12: 5, 6

DE ACUERDO. Estoy dispuesto a mantenerme abierto a esta idea de formar un pequeño grupo o de incorporarme al mismo. Pero, ¿dónde rayos empiezo? Buena pregunta. ¿Qué te parece si empezamos con algunas de las preguntas/objeciones normalmente formuladas siempre que se consideran los grupos pequeños?

«Nadie me ha invitado nunca a incorporarme a un grupo pequeño». Una de las realidades que hemos aprendido sobre los grupos pequeños es que no puedes programarlos o decretarlos de antemano. Pero la buena noticia es que no es preciso que los grupos pequeños sean un programa de la congregación para que un amigo de Jesús —tú— pueda invitar a un grupo de miembros —amigos, colegas, vecinos, incluso forasteros— a juntarse a estudiar su Palabra y edificar la comunidad. Si nadie acude a ti, ¿por qué no pides al Espíritu Santo que te dirija a cinco o seis personas que pudieran estar interesados en unirse a ti en esta nueva iniciativa? ¡Puede que seas precisamente la persona a la que Dios necesita para hacer crecer una nueva comunidad en tu iglesia!

«Pero no tengo ni idea de qué hacer en un grupo pequeño». Esa es la aventura a la que te lleva el Espíritu. Todos empezamos como novatos. La buena nueva es que hay disponibles excelentes libros de recursos. Uno modélico, en inglés, es *Spiritual Body Building*, de Kim Johnson. Puede que tu pastor tenga otras sugerencias o que conozca a un dirigente de experiencia que te aconseje. Puedes simplemente escoger un libro de la Biblia para estudiarlo conjuntamente entre todos. No olvides los cuatro ingredientes de la comunidad de Hechos 2: la Palabra, el grupo, el pan y las oraciones. ¡Puedes hacerlo!

«Pero no se me da eso de cocinar ni traer comida». Me parece bien. Nadie ha dicho que los grupos pequeños tengan que comer para que la comunidad crezca. (¡Comer demasiado puede hacer que crezca otra cosa!). Pero si estás en un grupo en el que algunos estén dispuestos a llevar comida, ¡dichoso tú!, ¡digo yo!

«No me gustan los forasteros». Todos estamos más cómodos con nuestros amigos, naturalmente. Pero en un grupo comprometido con nosotros espiritual y socialmente, no vas a ser forastero durante mucho tiempo.

«Prefiero mi propio estilo de edificación de la comunidad». ¿Y quién no? Pero si el cuerpo de Cristo es la estrategia de Dios para desarrollar el reino de los cielos en el corazón de sus hijos de la tierra a través de su diversidad, ¿dónde mejor que un grupo pequeño que refleje el abrazo de brazos abiertos de Dios?

Mañana compartiremos dos importantes preguntas y cuatro increíbles bendiciones.

■ Este es el mes para renovar tus suscripciones de 2017 (ver página 376).

El porche delantero - 4

«El amor sea sin fingimiento. Aborreced lo malo
y seguid lo bueno. Amaos los unos a los otros
con amor fraternal; en cuanto a honra, prefiriéndoos
los unos a los otros». Romanos 12: 9, 10

VEAMOS UN PAR de objeciones adicionales que oímos siempre que se consideran los grupos pequeños.

«No quiero hipotecar mi vida». Uno de los temores que tiene la gente es incorporarse a un grupo que dure por los siglos de los siglos, amén. Nadie quiere eso. Por eso, al comienzo de un nuevo grupo pequeño, es preciso aprobar una «cláusula de caducidad». No hay nada de malo en acordar reunirse durante tres o cuatro meses y, después, renegociar el «contrato» de ustedes. Si un grupo decide reunirse un período mayor, está bien. Pero tener una fecha de finalización/renegociación mantiene a todos a gusto.

«En realidad, no soy el tipo de persona que se sienta a gusto en los grupos pequeños. No tengo tal necesidad imperiosa de sentirme parte de un grupo. No soy alguien solitario. No soy un inadaptado. Tengo amigos. Por eso, creo que no sacaría gran cosa de esto». Bien, ¡al menos eres sincero! Y puede que tengas razón, en principio. Sin embargo, ¿me dejas que sugiera con tacto que el poder de la comunidad cristiana tiene más que ver con dar que con recibir? Jesús tampoco necesitaba a los que habitamos este planeta. Pero su gozo irreprimible no surgió de que se incorporara a nuestro grupo para recibir, sino para dar. ¿Has pensado alguna vez que quizá una razón significativa para que te incorpores a un pequeño grupo de «porche delantero» es que esa pequeña comunidad necesita lo que tú aportes? Después de todo, en las familias sucede así, ¿no? Nadie elige a su familia, pero el milagro del amor significa que tu malcriada hermana y tu fastidioso hermano te son muy cercanos y queridos, «¡porque somos familia!».

Pero no sugiero con esto que no haya bendiciones muy significativas que te lleguen cuando te incorporas a un grupo pequeño. He aquí cuatro:

1. Conseguimos *fortaleza* para las tormentas de la vida. Me encanta navegar, pero ¡no quiero estar solo ahí fuera cuando se desencadena una tormenta!

2. Recibimos *sabiduría* para tomar decisiones importantes. Salomón lo sabía: «Hierro con hierro se aguza; y así el hombre aguza el rostro de su amigo» (Prov. 27: 17).

3. Participamos en la experiencia de una *rendición de cuentas*, que es vital para el desarrollo espiritual. Recuerda que los llaneros solitarios están, precisamente, solos.

4. Encontramos *aceptación*, que nos ayuda a curar nuestras heridas. Es inevitable. Tener una comunidad de «porche delantero» a la cual pertenecer (además de tu cónyuge o los colegas de tu trabajo habitual) puede ser un don del cielo para tu corazón necesitado. ¡Anímate! Los grupos pequeños pueden cambiar tu vida.

■ Este es el mes para renovar tus suscripciones de 2017 (ver página 376).

La lección de los *moonies*

«Y la multitud de los que habían creído
era de un corazón y un alma».
Hechos 4: 32

E N CASO DE QUE sigas preguntándote sobre el valor de desarrollar una comunidad espiritual y social dentro de nuestra comunidad de fe, considera este estudio de los *moonies* (miembros de la Iglesia de la Unificación del reverendo Sun Myung Moon). Rodney Stark documenta las fascinantes conclusiones del estudio en su libro *The Rise of Christianity*. Allá a comienzos de la década de los sesenta él y John Lofland se convirtieron en los primeros científicos sociales en observar a la gente convertirse a un nuevo movimiento religioso.

Tras cientos de entrevistas con los *moonies*, los investigadores observaron que las conversiones a la fe de Moon eran similares a las conversiones al cristianismo en el siglo I; concretamente, la conversión se producía ante una intensa desaprobación de los no miembros (es decir, la familia, los amigos). Las conversiones duraderas eran aquellas en las que «los lazos interpersonales con los miembros [de la nueva comunidad] pesaban más que sus lazos con los no miembros» (p. 17). Es decir, el fuerte apego dentro de la nueva comunidad de fe impide que los nuevos miembros vuelvan a sus apegos anteriores. «El apego ocupa un papel central en la conversión y, por lo tanto, esa conversión tiende a realizarse siguiendo redes sociales formadas por lazos interpersonales» (p. 18). Así, Stark concluye: «La base del éxito de los movimientos que buscan conversiones es el desarrollo por medio de redes sociales, a través de una estructura de lazos interpersonales directos e íntimos» (p. 20).

La esencia de lo dicho es ineludible, ¿no crees? Uno de los factores significativos del tremendo crecimiento de la iglesia primitiva fue su brillante hincapié, obviamente dirigido por el Espíritu, en la edificación de pequeños grupos de «porche delantero» dentro del movimiento. No fue el único factor, pero, según demuestra la investigación de Stark con los *moonies*, fue un factor muy estratégico.

No es de extrañar que un siglo antes que Stark y Lofland, Elena G. de White llegase a la misma conclusión: «La formación de pequeños grupos como base del esfuerzo cristiano me ha sido presentada por Uno que no puede errar» (*Servicio cristiano*, p. 92).

Resulta que no necesitamos a los *moonies* para concluir que los apegos interpersonales siempre han sido la fuerza y la estrategia de Dios en la edificación de la comunidad en la tierra. Las historias al principio del libro de Hechos y del adventismo primitivo son relatos tejidos con el fuerte hilo de comunidades interpersonales de grupos pequeños. Dado el aislamiento de la vida y la sociedad actuales en cubículos, ¿puedes pensar en un momento más crítico para que tú y yo acojamos el consejo de «Uno que no puede errar»?

■ Este es el mes para renovar tus suscripciones de 2017 (ver página 376).

Un testimonio personal

*«Por eso, anímense y edifíquense
unos a otros, tal como
lo vienen haciendo».*
1 Tesalonicenses 5: 11, NVI

T ERMINEMOS NUESTRAS reflexiones sobre «porches delanteros» y «mutualismo» con el testimonio personal de Rob Thomas que mi amiga Kay Kuzma compartió en su devocional *La buena vida.*˙

«El suicidio de mi madre me destrozó. Mi primera reacción fue de estupor, después de negación, más tarde de enojo: "¿Cómo ha podido hacerme esto?". Luego llegó la culpa: "Por qué no hice yo algo más". Cuestioné el papel de Dios en el sufrimiento de mi madre (ella era maniacodepresiva), y en su decisión de terminar con su vida. Ciegamente, no veía más que dos opciones: 1. Dios no había cumplido su promesa de no dejar que mi madre fuera tentada más allá de lo que ella pudiese soportar (1 Cor. 10: 13). 2. Mamá simplemente erró. O Dios, o mi madre se habían equivocado, y esta conclusión casi destruyó mi relación con Dios.

»Durante dos años realmente luché con mi vida espiritual. En retrospectiva, me parece que fue una combinación de mi vida espiritual más bien estéril antes de la muerte de mamá, su suicidio y las interrogantes que surgieron en mi mente sobre el papel de Dios en nuestras vidas, así como el hecho de asistir a una iglesia grande e impersonal donde no había nadie que me escuchara, me animara y reforzara en mí la verdad de que Dios nos ama y es Satanás el que destruye. Me da vergüenza decir que casi renegué de Dios. Seguí asistiendo a la iglesia, pero en realidad lo hacía por los niños, pues no quería que ellos crecieran sin ir a la iglesia por mi culpa.

»Antes de tomar la decisión final de dejar a Dios, me propuse investigar un poco más. Leí un libro de Philip Yancey, *Where is God When it Hurts?* [¿Dónde está Dios cuando duele?], que realmente me ayudó a ver todo lo bueno que siempre tengo a mi disposición. Comenzamos a asistir a una iglesia con pocos miembros donde participé y encontré amistades que me aceptaron incondicionalmente, también asistía a sesiones de terapia.

»Durante los últimos cinco años he vuelto a renacer espiritualmente. He sido beneficiado por cuatro grupos pequeños, un grupo secular de recuperación y tres grupos espirituales. Mi vida devocional y de oración ha sido más significativa y he participado mucho más en la iglesia. Ha sido maravilloso, ¡algo así como mi propia resurrección espiritual! Me pregunto por qué me llevó tanto tiempo —¡treinta malgastados y dolorosos años!— reconectarme con Dios» (p. 206).

˙ Publicado originalmente como *Cada día más sano*.— N. del E.

■ Este es el mes para renovar tus suscripciones de 2017 (ver página 376).

Réquiem por un hermano caído - 1

*«Al atardecer de aquel primer día de la semana, estando reunidos
los discípulos a puerta cerrada por temor a los judíos, entró Jesús y,
poniéndose en medio de ellos, los saludó. "¡La paz sea con ustedes!".
Dicho esto, les mostró las manos y el costado. Al ver al Señor,
los discípulos se alegraron».* Juan 20: 19, 20, NVI

¡QUIÉN SABE CUÁNTAS barras y candados habrán puesto en aquella puerta del aposento alto los discípulos, presa del pánico! Una cosa es segura: No estaban reunidos para una celebración de adoración por todo lo alto. Las puertas están cerradas «por temor a los judíos». Los once están absolutamente convencidos de que las mismas autoridades que ejecutaron a su Maestro el viernes andan ahora con sabuesos siguiéndoles la pista. Las puertas están cerradas y las contraventanas echadas.

Pero, ¡aleluya!, la gran verdad de la tumba vacía es invencible: ¡Ni todas las cerraduras maestras del mundo pueden impedir la entrada del Maestro! Porque ahí está, de pie en medio de ellos, boquiabiertos, el Muerto ahora resucitado. Y el ambiente se estremece. ¿Cómo reaccionarías tú si alguien que supieras que estaba muerto apareciese de repente a tu lado? «Paz a vosotros». Jesús sonríe con un gesto de las manos que invita a acercarse. Pero nadie se mueve ni respira. Los discípulos están helados. «Miren, ¡soy yo!». Jesús se sube las mangas y echa a un lado su manto, dejando al descubierto las manos, el costado y los pies. A plena vista están las heridas del Calvario, aún feas, con costra. Cuando por fin se abre paso esa gloriosa realidad a través de su estupor y su parálisis, el aposento alto prorrumpe en un gozo de no poder creérselo, en adoración y gratitud. ¡Jesús está vivo!

Pero que esto es algo más que un programa de domingo de noche se pone de manifiesto cuando Jesús pronuncia estas provocadoras palabras: «Reciban el Espíritu Santo. A quienes les perdonen sus pecados, les serán perdonados; a quienes no se los perdonen, no les serán perdonados» (Juan 20: 22, 23, NVI). Demasiado a menudo hemos pasado deprisa estas palabras, dejando que nuestro rechazo protestante de la confesión nos distraiga de la fascinante enseñanza de Cristo. Porque en una sola frase declara el nacimiento de una comunidad de resurrección: una comunidad que resucita y restaura; una comunidad que restaura y perdona. Por eso, en el relato de Juan hay realmente *dos resurrecciones*. Porque hay alguien más en el aposento alto que ya ha experimentado mil muertes. Y, a no ser que también él resucite, la incipiente iglesia que funda Cristo nunca llegará tan siquiera a convertirse en comunidad.

Da que pensar: ¿Podría haber también una resurrección aguardando en tu iglesia?

■ Este es el mes para renovar tus suscripciones de 2017 (ver página 376).

Réquiem por un hermano caído - 2

Como una hora después, otro insistió: "Seguro que este estaba con él.
Además es de Galilea". Pedro dijo: "Hombre, no sé de qué hablas".
En ese mismo momento, mientras Pedro aún estaba hablando,
cantó un gallo. Entonces el Señor se volvió y miró a Pedro, y Pedro
se acordó de que el Señor le había dicho: "Hoy, antes que el gallo cante,
me negarás tres veces". Y salió Pedro de allí y lloró amargamente.
Lucas 22: 59-62, DHH

ME MANTENGO EN CONTACTO con hermanos y hermanas de nuestra comunidad que han caído. Su vergüenza, su estigma, su dolor. Envío cartas personales para felicitar el cumpleaños a mis miembros de iglesia y, esperando mi firma una tarde, había una carta de cumpleaños a un hermano que, humillado tras una caída moral, huyó de nuestra comunidad, casi bajo el manto de la oscuridad. Me avergüenza contarte que, cuando me fijé en su carta, con una dirección de otra población, me pregunté qué debería escribir en la parte inferior. ¿No sería más fácil no escribir nada y poner solo una firma? O quizá ni tan siquiera enviar la carta, porque seguro que simplemente llegaría a la conclusión: «Supongo que ya no figuro en su lista».

Réquiem por un hermano caído. *Requiem*, en latín, significa «descanso». Pero, ¿hay descanso para un hermano caído en nuestra comunidad? «¿Soy yo el guardián de mi hermano?». ¡Qué fácil es expulsarlo! ¡Pero qué difícil resulta perdonar!

Después de todo, Pedro había caído de la forma más pública posible. Aquella noche había machacado el nombre de Jesús como una colilla bajo su talón maldiciente frente a todo el mundo. Bueno, hasta Jesús lo oyó enrarecer el aire con su acervo de obscenidades de buen pescador. No se puede caer más bajo que repudiar públicamente al Salvador con las palabras, la vida, el propio estilo de vida, ¿no crees? «¡No… conozco… a… ese… hombre 💢✳️🌀✖️✳️💢🌀🗯️!».

¿Cuánto habría durado en una comunidad como la nuestra un hermano como Pedro? Que Pedro no tuviese que ir solo de pesca unas semanas después es un brillante testimonio del amor de sus hermanos. «Nos vamos contigo» (Juan 21: 3, NVI). Pero, según ocurre tan a menudo, los que caen moralmente llegan a convertirse en los que fracasan como profesión. Aquella oscura noche en Galilea, Pedro no capturó ni un solo pez. No solo estaba caído, sino que era un fracaso. Y solo los caídos pueden decirte qué se siente cuando recibes ese doble golpe. Pero tú no te des por vencido, Pedro. Porque, allí de pie en las sombras culpables de tu larga noche hay Alguien que está a punto de resucitarte a una vida nueva y radiante. ¡No te des por vencido!

▪ Este es el mes para renovar tus suscripciones de 2017 (ver página 376).

Resurrección de un hermano caído - 1

«Le dijo la tercera vez: "Simón, hijo de Jonás, ¿me quieres?". Pedro se entristeció
de que le dijera por tercera vez: "¿Me quieres?", y le respondió:
"Señor, tú lo sabes todo; tú sabes que te quiero".
Jesús le dijo: "Apacienta mis ovejas. [...]".
Y dicho esto, añadió: "Sígueme"».
Juan 21: 17-19

¡OCURRIÓ TAN APRISA! Ningún pez en toda la noche. La indicación de un desconocido junto a la orilla. Redes de repente a punto de reventar con su captura argéntea. «¡Es Jesús!». Pedro en el agua chapoteando hacia él. Esquifes varados. Pescadores sentados en cuclillas con los ojos abiertos como platos en torno a una hoguera. Desayuno con el Resucitado, el cual interroga a Pedro delante de los demás —con dulzura, pero de forma penetrante—: «¿Me quieres?». Tres interrogatorios públicos en correspondencia con las tres negaciones públicas de Pedro. Y, en respuesta, un joven acongojado confiesa —en voz baja, contrito— «Tú sabes que te quiero». Entonces, ante los ojos de los propios discípulos, con la impresionante velocidad de lo divino, la misericordia triunfa sobre el juicio. El Salvador declara completa la resurrección de Simón Pedro, y el caído es restaurado. ¡Ocurrió tan aprisa!

¿Qué tienen que atravesar un hombre *caído* o una mujer *perdida* para ser resucitados y restaurados en una comunidad como la nuestra? ¿Y cuánto tiempo permanecen caídos? Con esto quiero decir cuánto tiempo permanece unido a su recuerdo el adjetivo «caído». No estoy pensando en los archivos de Dios; me pregunta por los nuestros. Además, estas personas caídas, ¿siguen siendo hermanos nuestros entretanto, durante su situación caída? Dirás: «Bueno, eso depende de si de verdad quieren arrepentirse de su fallo moral». ¿De veras? ¿Llega un momento en que ya no soy el guardián de mi hermano? «Pero, ¿qué estás sugiriendo? ¿Que en realidad no importa que se arrepientan de su pecaminosa y vergonzosa caída pública?». No sugiero eso en absoluto. De hecho, ni siquiera pienso en *su* respuesta ahora mismo. Me pregunto por *la nuestra*. ¿Cuándo deja de estar unido a su recuerdo —o sea, a *nuestro* recuerdo de ellos— el adjetivo «caído»?

¿Podría ser que la razón por la que somos tan duros con los caídos es que nos recuerdan a nosotros mismos? ¿Y así fingimos piedad en nosotros mismos y exigimos piedad de los demás para que nadie descubra al pecador que llevamos dentro? Dietrich Bonhoeffer observó sagazmente: «El grupo de santurrones no permite que nadie sea un pecador» (*Life Together,* p 110). Es trágico, pero precisamente por ese mismo fingimiento yugulamos sin querer cualquier posible comunidad. Porque, ¿cómo puedo acercarme a ti si no quiero dejarte que te aproximes? Quizá no solo los «caídos» necesiten la resurrección de Jesús.

■ Este es el mes para renovar tus suscripciones de 2017 (ver página 376).

Resurrección de un hermano caído - 2

«Yo soy el que por amor a mí mismo
borra tus transgresiones
y no se acuerda más
de tus pecados».
Isaías 43: 25, NVI

UNA MUJER ESTABA TENIENDO visiones de Jesús. Cuando las autoridades de la iglesia se enteraron de sus alegaciones, nombraron a un obispo para que examinase tanto a la mujer como sus revelaciones. Brennan Manning cuenta la historia. «"¿Es cierto, señora, que tiene usted visiones de Jesús?", preguntó el clérigo. "Sí", contestó la mujer simplemente. "Bueno, la próxima vez que tenga usted una visión, quiero que le pida a Jesús que le diga los pecados que he confesado […]". La mujer quedó estupefacta. "[…] ¿De verdad quiere que pida a Jesús que me cuente los pecados que usted cometió en el pasado?". "Exactamente. Por favor, llámeme si pasa algo". Diez días después la mujer avisó a su dirigente espiritual […]. "Por favor, venga", dijo ella […]. "¿Hizo usted lo que pedí?". "Sí, obispo […]". El obispo se inclinó hacia delante con expectación. Sus ojos se entrecerraron. "¿Qué dijo Jesús?". Ella le tomó la mano y miró fijamente a los ojos con profundidad. "Obispo", dijo ella, "estas son las palabras exactas de Jesús: NO PUEDO ACORDARME"» (*The Ragamuffin Gospel*, pp. 116, 117).

¿Apócrifo? Quizá. ¿Verdadero? Desde luego. Porque hace un siglo se escribieron estas palabras: «Si te entregas a [Jesús] y lo aceptas como tu Salvador, por pecaminosa que haya sido tu vida, gracias a él serás contado entre los justos […] y eres aceptado por Dios *como si no hubieras pecado*» (*El camino a Cristo,* cap. 7, p. 94; la cursiva es nuestra).

«Yo soy el que […] no se acuerda más de tus pecados». Así habla Dios. Así habla la gracia. Y así debemos hablar y actuar si queremos experimentar una comunidad genuina. Porque, verás, una comunidad exenta de gracia es un oxímoron. Porque no es comunidad en absoluto. Un «grupo de santurrones», quizá, pero no es una comunidad, una comunidad genuina. Porque solo la gracia puede resucitar a la comunidad.

Y por eso los elegidos debemos continuar volviendo al pie de la cruz. Porque la verdad sobre la gracia es que nunca te la extenderé a ti, caído como estás, hasta que yo la experimente en mí, caído como estoy. La cruz siempre precede a la resurrección. No puedo resucitarte a ti hasta que la gracia me haya restaurado a mí. «Pedro, ¿me quieres?». «Señor, tú sabes que te quiero». «Bien, ahora ve y quiere a los caídos para que vuelvan a mí».

Y volverán a él cuando tú y yo les extendamos el perdón que ya nos ha extendido. «No puedo acordarme». Excelente noticia, porque cuando nos decimos lo mismo mutuamente, resucitamos a nuestro hermano, restauramos a nuestra hermana y ¡reanimamos nuestra comunidad!

■ Este es el mes para renovar tus suscripciones de 2017 (ver página 376).

Los buenos tiempos de antaño

«En la fe murieron todos estos sin haber recibido
lo prometido, sino mirándolo de lejos, creyéndolo
y saludándolo, y confesando que eran extranjeros
y peregrinos sobre la tierra». Hebreos 11: 13

¿NO TE GUSTARÍA QUE viviésemos en «los buenos tiempos de antaño», cuando los padres eran amantes, los hijos obedientes y las familias felices? ¿Qué te parece si hacemos un inventario de los hogares modélicos entre las grandes «primeras familias» de la historia sagrada? Para ayudarnos a descubrir las familias modelo, démosles calificaciones en forma de letra: A para modélica/ideal, C para promedio y F para suspenso. Allá vamos.

Adán y Eva. Todos queremos darles una A por ser nuestros valientes progenitores, pero ni siquiera un hogar perfecto puede impedirte que metas la pata, ¿verdad? C. ¿Qué tal *Caín y Abel*? Eso sería una enorme F: ahí no había armonía entre hermanos. ¿Y las familias anteriores al diluvio? Caín huyó de casa, Lamec introdujo la poligamia, a Enoc le fue bien, pero los matrimonios mixtos de los linajes de los fieles y los rebeldes causó el desmoronamiento de la sociedad: C o F o un valor intermedio para todo su árbol genealógico. *Noé, su señora* y sus chicos. Un final vergonzoso para la familia, pero seamos generosos: C (vale, vale: B⁺).

Abraham y Sara. Una pareja feliz sin hijos, pero mintieron a sus vecinos para mantener contento al maridito. Después, la debacle de Agar fue una auténtica chapuza, ¿no crees? Un esposo y padre, dos esposas y madres y un par de hermanastros malcriados. Una nota benévola habría sido C, ¿no? ¿Fueron *Isaac y Rebeca* mejores? Parecían felices, ciertamente, aunque tampoco tenían descendencia, y también eran mentirosos. Y echaron a perder el don divino de los gemelos Esaú y Jacob eligiendo favoritos. A partir de ahí todo fue cuesta abajo. ¿Las calificaciones? C para los padres y una F para la rivalidad entre hermanos. ¿Fue mejor el caso de *Jacob* y sus esposas hermanas *Lea y Raquel*, dos concubinas y doce hijos varones, uno de los cuales se acostó con una de las esposas de Jacob y diez de los cuales exacerbaron el conflicto intestino hasta profundidades vergonzosas al vender a su medio hermano como esclavo? ¿La nota para Jacob y compañía? F⁻. Solo he podido encontrar un matrimonio sin tacha: *José y Asenat*. ¡Démosles una A!

¿«Los buenos tiempos de antaño»?. ¡Estarás de broma! La comunidad de los elegidos estuvo en una situación de debacle familiar desde el comienzo. ¡Si la desgracia compartida es menos sentida, deberíamos estar todos felices! Porque es una buena noticia: el Dios de los elegidos nos toma tal como somos —disfuncionales, vulnerables y débiles— y nos ama a pesar de todo y sigue guiándonos, y a nuestras familias deshechas, hasta que alcancemos la tierra prometida.

---

* El sistema de calificación escolar norteamericano usa letras de A a F. Para aprobar, hay que obtener como mínimo D. E y F denotan *deficiente* y *muy deficiente*, respectivamente. Una letra acompañada de los signos más (+) o menos (–) indica un nivel superior o inferior dentro de esa calificación.

El talón de Aquiles del hogar promedio

«Yo os envío al profeta Elías antes que venga el día de Jehová, grande y terrible.
Él hará volver el corazón de los padres hacia los hijos, y el corazón de los hijos
hacia los padres, no sea que yo venga y castigue la tierra con maldición.
Malaquías 4: 5, 6

HUBO UNA FAMILIA que se quedó fuera de nuestra reseña de ayer de las «primeras familias». Y aunque podría sonar sacrílego aun sugerirlo, la familia en la que creció nuestro Señor precisa ser sometida al mismo escrutinio que dimos a las demás. ¿Qué calificación en forma de letra darías a Jesús y su madre, María; a su padrastro, José; y a sus hermanastros y hermanastras? Después de todo, ¿no se consideraría que eran la «primera familia» suprema?

Tras el inicio de su ministerio, cuando Jesús volvió a Nazaret, población en la que había residido, los vecinos cuchicheaban entre sí: «¿No es este el carpintero, hijo de María, hermano de Jacobo, de José, de Judas y de Simón? ¿No están también aquí con nosotros sus hermanas?» (Mar. 6: 3). ¿Eran estos los hijos y las hijas de José y María? Podríamos concluir que sí, si no fuera por el hecho de que, cuando agonizaba, Jesús encomendó el cuidado de su madre a Juan, su discípulo más cercano (ver Juan 19: 26, 27). Si María hubiera tenido otros hijos, no habría habido necesidad alguna de tomar medidas para que fuera atendida con cariño. Así que podemos concluir por el relato del Evangelio que José tuvo hijos de un matrimonio anterior antes de que él, viudo de más edad, y su joven prometida se unieran en santo matrimonio.

Entonces, ¿cómo eran las cosas en el hogar de la niñez de nuestro Señor? ¿Padres amantes? Sí. ¿Hermanos felices? Quizá no. La forma altanera y mandona en que los hermanastros mayores de Jesús lo trataron de adulto es una clave tremendamente significativa de cómo deben de haberlo tratado de muchacho (ver Juan 7: 3-5; Mar. 3: 31-35). «Sus hermanos sentían que la influencia de [Jesús] contrarrestaba fuertemente la suya. Poseía un tacto que ninguno de ellos tenía ni deseaba tener. [...] Siendo mayores que Jesús, les parecía que él debía estar sometido a sus dictados. [...] Con frecuencia le amenazaban y trataban de intimidarle [...]. [... E]llos sentían celos de él y manifestaban la incredulidad y el desprecio más decididos» (*El Deseado de todas las gentes,* cap. 9, pp. 69, 70).

¡Asombroso! A Dios le tocó elegir a su propia familia, y la familia que eligió tenía un talón de Aquiles como la nuestra: era vulnerable y débil en la médula de la más sagrada y contractual de todas las relaciones. Así que, si Dios los eligió a ellos, sin duda puede elegirnos también a nosotros. ¿Para ser infelices por siempre? No. Dios sueña con sanar a nuestras familias aquí aun antes de que nos unamos a su familia de lo alto (Mal. 4: 6).

■ Este es el mes para renovar tus suscripciones de 2017 (ver página 376).

Las necesidades de él y las de ella - 1

*«El amor es sufrido, es benigno; el amor no tiene envidia;
el amor no es jactancioso, no se envanece,
no hace nada indebido, no busca lo suyo,
no se irrita, no guarda rencor».*
1 Corintios 13: 4, 5

UNA VEZ KAREN Y YO decidimos predicar un sermón juntos, al final de una serie dedicada a la vida conyugal. Todo predicador sabe que su cónyuge toma apuntes cuando el tema es el matrimonio. Alguien me envió una viñeta de un pastor y su esposa volviendo a casa después del oficio religioso en la iglesia, subidos en su automóvil. Ella está mirando garbosamente por la ventana, con el brazo apoyado sobre el asiento del automóvil, una imagen de despreocupación. Él está agarrado al volante, con la corbata aflojada, mirando al frente con enfado, con consternación en todo su semblante. Habla él: «¿Te has parado a pensar cuánto más efectivo habría sido mi sermón si no hubieses gritado "¡Ja!"?». Por eso sabía yo que teníamos que predicar aquel sermón juntos. Compartimos cinco secretos sacados de un libro que ha sido una inmensa bendición para nosotros: *His Needs, Her Needs: Building an Affair-proof Marriage* [Las necesidades de él y las de ella: Construyendo un matrimonio a prueba de líos amorosos], de Willard F. Harley, Jr. Considera tú mismo estas cinco necesidades prioritarias en la comunidad del matrimonio.

✓ Harley identifica la *necesidad número uno de una esposa: el afecto.* «Cuando un esposo muestra afecto a su esposa, le envía los siguientes mensajes: Te cuidaré y te protegeré. Eres importante para mí, y no quiero que te pase nada. Me preocupan los problemas a los que te enfrentas, y estoy contigo. Creo que has hecho un buen trabajo y estoy orgulloso de ti» (p. 33). He leído que la relación mutua de una pareja los primeros cuatro minutos de la mañana y de la noche marcan la agenda de todo su tiempo juntos.

✓ La *necesidad número uno de un esposo,* según Harley: *la satisfacción sexual.* No es ninguna sorpresa: los hombres somos criaturas sexuales. ¡Lee el Pentateuco! «Cuando un hombre escoge a una esposa, promete serle fiel de por vida. Esto significa que él cree que su esposa será su única pareja sexual "hasta que la muerte nos separe". Él adquiere este compromiso porque confía en que ella esté interesada sexualmente en él como él lo está en ella» (p. 43).

✓ Basándose en años de atención a parejas, Harley identifica las *necesidades número dos* como *la conversación* para la esposa y *la compañía recreativa* para el esposo. Hablar y jugar el uno con el otro. Así nos cortejamos, así nos conservamos el uno al otro. No hay que ser de la NASA para entender estas listas de Harley. Es el amor ataviado en ropa de andar por casa, celebrando el don divino de tu amiga más íntima.

■ Este es el mes para renovar tus suscripciones de 2017 (ver página 376).

Las necesidades de él y las de ella - 2

«[El amor] no guarda rencor; no se goza de la injusticia,
sino que se goza de la verdad. Todo lo sufre, todo lo cree,
todo lo espera, todo lo soporta. El amor
nunca deja de ser». 1 Corintios 13: 5-8

CON UN CUARTO DE SIGLO como consejero matrimonial a la espalda, Willard Harley afirma que la *necesidad número tres* que ha oído mencionada con más asiduidad por parte de las *esposas* es *la sinceridad y la franqueza.* Harley dice a los esposos: «Tu compañera debería conocerte mejor que cualquier otra persona del mundo». Sin embargo, a no ser que abramos nuestro corazón, señores, ella nunca nos conocerá. «Una percepción de seguridad es el brillante hilo de oro entretejido en las cinco necesidades básicas de una mujer. Si un esposo no mantiene una comunicación sincera y abierta con su esposa, socava la confianza y acaba destruyendo la seguridad de ella» (p. 91).

¿La *necesidad número tres para los maridos*? *Una esposa atractiva.* Eso «simplemente quiere decir que tu aspecto hace que alguien se sienta bien». Obviamente, la belleza es algo más hondo que la piel, pero la atracción física es, a menudo, lo que prendió la primera llama. Y aunque los maridos tienen necesidades emocionales más importantes que su necesidad de una esposa atractiva, Harley da este consejo: «Ella debería parecer a la mujer con la que él se casó» (p. 108). La *necesidad número cuatro de ella* es la *seguridad económica*, y la *de él el apoyo en el hogar.* En la economía de hoy la mayoría de los hogares necesitan dos sueldos, pero Harley sugiere que las esposas prefieren que el presupuesto familiar se base únicamente en el sueldo del marido. Ella puede decidir trabajar, o tener que hacerlo, pero recurre a su esposo en busca de seguridad económica, mientras que, para él, es una fuente de seguridad que ella sea la administradora doméstica de su vida, su familia, su casa y su hogar. Está claro que los matrimonios más resistentes y felices son una asociación abrazada por ambos en todos los frentes que comparten.

La *necesidad número cinco de la esposa: el compromiso familiar.* Es la *novena ley de Harley* sobre el matrimonio: *el mejor esposo es un buen padre.* Hacer las cosas juntos: las comidas, el culto, la iglesia, las salidas, los paseos en bicicleta, la playa, los juegos de mesa, los eventos deportivos, los cuentos para antes de dormir los niños, los proyectos de la familia, etcétera. La cantidad saca una ligera ventaja a la calidad en este frente. ¡Hay que pasar tiempo juntos! ¿Y la *necesidad número cinco del esposo? La admiración.* «Las biografías de los grandes hombres lo demuestran, y las vidas de todos los hombres lo manifiestan: Un hombre sencillamente se crece ante la admiración de una mujer» (p. 158). ¿Por qué hacerle una crítica demoledora en público o en privado? Tu esposo llega a ser lo que tú, mujer, hagas de él. «Como yo os he amado, que también os améis unos a otros» (Juan 13: 34). Cuando un hombre y una mujer prometen amarse tal como Dios los ha amado, ¡tenemos los ingredientes de una historia de amor que durará por siempre!

■ Este es el mes para renovar tus suscripciones de 2017 (ver página 376).

«Sexo en la ciudad» y en el campo, y en otros lugares virtuales

«José tenía muy buen físico y era muy atractivo. Después de algún tiempo, la esposa de su patrón empezó a echarle el ojo y le propuso: "Acuéstate conmigo"». Génesis 39: 6, 7, NVI.

MALCOLM MUGGERIDGE, célebre periodista inglés, escribió en una ocasión: «Hoy la gente tiene el sexo en la mente, lo cual, si uno se pone a pensarlo, es un lugar extraño para tener el sexo». Pero la cultura de hoy está saturada por completo de él. Estados Unidos tiene el sexo en la cabeza de los medios de comunicación las veinticuatro horas del día. En la ciudad, en el campo, en el espacio exterior, en el ciberespacio, el sexo está casi en todas partes.

Está incluso en la Biblia. Nuestro texto de hoy está tomado de uno de los mayores relatos sobre el sexo en toda la Sagrada Escritura. Todo el mundo conoce la historia de José y el intento de seducción por parte de la esposa de Potifar del viril joven esclavo al servicio de su marido. No creas que sus perfumadas insinuaciones amorosas no fueron una tentación para José. Podrían haber sido su billete para la libertad. Pero recuerda que «Acuéstate conmigo» siempre requiere dos revolcones: *revolcarte* con ella y luego *revolcar* en el suelo la verdad ocultando el asunto.

La respuesta de José es la línea más crítica de la trama y la línea más importante que hay que memorizar en la batalla de uno contra la tentación sexual: «¿Cómo podría yo cometer tal maldad y pecar así contra Dios?» (vers. 9, NVI). No contra Potifar, no contra ella, ni siquiera contra sí mismo: el pecado de la tentación sexual es siempre contra Dios.

Pasa igual con la pornografía, la mayor homicida moral del mundo actual. Esta asesina que no discrimina a nadie hace presa de hombres y mujeres de todo tipo. Su insidiosa accesibilidad telemática, su anonimato y su asequibilidad («las tres aes del cibersexo») no admiten supervivientes. ¡He oído a hombres adultos llorar por la intensidad su adicción sexual! ¿Qué puede evitarle a uno la misma angustia? La contestación se encuentra en las respuestas radicalmente opuestas de José y David a la misma tentación sexual: José *huyó*, David *se regodeó en ello*. Y en eso estriba la fatal diferencia. Mata el «ratón», cierra la computadora, apaga el DVD, bájate del automóvil, sal de la oficina, quítate del teléfono, tira la revista. ¡Y echa a correr! Huye como si tu vida dependiera de ello, porque depende. «Invócame en el día de la angustia; te libraré y tú me honrarás» (Sal. 50: 15). Hay un Dios que puede librarte de la tentación, de la adicción. Habiendo resistido la batalla sexual cuando estuvo aquí, Cristo promete que tú puedes ser verdaderamente libre (Juan 8: 36). ¿Demasiado tarde para ti? ¡No lo es! «¡Crea en mí, Dios, un corazón limpio, y renueva un espíritu recto dentro de mí!» (Sal. 51: 10). «Lávame y seré más blanco que la nieve» (vers. 7). Gracias al Calvario, como David, puedes llegar a ser una nueva criatura, nuevamente limpia y pura.

■ Este es el mes para renovar tus suscripciones de 2017 (ver página 376).

¿Cómo reparar un corazón roto?

«Ten piedad de mí, Dios, conforme a tu misericordia;
conforme a la multitud de tus piedades borra
mis rebeliones. ¡Lávame más y más de mi maldad
y límpiame de mi pecado!». Salmo. 51: 1, 2

LA NOTA ESTABA DEBAJO de mi limpiaparabrisas después del oficio religioso en la iglesia. *Gracias por su sermón sobre la elección de la pareja. Mi marido y yo estaremos en el tribunal de pleitos matrimoniales el lunes para divorciarnos. Tuve una aventura hace dos años y parece que nunca hemos podido superarlo.*

Lewis Smedes escribió: «El poder más creativo dado al espíritu humano es el poder de curar las heridas de un pasado que no puede cambiar» (*The Art of Forgiving*, p. 176). ¿Pueden ser reparados un corazón, un hogar? ¿Pueden salvarse una familia, una comunidad? Meditemos un momento sobre el perdón.

El perdón, ciertamente, es posible. El adulterio no es tanto causa de divorcio como causa de perdón. La Biblia no ofrece ningún catálogo de los pecados más fáciles de perdonar. Simplemente nos garantiza que Dios perdona el pecado y que los amigos de Dios podemos hacer lo mismo.

El perdón, de hecho, es necesario. «Cuando perdonamos, liberamos a un prisionero y descubrimos que el prisionero al que liberamos somos nosotros» (p. 178). Si me aferro a mi herida emocional y a mi dolor, no te castigo a ti: me castigo a mí.

El perdón, en realidad, es difícil. Cuando has sido herido tan profundamente y anhelas venganza o retribución, en el mejor de los casos, no es fácil pasar página.

El perdón es una elección. Y nadie salvo tú, ni siquiera Dios, puede adoptar esa elección. Es la elección de dejar al que te hirió al cuidado y al amor de Dios. Puede que precises quedarte sola en tu casa y repetirte en voz alta: «Lo perdono, lo perdono, lo perdono». Es una elección de la voluntad, pero los sentimientos acabarán viniendo.

El perdón no es olvidar. Smedes lo expresa así: «Una memoria sanada no es una memoria borrada». ¡Por supuesto que recordarás el hecho! Pero «perdonar lo que no podemos olvidar crea una nueva forma de recordar. Transformamos el recuerdo de nuestro pasado en una esperanza para nuestro futuro» (p. 171).

El perdón se ofrece. La oración pronunciada en medio de la cruz fue para todos nosotros. «Padre, perdónalos, porque no saben lo que hacen» (Luc. 23: 34) es una oración ofrecida a todos, para que también nosotros pudiéramos pronunciarla y ofrecerla. Cristo nos dio el perdón, pleno, gratuito y para siempre. Y debemos transmitirlo. «De gracia recibisteis, dad de gracia» (Mat. 10: 8). Porque, ¿cómo, si no, repararemos un corazón desgarrado?

▓ Este es el mes para renovar tus suscripciones de 2017 (ver página 376).

La esposa del granjero

«Yo lo he elegido para que instruya a sus hijos y a su familia, a fin de que se mantengan
en el camino del Señor y pongan en práctica lo que es justo y recto.
Así el Señor cumplirá lo que le ha prometido.
Génesis 18: 19, NVI

¿NO CREES QUE QUEDÓ anotado en el libro de su memoria como el día más inolvidable de su vida? Abraham y Sara no solo, «sin saberlo, hospedaron ángeles» (Heb. 13: 2), sino que ¡hospedaron al mismísimo Dios! Había comenzado simplemente como un acto de hospitalidad al estilo del Oriente Próximo: tres desconocidos cubiertos de mantos que iban de camino; seguido por la insistencia de Abraham para que se detuviesen bajo su árbol para tomar un refrigerio y descansar un poco. Y en mitad de aquella cena de requesón y ternera, el Jefe de los tres ¡anunció que aquellos padres centenarios iban a tener un hijo! Ya conoces el relato. Sara contuvo la risa. Dios la oyó. Ella lo negó. Dios se permitió disentir. Y, acabada la cena, los tres desconocidos se marcharon.

Pero no antes de que el Jefe anunciara por qué había sido elegida la pareja. Sus palabras en nuestro texto son un impresionante pronunciamiento de que los elegidos lo somos *para que podamos desarrollar la comunidad de Dios en la tierra*, entre nuestros hijos, entre nosotros mismos, entre la familia de Dios. Tan poderoso es su emplazamiento para que desarrollemos la comunidad que nuestra aceptación de su llamamiento y nuestro compromiso con su comunidad deben seguir siendo constantes (según describe el resto del Génesis), no solo cuando nos sentimos familia en el hogar o en la iglesia, sino también cuando no.

Se nos llama a estar en la familia de Dios de por vida, según presenta de forma conmovedora este episodio, contado por Fred Smith, autor cristiano y director de empresa: «Uno de mis recuerdos más entrañables se remonta a una tienda de Grand Saline, Texas, que vendía rosquillas. Había una joven pareja de granjeros. Él llevaba puesto un mono y ella un vestido de algodón a cuadros. Tras terminar sus rosquillas, él se puso de pie para pagar la cuenta, y me fijé en que ella no se levantó para seguirlo. Pero luego él volvió y se quedó de pie delante de ella. Ella le puso los brazos alrededor del cuello, y él la levantó, revelando que ella llevaba puesto un corsé de cuerpo entero. La levantó de la silla y salió de espaldas a la puerta delantera hasta llegar a la camioneta con ella colgada del cuello de él. Mientras la metió con delicadeza en el vehículo, todos los que estábamos en la tienda mirábamos. Nadie dijo nada hasta que una camarera comentó, casi con reverencia: "Pronunció sus votos en serio"».

Y los elegidos también debemos hacerlo.

■ Este es el mes para renovar tus suscripciones de 2017 (ver página 376).

El código «davídico» - 1

«¡Cuánto amo yo tu ley!
¡Todo el día es ella
mi meditación!».
Salmo 119: 97

¿ME DEJAS QUE PROYECTE tres fotos sobre la pantalla de tu mente un momento? Dos no serán difíciles de imaginar, pero me pregunto cuál foto será la tercera.

Foto 1: ves un aula llena de niños musulmanes, arrodillados sobre esterillas, con su ropa protegiéndoles las rodillas dobladas. Es una *madraza,* escuela islámica conservadora que adoctrina a sus jóvenes. Todos los chicos leen el Corán, libro sagrado de su religión, y su cabeza cubierta se inclina hacia delante y hacia atrás al ritmo de su memoria y su recitación mecánicas.

Foto 2: un desconsolado rabino de barba rizada es rodeado por soldados mientras lo sacan por la fuerza de su sinagoga en un asentamiento judío en la Franja de Gaza. Deportado ahora de ese territorio palestino ocupado, ¿qué lleva el rabino con tanta ternura en los brazos? Fíjate con atención. Son los rollos sagrados del libro más santo del judaísmo: la antigua colección de la Torá, los Profetas y los Escritos. Los congregantes protestan mientras el rabino y su libro sagrado son llevados bajo escolta.

Fotos de las tres grandes religiones monoteístas de la tierra. ¿Qué proyectaremos en la pantalla de nuestra mente para el cristianismo? ¿Qué consideración tienen los cristianos hacia su Libro Sagrado? Quedé pasmado con los resultados de una encuesta que leí en el sentido de que aunque los estadounidenses, en su mayoría, se consideran cristianos, apenas la mitad afirmaron tomar sus decisiones morales en función de normas o principios concretos. Y de estos ¡solo tres de cada diez mencionaban la Biblia como fuente de sus principios!

¿Sería la *foto 3* una imagen en la que apareciéramos tú y yo portando nuestra Biblia bajo el brazo al culto cada sábado? Me gustaría pensar que sí. Pero un sábado situamos Conquistadores en cada entrada a nuestro santuario para contar cuántos adoradores llegaban sin sus Biblias. Olvidando los números, baste decir que una foto de grupo en la que estuviéramos tú y yo en el culto no sería precisamente un retrato de nuestro Libro Sagrado en el centro ni en primer plano.

Entonces, ¿puede cambiarse la *foto 3*? Creo que sí. El Salmo 119, el capítulo más largo de la Biblia, puede ser denominado con acierto «Oda a la Palabra de Dios». Se trata de un poema acróstico: sus 22 estrofas comienzas con letras sucesivas del alefato hebreo, y cada versículo contiene «ley» o «palabra» o uno de sus sinónimos. El Salmo 119 es el apasionado canto de amor de David por la Palabra de Dios.

¿Un canto de amor por nuestro Libro Sagrado? Bueno, ¿por qué no? Después de todo, dada la vida actual, ¿no deberíamos los elegidos ser tan apasionados por su Libro Sagrado como otras religiones? Lee, simplemente, el Salmo 119.

El código «davídico» - 2

«Lámpara es a mis pies tu palabra
y lumbrera a mi camino».
Salmo 119: 105

TODO EL MUNDO ha oído hablar de *El código Da Vinci*, ese superventas desbocado que, en aras del entretenimiento y la ganancia, dio gato por liebre con una ficción histriónica no demostrada. Pero hace muchísimo tiempo que muchos no prestan gran atención al código «davídico» del Salmo 119, el poema y capítulo más largo de las Escrituras, un indómito canto de amor a la Palabra de Dios. Pero, ¿te gustaría saber qué distingue a nuestro Libro Sagrado de otros libros sagrados del mundo?

La Biblia desbanca a todos los demás libros sagrados. He entresacado tres pruebas fundamentales de esto del libro de James MacDonald *God Wrote a Book*. **Prueba 1, externa.** La Biblia es excelsa como literatura y está muy por encima de todas las demás obras literarias humanas de toda la historia. Es preeminente en circulación, habiendo sido leída por más personas en más idiomas que ningún otro libro de la historia. (Ahora está traducida a cuatrocientos idiomas, con porciones en dos mil quinientas lenguas. Recientemente la organización Gedeones Internacionales venía entregando una media de un millón de Biblias por semana, o ¡113 ejemplares por minuto!). La Biblia es preeminente en influencia. Se han escrito más libros sobre la Biblia que sobre ningún otro tema, y más autores han citado de la Biblia que de ninguna otra fuente.

La evidencia externa adicional incluye la conservación de la Biblia. Ha habido gente que ha dedicado su vida a destruir la Palabra de Dios. Ningún otro libro ha sido tan quemado, prohibido o proscrito como la Biblia. Voltaire, famoso incrédulo francés, predijo que el cristianismo quedaría destruido en menos de un siglo tras terminar su propia vida, y que la Biblia solo podría hallarse en un museo. Hoy se puede encontrar a Voltaire solo en un museo y la Biblia sigue siendo el libro que con mayor rapidez se vende en el mundo.

Algunos alegan que el Libro, sencillamente, es demasiado viejo como para ser fiable. ¿De verdad? Hoy tenemos más de cinco mil seiscientos manuscritos antiguos del Nuevo Testamento en griego, diez mil manuscritos latinos y nueve mil trescientas versiones antiguas: un total de casi veinticinco mil manuscritos antiguos de la Biblia. El documento siguiente copiado con más frecuencia es la *Ilíada* de Homero, con 643 manuscritos. ¡La Biblia supera a Homero en casi cuarenta veces! ¿Quieres pruebas arqueológicas de la veracidad de la Biblia? Simplemente vete a la red mundial e introduce en Google las palabras «Biblia» y «arqueología».

Cuando David dice en su canto que la Palabra de Dios es como una fulgurante lumbrera que alumbra en la oscuridad, no está ensalzando una obra de ficción. La evidencia es, sencillamente, demasiado irresistible. Por ello, ¡que entre la luz!

El código «davídico» - 3

«La exposición de tus palabras alumbra;
hace entender a los sencillos».
Salmo 119: 130

HABIENDO EXAMINADO la evidencia externa que corrobora la veracidad de la Sagrada Escritura, considera, ahora, la **prueba 2, interna.** La Biblia es una colección de cuarenta autores que escribieron en el transcurso de un período de mil quinientos años. Y, según observa James MacDonald, escribieron sobre los dos asuntos en los que nadie coincide: ¡religión y política! Y, no obstante, la Palabra de Dios es la obra de mayor coherencia interna de todos los escritos humanos acumulados a lo largo de la historia. ¿Cómo podemos explicarlo? Dios escribió el libro. No, no lo redactó ni lo dictó. Eso lo hicieron seres humanos, y por eso, como cuatro testigos de un solo accidente automovilístico, contamos como relatos que varían. Pero la única explicación de la irresistible coherencia interna de la Biblia en cuanto a la moralidad humana y la verdad divina es su autoría o inspiración divina.

Fíjate, por ejemplo, en las profecías cumplidas. Hay 61 profecías fundamentales relativas a la vida de Jesucristo escritas siglos antes de su nacimiento. MacDonald señala que los matemáticos dedicados a la estadística nos dicen que la probabilidad de que se cumplan solo ocho de esas profecías es 10^{-17} (uno de 100,000,000,000,000,000 de intentos). Esa es la misma probabilidad de que, cubriendo el Estado de Texas con dólares de plata hasta una profundidad de 60 cm y luego poniéndote una venda en los ojos y diciéndote que te adentres entre esas monedas repartidas por toda Texas, ¡des con el único dólar de plata que tenga un punto rojo! Y, pese a todo, no se cumplieron ocho, sino las 61 profecías relativas a Jesús.

Pero, más allá de la evidencia externa y la interna, también está la **prueba 3, experiencial.** Como pastor debo testificar que en los años de mi ministerio he presenciado los efectos profundos y sobrenaturales que ha tenido sobre los feligreses oír y leer las Sagradas Escrituras. He visto a hombres morir en paz gracias a este Libro. He visto a mujeres sobrellevar con paz un infierno gracias a este Libro. He sido testigo de la liberación, gracias a este Libro, de jóvenes adultos de hábitos que encadenan la vida y causan adicción en el cuerpo. He escuchado a niños cantar de este Libro, y los he visto crecer y convertirse en poderosos defensores de la fe de Jesucristo por este Libro. Y personalmente he descubierto el poder sobrenatural de una amistad personal con el Autor de este Libro. Y por eso, como esos niños, sigo cantando: «La B-I-B-L-I-A, sí, ese es el libro para mí; dependo solo de la Palabra de Dios, ¡la B-I-B-L-I-A!».

Enfrentamiento en el desierto - 1

*«En mi corazón he guardado tus dichos,
para no pecar contra ti».*
Salmo 119: 11

TRÁGICAMENTE, el Próximo Oriente viene siendo el semillero de arenas ardientes de algunos de los mayores conflictos y enfrentamientos del mundo. Pero nunca ha habido un enfrentamiento en el desierto como el que estamos a punto de presenciar.

La figura solitaria se mueve en la luz cegadora del sol del desierto. Extendido ante él, bajo el fuego abrasador, hay un gran trecho de tierra cuarteada y arrugada. Pardo y estéril, no ofrece para su solaz ni un solo árbol ni una hoja solitaria. La solitaria figura avanza con dificultad, con los labios cuarteados y resecos, con los ojos enrojecidos y cansados, con la cara quemada por el sol y batida por el viento. Y aquí no hay nada con lo que apagar su sed polvorienta, nada con lo que saciar el hambre que lo carcome. Así que se da la vuelta. Vuelve a la sombra sofocante del promontorio rocoso de aquella ladera, al sitio en el que ha estado orando estas casi seis semanas sin alimentos. Hace cuarenta días, los cielos habían sido rasgados con un rayo de luz y el eco de una Voz que declaró que el empapado candidato bautismal era el amado Hijo de Dios. Ahora la voz de Dios no parece más que el espejismo de un recuerdo lejano cuando el Hombre solitario sufre solo en el fuego del desierto.

De repente, otra voz rompe la calma caliente y opresiva. El Hombre gira sobre sí para dar la cara al intruso. ¡Qué comedia de contrastes es el retrato de estos dos seres! Uno con el rostro demacrado y ojeroso, con los ojos hundidos, con los pómulos saltones como una foto en blanco y negó del Holocausto. Pero el otro rostro —terso, limpio, noble, orgulloso— como si estuviese bañado en un resplandor celestial. Antagonistas, ambos están inmersos en una guerra que sigue siendo galáctica. El ángel impostor, que es el rebelde caído, es el primero en hablar: «Si eres el Hijo de Dios, ordena a estas piedras que se conviertan en pan» (Mat. 4: 3, NVI).

El Demacrado se pasa lentamente la lengua seca sobre los labios salados y cuarteados. Lo cierto es que no solo tenía el poder divino *al alcance de* su mano —tenía el poder divino *en* su mano—, porque es Dios hecho carne, y con una sola orden podría, ciertamente, convertir aquel suelo rocoso en una panadería. Pero respondió y dijo: «Escrito está…» (vers. 4).

Tres veces el enemigo del cielo y de la humanidad bombardeará al debilitado Salvador en el suelo de ese desierto. Y tres veces con solo dos palabras Jesús lo hará retroceder. «Escrito está».

Pero, ¿cómo saber que está escrito en la Palabra si no se memoriza en el corazón?

Enfrentamiento en el desierto - 2

«Jesús le respondió: "Escrito está:
'No solo de pan vive el hombre, sino
de toda palabra que sale
de la boca de Dios'"».
Mateo. 4: 4, NVI

«ESCRITO ESTÁ», «Escrito está», «Escrito está»: tres veces, esa fue su única arma bajo el ataque demoníaco. Pero, ¿cuál será nuestra defensa hoy? Con toda sinceridad, tiemblo por esta generación de los elegidos que ahora debe atravesar el mismo desierto y afrontar al mismo antagonista.

Porque hemos formado una generación que ya no acude a la página impresa, sino más bien a la pantalla electrónica. Sin lugar a dudas, la tecnología no es nuestro enemigo. Pero cuando las pantallas de nuestras computadoras portátiles y nuestras agendas electrónicas y nuestras computadoras de oficina y los televisores son los únicos lugares en los que nos detenemos lo suficiente como para leer, no es de extrañar que la polvorienta página de la Sagrada Escritura difícilmente pueda competir.

El diablo fue derrotado en el enfrentamiento en aquel desierto por un inconmovible «Escrito está». Ha pasado el resto de la historia asegurándose de no repetir el mismo error para no volver a ser derrotado de la misma manera. Y, por ello, se ha dedicado metódicamente a borrar el «Escrito está» de nuestra vida y del mundo. Hoy vivimos en un mundo con más Biblias per cápita que en cualquier momento de la historia, pero un mundo que puede pasar a la historia como la generación más bíblicamente iletrada de los tiempos modernos.

En serio, fuera de las lecturas académicas obligatorias, ¿quién lee ya nada con profusión? Las novelas de suspense de John Grisham, Stephen King y Dan Brown no cuentan. Tampoco la prensa amarilla ni los suplementos deportivos. Fuera de la lectura exigida profesionalmente u obligada académicamente, ¿quién lee todavía? «Escrito está». ¿De verdad? *¿Dónde?*

La respuesta del enfrentamiento de Jesús dada a Satanás era una cita directa de Deuteronomio 8: 3. De hecho, para las tres tentaciones, su respuesta calculada fue una cita del Deuteronomio. No tenía una Biblia de bolsillo, ni agenda electrónica ni computadora portátil con las Escrituras; simplemente las citaba de memoria. Entonces, ¿cómo aprendió? «El niño Jesús no recibió instrucción en las escuelas de las sinagogas. Su madre fue su primera maestra humana. [...S]u conocimiento íntimo de las Escrituras nos demuestra cuán diligentemente dedicó sus primeros años al estudio de la Palabra de Dios» (*El Deseado de todas las gentes,* cap. 7, p. 53). Memorizar las Escrituras. No es posible ser demasiado joven ni demasiado viejo. Y con los simples pasos que aprenderemos mañana, convertir el «Escrito está» en «Memorizado está» tampoco tiene por qué ser demasiado difícil.

Enfrentamiento en el desierto - 3

«Fueron halladas tus palabras, y yo las comí. Tu palabra
me fue por gozo y por alegría de mi corazón; porque tu nombre
se invocó sobre mí, Jehová, Dios de los ejércitos». Jeremías 15: 16

¿CUÁL FUE EL *MODUS OPERANDI* de Jesús en el desierto? ¿Cómo derrotó al diablo? Peter Gomes presenta bien el meollo del asunto en su libro *The Good Book*: «[Jesús] recordó en cada caso la instrucción de las Escrituras, las enseñanzas de una fe heredada a la que se subordinó en sus debates con el tentador. No fue más listo y ni siquiera superó tácticamente a Satanás; simplemente se valió de lo que sabía que era verdad [...]» (pp. 280, 281). «En mi corazón he guardado tus dichos, para no pecar contra ti» (Sal. 119: 11). Entonces, ¿cómo memorizar la Palabra de Dios?

Mis amigos de FAST (www.fast.st) han ideado una estrategia simple para memorizar las Escrituras que hemos compartido con cientos de nuestros miembros. Conéctate y pide sus guías de estudio. He aquí una sinopsis abreviada:

1. Determina la versión de la Biblia que vas a memorizar y quédate con esa traducción (ya sea la RV95, la NVI, la BJ, etc.).
2. Como con la buena comida, comienza con porciones pequeñas. No tiene sentido memorizar el Salmo 119 inicialmente, pero los versículos 11, 97 y 105 son auténticas joyas. Empieza con textos cortos.
3. Usa tarjetitas vacías o una libretita para transcribir tus versículos a papel. 4. Escribe la referencia del texto en una cara.
4. Fija la referencia al texto escribiéndola dos veces: (una cara) Salmo 119: 11; (la otra cara) «En mi corazón he guardado tus dichos, para no pecar contra ti» (Sal. 119: 11).
5. Aprende las palabras de una en una, y luego las frases de igual manera. El dicho «pasito a pasito se va haciendo el caminito» es verdad.
6. Sé preciso en el conocimiento de todas las palabras de la versión que uses; si no, la falta de precisión dará como resultado una falta de retención.
7. Repasa tus textos todos los días, e incluso durante todo el día. Esas tarjetitas caben en un bolsillo, en una cartera, en una mochila.
8. Repasa tus versículos una vez por semana con un compañero que esté usando la misma traducción. Aquí los miembros de la familia y los amigos pueden ser de gran estímulo y ayuda.
9. Con un repaso diario, en dos meses tus textos quedarán «fijados» en tu disco duro.

Piénsalo: con solo dos textos por semana, en un año tendrías cientos de textos guardados en la memoria, cien poderosas promesas que el Espíritu Santo puede traer a tu mente de noche o de día. Bueno, ¡en seis años podrías memorizar el Evangelio de Marcos! ¿Y qué mejores palabras memorizar que las palabras de Aquel que nos enseñó con su ejemplo a hacer precisamente eso? Entonces, ¿por qué esperar? ¡Empieza ahora!

Audiencia con el Eterno - 1

«Venid, adoremos y postrémonos; arrodillémonos
delante de Jehová, nuestro hacedor, porque él es
nuestro Dios; nosotros, el pueblo de su prado
y ovejas de su mano. Si oís hoy su voz».
Salmo 95: 6, 7

LA PRÓXIMA VEZ QUE YO ESTÉ en Londres me encantaría tener una audiencia con la reina Isabel II. «Audiencias» son lo que se tiene con personajes públicos, una conversación y un momento privado con alguien muy famoso. Pero el problema de una «audiencia» es que no te puedes invitar tú mismo a tener una con la reina simplemente apareciendo en el Palacio de Buckingham ni llamando a la puerta del Castillo de Windsor diciendo: «Me apeteció pasarme a tomar una taza de té con Su Majestad. ¿Está disponible?». No funciona así. *Ella* hace la invitación.

«La Biblia es la voz de Dios hablándonos tan ciertamente como si pudiéramos oírlo con nuestros oídos. [...] Si nos diésemos cuenta de la importancia de esta Palabra, ¡con qué respeto la abriríamos, y con qué fervor escudriñaríamos sus preceptos! La lectura y la contemplación de las Escrituras serían consideradas como *una audiencia con el Altísimo»* (*En los lugares celestiales*, p. 134; la cursiva es nuestra). ¡Qué imponente pensamiento! Cuando abrimos el Libro que Jesús nos enseñó a memorizar, ¡se nos concede una audiencia personal con el Ser más poderoso, famoso e influyente del universo!

No es de extrañar que hayamos de «abrir la Palabra de Dios con reverencia y con un sincero deseo de conocer la voluntad de Dios con respecto a nosotros. Entonces ángeles celestiales [las inteligencias creadas más elevadas del universo] orientarán nuestra búsqueda. Dios nos habla en su Palabra. Estamos *en la cámara de audiencias del Altísimo, en la presencia misma de Dios, y Cristo* entra en nuestro corazón» (*Mi vida hoy*, p. 283; la cursiva es nuestra). Olvídate de la reina de Inglaterra, del primer ministro de Canadá y del presidente de los Estados Unidos. La cámara de audiencias a la que se nos puede hacer pasar cada día pertenece al propio Todopoderoso.

Si recordáramos esa realidad, tengo la sensación de que leeríamos el Libro mucho más de lo que lo hacemos, ¿no crees? Y seguramente lo leeríamos con tanta más atención y más oración. Cuando estaba en la universidad escribí una carta al entonces presidente Richard Nixon. No puedo recordar lo que escribí, pero ¡todo el internado se enteró de que yo había recibido su respuesta en un sobre con membrete de la Casa Blanca! ¿Cómo ibas a poder mantener en secreto una audiencia con el Eterno? ¿Por qué querrías tan siquiera hacer algo así? Las divinas bendiciones que manan de una audiencia diaria con Dios en su Palabra son imposibles de ocultar. No puedes evitar experimentar un cambio —de forma fenomenal—, según destacaremos mañana.

Audiencia con el Eterno - 2

*«Y al cabo de los diez días pareció el rostro de ellos mejor y más robusto
que el de los otros muchachos que comían de la porción de la comida del rey. [...]
En todo asunto de sabiduría e inteligencia que el rey los consultó, los halló diez veces
mejores que todos los magos y astrólogos que había en todo su reino».* Daniel 1: 15-20

CADA VEZ QUE ENTRAS en las páginas de las Escrituras y en la cámara de audiencias del Eterno, el Autor del Libro te bendice fenomenalmente en los siguientes siete ámbitos de tu vida.

1. **Físicamente.** El texto de hoy recuerda el episodio de los cuatro alumnos hebreos —Daniel, Ananías, Misael y Azarías— que, exiliados en Babilonia, no tenían Biblias de bolsillo que consultar ni fichas que repasar; solo su recuerdo de lo que habían aprendido de la Palabra de Dios en su patria. Pero en solo diez días el Eterno honró su obediencia a los principios de salud de su Palabra y bendijo físicamente a sus cuatro jóvenes amigos por encima de todos los demás. ¿Por qué? «La oración y el estudio de la Palabra de Dios comunican *vida y salud* al alma», porque «el estudio de la Biblia en nuestras escuelas dará a los estudiantes ventajas especiales. Los que reciban en su corazón los santos principios de la verdad obrarán *con energía creciente*» (*Testimonios*, t. 6, p. 255; *Consejos para los maestros*, p. 435; la cursiva es nuestra). Serás bendecido físicamente de manera abundante por el Autor de la Palabra en la que meditas cada día.

2. **Académicamente.** No solo se beneficia el cuerpo, sino el propio expediente académico. Nabucodonosor examinó personalmente a los cuatro jóvenes hebreos adultos y los halló «diez veces mejores que todos» los cortesanos que tenía. ¿Por qué sacaron las mejores notas en su examen de acceso? «Como poder educador la Biblia no tiene rival. Nada impartirá tal vigor a todas las facultades como el exigir a los estudiantes que capten las estupendas verdades de la revelación», porque «la Palabra de Dios [es] el libro educador más sublime de nuestro mundo» (*Mente, carácter y personalidad*, t. 1, p. 93; *Consejos para los maestros*, p. 413). El libro no es mágico. Pero recuerda que cuando lees sus páginas estás en la cámara de audiencias del Eterno.

Un joven de primer año de universidad se me acercó un miércoles después de nuestro oficio religioso Casa de Oración y me comentó: «Tengo la sensación de que no hago lo suficiente académicamente. Me siento agobiado con mis clases. ¿Qué puedo hacer?». Mi respuesta fue simple: «En primer lugar, ¡bienvenido a la universidad! Y, en segundo lugar, empieza a memorizar las Escrituras. Profundizarán tu comprensión». Porque es verdad: «La Biblia hará para la mente y para la moral lo que no pueden hacer los libros de ciencia y filosofía» (*Consejos para los maestros*, p. 408). Es el Libro más poderoso de la tierra. Créeme: su Autor cuidará de ti.

Audiencia con el Eterno - 3

«Tengo más discernimiento que todos mis maestros
porque medito en tus estatutos. Tengo más entendimiento
que los ancianos porque obedezco tus preceptos».
Salmo 119: 99, 100, NVI

PROSIGAMOS CON los ámbitos tercero, cuarto y quinto.

3. **Mentalmente.** Según el *Journal of the American Medical Association*, el Instituto sobre el Envejecimiento, organismo oficial de Estados Unidos, descubrió que «los adultos que participan regularmente en actividades intelectualmente estimulantes [como la memorización] pueden reducir su riesgo de desarrollar demencia, tal como la enfermedad de Alzheimer, hasta en un 47 por ciento» (http://jama.ama-assn.org/cgi/content/abstract/287/6/742).

Aunque David no habla de la gerontología en nuestro texto de hoy ni describe una ventaja del 47 por ciento, expresa la afirmación fenomenal de que meditar en la Palabra de Dios ¡aumenta el discernimiento mental sin importar la edad! «La Biblia, tal como está escrita, ha de ser nuestra guía. No hay nada más a propósito para ampliar la mente y fortalecer el intelecto que el estudio de la Biblia» (*Mente, carácter y personalidad*, t. 1, p. 95). Pero hay más: «Confíense a la memoria los pasajes más importantes de la Escritura, no como una imposición, sino como un privilegio. Aunque al principio la memoria sea deficiente, *adquirirá fuerza con el ejercicio*» (*Conducción del niño*, p. 484; la cursiva es nuestra). Es incontrovertible que Dios promete bendecirnos mentalmente cuando nos relacionamos con él en las Sagradas Escrituras.

4. **Socialmente.** No hay esfera de la vida que Dios no pueda bendecir. Por sorprendente que parezca, la Biblia puede guiar a los que buscan pareja. Si sigues la exhortación de padres piadosos (Prov. 6: 20-22), la dirección del Espíritu Santo (Rom. 8: 4) y el consejo de Dios (Sal. 32: 8), «él te concederá las peticiones de tu corazón» (Sal. 37: 4). La historia de amor de Isaac y Rebeca es un precioso ejemplo (Gén. 24). Pero la Biblia no solo te ayuda a *encontrar* pareja, sino también a *conservarla*. Lee el libro de Proverbios y Efesios 5 en algún momento. Dios promete bendecirte socialmente cuando lo buscas en su Palabra.

5. **Económicamente.** Otra promesa fenomenal es la que hace Dios en Malaquías 3: 10, NVI: «Traigan íntegro el diezmo para los fondos del templo, y así habrá alimento en mi casa. Pruébenme en esto —dice el Señor Todopoderoso—, y vean si no abro las compuertas del cielo y derramo sobre ustedes bendición hasta que sobreabunde». ¡Tremenda promesa! «Cuandoquiera que los hijos de Dios, en cualquier época de la historia del mundo, [...] reconocieron los derechos de Dios y cumplieron con sus requerimientos, honrándole con su sustancia, sus alfolíes rebosaron» (*Consejos sobre mayordomía cristiana*, pp. 361, 362). ¡Dios siempre cumple lo que promete!

Audiencia con el Eterno - 4

«Gloria sea a Dios, que puede hacer muchísimo más
de lo que nosotros pedimos o pensamos,
gracias a su poder que actúa en nosotros».
Efesios 3: 20, DHH

HOY CONSIDERAREMOS las dos últimas formas en que somos bendecidos como consecuencia del estudio de las Escrituras.

6. **Profesionalmente.** ¿Sería inapropiado que Dios bendijese a sus amigos también en su carrera profesional? Pregunta a José, al cual Dios ascendió de consejero carcelario a primer ministro ¡en el transcurso de tres horas (dejando tiempo para darse un corte de pelo y un afeitado tras salir de la cárcel)! Pregunta a David, al cual Dios elevó de humilde pastor de ovejas a gobernante nacional. Pregunta a Ester, a la cual Dios ascendió de huérfana adoptada a reina del Imperio persa.

La Palabra de Dios tiene un impacto profesional en la vida de sus amigos. «Que los jóvenes tomen la Biblia como su guía y tengan la firmeza de una roca en pro de los principios y podrán *aspirar a cualquier altura en sus logros*. No existe ningún límite al conocimiento que pueden alcanzar. Se puede aspirar cuanto se desee y siempre habrá *una infinitud más allá*» (*Signs of the Times*, 4 de marzo de 1889; la cursiva es nuestra). ¿Y por qué no? Cuando eres amigo del Eterno, ¡el infinito es tu límite! ¿No es eso precisamente lo que quiere decir Pablo en nuestro texto de hoy?

7. **Espiritualmente.** «En mi corazón he guardado tus dichos, para no pecar contra ti» (Sal. 119: 11). Porque el ámbito y la esfera de la Biblia que más nos importan a todos son los espirituales, ¿no? El éxito en este frente es la mayor victoria de la vida. Y la promesa de David es que la Palabra de Dios memorizada es «una poderosa barricada contra la tentación» (*La educación*, p. 171). Sigue leyendo: «Puedes luchar contra el enemigo, no con tu propia fuerza, sino con la que Dios está siempre pronto a darte. Si confías en su palabra, nunca dirás: "No puedo"» (*El hogar adventista*, p. 325). ¿Nunca decir: «No puedo»? ¿Por qué no? Porque «todo lo puedo en Cristo que me fortalece» (Fil. 4: 13). ¿Has leído una promesa de victoria más dinámica que esta? «Gracias a su poder, los hombres y mujeres han roto las cadenas de los hábitos pecaminosos. Han renunciado al egoísmo. Los profanos se han vuelto reverentes; los beodos, sobrios; los libertinos, puros. Las almas que exponían la semejanza de Satanás, han sido transformadas a la imagen de Dios. Este cambio es en sí el milagro de los milagros. Es un cambio obrado por la Palabra, uno de los más profundos misterios de la Palabra» (*La educación*, p. 155).

«El milagro de los milagros». ¡Quién no lo desea! ¡Saber que Cristo ha prometido abrir de par en par las ventanas del cielo y derramar sus bendiciones sin par e insuperables! ¿Puedes darme una buena razón por la que tú y yo no debiéramos buscar su amistad en su Palabra todos los días de nuestra vida?

La tortuga real afortunada

«Me agrada, Dios mío, hacer tu voluntad;
tu ley la llevo dentro de mí».
Salmo 40: 8, NVI

E N VIETNAM LA LLAMARON «la tortuga real afortunada». Porque pudo haber acabado en algún sitio en una sabrosa sopa china si no hubiese sido por un golpe de suerte. Las autoridades encargadas de velar por la flora y la fauna del país llevaron a cabo una redada en la casa de un contrabandista en la provincia vietnamita meridional de Tay Ninh y descubrieron un alijo de contrabando vivo: más de treinta tortugas destinadas a su venta en China, país en el que se considera que la carne de tortuga es un manjar. Pero «Fortunata», gigante de quince kilos entre los pequeños reptiles, destacaba enormemente. ¡Nunca habían visto una tortuga acuática tan grande! Una consulta a un especialista en tortugas asiáticas determinó que «la grande» era una *Batagur baska*, una tortuga asiática de agua dulce de los ríos camboyanos, especie que se creía que había desaparecido pero que había sido redescubierta recientemente y, subsiguientemente, declarada protegida por el rey Norodom Sihamoní. De ahí su nombre, «tortuga real». Pero la decisiva identificación para «Fortunata» llegó cuando bajo su piel arrugada se descubrió un diminuto microchip, prueba segura de que se trataba de una especie rara y que, además, estaba protegida… ¡y ahora salvada!

Nuestro texto de hoy declara que la Palabra de Dios, como un microchip oculto bajo la piel, está oculta en el corazón como identificación decisiva. Desde luego, lo estuvo en el caso de Jesús. Según Hebreos 10: 5-7, las palabras del Salmo 40 son el propio testimonio del Señor: «El hacer tu voluntad, Dios mío, me ha agradado, y tu ley está en medio de mi corazón» (vers. 8). La palabra hebrea usada aquí para «ley» es *torá*, que en sentido estricto describe la ley divina y en sentido amplio incluye todo el recopilatorio escrito de la revelación divina. Cuando un nuevo presidente del Tribunal Supremo de Estados Unidos. pone su mano sobre la Biblia y jura defender la Constitución, en un sentido limitado esa palabra describe el documento original que es la base de la jurisprudencia y la forma de gobierno estadounidenses. Pero se entiende que el juramento también incluye las leyes del país que han emanado de ese documento original. Del mismo modo, cuando Cristo declaró: «Tu ley está en medio de mi corazón», estaba declarando no solo su lealtad a la ley-*torá* de Dios, sino también a la Palabra-*torá* de Dios, atesoradas y ocultas ambas en su corazón.

Por ello, ¿acaso sorprende descubrir que ese mismo «microchip» esté incrustado en el corazón de sus amigos? Dios interpela a sus elegidos: «Oídme, los que conocéis justicia, pueblo en cuyo corazón está mi ley» (Isa. 51: 7), o, según lo expresa la versión *Dios Habla Hoy*, «Escúchenme, ustedes que saben lo que es justo, pueblo que toma en serio mi enseñanza». Tomarse en serio la ley o la enseñanza como Jesús: eso no hace a sus amigos afortunados. La fortuna es para las tortugas. Pero sí los hace bienaventurados, muy bien-aventurados sin duda.

«Dadme la Biblia»

«Jesús les preguntó: "¿Nunca leísteis en las Escrituras:
'La piedra que desecharon los edificadores
ha venido a ser cabeza del ángulo. El Señor
ha hecho esto, y es cosa maravillosa
a nuestros ojos'"?». Mateo 21: 42

UNA ACUSACIÓN QUE NADIE podría haber hecho de Jesús es que fuera vago en cuanto tanto a la autoridad como a la veracidad de las Sagradas Escrituras. Diez veces en los Evangelios sondea a sus oyentes ya sea con «¿No habéis leído?» o «¿Nunca leísteis?». Y esos diez retos interrogativos tenían que ver con la lectura de la Biblia. Casi se puede oír su asombro y desconcierto de que sus oyentes no hubieran leído esos pasajes.

Veinte veces en los mismos Evangelios se encuentran en los labios de Cristo las palabras «Escrito está». No es de extrañar que René Pache pudiera declarar: «Podemos decir con toda reverencia que Jesucristo estaba casi saturado con las Escrituras, que él conocía "sin haber estudiado" (Juan 7: 15). La décima parte de sus palabras fue tomada del Antiguo Testamento. En los cuatro Evangelios, 180 de 1.800 versículos que documentan sus discursos son citas de la revelación escrita o bien alusiones directas a la misma» (citado en Norman Gulley, *Systematic Theology: Prolegomena*, p. 381).

Pero Cristo no solo citó el Antiguo Testamento —la única Biblia de su época— y aludió a él. También fue inequívoco a la hora de mantener su fiabilidad histórica. Norman Gulley enumera 23 incidentes del Antiguo Testamento cuya historicidad Jesús confirmó, desde la creación de Adán y Eva, al asesinato de Abel, a Noé y el diluvio, a la destrucción de Sodoma, al Decálogo, a la profecía de Daniel, etcétera: 23 acontecimientos del Antiguo Testamento cuya precisión histórica y veracidad confirmó. Gulley concluye: «Dado que Jesucristo es la autoridad infalible, su valoración de las Escrituras debe ser parte de esa autoridad infalible» (*ibíd.*).

Por esa razón, es imprescindible que los elegidos no se dejen engatusar para llegar a la conclusión de que la Palabra de Dios no es el fundamento fiable y cargado de autoridad de la verdad divina para la humanidad que Jesús declaró que era. «La opinión de Cristo era que la Palabra de Dios es tan imperecedera como el Dios de la Palabra» (*ibíd.*, p. 379). Por eso mantengamos siempre en nuestra mente las palabras del famoso himno:

«Dadme la Biblia, santa y clara nueva
Luz del camino angosto y celestial
Regla y promesa, ley y amor unidos
Hasta que rompa el alba eternal».

Torá, torá, torá

«Bienaventurado el varón que no anduvo en consejo de malos, ni estuvo en camino de pecadores, ni en silla de escarnecedores se ha sentado, sino que en la ley de Jehová está su delicia y en su ley medita de día y de noche. Será como árbol plantado junto a corrientes de aguas, que da su fruto en su tiempo y su hoja no cae, y todo lo que hace prosperará». Salmo 1: 1-3

¿TE GUSTARÍA VIVIR en un mundo en el que una señal de «Pare» significase simplemente «Sería deseable que usted redujese algo su marcha», en el que los límites de velocidad fuesen alentadoras sugerencias, en el que el verde significase «adelante», el amarillo, «acelere» y el rojo quisiera decir «vuele»? Aunque todos conducimos así en «raras» ocasiones, el hecho es que nadie quiere vivir en un mundo en el que se abandonen las leyes de protección y las normas legales.

Y, no obstante, hubo una vez en que el mundo fue así: «En aquellos días [...] cada cual hacía lo que bien le parecía» (Jue. 21: 25). Un mundo no muy distinto del que describió Fiódor Dostoyevski en *Los hermanos Karamázov*: «Si no hay un Dios, todo está permitido». Lo cual, por supuesto, no es muy diferente del mundo en que vivimos hoy, ¿no crees? «Cada cual hacía lo que bien le parecía».

Con este telón de fondo secular posmoderno —en el que no hay nada que se pueda llamar Verdad con V mayúscula, ni «verdad verdadera», según lo expresó Francis Schaeffer—, resulta un tanto pintoresco leer en voz alta los primeros tres versículos del Salterio en nuestro texto de hoy, ¿no crees? Prosigue, y esta vez léelos en voz alta. Resulta casi embarazoso, ¿no? ¿Deleitarse en la ley de Dios? ¡Por favor! ¿Cuándo fue la última vez que cualquiera de nosotros hizo tal cosa? Pero acuérdate de que *torá*, la palabra hebrea traducida «ley», puede aplicarse concretamente al Decálogo y llegar a abarcar todas las Escrituras. Aunque el Salmo 1 no es un llamamiento divino para los «legalistas», es una audaz representación de los amigos de Dios, que se deleitan en sumergirse en su *torá* de noche y de día, que han descubierto tanto en la ley divina como en la Palabra divina su protección contra la maldad y su promesa de un éxito próspero. Su disciplina espiritual diaria admite la observación de Jean-Paul Sartre: «Ningún punto finito tiene significado sin un punto de referencia infinito». Han descubierto en su Dios y en su Palabra un punto de referencia infinito para guiarlos.

Entonces, ¿no ha llegado ya el momento de que los elegidos dejen de permitir que el temor de la acusación de «legalismo» cohíba su inmersión en el corazón de la *torá* divina? «Que nadie se rinda a la tentación ni sea menos ferviente en su adhesión a la ley de Dios debido al desprecio en que se la tiene [...]. Es tiempo de luchar cuando se necesita más que nunca de los paladines» (*Review and Herald*, 8 de junio de 1897). Cuando Cristo es tu punto de referencia infinitivo, ¿por qué no defender su ley en una época de anarquía?

Entre las alas de los querubines

*«Entonces oró Ezequías delante de Jehová diciendo:
"Jehová, Dios de Israel, que moras entre los querubines,
solo tú eres Dios de todos los reinos de la tierra.
Tú hiciste el cielo y la tierra"».* 2 Reyes 19: 15

CUANDO UNA NOTICIA es mala de verdad —cuando el teléfono suena a las dos de la madrugada, cuando el médico se sienta con los resultados de tu análisis, cuando llama el abogado, cuando llama la policía—, ¿qué hacer?

Pregúntaselo a Ezequías, que afrontaba una sentencia de muerte a la mañana siguiente. El rey acababa de recibir una amenaza por «correo expreso» enviada por el comandante de los 185,000 guerreros asirios que tenían a su ciudad presa de asfixia. «Ríndete o date por muerto». Agarrando la carta, Ezequías fue aprisa a la casa de Dios. Cayendo angustiado al suelo del templo, el rey presentó ante Dios la amenaza escrita y elevó esta oración desesperada: «Señor, Dios de Israel, entronizado entre los querubines, ¡sálvanos!». Es una representación excepcional de Dios que se usa siete veces en las Escrituras: «entronizado entre los querubines», y evoca el tonante monte Sinaí, donde, a solas con Moisés, Dios diseñó el arca de oro que había de colocarse en el lugar santísimo de la nueva «iglesia» portátil de Israel. «Harás también dos querubines de oro [...]. Allí me manifestaré a ti, y hablaré contigo desde encima del propiciatorio, de entre los dos querubines» (Éxo. 25: 18-22). El arca había de ser una representación sagrada y gráfica en la tierra ¡del propio trono de Dios en el cielo! Y la cámara estaría perennemente henchida del blanco fuego de la gloria divina entre los querubines.

«Señor, Dios de Israel, entronizado entre los querubines, ¡sálvanos!». Es una «oración al estilo de Daniel 8: 14», porque solo una vez al año, en el *Yom Kipur*, el Día de la Expiación, osaba el sumo sacerdote entrar en la ardiente gloria del lugar santísimo en la «purificación del santuario», un ritual simbólico de la purificación final del santuario celestial, profetizado por Daniel, antes del catastrófico fin del mundo. Viviendo como vivimos en esta hora de la purificación final, ¡cuán apasionante resulta la oración del rey para cualquier crisis que afrontemos!: «Oh Dios, entronizado entre los querubines, sálvame. ¡Sálvanos!». Aun a las dos de la madrugada, ¿no puede Cristo «salvar por completo a los que por medio de él se acercan a Dios, ya que vive siempre para interceder por» nosotros? (Heb. 7: 25, NVI). Así lo hizo por el rey desesperado, y a la mañana siguiente 185,000 soldados asirios amanecieron muertos.

Y Dios también responderá tu «oración al estilo de Daniel 8: 14» con independencia de la crisis. Así que ora. Y ten esperanza. Porque sigue entre los querubines. Y sigue siendo el propiciatorio.

Gigantes morales en una era de pigmeos

«Sadrac, Mesac y Abed-nego respondieron al rey Nabucodonosor, diciendo:
"No es necesario que te respondamos sobre este asunto. Nuestro Dios,
a quien servimos, puede librarnos del horno de fuego ardiente;
y de tus manos, rey, nos librará. Y si no, has de saber, oh rey,
que no serviremos a tus dioses ni tampoco adoraremos
la estatua que has levantado"». Daniel 3: 16-18

HAY QUE ADMIRAR el valor moral de estos tres funcionarios hebreos de la corte, ¿no crees? ¡Para que luego se hable de lo contracultural! Sadrac, Mesac y Abed-nego (por no mencionar a Daniel) han dado la nota en la disipada corte del rey de Babilonia en más de una ocasión. Y ahora censuran sin ambages la orden de Nabucodonosor y se niegan incluso a inclinar la cabeza, por no hablar de doblar la rodilla, ante su imagen de oro. ¿Qué habrías hecho tú? ¿Qué habría hecho yo?

¿Sabes por qué pasaron airosos su examen final? Es una de las leyes más seguras y más antiguas del mundo académico: *Para pasar el examen final, es preciso que pases las pruebas parciales.* El propósito de la prueba parcial es prepararte para el examen final. Suspende las pruebas parciales y no aprobarás el examen final. No hace falta ser de la NASA para entenderlo; es la simple verdad de la vida y del aprendizaje.

¿Te acuerdas de la prueba parcial que estos tres jóvenes tuvieron en el capítulo uno de Daniel? Una prueba de una sola pregunta: ¿Obedecemos el código de salud de la Palabra de Dios o no? Ni siquiera era una pregunta de respuesta múltiple. Solo sí o no. Tenían que responder. Mucha gente cree que la vida sana no es nada del otro mundo. Pero si aquellos muchachos hubiesen suspendido la prueba del capítulo uno, no habría habido ningún examen final en el capítulo tres, ¡créeme! Viviendo en una comunidad que, de boquilla, defiende la vida sana —llegando incluso a aparecer en la portada de una revista estadounidense de vez en cuando—, olvidamos que el propósito del código de salud de Dios no es tanto alargar nuestra vida como fortalecer nuestra mente y dar aliento a nuestro corazón para que llevemos una vida radicalmente obediente con lealtad a Dios, sin importar lo que la sociedad o el mundo puedan decir o mandar. Las pruebas parciales, por supuesto, no son todas sobre la salud. Algunas tienen que ver con el sexo o la economía, y con la integridad y el orgullo. Pero el propósito es el mismo: prepararte para el examen final.

«Día tras día, Dios instruye a sus hijos. Por las circunstancias de la vida diaria, los está preparando para desempeñar su parte en aquel escenario más amplio que su providencia les ha designado. Es el resultado de la prueba diaria lo que determinará su victoria o su derrota en la gran crisis de la vida» (*El Deseado de todas las gentes*, cap. 40, p. 350).

Las pruebas parciales diarias dan forma a sus gigantes morales. Por eso te eligió.

Picos gemelos: Una historia de dos montes y dos manos

«¿Se olvidará la mujer de lo que dio a luz, para dejar
de compadecerse del hijo de su vientre? ¡Aunque ella lo olvide,
yo nunca me olvidaré de ti! He aquí que en las palmas
de las manos te tengo esculpida; delante de mí
están siempre tus muros». Isaías 49: 15, 16

CUANDO TOMAS LA MANO de una persona, hay algo especial en ese contacto, ¿no crees? Cuando un muchacho tímido sostiene por primera vez la mano de una chica ruborizada, cuando una pareja anciana se sujeta por última vez las manos arrugadas, es algo especial. Cuando, antes de su fallecimiento, tomé la mano de mi padre, una mano tierna y varonil a la vez, incluso en su debilidad, la vinculación afectiva fue sagrada. Entonces, ¿cómo sería tomar la mano de Dios aunque fuera un momento?

Considera las dos representaciones más poderosas de la mano de Dios en toda la literatura, ambas sobre una cumbre. En la primera cumbre, en una explosión de luz y gloria, somos testigos de ese momento a lo Cecil B. DeMille en que la ardiente mano de la Divinidad se alarga para grabar letras llameantes en las tablas de los Diez Mandamientos. «Y dio a Moisés, cuando acabó de hablar con él en el monte Sinaí, dos tablas del Testimonio, tablas de piedra escritas por el dedo de Dios» (Éxo. 31: 18). Esto sí lo sabemos con certeza: el único texto autógrafo de Dios, directamente atribuible a él en toda la Sagrada Escritura, son estos Diez Mandamientos. Su mano escribió los diez, lo que, sin duda, debe decir algo sobre la autoridad incontrovertible del Decálogo para toda la raza humana. Según señaló en una ocasión Ted Koppel, Moisés no bajó del Sinaí «las Diez Sugerencias». Son los Diez Mandamientos escritos por Dios.

En la segunda cumbre volvió a aparecer su mano. «Me ha cercado una banda de malvados; me han traspasado las manos y los pies» (Sal. 22: 16, NVI). Ahora no hay ninguna ráfaga de luz y de gloria. En vez de ello, somos testigos de ese momento a lo Mel Gibson cuando la mano de Jesús es sujetada sobre el travesaño de madera, el clavo romano metido cruelmente a golpes en la palma, con los golpes del mazo produciendo un tintineo de metal con metal en la cima del Gólgota, atravesando a porrazos la mano y la viga hasta que la sangre chorrea por la punta que sobresale.

Nunca te olvides de esa mano. Porque es la misma mano que escribió la ley. El dedo del Sinaí es la mano del Calvario. La mano que escribió en la piedra fue clavada a la madera. El Legislador de la cima de un monte se convirtió en el Dador de la vida en la cima del otro. Entonces, ¿por qué contraponer los montes entre sí y rechazar el Sinaí a favor del Calvario? Sí, dos montes. Sí, dos manos. Pero un solo Dios. Y un amor. Tan profundo que nos esculpió a todos los pecadores en las palmas de sus manos, para siempre.

Tu palabra he cantado en mi corazón

*«Pero a medianoche, orando Pablo y Silas,
cantaban himnos a Dios; y los presos los oían».*
Hechos 16: 25

NO PUEDO IMAGINARME el dolor ardiente y traumático de que te golpeen con azotes la espalda desnuda. Me tocó recibir algunas zurras de muchacho. Pero, ¿que te desnuden para una flagelación pública? ¡Pobres Pablo y Silas! Con toda su espalda convertida en una paleta de tonos negros, azules y rojos, son obligados a sentarse sobre sus nalgas magulladas y sangrantes, tienen los tobillos hinchados y los pies trabados en cepos de madera, y todo el tiempo incapaces de apoyarse en la húmeda pared de la cárcel: ¡tan dolorida estaba su espalda al contacto! Entonces, ¿qué se supone que tiene que hacer un seguidor de Cristo?

Pablo y Silas se ponen a cantar. Probablemente no fuera uno de esos cánticos de alabanza tocados a un volumen capaz de reventarte los altavoces, que te hacen llevar el ritmo con el pie y chocar esos cinco con Dios. Quizá uno de ellos se pone a canturrear. Y el otro reconoce la melodía y se suma a él. Porque habrás notado que ¡hasta el tarareo es contagioso!

Incluso a medianoche. Hasta cuando se sufre. *Especialmente* cuando se sufre. Porque la vida *sí* duele, y el dolor *es* real. Y las medianoches pueden durar días, hasta años a veces. Y por eso necesitamos tomar una página del himnario de Pablo y Silas, que no tenían elección y no podían dormir, así que cantaban. Porque es verdad: la alabanza es contagiosa.

Reflexiona sobre esta perspicaz observación: «Es una ley de la naturaleza que nuestros pensamientos y sentimientos resultan alentados y fortalecidos cuando son expresados. Aunque las palabras expresan los pensamientos, estos a su vez siguen a las palabras. Si diéramos más expresión a nuestra fe, si nos alegráramos más de las bendiciones que sabemos que tenemos: la gran misericordia y el gran amor de Dios, tendríamos más fe y gozo. […] Tributemos alabanza y acción de gracias por medio del canto. Cuando nos veamos tentados, en vez de dar expresión a nuestros sentimientos, entonemos con fe un himno de acción de gracias a Dios. *El canto es un arma que siempre podemos esgrimir contra el desaliento*. Abriendo así nuestro corazón a los rayos de luz de la presencia del Salvador, encontraremos salud y recibiremos su bendición» (*El ministerio de curación*, cap. 18, pp. 167, 168; la cursiva es nuestra).

Entonces, ¿qué tal si memorizáramos el Salmo 34: 1, le pusiéramos música y lo canturreáramos siempre que recibiéramos un golpe en un dedo meñique del pie, o estuviéramos en medio de un atasco de tráfico, o sintiéramos descender la oscura nube del desaliento o fuéramos heridos profundamente por una persona amada? En vez de obsesionarnos con esas cosas, ¿qué tal si memorizáramos y cantáramos esta alabanza?: «Bendeciré a Jehová en todo tiempo; su alabanza estará de continuo en mi boca».

Se avecina una tempestad

«A cualquiera, pues, que me oye estas palabras y las pone en práctica,
lo compararé a un hombre prudente que edificó su casa sobre la roca.
Descendió la lluvia, vinieron ríos, soplaron vientos y golpearon contra aquella casa;
pero no cayó, porque estaba cimentada sobre la roca. Pero a cualquiera que me oye
estas palabras y no las practica, lo compararé a un hombre insensato
que edificó su casa sobre la arena». Mateo 7: 24-26

JESÚS CONTÓ UNA PARÁBOLA que me atrevo a decir que te la sabes de memoria... No porque sepas recitarla, sino porque aún la puedes cantar. Sigue la letra: «El hombre prudente en la roca edificó... Vino luego un ciclón. La lluvia cae y se agita el mar... y la casa no cayó». Y la tercera y la cuarta estrofas eran como las dos anteriores, pero diferentes. Era una parábola muy corta, pero contenía una verdad muy nítida: *Los únicos que quedarán en pie en la tempestad final son los que, a la vez, oigan y obedezcan la Palabra de Dios.*

Se avecina una tempestad en todo este planeta. Tendrías que ser Rip Van Winkle para no saberlo. Y, a millones (¿o es miles de millones?), hombres, mujeres y adultos jóvenes irreflexivos construyen y se apuestan su futuro sobre arenas movedizas. Un agente inmobiliario demoníaco les ha vendido el oro y el moro, convenciéndolos de que una parcela de arena movediza cenagosa es el paraje más hermoso de la tierra en el que construir su vida. Pobres insensatos, por citar al Maestro. ¿Por qué? Porque los únicos que sobrevivirán a la tempestad final serán los que construyeron su vida sobre la roca de la Palabra de Dios. «Solo los que hayan estudiado diligentemente las Escrituras y hayan recibido el amor de la verdad en sus corazones serán protegidos de los poderosos engaños que cautivarán al mundo. Merced al testimonio bíblico descubrirán al engañador bajo su disfraz. El tiempo de prueba llegará para todos. Por medio de la criba de la tentación se reconocerá a los verdaderos cristianos. ¿Se sienten los hijos de Dios actualmente bastante firmes en la Palabra divina para no ceder al testimonio de sus sentidos? *¿Se atendrán ellos en semejante crisis a la Biblia y a la Biblia sola?»* (*El conflicto de los siglos,* cap. 40, p. 609; la cursiva es nuestra).

Por eso, permíteme que te extienda un ferviente llamamiento ahora mismo. Se avecina una tempestad, de verdad. Y, ciertamente, ya va siendo hora de que los elegidos elijamos «a la Biblia y a la Biblia sola» como fundamento único. Por supuesto, no es que la Biblia sea nuestra roca. Sin embargo, ningún otro libro de la tierra puede ahondar nuestros cimientos en la Roca, Jesucristo. Ha llegado el momento para que los elegidos reivindiquemos nuestro destino como pueblo del Libro. Ahondando con Cristo, elijamos la Roca, no la arena; la sabiduría, no la insensatez; y la vida, no la muerte. «Roca de la eternidad, fuiste abierta para mí; sé mi escondedero fiel».

«Esposo de sangre»

«Maridos, amad a vuestras mujeres, así como Cristo amó a la iglesia y se entregó
a sí mismo por ella, para santificarla, habiéndola purificado en el lavamiento
del agua por la palabra, a fin de presentársela a sí mismo,
una iglesia gloriosa, que no tuviera mancha
ni arruga ni cosa semejante, sino que fuera
santa y sin mancha». Efesios 5: 25-27

ES UNA DE LAS HISTORIAS más extrañas de todas las Escrituras. Cuatro viajeros agotados se dejan caer como un fardo sobre el duro suelo de un desierto aparentemente dejado de la mano de Dios. Sus músculos cansados y doloridos se niegan a dar un paso más y, antes de que caiga la noche, todos están profundamente dormidos. De repente, la oscuridad se inunda con la luz de un Ser que tiene una espada desenvainada en la mano. Puesto a horcajadas sobre uno de los durmientes, alza su arma al cielo nocturno. En ese instante se despiertan dos de los durmientes: el que era objeto de «ahorcajamiento» y su esposa, que tenía los ojos como platos. Presintiendo la inminente muerte de su esposo, salta en la sombra hasta un tercer durmiente, le rasga su vestidura y en un periquete circuncida a su muchacho. Y cuando arroja ese minúsculo trozo de piel masculina a su marido, el Ser amenazador desaparece en la noche. Fin.

Este breve relato de Moisés y Séfora y la precipitada circuncisión de su hijo menor a medianoche ante la amenaza divina produce pasmo. Pero aún más impresionante es su enseñanza, afilada como una cuchilla, para los dirigentes espirituales: *¡Cuidado con el susurro: «No importa»!*

Porque para aquellos a los que Dios ha llamado a guiar a su pueblo a la tierra prometida, en realidad sí importa. Para los predicadores y los maestros es un gaje del oficio la peligrosa inoculación que puede insensibilizar el corazón de los pastores al propio Libro que es su ocupación, su profesión y su vocación. La familiaridad puede engendrar desprecio o, al menos, descuido. Moisés conocía la señal del pacto de la circuncisión. Él mismo escribió el relato de Génesis 17. Pero él y su esposa decidieron que el ritual no importaba realmente para su segundo hijo. Sin embargo, «tal descuido de parte del jefe elegido no podía menos que menoscabar ante el pueblo [que estaba a punto de dirigir] la fuerza de los preceptos divinos» (*Patriarcas y profetas,* cap. 22, p. 231). Cuando ya no practicamos lo que predicamos, comprometemos a toda la comunidad de los elegidos. Y abdicamos de nuestra autoridad moral a dirigir.

¿Dónde está el evangelio de la esperanza para los dirigentes espirituales? Séfora gritó: «Tú eres para mí un esposo de sangre» (Éxo. 4: 25, NVI). Ahí está también nuestra liberación. Porque en el Calvario Cristo se convirtió en el Esposo de sangre de su esposa, la iglesia: su sacrificio no solo limpia a los dirigentes espirituales, sino que, además, nos concede nueva autoridad moral para volver a guiar sin compromisos.

Viaje con los judíos - 1

«Junto a los ríos de Babilonia, allí nos sentábamos
y llorábamos acordándonos de Sion. Sobre los sauces,
en medio de ella, colgamos nuestras arpas. [...]
¿Cómo cantaremos un cántico de Jehová
en tierra de extraños?». Salmo 137: 1-4

REFLEXIONA CONMIGO un momento sobre aquellos espeluznantes hechos que seguimos recordando como el Holocausto. En una ocasión estuve en el silencio angustioso de Auschwitz el día después de la Pascua. Y reflexioné sobre el mensaje silencioso de sus crematorios fríos y polvorientos que, pese a todo, hablan a un mundo que aún perdura. Pero no lloré. Una vez estuve con mi familia en la sollozante quietud de Dachau. Recorrimos a pie el largo sendero desde el museo en blanco y negro, con sus imágenes de horror absoluto y su tragedia paralizante, hasta el pequeño crematorio de ladrillo cerca de la valla de aquel campo de exterminio. Esa vez sí hubo alguien que lloró. Oímos sus sollozos al doblar el exuberante follaje que ahora rodea ese lugar de muerte. Era una estudiante acompañada de un grupo de compañeros de aula de alguna excursión. Eran judíos y ella era joven. Lloró allí, junto a la estatua conmemorativa, con el brazo consolador de una compañera alrededor de sus temblorosos hombros. Para mi vergüenza, confieso que no lloré.

Pero, más allá de las colosales proporciones de esta épica tragedia humana, ¿por qué cosas deberíamos gritar y por cuáles deberíamos llorar los que nos llamamos a nosotros mismos adventistas del séptimo día? En los años que han transcurrido desde que estuve en esos campos de exterminio he llegado a darme cuenta de que hay razón para llorar. Cuando se escriba la breve historia del tiempo, creo que demostrará que, como dos sujetalibros emparejados en el estante de la historia sagrada, hay dos comunidades de verdad que ocuparon el comienzo y el fin del relato de la historia de la salvación, dos comunidades de fe que están ligadas inextricablemente por un destino compartido: su llamamiento divino a convertirse en los elegidos. Estas dos comunidades llevarán el epitafio «El remanente». Y ambas conocerán el significado del altísimo coste de la verdad.

Es un llamamiento curioso —ese nombre, «El remanente»—, y puede rastrear su historia remontándote a los prístinos comienzos de la tierra. Porque en la vida y la muerte de los dos hijos de Eva, Caín y Abel, nacen dos hebras separadas de la historia: la comunidad del remanente y la comunidad de la rebelión. La suerte quedó echada y «el dragón se llenó de ira contra la mujer y se fue a hacer la guerra contra el resto de la descendencia de ella» (Apoc. 12: 17). Y no es de extrañar, porque, ¿no había prometido Dios que, de la mujer provendría una Simiente que aplastaría a la serpiente y salvaría a la especie?

Viaje con los judíos - 2

«El Señor vio la magnitud de la maldad humana en la tierra
y que todo lo que la gente pensaba o imaginaba era siempre y totalmente malo.
Entonces el Señor lamentó haber creado al ser humano y haberlo puesto
sobre la tierra. Se le partió el corazón». Génesis 6: 5, 6, NTV

OCHO SUPERVIVIENTES en un arca flotante no es exactamente un lanzamiento glorioso del remanente. Tampoco lo es el hecho de que el capitán del navío se emborrachase tras desembarcar en tierra firme. El remanente nunca ha sido grande ni perfecto. Según ha demostrado la historia sagrada, siempre que Dios ha suscitado su remanente, nunca ha sido en función de la santidad innata de este ni de sus superiores virtudes. Hay un grano de verdad en la pegatina de parachoques: «No soy perfecto; solo perdonado». Exactamente como Noé y Abraham, que, como progenitores del remanente, fueron llamados y elegidos por Dios por una fe radical en él a pesar de sus debilidades humanas. «Sal de Babel, sal de Ur, salgan de ella, pueblo mío» ha sido el apasionado grito de Dios a su remanente desde el principio. Y salieron, aun siendo débiles e imperfectos (y lo siguen siendo).

Y sobre ellos se ha desatado la gran batalla cósmica entre Cristo y Satanás, campo de batalla siempre centrado en estas comunidades, que han buscado permanecer fieles al Dios creador. Pero, ¿te has fijado en que, precisamente cuando parecía que el pueblo de Dios estaba a punto de ser exterminado, Dios intervenía sobrenaturalmente y libraba de la destrucción a un remanente? Así, José pudo anunciar a sus hermanos, aún atónitos, que momentos antes habían averiguado que era el hermanito que ellos habían vendido como esclavo: «Por eso Dios me envió delante de ustedes [aquí a Egipto]: *para salvarles la vida de manera extraordinaria* y de ese modo asegurarles descendencia sobre la tierra» (Gén. 45: 7, NVI). Para salvar a su remanente, Dios sigue interviniendo.

Como hizo en el poderoso Éxodo, cuando una multitud de esclavos liberados huyó de Egipto bajo el manto de la oscuridad. ¿Quién, si no Dios, podría haber sabido aquella trascendental noche que era el nacimiento de la gran fe y el movimiento de verdad que, como un sujetalibros, alinearía un lado del estante de la historia de la salvación? Y, ¿cuál era la razón de ser de ese movimiento? «Pues tú eres un pueblo santo porque perteneces al Señor tu Dios. De todos los pueblos de la tierra, el Señor tu Dios te eligió a ti para que seas su tesoro especial. [...]porque el Señor te ama» (Deut. 7: 6-8, NTV). Los elegidos son el remanente. Y el remanente es elegido simplemente por el amor de Dios.

Viaje con los judíos - 3

*«Jesús le dijo: "Mujer, créeme que la hora viene
cuando ni en este monte ni en Jerusalén adoraréis al Padre.
Vosotros adoráis lo que no sabéis; nosotros adoramos
lo que sabemos, porque la salvación
viene de los judíos"».* Juan 4: 21, 22

EL CÉLEBRE AUTOR y sacerdote Henri Nouwen escribió su libro *Life of the Beloved* [Vida del amado] en primera persona como una carta a un joven profesional judío que vivía con su esposa en Nueva York. Nouwen y él se habían conocido cuando Nouwen enseñaba en Yale, y se desarrolló entre ambos una profunda y duradera amistad. El libro es una respuesta al ruego del joven agnóstico de que Nouwen intentara expresar la religión en términos que él y sus amigos de la ciudad pudieran entender. En el curso de expresar lo que quiere decir, Nouwen comparte una profunda reflexión sobre el significado de ser elegido por Dios: «Espero que la palabra "elegido" evoque algo en ti. Para ti debe de ser una palabra con connotaciones muy especiales. Como judío, conoces las asociaciones positivas y negativas de que uno se considere parte del pueblo elegido de Dios [...]. Desde toda la eternidad, mucho antes de que nacieras y te convirtieras en parte de la historia, exististe en el corazón de Dios. Mucho antes de que tus padres te admiraran o de que tus amigos reconocieran tus dones o de que tus maestros, tus colegas o tus jefes te alentaran, tú ya estabas "elegido". Los ojos del amor te habían visto precioso, de infinita belleza, de valor eterno. Cuando el amor elige, elige con una perfecta sensibilidad por la belleza excepcional del elegido, y elige sin hacer que ninguna otra persona se sienta excluida» (pp. 45-47).

Y así ha sido para el remanente elegido desde el principio, no un llamamiento divino a ser exclusivos, sino un emplazamiento divino a ser inclusivos. Es el meollo de la estrategia amante de Dios de salvar a todo el planeta. ¿Cómo podemos saberlo? Fíjate atentamente en la provocadora afirmación que Jesús hizo a la samaritana junto al pozo en nuestro texto de hoy: «La salvación viene de los judíos». Podría haber dicho fruslerías (como hace hoy gran parte del mundo religioso) declarando que cuanto importa es que Dios te ama, así que no hay que preocuparse por detalles tan intrascendentes como la verdad, la doctrina y la revelación. Pero no lo hizo. ¿Quieres saber quién tiene la verdad de la salvación? Mirándola directamente a los ojos, anunció: La tiene la comunidad remanente de los judíos. Punto. Cristo no estaba siendo arrogante sino sincero. Dios no puede salvar al mundo mediante un guisado ecuménico de enseñanzas. Siempre confió su recopilatorio de verdad a su remanente elegido, cuya única misión es compartirlo con el mundo. Y por eso hay un remanente, y por eso existes tú.

Viaje con los judíos - 4

*«Desde tu niñez conoces las Sagradas Escrituras, que pueden darte la sabiduría necesaria
para la salvación mediante la fe en Cristo Jesús. Toda la Escritura es inspirada
por Dios y útil para enseñar, para reprender, para corregir y para instruir
en la justicia». 2 Timoteo. 3: 15, 16, NVI*

S I JESÚS TENÍA RAZÓN y «la salvación viene de los judíos», entonces, para cualquier
verdad que Dios les confiara al comienzo de la historia de la salvación, ¿no se deduciría
que el sujetalibros a juego al final de la historia abrazaría la misma verdad? Entonces, ¿qué
creían?

Mi amigo Clifford Goldstein, judío que se hizo adventista, identifica en su libro *El remanente* diez principios de los judíos. Convirtámoslos en once.

Principio 1: El monoteísmo. En el mundo gentil del politeísmo, era una confesión radical:
«Oye, Israel: Jehová, nuestro Dios, Jehová uno es» (Deut. 6: 4). ¿Una nueva verdad?
No, tan antigua como el mundo, pero una verdad que necesitaba desesperadamente
ser restaurada.

Principio 2: El sábado. Otra verdad que se remontaba directamente al comienzo primigenio de la tierra, pero una verdad perdida y olvidada para cuya defensa renovada el
Creador necesitaba un pueblo.

Principio 3: Los Diez Mandamientos. Claro está: las naciones circundantes de Israel po-
seían códigos y leyes civiles y religiosos, pero nada como la profunda simplicidad y la
envergadura del Decálogo de Dios.

Principio 4: La verdad sobre la Creación. Sus vecinos propagaron mitos absurdos y tontos sobre la forma en que el mundo llegó a la existencia. Los elegidos de Dios fueron
suscitados para contar la verdad sobre un Creador amante que busca relacionarse con
todos sus hijos de la tierra.

Principio 5: El Santuario. Los vecinos gentiles tenían sus templos, pero con ellos iban
de la mano la prostitución ritual y los sacrificios humanos. Israel contaba la antigua
verdad de un sacrificio divino, un Cordero de Dios para quitar los pecados del mundo.
Ninguna religión se enfrentó al problema del pecado y al don de la salvación como el
remanente elegido.

Principio 6: La verdad sobre la muerte. De todos los pueblos, solo los hebreos enseñaban
que la muerte es un sueño inconsciente y que el Dios creador es la única Fuente inmortal de vida.

Principio 7: La vida sana. En un mundo que no sabía nada sobre el colesterol y la grasa,
las enfermedades cardíacas ni el cáncer, Dios infundió en su remanente la enseñanza
de alimentos limpios e inmundos, principios de salud dietética fundados en la dieta
natural del Edén.

No es de extrañar que Pablo pudiera ser tan inequívoco para el elegido de nuestro texto
de hoy. Los principios del Libro Sagrado de los judíos «pueden darte la sabiduría necesaria
para la salvación mediante la fe en Cristo Jesús».

Viaje con los judíos - 5

«En el nombre de Jesucristo de Nazaret, a quien
vosotros crucificasteis y a quien Dios resucitó de los muertos,
por él este hombre está en vuestra presencia sano. [...]
Y en ningún otro hay salvación, porque no hay otro
nombre bajo el cielo, dado a los hombres,
en que podamos ser salvos». Hechos 4: 10-12

PROSIGUE NUESTRA LISTA de los principios abrazados por el remanente elegido de Dios al comienzo de la historia de la salvación.

Principio 8: El gran conflicto entre Dios y Satanás. De hecho, Job, el libro más antiguo del Antiguo Testamento, presentó gráficamente el gran tema cósmico de una batalla entre Dios y Satanás por la lealtad de la humanidad. Sus vecinos gentiles ofrecían multitud de mitos, pero solo los hebreos defendían la verdad.

Principio 9: El espíritu de profecía. Seguimos recurriendo a los hebreos por el rico legado de sus profetas, tanto canónicos como no canónicos, hombres y mujeres. Sus mensajes divinamente inspirados formaron la base misma de toda la fe judeocristiana actual. En el mundo que los rodeaba abundaron los falsos profetas, pero Dios suscitó un remanente con el verdadero espíritu de profecía para que fuera una luz resplandeciente en una noche enormemente oscura.

Principio 10: La verdad sobre el gran Día de la Expiación. Ninguna otra religión captó ni de lejos esta verdad sobre un juicio final de la raza humana y la purificación de un santuario celestial. Pero era verdad, no obstante, y Dios suscitó un pueblo que la proclamara al mundo. ¡Se acerca el juicio! ¡Hay que volver al Dios salvador!

Principio 11: La verdad del Mesías Redentor venidero. Tenían la verdad sobre los dos advenimientos del Mesías, pero se abrazaban en particular al primer advenimiento prometido. El suyo fue un privilegio único y divinamente confiado de anunciar la venida del Mesías al mundo, y ellos mismos habían de prepararse para él. Solo Israel poseía las grandes profecías mesiánicas de Isaías 53, Daniel 9 y el Salmo 22. ¿Una nueva verdad? ¡Desde luego que no! La promesa de que Dios proveería un Liberador del pecado puede rastrearse directamente hasta las puertas del Edén. Simplemente necesitaba una comunidad remanente para proclamar la alegre nueva al mundo entero.

Si tan solo Israel hubiera acogido al Mesías cuando vino a él, no habría habido necesidad alguna de otro remanente. No se habrían convertido en un sujetalibros: podrían haber ocupado todo el estante de la historia divina de la salvación. Pero, ¡ay!, teniéndolo todo, lo perdieron todo en Jesucristo. ¡Pero no todos lo perdieron! Porque a un judío llamado Pedro debemos la majestuosa declaración de nuestro texto de hoy, el resplandeciente corazón de toda verdad remanente: ¡Jesús salva, solo él!

Viaje con los judíos - 6

«A lo suyo vino, pero los suyos no lo recibieron.
Mas a todos los que lo recibieron, a quienes creen
en su nombre, les dio potestad de ser hechos
hijos de Dios. Juan 1: 11, 12

HAY UNA PREGUNTA que es preciso formular: Si hubiera una comunidad remanente para conservar y propagar el recopilatorio de la verdad divina al principio de la historia de la salvación, ¿no se deduciría que el mismo Dios que suscitó el primer remanente también suscitaría un último remanente para conservar y propagar esas mismas verdades al final de la historia?

El Apocalipsis es claro: «Entonces el dragón se llenó de ira contra la mujer y se fue a hacer la guerra contra el resto de la descendencia de ella, contra los que guardan los mandamientos de Dios y tienen el testimonio de Jesucristo» (Apoc. 12: 17). ¡Dios tendrá un remanente al final de la historia! ¿Quiénes son? Pueden encontrarse porciones de los once principios de la verdad divina en comunidades de fe del mundo entero. Pero solo hay una comunidad de fe que abarque los once, centrándolos todos en Jesucristo, la gran suma de toda la revelación divina. También ellos son su pueblo elegido. No porque sean más grandes que el resto —Israel no lo fue ni lo será—. Sino porque Dios, en su gracia y providencia soberanas, los suscitó como herederos del patrimonio remanente del antiguo Israel para compartir las nuevas alegres y urgentes de estas verdades divinas con un mundo en el tiempo del fin.

Los sujetalibros coinciden. Pero esa realidad es una espada de doble filo. Porque aunque hay causa de regocijo en el legado de la verdad divina y razón suficiente de estar agradecidos por su posesión (si es verdad que la verdad puede ser poseída), también hay una advertencia inherente. Nuestro texto declara que Cristo fue rechazado por «los suyos», por su comunidad remanente. Por lo visto, la posesión intelectual de la «verdad» no es garantía alguna de salvación ni validación de los elegidos. Solo se extiende esa pertenencia a la familia de Dios a los que lo «reciben» personalmente.

En uno de sus últimos partidos, Babe Ruth estaba teniendo un día terrible en el campo de béisbol. Tan solo en una entrada, sus errores fueron responsables de cinco carreras por parte de sus contrincantes. La voluble multitud abucheó a la estrella senescente mientras salía del diamante cabizbajo. De repente, un muchachito saltó al campo y, con lágrimas, corrió a abrazar a su héroe. Babe alzó en brazos al chiquillo, lo lanzó al aire y lo despeinó, y los dos salieron al banquillo agarrados de la mano. De repente, el abucheo se detuvo y se hizo el silencio en el estadio. ¿Por qué? Porque los espectadores vieron a un héroe que, a pesar de un pésimo día, seguía interesándose por un niño. Como ves, en último término, una relación lo cambia todo.

Viaje con los judíos - 7

*«Hermanos, el deseo de mi corazón,
y mi oración a Dios por los israelitas,
es que lleguen a ser salvos».*
Romanos 10: 1, NVI

CONSIDERA UNA PALABRA FINAL mientras los judíos y el remanente están en nuestro corazón. Mi amigo Jacques Doukhan, judío francés y adventista del séptimo día, escribió un libro en el que apela por igual a judíos y cristianos. En él hay una declaración provocadora escrita por el historiador judío Jules Isaac: «El rechazo judío de Cristo fue desencadenado por el rechazo cristiano de la ley [...]. Bastó el rechazo de la ley; pedir al pueblo judío que aceptara este rechazo [...] era como pedirle que se arrancara el corazón. La historia no consigna ningún ejemplo de semejante suicidio colectivo» (citado en *Drinking at the Sources*, p. 25; publicado originalmente en francés con el título de *Boire aux sources* [Beber de las fuentes]).

¿Te acuerdas de los sujetalibros? Coinciden. Aunque los judíos fieles ven en gran parte de la cristiandad contemporánea un rechazo de la ley y un repudio del sábado, en los adventistas del séptimo día ven un retrato muy diferente. ¿Logras ver que hay una afinidad deseada divinamente entre los adventistas y los judíos? Elena G. de White instó: «Hay entre los judíos muchas personas que serán convertidas, y por medio de las cuales veremos cómo la salvación de Dios avanzará como una lámpara que arde. Hay judíos por todas partes, y a ellos ha de serles llevada la luz de la verdad presente. Hay entre ellos *muchos que vendrán a la luz*, y que proclamarán la inmutabilidad de la ley de Dios con maravilloso poder» (*El evangelismo*, p. 421; la cursiva es nuestra). ¿Podría ser que, de todos los habitantes de la tierra, hayamos de ser nosotros los que mostremos más empatía hacia nuestros vecinos, compañeros de clase y colegas judíos? ¿Te acuerdas de los sujetalibros? «Los conversos judíos han de tener una parte importante en la gran preparación que ha de hacerse en lo futuro para recibir a Cristo, nuestro Príncipe. Una nación nacerá en un día» (*ibíd.*). Esa enigmática línea da a entender que un día los sujetalibros se unirán, ¿no te parece?

¿Será el holocausto final lo que haga de los elegidos un solo sujetalibros? ¿Podría ser, entonces, que los temerosos de Dios de ambas comunidades importantes de fe observadoras del sábado se unan entre sí en una afinidad sagrada nunca antes contemplada? Al final, ¿se convertirá el cáliz compartido del sufrimiento en el catalizador para una unión de los elegidos? Y si Cristo, el Dios del universo, se hizo judío para afrontar su propio holocausto y llegar a convertirse en Salvador del mundo, ¿no deberíamos los seguidores actuales orar y obrar apasionadamente por la propia raza del Señor, para que también sus integrantes «lleguen a ser salvos»?

No hay mayor profeta nacido de mujer

«De cierto os digo que entre los que nacen de mujer
no se ha levantado otro mayor que Juan el Bautista;
y, sin embargo, el más pequeño en el reino de los cielos
es mayor que él». Mateo 11: 11

¿TE GUSTARÍA CONVERTIRTE en profeta? Puedes hacerlo por 450 dólares. Tengo el folleto que lo demuestra. Un caballero que se llama Kent Simpson, que se refiere a sí mismo como «ministro profético de la Escuela de los Profetas», vende un juego de diez vídeos para formarte. Acepta MasterCard, Visa, Discover y American Express. Esto hace que uno se pregunte si esa escuela no estará más interesada en los beneficios que en los profetas. Pero volvamos a nuestra pregunta: ¿Te gustaría convertirte en profeta?

Ten cuidado con tu respuesta. Los riesgos laborales del oficio de profeta son sumamente grandes; el historial es tremendamente desalentador y muchos de sus planes de jubilación dieron dividendos de martirio. Bueno, es verdad que la gente te venera y te ama una vez que estés muerto. Pero, en vida, te embadurnan en alquitrán y plumas y te echan de la ciudad en una carretilla.

Entonces, ¿por qué rayos iba elegir cualquier profeta ser profeta de Dios? Naturalmente, no lo hacían. Dios los elegía. Y discutir con él es todo un reto, ¡como Jonás descubrió rápidamente! Puedes echar a correr, pero no te puedes ocultar. ¿Por qué? Porque «lo que Dios da, no lo quita» (Rom. 11: 29, DHH).

Pero, a pesar de la irrevocabilidad, ejercitar tus dones y tu llamamiento no significa que seas inmune al desaliento y la depresión. Prueba A: Un deprimido Elías, que finalmente suplicó a Dios que le quitara la vida y lo dejara morir; ¡tan miserable fracaso se sentía! Prueba B: Un desalentado Juan el Bautista, que, después de seis meses en el calabozo de la fortaleza de Herodes, empezó a cuestionarse no solo a sí mismo, sino también al Dios cuya voz de trueno afirmó que Jesús era su Hijo amado.

¿Cómo respondió Jesús aquella tarde soleada cuando los también desalentados discípulos de Juan se presentaron en una de sus concentraciones públicas y preguntaron a bocajarro: «¿Eres tú el Mesías o no?»? Contestó tranquilamente: «Vayan a contarle a Juan lo que han visto aquí hoy». Y luego, volviéndose al gentío, Jesús hizo al desalentado profeta el mayor cumplido jamás hecho a ningún mortal. «¡De todos los que han nacido, no hay nadie mayor que Juan!». El mundo nunca llamará «grandes» ni se inclinará ante los que han sido llamados a preparar el advenimiento del Mesías. Pero el cumplido de Jesús está impresionantemente claro: El cielo reserva sus más altos honores para aquellos cuyo éxito se mida, no por el aplauso, sino más bien por la fidelidad. ¡Buena noticia para los más pequeños en el reino!

Es su elección

«Pero ¿qué salisteis a ver? ¿A un profeta?
Sí, os digo, y más que profeta, porque este es
de quien está escrito: "Yo envío mi mensajero delante de ti,
el cual preparará tu camino delante de ti"». Mateo 11: 9, 10

A NALICEMOS EL CUMPLIDO de Jesús. Cuando declaró que Juan el Bautista era el ser humano más grande jamás salido de la matriz de una madre, elevó a Juan por encima de todos los profetas que precedieron al Bautista. Amós, Miqueas, Jeremías, Isaías, Moisés, Elías: ¡la lista de los renombrados predecesores de Juan es un salón profético de la fama! ¿Por qué reservó Jesús sus superlativos para Juan? Porque era el profeta nombrado en concreto por Dios para ser el gran heraldo del Mesías venidero. Fue suscitado «para preparar al Señor un pueblo bien dispuesto» (Luc. 1: 17).

El cumplido de Juan por parte de Jesús demuestra dos cosas, ¿no? En primer lugar, no hace falta ser canónico (que los escritos proféticos se incorporen a las Escrituras) para ser profeta. En las Escrituras no hay en la actualidad ningún escrito de Juan el Bautista. Por otra parte, tampoco fue canónico ningún escrito de estos predecesores de Juan: Natán (2 Sam. 7: 2), Elías (2 Crón. 21: 12), Gad (1 Sam. 22: 5), Ahías (1 Rey. 11: 29), Semaías (2 Crón. 12: 5), Iddo (2 Crón. 13: 22), Obed (2 Crón. 15: 8), Eliseo (2 Rey. 6: 12), Débora (Jue. 4: 4), Hulda (2 Rey. 22: 14) y ni tan siquiera Ana, la profetisa de la historia de Navidad (Luc. 2: 36). Y, en segundo lugar, el cumplido de Juan el Bautista por parte de Jesús demuestra que no hace falta ser canónico para que a uno lo consideren un gran profeta.

Y aunque no pueda deducirse del cumplido de Jesús, esa lista de los predecesores proféticos de Juan también revela que no hay que ser hombre para ser profeta. Débora, Ana, Hulda y las hijas de Felipe el evangelista (Hech. 21: 9) fueron todas profetisas de Dios.

Por lo visto, Dios puede elegir a cualquiera a quien desee revelar «su secreto» (Amós 3: 7), especialmente para preparar a su pueblo para los acontecimientos sísmicos de la historia de la salvación: el diluvio (Noé), un nuevo remanente (Abraham), el éxodo (Moisés), el exilio (Jeremías), la primera venida del Mesías (Juan). Basándonos en ese historial divino, ¿no sería lógico concluir que antes de que el Mesías vuelva la segunda vez Dios suscitaría a otro profeta, un profeta como Juan para preparar a un pueblo para el regreso del Señor, un profeta como Juan ni una sola de cuyas palabras se incorporase a las Escrituras? Dado que Dios ha demostrado ampliamente que puede elegir a quienquiera desee para preparar a sus elegidos, ¿no podría elegir que ese profeta fuese una mujer?

«Probando es que se sabe»

«Así, todo buen árbol da buenos frutos, pero el árbol malo
da frutos malos. No puede el buen árbol dar malos frutos,
ni el árbol malo dar frutos buenos. [...] Así que
por sus frutos los conoceréis. Mateo 7: 17-20

FUE UNA MUJER de notables dones espirituales, que vivió la mayor parte de su vida en el siglo XIX. No obstante, mediante sus escritos y su ministerio público, ha supuesto un impacto revolucionario para millones de personas, entre las que me incluyo, hasta el siglo XXI. Desde los 17 años de edad hasta su fallecimiento setenta años después, Elena G. de White recibió casi dos mil visiones y sueños, cuya duración varió desde unos instantes hasta casi cuatro horas. Precisamente esas revelaciones dieron como resultado su prodigiosa producción literaria, que incluye cien libros disponibles en inglés, cinco mil artículos de revista y 55,000 páginas de manuscritos. Es uno de los autores más traducidos de la historia; su obra maestra *El camino a Cristo,* que ha cambiado vidas, ha sido publicada en unos 150 idiomas.

Como consecuencia adicional de ese don profético, contribuyó a suscitar un movimiento cristiano que hoy ofrece el mayor sistema educativo protestante del mundo, y el más extenso sistema de salud protestante de la tierra. La revista *National Geographic* llevó un artículo de portada que alababa los beneficios en longevidad del mensaje de salud que Elena G. de White recibió y defendió en vida, un mensaje que estuvo muy por delante del conocimiento médico y nutricional de su época, pero que ha sido validado en nuestra generación por la investigación y el estudio científicos detallados. Y, como consecuencia de su liderazgo visionario, la Iglesia Adventista del Séptimo Día que ella contribuyó a fundar se encuentra hoy en más países que cualquier otra confesión protestante del mundo.

¿Por qué? No creo que haya una explicación humana para una vida y un ministerio tan prolíficos y fructíferos. Las palabras de Cristo en el texto de hoy nos mandan que evaluemos el fruto de la vida de una persona con el don profético. Creo que el fruto del ministerio de Elena G. de White solo puede ser explicado por el ministerio divino del Espíritu Santo a través de esa mujer humilde tan humana. ¿Ocupan sus escritos el lugar de la Sagrada Escritura en mi vida o en la vida de la iglesia a la que sirvo? ¡Más bien no! Ella misma describió sus escritos como la «luz menor» de la luna, que refleja humildemente pero con fidelidad la «luz mayor» del Sol de justicia. Que sus escritos reflejan la gloria de Jesús como ningún otro autor que yo haya leído jamás es, para mí, el mayor fruto de todos. *Pero prueba el fruto tú mismo.*

Pruébalos de nuevo, por primera vez - 1

*«El hombre bueno, del buen tesoro de su corazón
saca lo bueno; y el hombre malo, del mal tesoro
de su corazón saca lo malo, porque de la abundancia
del corazón habla la boca».* Lucas 6: 45

HACE UNOS AÑOS, los «copos» de la marca Kellogg's sacaron un ingenioso eslogan publicitario para recuperar una franja de consumidores del mercado demográfico ya entrada en años que había sido destetada con el sabor patentado de sus «copos» de maíz pero que se había pasado a una cocina de desayuno más exótica: «Pruébalos de nuevo… por primera vez». ¿Cómo puedes hacer algo de nuevo por primera vez? Naturalmente, no puedes; pero, por otra parte, sí que puedes, si vuelves para renovar la experiencia de algo que fue parte de tu historia hace mucho.

No es un mal eslogan comercial para los «libros rojos», ¿no crees? Solían llamar a los escritos de Elena G. de White los «libros rojos» por las tapas características que les ponían las editoriales. Aunque para esta generación un título más exacto sería los «libros no leídos». Después de todo, ¿quién sigue leyéndolos? ¿Quién necesita los copos de maíz de nuestros abuelos para desayunar?

Dos amigos míos, Roger Dudley y Des Cummings, Jr., investigaron la correlación entre el desarrollo espiritual y la lectura de los escritos de Elena G. de White, con unos resultados asombrosos. En una encuesta de más de 8,200 miembros en 193 iglesias adventistas de Norteamérica, se midieron más de 20 categorías de vida espiritual, incluyendo una sola pregunta en cuanto a si los encuestados eran o no lectores regulares de los escritos de Elena G. de White. Fíjate en estos contundentes números: El 82% de los lectores regulares de Elena G. de White calificó su relación con Jesús de «íntima», en comparación con el 56% para los no lectores de Elena G. de White. El 82% de los lectores regulares de Elena G. de White indicó un grado elevado de certeza de estar a bien con Dios, en comparación con el 59% de los no lectores. Los lectores de Elena G. de White estaban un 24% más implicados en actividades cristianas misioneras y de servicio que los no lectores. Y el 82% de los que leían a Elena G. de White regularmente también realizan un estudio diario personal de la Biblia, en comparación con el 47% de los no lectores (exactamente el efecto opuesto, dicho sea de paso, que los falsos profetas tienen en sus seguidores). *De hecho, en cada una de las veinte categorías espirituales objeto de encuesta, los lectores regulares de Elena G. de White sacaron una puntuación más alta que los no lectores.* «Por sus frutos los conoceréis» (Mat. 7: 20). Jesús tenía razón. Entonces, ¿por qué no los pruebas «de nuevo por primera vez» y creces en Cristo?

Pruébalos de nuevo, por primera vez - 2

«*¡Confíen en el Señor, y serán librados!*
¡Confíen en sus profetas, y tendrán éxito!».
2 Crónicas 20: 20, NVI

ME CRIÉ COMO ADVENTISTA del séptimo día de quinta generación y me convertí en un predicador de cuarta generación en esta comunidad de fe. Por ello, puede que suene algo incongruente que te diga que no tuve un encuentro con Jesucristo de forma duradera hasta convertirme en un estudiante de posgrado en el seminario. Dios usó las enseñanzas de uno de mis profesores para poner en mi corazón la convicción de una desesperada necesidad espiritual que venía ignorando durante mis primeros años de la vida adulta.

Con culpa angustiosa busqué a ese profesor en una escalera del edificio del seminario. Cuando empecé a desahogar mi corazón, su respuesta inmediata fue brusca, pero dirigida por el Espíritu: «Ponte a leer *El camino a Cristo*. Ponte a leer *El camino a Cristo*». Yo había contado con un oído atento, pero él me envió, en vez de ello, a un libro. Sin embargo, hoy estoy muy agradecido de que lo hiciera. Porque, en nuestro apartamento había una edición para el Ejército y la Marina de *El camino a Cristo* que tuve que leer en octavo de primaria para bautizarme. Lo saqué de mi estantería y empecé a releer lentamente ese viejo clásico. Y, al probarlo de nuevo por primera vez, descubrí que el título del libro en inglés (*Steps to Christ*, «pasos hacia Cristo») era una profecía que, por su propia naturaleza, se cumplía sola. Para mí, realmente se convirtió en pasos frescos y nuevos hacia Cristo.

Partiendo de aquel renacimiento espiritual, por así decirlo, Dios empezó a guiar mi viaje a la vida de devoción/adoración/oración centrada en la relación que ya he compartido en este libro. Y a raíz de ese viaje despertó en mi corazón un aprecio nuevo y más profundo del ministerio de Elena G. de White. Por eso quería compartir contigo lo que hemos compartido estos últimos días. Verdaderamente, hay una correlación espiritual empírica entre leer los escritos de esta mensajera para los elegidos en este momento de la historia y nuestro caminar con Dios. Roger Dudley y Des Cummings, Jr., acabaron su investigación (destacada ayer) con esta conclusión: «Rara vez un estudio de investigación encuentra la evidencia tan intensamente escorada hacia una conclusión. En la encuesta sobre el crecimiento de la iglesia, en *cada elemento individual* que aborda las actitudes o las prácticas personales [de la vida espiritual], el miembro [de iglesia] que estudia regularmente los libros de Elena G. de White tiende a sacar mayor puntuación que el miembro que los lee solo ocasionalmente o no los lee nunca» (*Ministry*, octubre de 1982, p. 12).

¿Tiene que ver todo esto, entonces, en quiénes de nosotros sacan mejores puntuaciones? ¡Más bien no! Pero, dadas la urgencia de los tiempos en los que vivimos y la promesa de nuestro texto de hoy, ¿por qué no íbamos a querer los elegidos el don en concreto que Dios eligió personalmente para nuestro éxito espiritual y para nuestra misión escatológica?

¡El general Douglas MacArthur no está de nuestro lado!

«Jesús se acercó y les habló diciendo: "Toda potestad me es dada en el cielo y en la tierra. Por tanto, id y haced discípulos a todas las naciones"». Mateo 28: 18, 19

¿RECUERDAS LA PRIMERA VEZ que te tomaste en serio la Gran Comisión? ¡Qué bien me acuerdo yo! Ocurrió a orillas del bonito lago de montaña Nojiri, en Japón, uno de los lugares de esparcimiento predilectos de los misioneros de todas las confesiones. Mi hermanito Greg y yo éramos íntimos amigos de otros dos hermanos adventistas, Doug y Dave Clark. Y en medio de nuestras dos cabañas en la ladera del monte estaban los Kelly, familia bautista del sur con dos chicos de nuestra edad. Y eso transformó a seis muchachitos estadounidenses en una brigada estival entregada a la diversión.

Salvo por un pequeño detalle. Los hermanos Kelly averiguaron que los adventistas éramos vegetarianos. Su fervor de jóvenes bautistas no tuvo límites: «Ustedes son vegetarianos: Comen comida de conejo. Ja ja ja ja ja». ¡Los cuatro chicos adventistas quedamos de piedra! Eso era a finales de la década de 1950, antes de que la ciencia corroborara las muchas ventajas de la «dieta original». Así que sencillamente tragamos saliva y aceptamos lo que nos decían nuestros colegas bautistas. Una y otra vez. Hasta aquel día inolvidable en que Doug Clark, el mayor de los cuatro niños adventistas, vino preparado y listo para la refutación. Cuando los hermanos Kelly volvieron a sacar el asunto a colación, Doug echó sus pequeños hombros para atrás y declaró: «¿Sabían ustedes que el general Douglas MacArthur es adventista del séptimo día?». ¡Aquellos ojos bautistas del sur casi se salieron de las órbitas! (Por entonces, MacArthur era un personaje famoso a ambos lados del Pacífico). «Es más —prosiguió Doug— ¡es vegetariano!». Tendrías que haber visto la cara de los niños. Bueno, ¡ni mis propios padres me habían informado de ese gran hecho! Pero era cuanto necesité para subirme al tren del evangelio: «Ja ja ja ja ja. MacArthur es adventista ¡y VEGETARIANO!». ¡Nunca me había percatado de que dar testimonio pudiera ser tan estimulante! Y tener tanto éxito. Porque aquellos amiguetes bautistas que teníamos nunca volvieron a sacar el asunto a relucir. Me encantó ganar una para Jesús.

Después supe que nuestra gran victoria para el evangelio se basó en un error pequeño pero muy significativo. El general MacArthur *nunca* fue adventista ni vegetariano. ¡Doug lo había confundido con el queridísimo y conocidísimo Tío Arturo de *Las bellas historias de la Biblia*!

Pero aunque la Gran Comisión no es una co-misión con ese general grande pero fallecido, es, ciertamente, una asociación co-misionera con el mayor Ser del universo, que tiene toda la autoridad y todo el poder que necesitamos para abrazar con alegría su misión. ¡Y ganar una para Jesús!

Sí que se puede aprender algo de un niño de doce años

«Entonces él les dijo: "¿Por qué me buscabais?
¿No sabíais que en los negocios de mi Padre
me es necesario estar?"». Lucas 2: 49

TENGO EN MI BIBLIOTECA un libro del erudito en Nuevo Testamento Conrad Gempf titulado *Jesus Asked* [Jesús preguntó]. ¿Sabías que de los 67 episodios del Evangelio de Marcos en los que hay algo de conversación, en 50 Jesús formula una pregunta? Hasta cuando otras personas le hacían una pregunta, él contestaba con otra suya. «Maestro bueno, ¿qué debo hacer para heredar vida eterna?» (Mar. 10: 17, NVI). Jesús responde: «¿Por qué me llamas bueno?» (vers. 18). O esta otra: «¿Está permitido pagar impuestos al césar o no?» (Mar. 12: 14, NVI). La respuesta de Jesús: «¿De quién son la esta imagen y esta inscripción?». Jesús era muy aficionado a las preguntas.

Y eso puede explicar cómo un muchacho de doce años, pensativo y curioso, pudo captar la atención embelesada de las mentes más brillantes y los teólogos más reverenciados de Jerusalén. Hacía preguntas. Te acuerdas de la historia, ¿verdad? Jesús viajó con José y María desde Nazaret a la santa ciudad para celebrar su *bar mitzvá*. Pero en su viaje de regreso con las multitudes que volvían de la Pascua, sus padres no llegaron a percatarse de que no estaba con ellos. Aquella noche el descuido que habían tenido quedó claro. Volviendo a Jerusalén a toda prisa al día siguiente, José y María pasaron un día más buscando frenéticamente a su hijo «perdido». ¿Y dónde lo encontraron? «Lo encontraron en el templo, sentado entre los maestros, escuchándolos y haciéndoles preguntas» (Luc. 2: 46, NVI).

El Deseado de todas las gentes describe esas preguntas: «Jesús se presentó como quien tiene sed del conocimiento de Dios. Sus preguntas sugerían verdades profundas que habían quedado oscurecidas desde hacía mucho tiempo, y que, sin embargo, eran vitales para la salvación de las almas» (cap. 8, p. 61). Con alivio represor, María se puso aprisa junto a su Niño. «Hijo, ¿por qué nos has hecho esto? Tu padre y yo te hemos buscado con angustia» (vers. 48). Con sus doce años, Jesús miró fijamente el rostro amante pero represor de su madre, y cuando pronunció las primeras palabras impresas en rojo del Evangelio de Lucas, claro está, es una pregunta. En realidad, dos. Preguntó: «¿Por qué me buscabais? ¿No sabíais que en los negocios de mi Padre me es necesario estar?» (vers. 49). María había exclamado: «*Tu padre* y yo», y el chaval contestó: «No, *mi Padre* y yo». Porque, ¿no es esa la relación que define a uno?

«En los negocios de mi Padre me es necesario estar». Después de todo, ¿no fueron escogidos los elegidos precisamente por eso, para sumarse a su Padre en el negocio apasionado y la misión solitaria de este de buscar y salvar al resto de sus hijos perdidos? ¿No es hora de que también nosotros nos ocupemos de los negocios de nuestro Padre?

Cómo ser un agricultor despreocupado

«Juntándose una gran multitud y los que de cada ciudad venían a él, les dijo por parábola: "El sembrador salió a sembrar su semilla"». Lucas 8: 4, 5

¿SABÍAS QUE SE SUPONE QUE el Día de los Trabajadores, celebrado en Estados Unidos y Canadá el primer lunes de septiembre, es el mejor día del año para plantar césped nuevo? Y por eso, aunque aquel lunes de septiembre llovía, mi hija Kristin y yo salimos al jardín frontal a hacer eso precisamente en un trozo de terreno de 3 × 4 metros sin vegetación que cubría una alcantarilla ahora enterrada. Hicimos lo que todo agricultor viene haciendo desde tiempo inmemorial: esparcimos nuestra semilla. Y, claro está, sucedió exactamente lo que Jesús dijo que sucedería.

¿Te acuerdas de su parábola? Una mañana, temprano, un agricultor atravesó sus ondulados campos, tomando de su bolsa de semillas puñados de grano en potencia y echándolas a voleo a derecha e izquierda. Sin importar el terreno —rocoso, transitado, lleno de hierbajos o fértil—, la única misión del agricultor era simplemente seguir lanzando su semilla. Sin pararse a preocuparse por el resultado de su siembra, depende del Creador para la germinación y el desarrollo de la semilla. Es un agricultor despreocupado.

Y así debemos ser también los elegidos. Despreocupados. Lo que normalmente no somos —¿no es así?— en lo tocante a la misión de evangelizar y de dar testimonio. Tengo un amigo joven que se consume porque cree que no ha tenido mucho éxito en compartir la Palabra de Dios con sus vecinos, colegas y amigos. Si le preguntas: «Bueno, ¿no compartes la semilla?», él te contestará: «Claro que sí, por doquier; pero nadie se bautiza como consecuencia del reparto que he efectuado. Parece que no hay manera de que recoja una cosecha». Lo cierto es que no es el único agricultor de la iglesia que tiene esa opinión, ¿no te parece? En realidad no nos sentimos despreocupados en lo referente al testimonio que damos a los demás.

Sin embargo, vuelve a leer las palabras introductorias de Jesús: «El sembrador salió a sembrar su semilla». Punto. ¡Y la buena noticia está en ese punto! Para ese agricultor no hay ninguna parálisis por el análisis. Porque sabe que su tarea es *sembrar* la semilla, y que la tarea de Dios es *dar crecimiento* a la semilla. El agricultor siembra, Dios da el desarrollo. Tú siembras, Dios da el crecimiento. No nos corresponde a nosotros preocuparnos por dónde cae la semilla ni en qué forma se desarrolla la semilla ni cuándo se cosecha el grano. Lo único que debemos hacer los agricultores que queremos ocuparnos de los negocios de nuestro Padre Agricultor es tomar la semilla a puñados y sembrarla doquiera vayamos. Un puñado de folletos con el evangelio, algunas tarjetas del portal de Internet de la Escuela Bíblica Discover *(http://languages.bibleschools.com/spanish/),* una suscripción de regalo a la revista *Prioridades:* no hay límites, como tampoco los tienen las semillas. Entonces, ¿por qué preocuparse? En vez de ello, sé simplemente un agricultor de Dios y sal a sembrar la semilla hoy.

Deja de pescar en el acuario - 1

«Jesús dijo a Simón: "No temas; desde ahora
serás pescador de hombres". Trajeron a tierra
las barcas y, dejándolo todo, lo siguieron».
Lucas 5: 10, 11

TE VOY A CONTAR una historia que podríamos titular perfectamente *Guía de pesca para inútiles*. Habrás visto esos manuales de instrucciones encuadernados en color anaranjado claro, ¿no? Yo tengo en mi biblioteca la *Guía de computadoras personales para inútiles. (dummies* en inglés*)* A veces todo lo que necesitamos es un manual práctico muy básico para echar a andar.

En una ocasión Jesús se subió en la barca de pesca del gran pescador (ese sería Pedro) y le preguntó si podría apartarse de la orilla para que el Maestro pudiese enseñar al creciente gentío que se había congregado aquella clara mañana en Galilea. Cuando acabó la enseñanza, el Maestro acometió la auténtica enseñanza del día. «Dijo a Simón: "Boga mar adentro, y echad vuestras redes para pescar"» (Luc. 5: 4). Pedro no necesitaba una guía de pesca para tontos: llevaba pescando toda su vida. Y cualquiera que sepa algo de pesca sabe que no se echa la red a mitad del día, cuando los peces pueden ver la red en la superficie. Pero, alabado sea Dios, Pedro da un suspiro, se encoge de hombros y acata la orden de Jesús. ¿Has practicado alguna vez esquí acuático, con la sensación de que el cable de remolque de la lancha casi te saca los brazos del tirón? Con los ojos como platos y boquiabierto, los bíceps de Pedro se esfuerzan por sujetar una red de repente llena de peces a reventar. Con frenesí, llama a gritos a sus socios de pesca. ¡Y ahora ambas barcas empiezan a hundirse por la captura de peces! En ese instante Pedro se da cuenta de que está en presencia de la Divinidad. Con montones de escurridizos peces plateados por todos lados, cae de rodillas exclamando: «Apártate de mí, Señor, porque soy hombre pecador» (vers. 8). Entonces precisamente pronuncia Jesús las palabras del texto de hoy: «No temas; desde ahora serás pescador de hombres».

¿Cuál es la lección del día del Maestro sobre la pesca de hombres? En realidad, es sencilla. Si de verdad quieres atrapar peces, deja de holgazanear en el acuario y «boga mar adentro y echa las redes». Y, no obstante, ¿cuántos de los elegidos han escogido pasar la vida donde ya hay peces? ¿Por qué salir a pescar cuando tenemos el sensacional y coqueto acuario de nuestra iglesia local en el que hay expuestos algunos peces muy preciados? Pero esa mentalidad de acuario jamás sintonizará con esta generación, que nada en las profundidades de los barrios marginales, de las ciudades universitarias seculares, en edificios de oficinas de grandes empresas y en patios públicos de recreo muy lejos de nuestros coquetos acuarios y más allá de nuestro elemento. Lo cierto es que hasta que obedezcamos la orden de Jesús de salir a las oscuras profundidades de la sociedad, nunca pasaremos de ser un acuario borboteante con unos peces aburridos. Y nadie necesita un manual para eso.

Deja de pescar en el acuario - 2

«Asimismo el reino de los cielos es semejante a una red que,
echada al mar, recoge toda clase de peces. Cuando está llena,
la sacan a la orilla, se sientan y recogen lo bueno en cestas
y echan fuera lo malo». Mateo 13: 47, 48

PESCAR EN LA PROFUNDIDAD puede resultar peligroso. Allí se agitan tempestades impresionantes que pueden amenazar tu barquita; aguas embravecidas que un acuario estéril, tranquilo y oxigenado jamás experimenta. ¡Pero tal es el precio de la pesca de verdad! Y, además, ¿cómo era aquel canto que entonábamos a pleno pulmón hace tanto tiempo? «Pescadores de hombres yo os haré... al seguirme a mí».

Precisamente porque queremos ocuparnos en los asuntos de nuestro Padre Pescador y seguirlo, Jesús nos contó la historia de peces que vemos en nuestro texto de hoy. No es muy larga esta parábola sobre pescadores que echan al mar su red de arrastre y que recogen todo tipo de pez imaginable en su captura. Pero es lo bastante larga para recordarnos que una barcada de peces de aguas profundas puede ser sucia, viscosa y maloliente. Porque los peces que capturas en la profundidad puede que no sean en absoluto como los peces que encontramos en el acuario de la iglesia. Ya sabes, peces limpios (con aletas y escamas, estilo Levítico 11): pececillos de orilla como tú y yo. Seamos sinceros. Si te tomas en serio la orden de Jesús y arrojas la red en aguas profundas, podrías acabar con peces que son inmundos. Porque cuando andas por ahí «buscando a Nemo», puede que metas en la red más de un pez payaso. Peces inmundos y desaliñados con alcohol en el aliento o al menos en el asiento trasero de su automóvil, borrachos hasta más no poder. Atraparás peces con disfunciones sexuales, desviaciones y hasta con enfermedades contagiosas. Algunos serán como la captura que hizo Jesús junto a un pozo en Samaria y llevarán ya cuatro o cinco matrimonios a su espalda. Otros peces del fondo estarán cubiertos de señuelos rutilantes o de tatuajes atrayentes.

«Bueno, no te preocupes: Tan pronto los metamos en nuestro acuario, los despellejaremos, los escamaremos y los asearemos igualitos a nosotros. Y, si no nos gustan, ¡les daremos pasaporte!». Jesús se temía eso, y por eso la frase clave de su parábola declara que la limpieza, la clasificación y la adjudicación de casos las realizarán los ángeles «a la consumación del siglo» (vers. 49, NC). Los ángeles harán la clasificación; nuestra misión es realizar la pesca. ¿Por qué? Porque los peces son asunto de nuestro Padre: limpios e inmundos. Nosotros hacemos la pesca de altamar; él hace la limpieza. Si llegamos a entender eso, tengo la sensación de que pasaremos menos tiempo criticando a los peces del acuario y más tiempo en altamar pescando a los perdidos.

Listos para debutar - 1

«Cuando llegó el día de Pentecostés estaban todos
unánimes juntos. De repente vino del cielo un estruendo
como de un viento recio que soplaba, el cual llenó
toda la casa donde estaban. Hechos 2: 1, 2

¿QUÉ OCURRIRÍA SI, mientras estamos arrodillados en la iglesia este sábado, oyéramos, como a la distancia, el gemido de pocos decibelios de un viento lejano? Con los ojos aún cerrados en oración, ahora podemos oírlo con claridad: un gemido y un crujido ventosos *in crescendo*. De repente, lo que sea se convierte en el traqueteo de un tren de mercancías que se acerca. (En el Medio Oeste de EE. UU. nos han enseñado que eso es el aviso audible de un tornado). Pero, antes de que podamos reaccionar, el viento huracanado parece explotar dentro de nuestro santuario. Pero las lámparas del techo que cabría esperar que estuvieran bamboleándose con un ángulo disparatado cuelgan verticales e inmóviles. No hay viento, ni movimiento de aire alguno, solo el rugido de un furioso tornado dentro de la iglesia.

Entonces la vemos, suspendida en el aire a media altura con respecto al techo: una turbulenta bola de fuego anaranjado, como una cuba de acero fundido borboteante sin una vasija de hierro que lo contenga; fuego líquido suspendido en el aire. Entonces, como si manos invisibles fueran responsables, llameantes tiras delgadas se desprenden de la ardiente bola y salen como una flecha por el aire, subiendo y bajando por cada pasillo y cada banco, hasta que una temblorosa lengua de fuego arde sobre la cabeza de cada fiel. ¡Pentecostés! ¿Qué ocurriría si pasase ahora mismo y aquí mismo?

Hay quienes vienen orando mucho tiempo por un Pentecostés. Lo sé; me he encontrado con algunos. Vinieron dos adultos jóvenes a mi despacho de iglesia y compartieron su ferviente anhelo de que volviera a ocurrir, y se preguntaban por qué no aquí. ¿Les digo que aún no puede suceder? ¿Que este no es el momento debido? ¿Que no somos la generación adecuada para el Pentecostés? Y, además, ¿qué aspecto tendría?

La respuesta se halla en la palabra griega *pentecoste,* que significa «quincuagésimo día». Se añaden cincuenta días a la Pascua y se llega a Pentecostés. Ambos días santos simbólicos se basaban en una misma pasión divina. Desde las puertas del Edén a la cruz de Cristo —y hasta el día de hoy—, todo acto de Dios, sin excepción, ha sido impulsado por su amor apasionado por los pecadores humanos caídos. Belén, el Calvario, Pentecostés, todo por su pasión carmesí. Por eso, cuando oras por el Pentecostés, pides algo más que simplemente ser henchido del Espíritu Santo: de hecho, suplicas ser colmado de la encendida pasión de Dios por las personas perdidas. Porque, ¿cómo podríamos ser llenos del Espíritu Santo si no estamos llenos de la pasión de Dios?

Listos para debutar - 2

«Entonces los que se habían reunido le preguntaron, diciendo:
"Señor, ¿restaurarás el reino a Israel en este tiempo?".
Les dijo: "No os toca a vosotros saber los tiempos o las ocasiones
que el Padre puso en su sola potestad; pero recibiréis poder
cuando haya venido sobre vosotros el Espíritu Santo,
y me seréis testigos en Jerusalén, en toda Judea,
en Samaria y hasta lo último de la tierra"».
Hechos 1: 6-8

¡QUÉ PREGUNTA TAN «ADVENTISTA»! «¿Es este el fin?». Pero, ¡qué respuesta tan «poco adventista»! «No se preocupen por ello: ¡tienen mucho trabajo que hacer!». Jesús es meridiano. La necesidad más apremiante de sus discípulos no es que conozcan la fecha de su regreso, sino que reclamen la promesa de su Espíritu. Porque «recibiréis poder [griego *dynamis,* como en "dinamita"] cuando haya venido sobre vosotros el Espíritu Santo, y me seréis testigos [griego *martys,* "mártir", uno que da testimonio a través de su vida y hasta de su muerte] [...,] hasta lo último de la tierra». Precisamente por esa promesa de «dinamita», ciento veinte hombres, mujeres y adultos jóvenes se reunieron en aquel aposento alto (ver Hechos 2).

Y, ¿qué pedían en sus oraciones? Fíjate cómo describe su súplica el libro *Los hechos de los apóstoles:* «Los discípulos oraron con intenso fervor pidiendo capacidad para encontrarse con los hombres, y en su trato diario hablar palabras que pudieran guiar a los pecadores a Cristo. [...] No pedían una bendición simplemente para sí. *Estaban abrumados por la preocupación de salvar almas.* Comprendían que el evangelio había de proclamarse al mundo, y demandaban el poder que Cristo había prometido» (cap. 4, p. 30; la cursiva es nuestra). Oraron para recibir el Espíritu Santo, no por conseguir una cálida espiritualidad difusa, ni por la consecución de un colocón espiritual extático, sino para que los perdidos pudieran ser hallados y salvados.

¿Qué sucedería si los elegidos empezásemos a elevar fervientemente aquella oración anterior al Pentecostés? ¿Qué pasaría si hoy pidiésemos a Jesús que cumpliera su promesa de Hechos 1: 8 de colmarnos del Espíritu Santo para que también pudiera prender en nosotros su apasionado amor por los perdidos? Algo que he aprendido es que ningún predicador puede, a base de predicaciones, poner en mí una pasión por las almas perdidas. Ningún libro puede crear en nuestro corazón un nuevo anhelo por alcanzar a los perdidos para Cristo. Ni siquiera la Biblia puede infundir tan apasionado amor por los pecadores perdidos. Porque solo hay una Fuente para esa pasión: y es el corazón del propio Dios. Entonces, ¿qué tal si acudiésemos directamente a él ahora mismo y empezásemos a suplicar su don? Para una generación lista para debutar en el clímax de la historia del mundo, ¿habría una mejor oración y pasión que esta?

El reino avanza entre amigos - 1

«Así que, los que recibieron su palabra fueron bautizados,
y se añadieron aquel día como tres mil personas». Hechos 2: 41

S U IMAGEN SE DIFUNDIÓ por el mundo entero gracias a Internet. Gemelas idénticas doce semanas prematuras en Worcester, Massachusetts, las diminutas hermanas Kyrie y Brielle Jackson apenas pesaron un kilo cada una al nacer. Kyrie empezó a ganar peso rápidamente, pero la pequeña Brielle tenía problemas respiratorios y del ritmo cardíaco, su nivel de oxígeno en sangre era bajo y su ganancia de peso muy lenta.

De repente, a las cuatro semanas de vida, Brielle empezó a respirar con dificultad, su carita y sus bracitos, delgados como un palo, adquirieron un tono gris azulado, su ritmo cardíaco se disparó y presentaba un hipo peligroso que sometía su cuerpo a estrés. La enfermera Gayle Kasparian, de la unidad de cuidados intensivos de neonatos, intentó desesperadamente estabilizarla, pero era inútil. Entonces la enfermera recordó un procedimiento denominado «encunado doble de bebés de partos múltiples», común en Europa pero prohibido en Estados Unidos por temor a la transmisión de infecciones.

Gayle levantó a Brielle y la puso en la incubadora junto a su hermana Kyrie. Y, según los informes periodísticos, en ese preciso instante, los niveles de oxígeno de Brielle subieron de repente, su respiración se hizo menos trabajosa, su llanto se detuvo y fue extendiéndose el color sonrosado normal de la piel. Alguien obtuvo una fotografía de las hermanas prematuras en su incubadora compartida. La revista *Life* y el *Reader's Digest* se hicieron eco de la misma y hoy está por toda Internet. De hecho, tan famosa llegó a ser esa foto que los padres de esas dos hermanas gemelas ¡tuvieron que solicitar un número de teléfono que no figurase en el listín telefónico! En la actualidad las hermanas gozan de perfecta salud. ¿La imagen? Tumbadas sobre la barriga lado a lado en la incubadora y profundamente dormidas, Kyrie tiene su bracito sobre los hombros de Brielle, amiguitas diminutas en reposo. Llaman a la imagen «El abrazo del rescate».

Mucha gente termina la historia del Pentecostés en aquel glorioso bautismo de tres mil personas. Pero la historia prosigue. Porque en lo que sigue se representa un «abrazo de rescate» que, claramente, resulta esencial para los recién nacidos: «Y [los recién nacidos espiritualmente] perseveraban […] en la comunión unos con otros» (Hech. 2: 42). El «abrazo del rescate» está en la palabra griega *koinonia*, traducida «comunión», o cálida interacción relacional. ¿No es asombroso? En la estrategia divina de la salvación resulta vital el poder de la amistad de un brazo sobre los hombros. Mi amiga Ruthie Jacobsen tiene toda la razón en su precioso libro *Bridges 101*: «El reino avanza entre amigos». El reino de Dios se extiende no solo por medio de campañas públicas de evangelización (Hech. 2: 41), sino también a través de relaciones individuales (vers. 42, 47). Y por eso la misión de los elegidos es hacer nuevos amigos para Jesús. Así que, ¿por qué no hacerlo hoy?

El reino avanza entre amigos - 2

*«Y el Señor añadía cada día a la iglesia
los que habían de ser salvos».*
Hechos 2: 47

¡ALABADO SEA DIOS por las tres mil personas que se incorporaron a la incipiente y nueva comunidad cristiana en un solo día! Pero no son menos significativos los hombres, las mujeres y los niños que venían sumándose «cada día», según destaca nuestro texto de hoy, mediante la interacción personal. El reino, en efecto, avanza realmente entre amigos.

¿Cómo podemos vivir por este principio e este punto de la historia del mundo? He aquí un puñado de métodos que tú y yo podemos implementar de inmediato para aprovechar la estrategia divina de la amistad.

Método 1. Amplía tu círculo de amigos. ¿Quiénes son, entonces, los amigos que Dios espera y anhela que alcances para él? Te puedes imaginar los rostros, ¿no? Pero, para que no te olvides, ¿por qué no tomar un trozo de papel ahora mismo y escribir sus nombres? (Esperaré). ¿Quiénes son las personas que sabemos que no conocen a Jesús, es decir, aquellas por las que, si Jesús hubiese de volver esta noche, tu corazón se teme que se perderían? Anota su nombre en una lista titulada «Mis amigos que necesitan a Jesús».

La triste realidad para la mayoría de nosotros es que cuanto más tiempo llevamos como miembros de iglesia, más pequeña se hace nuestra lista de amigos y conocidos perdidos. ¿Por qué es así? Porque forma parte de la naturaleza humana buscar seguridad y aceptación con aquellos que son espiritual y socialmente más «cercanos» a nosotros. Así no tengo que explicar mi hábito contracultural de apartar las últimas veinticuatro horas de la semana (de la puesta de sol del viernes a la del sábado) cuando me junto con colegas observadores del sábado. Y cuando en mi círculo de amistades solo tengo a los «salvos», no tengo por qué explicar por qué no bebo tal cosa ni por qué como lo de más allá. A nadie le gusta vivir fuera de su elemento. Todos disfrutamos una seguridad no amenazante con personas que piensan y actúan como nosotros. Pero no hace falta saber latín para darse cuenta de que si las comunidades abrazan círculos de amistad de «solo nosotros», están en la senda segura que acaba llevando a la extinción. Acuérdate de los *amish*.

Ampliar activamente nuestro círculo de amistades de forma que incluya a gente perdida es simplemente empezar a centrarse en amistades, y cultivarlas, con la gente que nos rodea. Los vecinos son candidatos inmediatos, ¿no? Y tus compañeros de clase, tus colegas y tus contactos de negocio. Puedes ampliar tu lista de «amigos que necesitan a Jesús» con tanta audacia como desees. No hace falta que sean cien, pero puedes concentrarte en un puñado. ¿Cómo, si no, explicar las amistades de Jesús, activas, cautivadoras, de «fuera de su elemento»? Buscaba nuevos amigos. Entonces, ¿por qué no podemos ser como él?

El reino avanza entre amigos - 3

*«Y cualquiera que dé a uno de estos pequeños
un vaso de agua fría solamente, por cuanto es discípulo,
de cierto os digo que no perderá su recompensa».* Mateo 10: 42

Método 2. Ocúpate en actividades de bajo riesgo y mucha gracia. Así describe Ruthie Jacobsen a «cualquier actividad de testimonio del reino que resulte cómoda para los tímidos pero que tenga fuerza suficiente como para constituir una potente declaración de gracia. Es una actividad de compartir amor que es realizable incluso para los que nunca se han considerado miembros de la Brigada de Dios» (*Bridges 101*, p. 19). Su libro está repleto de relatos de actividades tan simples como regalar botellas de agua fría en una feria (con una etiqueta de identificación de la iglesia y un número de teléfono en la parte de atrás), o patrocinar un descuento de cincuenta centavos en el precio de la gasolina durante dos horas en la gasolinera local, mientras un equipo de amigos lava los parabrisas y entrega literaturas y barritas de cereales. El quid es que las actividades de bajo riesgo y mucha gracia, en las que puedes construir puentes como una avenida a la edificación de amistades, abundan.

Mi relato favorito es sobre el tipo de la tienda de comestibles encargado de meter en bolsas la compra de la gente que decidió que su testimonio sería un corto y sucinto mensaje de ánimo en un papelito metido en cada bolsa que él llenaba. En cosa de días el encargado no acertaba a explicarse por qué la línea de caja atendida por el joven tenía una cola que serpenteaba por todo el supermercado ¡y nadie cambiaba de fila! Todo lo que necesitas es un corazón que ora para que la pasión de Dios te abra los ojos a nuevos puentes para nuevos amigos.

Método 3. Esparce tu calor. El esposo de Ruthie, Don (que fue mi profesor de homilética en el seminario), estaba de viaje en Japón y en el avión estaba hojeando una revista japonesa que no podía leer. Llegó a un anuncio muy poco habitual: una imagen gris bastante apagada de una mariposa con palabras en japonés debajo. El empresario japonés que había junto a él se fijó en la extrañeza de Don y explicó que se suponía que tenía que poner la mano sobre la mariposa. Don lo hizo y, unos instantes después, el calentamiento de la tinta especial del anuncio se convirtió en todos los hermosos colores de una mariposa. Ruthie pregunta: «¿Quién no necesita una mano cálida que lo ayude a florecer y cobrar vida?» (p. 35). Esparce tu calor, amigo mío. Y descubre la manera en que el Espíritu te llevará a personas que, de momento, solo necesitan tu cálido contacto. Detente y charla con ese desconocido. Da una mano amiga a una anciana. Esparce tu calor en el comedor, en la lavandería o en la biblioteca (en silencio). ¿Quién sabe? Puede que sea tu «abrazo de rescate» que Dios use para salvar una vida más para su reino.

El reino avanza entre amigos - 4

«Respondió la mujer y dijo: "No tengo marido". Jesús le dijo:
"Bien has dicho: 'No tengo marido', porque cinco maridos
has tenido y el que ahora tienes no es tu marido.
Esto has dicho con verdad"». Juan 4: 17, 18

HAY UN MÉTODO más que tú y yo podemos implementar de inmediato para aprovechar la estrategia de amistad y la misión de Dios:

Método 4. Practica la integración radical. Dill Hybels describe así la integración radical: «Tienes nuevos ojos para ver las cosas como Jesús las veía. Dejas que las manías, los defectos y los fallos de la gente se disipen, viendo en ella, en su lugar, su estado potencial infundido por el Espíritu. Ves al malhablado y mujeriego José, dado a las fiestas, y dices: "¿Cómo sería un tipo como José si Dios gobernara su corazón y reinara en él? Sería increíble si Dios entrara en su mundo"» (*Just Walk Across the Room*, p. 69).

¿Qué quiero decir? Deja de pasar por delante de los Josés y las Josefinas de tu mundo y seguir como si nada. Deja de desechar a los «perdidos» y a los «inútiles». En vez de ello, empieza a ver en qué podrían convertirse ese hombre, esa mujer, ese adolescente, si Jesús pudiera entrar en su mundo. Así que toma tu lista de «Mis amigos que necesitan a Jesús» y apunta sus nombres.

De hecho, ¿por qué no tomas una página del libro de estrategias del propio Jesús? ¿Te puedes imaginar una candidata más perdida e inútil que se cruzara en su senda aquel mediodía de tanto calor y tanta sed que la samaritana junto al pozo? ¡Por Dios!, en serio. Si vamos a concentrarnos en desconocidos «ganables» y «dignos» como candidatos potenciales para el reino, está claro que ella no da la talla. Y, no obstante, a los ojos de Aquel que dijo en una ocasión «os he llamado amigos» (Juan 15: 15), nadie es demasiado malo o está demasiado perdido como para convertirse en su nuevo amigo. Y, lo adivinaste: que él se ganara la confianza y la amistad de aquella mujer en una sola conversación a mediodía ¡se convirtió en la divina estrategia ganadora para salvar a toda una población samaritana!

«Solo el método de Cristo dará éxito para llegar a la gente. El Salvador trataba con los hombres como quien deseaba hacerles bien. Les mostraba simpatía, atendía a sus necesidades y se ganaba su confianza. Entonces les decía: "Sígueme"» (*El ministerio de curación*, cap. 9, p. 86).

La vida de nuestro Señor es prueba suficiente de que el reino avanza entre amigos. ¿Puedes pensar en una forma más cautivadora de ser como tu Salvador que hacer una nueva amistad para él hoy?

De rodillas - 1

«Un día subían Pedro y Juan al templo a las tres de la tarde,
que es la hora de la oración. Junto a la puerta llamada
Hermosa había un hombre lisiado de nacimiento,
al que todos los días dejaban allí para que pidiera
limosna a los que entraban en el templo. [...]
"No tengo plata ni oro", declaró Pedro, "pero
lo que tengo te doy. En el nombre de Jesucristo
de Nazaret, ¡levántate y anda!"».
Hechos 3: 1-6, NVI

UN DÍA TOMÁS DE AQUINO, gran filósofo de la Edad Media, visitaba al papa Inocencio IV. El papa estaba dando una visita guiada a Tomás por la riqueza acumulada de la iglesia, apilada a gran altura sobre mesas en la tesorería. «Como ves, Tomás —sonrió el papa— la iglesia ya no puede decir "No tengo plata ni oro"». «Sí, Santo Padre —contestó Tomás— ¡pero tampoco puede decir "En el nombre de Jesucristo de Nazaret, levántate y anda"!».

Supongo que, según cualquier vara de medir de la actualidad, la iglesia es rica. Pero, ¿dónde está el poder del Cristo resucitado en nuestro medio? «No tengo plata ni oro»: Cuando éramos niños, ¿no tuvimos que aprender de memoria en la escuela sabática la famosa exclamación de Pedro? «Pero lo que tengo te doy: en el nombre de Jesucristo de Nazaret, levántate y anda» (vers. 6). ¿De dónde provino el poder que sanó a un cojo de nacimiento?

El secreto de la iglesia en el inicio y en su fin sigue siendo el mismo. El poder lo desencadena «la hora de la oración». Pedro y Juan iban camino de la reunión de oración —efectivamente, vuelve a leer el texto— cuando el lisiado fue curado. No habría sido sanado si los hombres no se hubiesen dirigido a la oración. No eran distintos de nosotros. Estoy seguro de que tenían una docena de deberes urgentes. Pero no hay nada más esencial para nuestra misión que la oración.

Da que pensar, ¿no crees? Si de verdad lo creyésemos, ¿no estaríamos orando todo el tiempo? «La oración es el poder más grande de la tierra. Un número suficiente de nosotros, si orásemos lo bastante, podríamos salvar al mundo; si orásemos lo bastante» (Wesley Duewel, *Mighty Prevailing Prayer*, p. 153). Pero, ¿oramos lo bastante? ¿Oramos por la gente perdida? ¿Pudiera ser que tenga razón John Dawson?: «La oración de un ser humano puede alterar la historia soltando legiones de ángeles en la tierra. Si captáramos realmente esta verdad, oraríamos con intensidad y oraríamos constantemente» (*Taking Our Cities for God*, p. 140). Intensamente, constantemente: fíjate simplemente en la iglesia en sus inicios.

De rodillas - 2

«Cuando terminaron de orar, el lugar en que
estaban congregados tembló; y todos fueron
llenos del Espíritu Santo y hablaban
con valentía la palabra de Dios».
Hechos 4: 31

NATALIE MEILINGER, maestra de Chicago, oyó voces masculinas cuando fue a vigilar el monitor de su bebé. Mirando rápidamente, vio a los hombres en la pantalla. Pero, ¿qué hacían en la habitación de su bebé? Por una casualidad tecnológica, ¡el monitor de vídeo de su bebé estaba recibiendo imágenes en directo del transbordador espacial Atlantis! Mensajes del espacio exterior: Hechos consigna veinticinco casos de oraciones. En su comunión con el cielo, a menudo estaban postrados, ¿no crees?

En el episodio de hoy, acaban de soltar a Pedro y a Juan de la cárcel, en la que pasaron la noche, interrogados por su fe. En respuesta a la crisis, la iglesia se reúne en el familiar aposento alto para derramar su corazón colectivo en una ferviente petición a Dios por su liberación. Es la oración más larga consignada en Hechos. Y culmina con su ruego: «Y ahora, Señor, mira sus amenazas y concede a tus siervos que con toda valentía hablen tu palabra» (Hech. 4: 29). Resulta especialmente emocionante observar la inmediata respuesta divina a su intercesión, tal como se registra en nuestro texto de hoy. El libro *And the Place Was Shaken* [Y el lugar tembló], se vale de ese dramático momento de oración para abordar a la iglesia del tercer milenio. «El primer secreto que movilizó los recursos del cielo para [la iglesia de Hechos] fue este: pasaron de estar en su propia agenda a estar en la agenda de Dios» (p. 33). Y ese es el secreto que puede movilizar los recursos del cielo también para nosotros.

Entonces, ¿es la agenda de Dios tu agenda, mi agenda, nuestra agenda? Como Jesús en el huerto de Getsemaní, ¿hemos aprendido a orar con pasión: «Que no sea como yo quiero, sino como tú: Quiero abrazar tu agenda, oh Dios, en lugar de la mía. Hágase tu voluntad, no la mía»? El hecho de que Jesús sollozase esa oración «con gran clamor y lágrimas» (Heb. 5: 7) es prueba suficiente de que hay ocasiones en que nuestros deseos más profundos pueden chocar frontalmente con los deseos y la voluntad de Dios. No siempre resulta fácil orar: «Hágase tu voluntad, como en el cielo, así también en la tierra» (Mat. 6: 10). Pero, a no ser que la agenda del cielo sea nuestra en este momento tan determinante de la historia del mundo, ¿de qué vale ser iglesia, ser los elegidos?

¿Hay otros en tu congregación a quienes pudieras invitar a unirse a ti en la oración colectiva de Hechos 4 pidiendo el efusivo poder de Dios? ¿No es esta la hora para que los elegidos seamos zarandeados con una nueva unción, para que podamos presentar la Palabra de Dios con nuevo arrojo a esta generación? Entonces, ¡ora!

De rodillas - 3

«Exhorto ante todo, a que se hagan rogativas, oraciones,
peticiones y acciones de gracias por todos los hombres [...].
Esto es bueno y agradable delante de Dios, nuestro Salvador,
el cual quiere que todos los hombres sean salvos
y vengan al conocimiento de la verdad». 1 Timoteo 2: 1-4

WESLEY DUEWEL tiene razón: «Se puede amar a más gente a través de la oración de que ninguna otra manera» (*Mighty Prevailing Prayer*, p. 116). Si esta es la hora pico de la historia y el mundo avanza entre amigos, ¿qué forma puede haber de amar a nuestros amigos perdidos más potente que a través de la oración? Después de todo, según señala Pablo en nuestro texto de hoy, «esto es bueno y agradable delante de Dios, nuestro Salvador». Por ello, veamos cinco maneras para que ames a los perdidos a través de la oración.

1. **Haz una lista.** Esta puede incluir tu lista «Mis amigos que necesitan a Jesús», pero no está limitada necesariamente a ella. Yo he decidido combinar todas mis listas de oración en una sola que guardo por separado en mi agenda de oración cotidiana. Esta lista crecerá y llegará a ser larga, porque vas a anotar el nombre de todas las personas, amigas o no, conocidas o no, beneficiarias del deseo de oración que Dios puso en ti. Miembros de familia perdidos, amigos perdidos, compañeros de golf perdidos, alumnos perdidos, maestros perdidos —cualquier persona por la que te intereses que necesite conocer a Cristo y su verdad—, esos son los que figuran en esta lista de oración intercesora. Yo incluyo a desconocidos a los que he conocido a bordo de aviones, y a algunos predicadores muy conocidos a los que nunca he visto en absoluto. Después de todo, Pablo es firme: «Exhorto [...] a que se hagan [...] peticiones [...] por todos los hombres [...]. Esto es bueno y agradable delante de Dios, nuestro Salvador».

2. **Ora siguiendo la lista.** ¿Deberías orar siguiendo esta lista todos los días? Puedes, pero no hace falta. Yo he decidido orar siguiendo mi lista una vez por semana los viernes por la mañana. Pero el quid aquí está en que ¡no sirve de nada tener una lista de oración si no oras siguiéndola! Elena G. de White señala que este tipo de oración intercesora tiene un impacto en nuestra vida. «Al procurar ganar a otros para Cristo, llevando la preocupación por las almas en nuestras oraciones, nuestros propios corazones palpitarán bajo la vivificante influencia de la gracia de Dios; nuestros propios afectos resplandecerán con más divino fervor; nuestra vida cristiana toda será más real, más ferviente, más llena de oración» (*Palabras de vida del gran Maestro*, p. 289). Fíjate cuán estrechamente están unidas la vitalidad espiritual y el desarrollo personal con la sintonización con la pasión divina de buscar y salvar a los perdidos mediante la oración intercesora. ¿Por qué? Porque cuando oras por los perdidos por su nombre, pones en práctica la pasión divina del Calvario y sintonizas con su poder carmesí. Sin lugar a dudas, ¡el amor de Dios por los hijos perdidos de la tierra es el mayor poder del universo!

De rodillas - 4

«Por eso puede también salvar perpetuamente
a los que por él se acercan a Dios, viviendo siempre
para interceder por ellos». Hebreos 7: 25

CONTINUEMOS CON la tercera manera de amar a los perdidos a través de la oración.

3. *Trabaja siguiendo la lista.* Durante algún tiempo he tenido el nombre de un profesor universitario en mi lista de oración (enseña en otra universidad de las inmediaciones). Estudiamos juntos la Biblia, y pareció que el Espíritu hacía que ahondásemos cada vez más en la Palabra. De repente, se vio precipitado en una crisis personal y nuestros estudios se interrumpieron. Toda tentativa por mi parte de reconectar con él posteriormente fue objeto de desprecio. Así que llegué a la conclusión de que este era uno de esos casos en que le dedicas tus mejores energías y tus oraciones más fervientes, pero aceptas la realidad de que no todo esfuerzo por conducir una persona a Cristo termina en éxito. Y, además, lo que puede que a nosotros nos parezca un fracaso puede resultar que, en realidad, sea estratégico en el ministerio del Espíritu Santo hacia esa persona mucho después de que hayamos desaparecido del escenario y que pueda acabar en una doble victoria para Dios.

Mantuve al profesor universitario en mi lista de oración y seguí presentándolo ante Dios todos los viernes, pidiendo que Dios obrase donde yo no podía. Entonces, una mañana de viernes, estaba yo dando un paseo de oración. (Aunque corro todos los días, he descubierto que incluir un paseo semanal al comienzo de la mañana puede ser un momento reparador y tranquilo para repasar tu lista intercesora con Dios). Aquella mañana pesaba en particular sobre mi corazón el nombre de ese profesor, así que dije: «Dios, no sé si debería tan siquiera seguir intentando ponerme en contacto con él, así que si es tu voluntad para nosotros que volvamos a estar contacto en el estudio de tu Palabra, por favor, haz que él se ponga en contacto conmigo». Dos horas después recibí un correo electrónico de ese profesor que decía: «He echado de menos el tiempo que pasamos juntos. ¿Cuándo podemos empezar a estudiar la Biblia de nuevo? Y esta vez elige tú el tema». ¡Alabado sea Dios! Y lo elegí.

¿Qué quiero decir? Tienes que estar dispuesto a trabajar siguiendo tu lista en nombre de Dios. Sí, debemos orar por los perdidos. Pero, a renglón seguido, debemos estar abiertos a la posibilidad de que Dios necesite usarnos para dar respuesta a nuestras propias oraciones. Dirás: «¡No hay manera de que yo pudiera llegar a estudiar la Biblia con nadie!». Pero no te precipites en descartar lo que el Espíritu pueda hacer a través de ti. En primer lugar, cuentas con la promesa: «Todo lo puedo en Cristo que me fortalece» (Fil. 4: 13). Y, en segundo lugar, hay un montón de material y de cursillos que Dios puede usar para prepararte. Ora siguiendo tu lista. Trabaja siguiendo tu lista.

De rodillas - 5

«Doy gracias a mi Dios siempre
que me acuerdo de vosotros.
Siempre en todas mis oraciones ruego
con gozo por todos vosotros». Filipenses 1: 3, 4

¿CÓMO PODEMOS AMAR a los perdidos a través de la oración? Venimos compartiendo cinco maneras simples de usar nuestras listas de oración para cultivar en nosotros la pasión de Dios por los perdidos. He aquí las dos últimas:

4. **Amplía la lista.** Ya verás cómo Dios seguirá presentándote nuevos nombres a medida que tú intercedas fielmente por los nombres que ya tienes. Así que no tengas miedo de seguir añadiendo nombres a medida que el Espíritu haga que te acuerdes de ellos. A propósito, te sorprenderá cómo tus oraciones por los perdidos realmente aumentarán tu pasión por los perdidos. Es la ley de los rendimientos de Wall Street: cuanto más inviertes en un valor, más fervientemente anhelas su éxito. Cuanto más oras por los perdidos, más fervientemente anhelarás su salvación. Después de todo, orar por ellos no tiene nada que ver con cambiar el corazón de Dios hacia ellos, ¿no? El Calvario es la prueba incontestable de que Dios no necesitó ningún incentivo para vaciar su tesorería por nosotros los pecadores. Lo cierto es que orar por los perdidos cambia a los propios intercesores. Cuanto más oramos, más profunda se vuelve nuestra pasión. «¡Oh, si se pudiera escuchar por todas partes la ferviente oración de fe: Dame las almas sepultadas ahora debajo de la basura del error, si no, muero! Traigámoslas al conocimiento de la verdad tal como lo es en Jesús» (*Cada día con Dios,* p. 171). ¡Eso es pasión!

5. **Mantén la lista.** Sigue orando con independencia de lo que ocurra (o deje de ocurrir). No dejes de presentar ese corazón perdido a Jesús. George Müller —que, por pura fe y oración recaudó más de ciento ochenta millones de dólares para fundar orfanatos por toda Inglaterra en el siglo XIX— empezó pronto a orar por cinco amigos no salvos. Tras cinco años, uno acudió a Cristo. Tras otros diez años, dos amigos más se convirtieron. En una ocasión, Müller dio este testimonio: «Vengo orando por dos hombres por nombre todos los días durante treinta y cinco años; por tierra o mar, enfermo o sano, me he acordado de ellos, por nombre, y seguiré orando por ellos todos los días, por nombre, hasta que sean salvos o mueran». Tras treinta y cinco años de oración, el cuarto amigo fue salvo. Müller siguió orando un total de cincuenta y dos años por el quinto amigo. Pero Müller falleció. Y tres días después de su funeral, el quinto amigo se convirtió.

¿Quién necesita estar en tu lista de oración por los perdidos? Es el momento para orar por ellos. Así que crea la lista, ora siguiendo la lista, trabaja siguiendo la lista, amplía la lista y mantén la lista. Puede que en la lista haya alguna persona por la que no ora nadie más. ¡No es de extrañar que Dios te necesite!

Convertir tu experiencia en su historia - 1

«Ellos lo han vencido por medio de la sangre
del Cordero y de la palabra del testimonio de ellos,
que menospreciaron sus vidas hasta la muerte».
Apocalipsis 12: 11

¿SABES LA VERDAD que nadie —en serio: nadie— podrá contradecir ni rechazar? Es una única verdad simple que puede hacer de ti el testigo más eficaz de Cristo en la tierra. Permíteme presentártela a través del conocido relato de Pablo, anteriormente Saulo de Tarso.

Todo lector de Hechos conoce el candente relato del discurso y posterior martirio de Esteban. Los ejecutores amontonan sus ropas a los pies de Saulo, mientras este se queda de pie como cómplice mudo en el apedreamiento de Esteban. Desesperado por borrar el recuerdo de la apologética de Esteban, Saulo persigue vorazmente a la incipiente comunidad cristiana. Yendo a toda prisa hacia el norte hasta Damasco para desarraigar a cualquier seguidor de Cristo, en un destello cegador Saulo se encuentra cara a cara con el Mesías resucitado. Conducido ciego a la ciudad, Saulo lucha durante tres días y tres noches, que se le hacen eternos, con la irresistible verdad sobre Jesús. Pero, en esa ceguera, sus ojos se abren. Ahora, con el corazón quebrantado y convertido al Salvador, Saulo es bautizado como discípulo del Maestro, y se lanza a una vida ardiente y apasionada de testificación a todos los dispuestos a escuchar su fe imperecedera en el Cristo vivo.

En la narración realizada por el médico Lucas de este intrépido converso y testigo de Jesús descubrimos precisamente cuál es la verdad que no puede ser contradicha ni rechazada. Si queremos dominar esa simple verdad, también nosotros podríamos ser testigos tan efectivos para Cristo como lo fue Pablo. ¿Cuál es esa verdad? *Es el testimonio personal del seguidor de Cristo*. Lo sabemos por la manera repetitiva en que Lucas consigna las tres ocasiones en que Pablo relata la experiencia de su encuentro personal con Jesús en el camino de Damasco. Cuántas veces repitió Pablo realmente ese testimonio no lo sabemos, por supuesto. Pero Lucas decidió consignar tres de esas ocasiones para nosotros, para que se grabara en sus lectores lo significativamente influyente y poderosamente efectivo que puede ser un testimonio personal.

No es de extrañar que el Apocalipsis, en nuestro texto de hoy, presente a los elegidos de Dios venciendo a su enemigo mortal por medio de la victoria del Calvario por «*la palabra del testimonio de ellos*».

Convertir tu experiencia en su historia - 2

«Pero aconteció que yendo yo, al llegar cerca de Damasco,
como a mediodía, de repente me rodeó mucha luz del cielo.
Caí al suelo y oí una voz que me decía: "Saulo, Saulo,
¿por qué me persigues?". Yo entonces respondí:
"¿Quién eres, Señor?". Me dijo: "Yo soy Jesús
de Nazaret, a quien tú persigues"».
Hechos 22: 6-8

SEGÚN SE DICE, siempre que se presentaba Pablo, ¡había o bien un avivamiento o un tumulto! En cada uno de los tres casos registrados en los que Pablo compartió su testimonio personal, estaba encadenado. Y el primer caso empezó con un tumulto. Pero juntando los tres testimonios encontramos instrucciones simples de cómo podemos compartir efectivamente nuestra experiencia también.

Testimonio 1. Hechos 22: 1-21. Mantenlo simple. El testimonio de Pablo a renglón seguido de aquel tumulto fue así: *así crecí, esto creía; y entonces conocí a Jesús, y ha hecho esto por mi vida.* No es muy complicado, ¿no crees? Y, no obstante, tan poderoso fue este relato en primera persona del encuentro con Cristo que ¡estalló un segundo tumulto! Pero olvídate del tumulto y acuérdate de estos tres simples componentes para contar tu experiencia: (1) tu vida antes de conocer a Jesús; (2) cómo conociste a Jesús; y (3) tu vida después de conocer a Jesús. Si has conocido a Jesús, tienes los tres componentes simples, listos para ser compartidos. ¿Cómo? Sigue leyendo.

Testimonio 2. Hechos 23: 6. Sé breve. No encontrarás un testimonio más corto que este. En una brillante iniciativa en defensa de su fe, Pablo toma aquí el relato de su vida y lo reduce a una sola frase. Lo cierto es que no necesitas un testimonio largo. Hay quien sugiere que con cien palabras basta.

Testimonio 3. Hechos 26: 4-23. Sé prudente. Fíjate cómo Pablo adapta su testimonio a cada una de estas ocasiones, acomodando el relato para que encaje con sus oyentes. Igual que haces con la ropa —cambiar tus «trajes» para que se amolden a la ocasión—, haz lo mismo para hacer tu historia adecuada para la ocasión en la que te encuentras. Vas en un avión sentado junto a un desconocido: tu relato lleva un traje a la medida. Estás reunido con un compañero después de la clase: el mismo relato se pone un traje diferente para adecuarse a ese momento. Estás escribiendo un correo electrónico y quieres compartir cómo conociste a Jesús: el traje que le pones a tu relato se atendrá a las necesidades de la persona a la que escribes.

Mantenlo simple. Sé breve y sé prudente. Y acuérdate de que convertir tu relato en su relato es la suma de tu testimonio personal. Pero, según señalaremos mañana, hay maneras de hacerlo de forma óptima.

Convertir tu experiencia en su historia - 3

«Lo que era desde el principio, lo que hemos oído,
lo que hemos visto con nuestros ojos, lo que hemos contemplado
y palparon nuestras manos tocante al Verbo de vida [...],
lo que hemos visto y oído, eso os anunciamos, para que
también vosotros tengáis comunión con nosotros;
y nuestra comunión verdaderamente es con el Padre
y con su Hijo Jesucristo». 1 Juan 1: 1, 3

El viejo adagio es cierto, ¿no crees? «Cualquier cosa digna de ser dicha es digna de ser bien dicha». Por eso es tan útil poner por escrito tu testimonio personal: no solo para refinarlo, sino también para memorizarlo. Aunque nadie quiere que su relato parezca un informe de un alumno de tercer curso de primaria con un «En mis propias palabras...», dedicar tiempo, no obstante, a dar forma a tu testimonio puede hacerlo no solo «recordable», sino también memorable.

¿Qué deberías tener presente a la hora de convertir tu relato no solo en historia, sino en el relato de Dios? Bill Hybels, en su libro *Just Walk Across the Room*, ofrece cuatro sugerencias.

1. **Sé breve.** Tu testimonio no debería durar más de tres minutos. Presta atención al lenguaje corporal de la otra persona. Mantén tu relato lo bastante corto como para permitirle formular preguntas.

2. **Sé claro.** «Lo único peor que un relato largo es un relato largo que sea incoherente» (p. 120). Hybels quiere decir que mantengas tu testimonio simple con una línea argumental clara que «transmita el latir de tu viaje de fe».

3. **Evita la fraseología marcadamente religiosa.** Corta la jerga espiritual o beata que usamos los iniciados: «Cuando conocí la verdad» podría expresarse mejor diciendo «Cuando descubrí lo que la Biblia enseñaba»; «Cuando el Espíritu Santo incendió mi corazón» (¿En serio? ¿Cómo apagaron el incendio?) podría quedar mejor así: «¡En Jesús he descubierto una razón totalmente nueva para vivir!».

4. **Evita la prepotencia.** Nada enfría con más rapidez a un no cristiano que un espíritu de prepotencia moral. Si mi relato se convierte en un informe de mi superioridad espiritual sobre los que «no tienen la verdad», es mejor que me guarde mi relato para mí mismo.

Para vender productos, la publicidad de la *Madison Avenue* se vale de fotos de antes y después. Porque nada convence más que el testimonio de que «¡A mí me funcionó!». Así es con Jesús. Nuestras imágenes de «antes» —temor, culpa, conducta autodestructiva, ego— son asombrosamente similares. Por eso la gente por doquier anhela una nueva imagen de «después» —paz, perdón, dominio propio, humildad—. Y por eso necesitan tu testimonio. Porque tu experiencia es una imagen muy atractiva, cautivadora de antes y después para Jesús.

Por qué una mala noticia es una buena noticia

«El pueblo que andaba en tinieblas vio gran luz;
a los que moraban en tierra de sombra de muerte,
luz resplandeció sobre ellos».
Isaías 9: 2

EN 1967 DOS INVESTIGADORES de la Facultad de Medicina de la Universidad de Washington —Thomas H. Holmes y Richard H. Rahe— diseñaron un instrumento denominado «escala de evaluación de reajuste social» (SRRS según sus siglas en inglés). Da puntuaciones a 43 experiencias vitales diferentes. Su premisa era que las buenas y malas circunstancias de nuestra vida pueden aumentar nuestros niveles de estrés y, así, hacernos más vulnerables a enfermedades físicas y mentales; y que algunas de nuestras experiencias vitales pueden causar suficiente estrés como para crear desequilibrio en nuestra vida, dejándonos expuestos a la posibilidad de cambios fundamentales de paradigma, no solo física sino mentalmente.

¿El estresante número uno? El fallecimiento de un hijo, seguido por la muerte del cónyuge, un divorcio, la separación matrimonial, un período de encarcelamiento, etcétera. Pero el estrés no lo crea únicamente una mala noticia. También lo hacen las buenas experiencias vitales, como el matrimonio, el embarazo o los logros personales sobresalientes. Y, dada la montaña rusa económica en la que estamos globalmente hoy, me sentí intrigado al observar que, de esas 43 experiencias vitales, 12 tienen que ver con nuestra situación económica personal.

Eso quiere decir que los tiempos de incertidumbre económica y de crisis financiera nos dejan muy expuestos a la posibilidad de experimentar una alteración fundamental de paradigma, un cambio importante en nuestra vida, el cambio mismo que el evangelio de Cristo busca en todo corazón humano. Piénsalo. En esta época de malas noticias en el mundo entero, la buena noticia es que las malas noticias, en realidad, abren a la gente como nunca antes a una receptividad a las buenas noticias, lo cual puede convertir esta época de malas noticias en ¡un tiempo de noticias verdaderamente estupendas!

Ahora que lo pienso, en esta época anterior a la Segunda Venida del Mesías, la situación no es distinta de la que existía cuando vino por primera vez, ¿no crees? Inestabilidad económica, incertidumbre política, decadencia moral, hundimiento social, conflicto racial/étnico, conflicto religioso; pero, por otra parte, ¿no cabría esperar que el Dios del universo seleccionase el momento más oportuno y productivo para anunciar el cambio fundamental de paradigma de su evangelio eterno? Cuando la mala noticia es la peor, ¡la buena noticia es la mejor! Todo ello significa que no podría haber un momento más oportuno que hoy para orar por los perdidos. Pero no solo de orar por ellos: hoy es el momento perfecto para empezar a compartir nuestra fe con ellos de manera efectiva. ¿Cómo? Exploremos las maneras.

Hazlo, y punto - 1

«Después de esto, un ángel del Señor le dijo a Felipe:
"Levántate y vete al sur, por el camino de Jerusalén a Gaza".
Este camino pasa por el desierto. Felipe se levantó y se fue;
y en el camino se encontró con un hombre de Etiopía.
Era un alto funcionario, tesorero de la reina
de Etiopía». Hechos 8: 26, 27, DHH

A LA EMPRESA NIKE se le ocurrió el eslogan publicitario «¡Hazlo, y punto!». Tampoco es un mal consejo en lo referente a compartir tu fe con alguien. Felipe lo puso en práctica en medio de una autopista de su época. También puedes hacerlo tú cuando practicas los siete principios de la forma de dar testimonio ocultos en su relato.

¿Te gustaría recibir tus órdenes de un ángel? Según destaca el texto de hoy, a Felipe sí. Pero no cabe sorprenderse de ello. Después de todo, de nuestros invisibles compañeros guardianes la Biblia enseña: «¿No son todos los ángeles espíritus dedicados al servicio divino, enviados para ayudar a los que han de heredar la salvación?» (Heb. 1: 14, NVI). Eso quiere decir que no hay ninguna experiencia de testimonio en la que estés solo. Me gusta la forma en que lo expresó John Stott: nunca olvides que la conciencia del otro está de tu parte. En otras palabras, cuando compartes con otros tu fe en Jesús o tu creencia en una verdad bíblica, recuerda que su ángel guardián está afirmando esa misma verdad en la mente o la conciencia de ellos. ¡Siempre tendrás un socio en tu misión para Dios!

¿Cuál es el primer principio de la forma de dar testimonio que surge del relato de Felipe y el alto funcionario etíope? Se encuentra en las palabras «Felipe se levantó y se fue».

Principio 1. Mantente abierto a la influencia del Espíritu. Que sea tu ángel o el Espíritu Santo no importa. Hay momentos cruciales en la vida cuando tu testimonio a otro ser humano será estratégico para el reino de los cielos. «Pero, ¿cómo puedo saber a ciencia cierta si ahora mismo es uno de esos momentos?». Pregúntate qué crees que quiere Jesús para ese individuo: ¿Que se salve o que se pierda? ¡Claro! «Podréis estimar el valor de un alma al pie de la cruz, recordando que Cristo habría entregado su vida por un solo pecador» (*Palabras de vida del gran Maestro,* cap. 15, pp. 154, 155). «Sí, pero, ¿es este el momento adecuado?». Puede que seas uno de una larga fila de testigos que Dios use para abrir despacio, pero sin pausa, a esa persona a la influencia del Espíritu. «Pero, ¿cómo sé que dar testimonio es realmente mi don?». Puede que no sea tu don, pero, ciertamente, es tu misión. ¿Te acuerdas de Hechos 1: 8? Dios no nos ha hecho a todos evangelizadores, pero nos llama a todos a ser testigos. Y, por vergonzoso, tímido o introvertido que seas, puedes seguir siendo el eslabón más estratégico en la divina cadena del oro de la salvación para esa persona.

Hazlo, y punto - 2

«El Espíritu le dijo a Felipe: "Acércate y júntate a ese carro".
Felipe se acercó de prisa al carro y, al oír que el hombre
leía al profeta Isaías, le preguntó: "¿Acaso entiende usted
lo que está leyendo?"». Hechos 8: 29, 30, NVI

T OMANDO COMO PUNTO de referencia nuestro texto de hoy, he aquí el siguiente principio extraído de este conocido relato.

Principio 2. Ten disposición a cruzar el camino o la habitación. Hazlo como Felipe. Ponte cerca para entablar una conversación. Ponte a disposición de la persona que el Espíritu te ha señalado. No tienes ni idea de adónde irá todo ello, pero, si no vas, nunca lo sabrás.

Bill Hybels cuenta la historia de cómo un musulmán afroamericano llegó a conocer a Cristo por la acción de un desconocido en una actividad social una noche. Los dos se encontraban en el mismo recinto de ruidosa conversación, pero el musulmán, sintiéndose obviamente incómodo como minoría en el grupo, se mantenía apartado y un desconocido se fijó que estaba solo desde el otro lado de la sala. «El Espíritu le hizo sentir tal compasión por el hombre que estaba de pie solo que se disculpó por salirse de su entorno, se dirigió al otro lado de la sala y se puso a andar en dirección a un lugar que llamo "zona de lo desconocido". [...] Había resuelto para sus adentros, probablemente orando con cada paso que daba, entrar en la zona [...] a ver qué podía hacer Dios. (En mi opinión, Dios hace su mejor obra precisamente en esta zona)» (*Just Walk Across the Room*, p. 23).

Haz lo que hizo ese desconocido. Haz lo que hizo Felipe. Obedece las iniciativas del Espíritu y atraviesa la habitación o el camino (a veces puede parecer un largo paseo). Sal de tu zona de confort y entra en la zona de lo desconocido. Porque eso precisamente hizo nuestro Señor Jesús una vez hace mucho tiempo. Atravesando el universo, entró en la zona de lo desconocido de este planeta rebelde para salvar a personas como tú y yo.

Debemos estar dispuestos a hacer lo mismo: «La misma devoción, la misma abnegación, la misma sujeción a las declaraciones de la Palabra de Dios que se manifestaron en Cristo, deben verse en sus [testigos]. Dejó su hogar de seguridad y paz, dejó la gloria que él tenía con el Padre, dejó su puesto en el trono del universo. Salió [...] solo, para sembrar con lágrimas, para verter su sangre, la simiente de vida para el mundo perdido. De igual manera han de salir sus [testigos] a sembrar» (*Review and Herald*, 23 de noviembre de 1905). Igual que Felipe. Igual que Jesús.

Hazlo, y punto - 3

*«Felipe se acercó de prisa al carro y, al oír que el hombre
leía al profeta Isaías, le preguntó: "Acaso entiende usted
lo que está leyendo?". "¿Y cómo voy a entenderlo", contestó,
"si nadie me lo explica?»". Así que invitó a Felipe
a subir y sentarse con él.* Hechos 8: 30, 31, NVI

¿TE HAS FIJADO QUE las preguntas son una manera muy efectiva de captar la atención de otra persona e iniciar una conversación? «¿Acaso entiende usted lo que está leyendo?», preguntó Felipe al etíope. «¡Hay que ver cómo está la economía en estos tiempos!». «¿A qué se dedica usted?». «¿Quién va a ganar la liga?». «¿Me presta su escalera?». «¿En qué se especializó usted en la universidad?». Volando un día en avión, estaba yo sentado junto a un ingeniero. Él tenía una pila de artículos eruditos de revistas sobre fotones y nanosegundos (por lo que pude ver). «¿Qué lee usted?». Lo que quiero decir es que no hace falta buscar una manera habilidosa ni original para entablar una conversación. Basta formular una pregunta.

Felipe lo hace así, y nos recuerda el siguiente principio del testimonio efectivo.

*Principio 3. **Mantente dispuesto a tomar la iniciativa.*** «Pero no soy ningún experto en nada de esto». No hace falta que lo seas. Dar testimonio no se basa en tu capacidad; se basa en tu disponibilidad. Muéstrate disponible y estate listo para tomar la iniciativa cuando el Espíritu te lo indique.

*Principio 4. **Mantente preparado para responder una pregunta.*** El funcionario de la corte estaba perplejo con el significado de Isaías 53. «¿De qué persona habla este pasaje?». El relato dice: «Entonces Felipe, comenzando con ese mismo pasaje de la Escritura, le anunció las buenas nuevas acerca de Jesús» (Hech. 8: 35, NVI). Estate listo para responder una pregunta. «¡Estupendo! ¡Ahora tengo que convertirme en un experto en Biblia!». En absoluto. Pero recuerda el llamamiento realizado por Pedro: «Estad siempre preparados para presentar defensa con mansedumbre y reverencia ante todo el que os demande razón de la esperanza que hay en vosotros» (1 Ped. 3: 15). «Pero no soy más que un estudiante». ¿Nada más que un estudiante? Escucha: «Cristo desea emplear a todo estudiante como su agente» (*Consejos para los maestros,* p. 540). «Pero no sé qué decir». Aférrate a esta promesa de Jesús para esa inquietud precisamente: «No os preocupéis por cómo o qué habréis de responder, o qué habréis de decir, porque el Espíritu Santo os enseñará en la misma hora lo que debéis decir» (Luc. 12: 11, 12). ¿No es sensacional? Sobre la marcha, mientras tú y yo estamos ahí de pie o sentados con esa persona, podemos enviar rápidamente una breve oración de «¡Socorro!» al cielo, y Jesús promete que en ese mismo segundo el Espíritu nos traerá las ideas y las palabras mismas que necesitamos para responder a un corazón indagador. Realmente es verdad: en lo que se refiere a compartir tu fe, ¡nunca estás solo!

Hazlo, y punto - 4

*«Estén siempre preparados a responder
a todo el que les pida razón de la esperanza
que ustedes tienen».* 1 Pedro 3: 15, DHH

NO SEAS COMO un candidato presidencial. ¿Te has fijado en que los políticos tienen una técnica para responder cualquier pregunta que se pueda plantear? Sonríen, se dan brevemente por enterados de lo que les están preguntando y luego se lanzan a una recitación de otro de sus «eslóganes» o sus discursos de campaña aprendidos de memoria, que poco o nada tienen que ver e cuanto lo que les habían preguntado. No es así para los que buscan compartir su fe en Cristo. Felipe contaba con un surtido de cien respuestas del que podría haber echado mano aquella cálida tarde en el desierto sentado en el carro junto al funcionario de la corte etíope. Pero fue sensible a los intereses espirituales del funcionario.

*Principio 5. **Ten en cuenta el contexto de ese momento y de esa conversación**.* Si pregunta sobre Isaías 53, céntrate en Jesús y en Isaías 53. Si una mujer pregunta sobre el sábado, comparte tu testimonio sobre Jesús y el sábado. Si se preguntan qué crees sobre los difuntos, sea tu respuesta sobre Jesús y la verdad bíblica sobre la muerte. No seas como el político llevando la conversación a tu doctrina favorita. Felipe comenzó con el punto de interés del etíope, pero luego pasó al testimonio bíblico de la verdad como es en Jesús.

*Principio 6. **Céntrate en la meta suprema de todo testigo: la salvación de la persona a través del bautismo en Cristo**.* Una importante máxima del liderazgo afirma: «Empieza pensando en el final». Eso significa, simplemente, que, cuando te lanzas a un nuevo proyecto, tengas clara en tu mente una imagen del resultado deseado. Recordarte a ti mismo a menudo qué aspecto va a tener el producto acabado puede convertir esa rutina necesaria o incluso esa pesadez cotidiana en etapas esenciales hacia ese sueño brillante. En lo que respecta a compartir tu fe, no seas tímido a la hora de vislumbrar en tu mente el día feliz en que tu corazón se emocionará y tus ojos brillarán cuando contemples a ese hombre, a esa mujer, a ese joven adulto, a esa adolescente, bautizados en Cristo. Créeme. ¡No hay mayor gozo en esta vida! «Dios podría haber encomendado a los ángeles del cielo el mensaje del evangelio y toda la obra del servicio por amor a los demás. Podría haber empleado otros medios para llevar a cabo su propósito. Pero en su amor infinito quiso hacernos colaboradores suyos, con Cristo y con los ángeles, para que compartiéramos la bendición, el gozo y la elevación espiritual que resultan del servicio abnegado» (*El camino a Cristo,* cap. 9, p. 117). Así que comienza tu testimonio con ese fin excelso en el pensamiento.

Hazlo, y punto - 5

«Cuando subieron del agua, el Espíritu del Señor arrebató a Felipe y el eunuco no lo vio más; y siguió gozoso su camino. Pero Felipe se encontró en Azoto; y, al pasar, anunciaba el evangelio en todas las ciudades». Hechos 8: 39, 40

¿CUÁL ES EL ÚLTIMO PRINCIPIO para compartir tu fe de manera efectiva según el relato de Felipe y el eunuco etíope? Este:

Principio 7. *Mantente listo a darte la vuelta y volver a empezar.* La que le ocurrió a Felipe pone de manifiesto la enseñanza de Jesús: «A todo el que tiene, se le dará» (Luc. 19: 26). Eso explica por qué algunas personas siguen encontrando nuevas oportunidades de dar testimonio doquier van. No es que, de alguna forma, sean mejores que el resto de nosotros. Es, simplemente, que siguen poniéndose a disposición del Espíritu, el cual, como un buen empresario, elige invertir su tesoro en los que sistemáticamente producen dividendos, no en lo que se niegan a invertir lo que tienen.

Entonces, ¿qué tal si empezáramos cada día con esta humilde y sencilla oración: «Oh Dios, hoy te ofrezco mi vida y mi testimonio. Envíame a alguien que necesite conocer a Jesús y su verdad, o envíame a mí a esa persona. Amén»? Recuerda que compartir tu fe no se basa en tu capacidad, sino en tu disponibilidad. Esta oración en silencio al comienzo del día es simplemente un anuncio al Dios del universo de que si hay alguno de sus hijos de la tierra que necesite conocer a Jesús y su verdad, tú declaras: «Heme aquí, envíame a mí» (Isa. 6: 8). «No tengo ni idea de quiénes son ni de lo que necesitan, pero tengo la promesa de Jesús de que tu Espíritu traerá a mí instantáneamente las palabras que necesitas que yo diga en ese momento. Y, por eso, por la autoridad de tu llamamiento y su promesa, me pongo a tu disposición hoy».

Cuando me adentro en el día acordándome de elevar esta oración —y déjame que pulse el botón de pausa aquí: Confieso que hay días en que es lo más alejado de mi pensamiento, cuando todo lo que quiero es que me toque un asiento solitario en el avión sin ninguna interrupción o cuando todo lo que pienso es en cumplir mi agenda antes de que llegue la noche—. Pero cuando me acuerdo de ofrecerme a Dios como testigo suyo, ¡la gente con la que me encuentro y las historias que se producen me sorprenden aun a mí! Hace unos días, al comienzo de la mañana, elevé esa oración y, en un vuelo entre Chicago y Los Ángeles retrasado por la nieve, me senté junto a una desconocida que se desahogó conmigo contándome su experiencia de fe. Al acabar nuestra conversación, observó: «Alguien se aseguró de que perdiera mi vuelo para que pudiéramos charlar». Gracias a esa oración, yo supe quién era ese Alguien.

Progresión geométrica

«El pequeño llegará a ser un millar; del menor saldrá un pueblo poderoso.
Yo Jehová, a su tiempo haré que esto se cumpla pronto. Isa. 60: 22.

SOLÍA PREOCUPARME por el futuro. ¿Cómo rayos va a alcanzar Dios al mundo entero? ¿Comprendes con cuánta rapidez crece la raza humana? Cada segundo nacen cuatro bebés y mueren dos personas en algún lugar de la tierra. Con un crecimiento neto de dos por segundo, eso quiere decir que cada seis días nuestra población aumenta en un millón de personas. No podemos tan siquiera alcanzar a la gente que está aquí ahora mismo, ¡y mucho menos a los que siguen naciendo entretanto! Pero luego me topé con dos expresiones inusuales que me han infundido nuevo aliento de una esperanza nueva para el futuro. Y ambas expresiones son insinuadas en nuestro texto de hoy.

Primera expresión. Progresión geométrica. Es una realidad matemática que funciona así. Digamos que eres un adventista del séptimo día ferviente y apasionado (estoy seguro de que así es) y que estás comprometido con alcanzar al menos una persona por año (espero que lo estés). Cada año invertirás suficiente energía para llevar a otro ser humano a que se convierta en un adventista que comparta tu mismo fervor y tu misma pasión. ¿Cuánto tiempo te llevará alcanzar al mundo entero? En un año serían dos (tú más la persona que ganaste). Al segundo año ambos salen y cada uno de ustedes gana otro, lo que hace cuatro. Al tercer año se convertirían en ocho. Al cuarto año se convertirían en dieciséis. En el décimo año serían 1,024 adventistas apasionados. En veinte años se habrían convertido en un millón. En treinta años serían mil millones de adventistas fervientes y apasionados igualitos a ti. Y en treinta y cinco años ¡se habrían convertido en cinco veces la población del mundo! Así que en menos del transcurso de una vida podrías alcanzar a todo el planeta cinco veces.

Naturalmente, para que nuestro ejemplo de progresión geométrica funcione, sería necesario que tú y las personas a las que alcances abrazaran dos compromisos: (1) un compromiso ferviente y apasionado con su Señor; y (2) un compromiso ferviente y apasionado de reproducirse una vez cada año. Y ahí precisamente está el quid de lo dicho por Isaías: «El pequeño llegará a ser un millar; del menor saldrá un pueblo poderoso». Lo que otrora rechacé por ser casi imposible, ahora parece realizable, al menos matemáticamente. Todo el planeta puede ser alcanzado en menos del transcurso de una vida.

Eso quiere decir que Dios no ha dado a los elegidos una «misión imposible». Tu ferviente compromiso con Cristo y su misión, unida a la realidad que subyace a la segunda expresión inusual (la lectura de mañana), puede hacer que los números funcionen de verdad.

La pasiva divina

*«Porque muy pronto el Señor cumplirá plenamente
su palabra en todo el mundo».* Romanos 9: 28, DHH

MI AMIGO RANKO STEFANOVIC, en su comentario sobre el Apocalipsis, me presentó la segunda expresión inusual que aparece reflejada en el texto de ayer, Isaías 60: 22.

Segunda expresión. Pasiva divina. Recordarás que un verbo pasivo es un verbo cuya acción recae sobre el sujeto. Yo golpeo la pelota; eso es activo. La pelota es golpeada por mí; eso es pasivo. La «pasiva divina» es un recurso gramatical en el que, cuando no se especifica ningún agente en una frase, se entiende que la acción del verbo pasivo la realiza el propio Dios. Génesis 2: 1 dice: «Así quedaron terminados los cielos y la tierra, y todo lo que hay en ellos» (NVI). «Quedaron terminados» es un verbo pasivo que repercute en el sujeto, «los cielos y la tierra». Aunque no se nos dice quién los terminó, se entiende, ciertamente, que, de hecho, fue Dios. Cuando Jesús clamó en la cruz: «¡Consumado es!» (Juan 19: 30), no se nos dice quién realizó la consumación, pero la pasiva sugiere ahí nuevamente (en griego) que el propio Dios completó la acción.

Pero, ¿por qué todo este tecnicismo gramatical? Considera otro texto familiar que, de repente, irradia esperanza cuando tenemos en cuenta la pasiva divina: «Y será predicado este evangelio del reino en todo el mundo [...] y entonces vendrá el fin» (Mat. 24: 14). El verbo «será predicado» es pasivo. Pero, ¿por qué la voz pasiva aquí? Al dar esta señal de su Segunda Venida, Jesús podría haber afirmado claramente: «Y ustedes predicarán [activo] el evangelio en todo el mundo». Pero no lo hizo. En vez de ello, eligió un verbo pasivo sin ningún agente especificado para la acción descrita. Y, ¿qué significa la pasiva divina? Que, en último término, la acción la realizará el propio Dios. Lo cual es precisamente lo que declara Isaías 60: 22: «Yo Jehová, a su tiempo haré que esto se cumpla pronto».

El texto de hoy anuncia lo mismo: El propio Dios terminará la obra. No es de extrañar que hace un siglo se realizase esta predicción: «Permítame decirle que el Señor actuará en esa etapa final de la obra de una forma muy diferente de la acostumbrada [...]. Dios empleará formas y medios que nos permitirán ver que él está tomando las riendas en sus propias manos» (*Testimonios para los ministros,* p. 300). Sí, la progresión geométrica significa que, matemáticamente, nuestra misión es realizable. Pero introducimos la pasiva divina y, de repente, nos encontramos con la contundente verdad de que ¡el propio Dios la completará! Todo lo que pide es que compartamos su misión hasta que esté acabada.

Donde la luz es «más peor»

*«¡Tierra de Zabulón y tierra de Neftalí, camino del mar,
al otro lado del Jordán, Galilea de los gentiles!
El pueblo que habitaba en tinieblas vio gran luz,
y a los que habitaban en región de sombra de muerte,
luz les resplandeció». Mateo 4: 15, 16.*

GARY KRAUSE CUENTA la historia de dos hombres que buscaban un reloj debajo de una farola una noche oscura. «¿Estás seguro de que se te cayó aquí?», preguntó uno. «Bueno, no exactamente; está dieciocho metros en esa dirección», dijo el otro, apuntando a la oscuridad. «Entonces, ¿por qué estamos buscando aquí?». A esto el hombre contestó: «¡Porque la luz es mejor!». Su estupidez nos hace sonreír. Pero no es cosa de risa reconocer que demasiados de los elegidos se han congregado con grupos de otros elegidos, donde «la luz es mejor». ¡Qué triste contraste con el ejemplo de nuestro Señor Jesús!

Durante un año Cristo trabajó en Judea y Jerusalén —un territorio que presumía de tener más gente «salva» por metro cuadrado que cualquier otro sitio de la tierra—. Santo templo, sede religiosa, seminario, mercados *kósher:* ¡qué sitio más ideal para pasar la vida y la misión de uno! Pero en el escueto anuncio «volvió a Galilea» (Mat. 4: 12) nos damos cuenta de que Jesús decidió alejarse de todo ello. ¿Por qué? Porque en Galilea había más gente «perdida» por metro cuadrado que en ningún otro sitio de Israel. La gente de allí «habitaba en tinieblas». Dejando la luz atrás, Jesús trasladó su misión mesiánica de la religiosa Jerusalén a la impía Galilea.

¿Es Jesús un ejemplo para los elegidos hoy? La gente posmoderna secularizada domina Occidente. Y aunque hacemos bien en reconocer la «ventana 10/40 de Oriente» —esa franja geográfica en la que vive el 60% de la humanidad, pero en la que solo un 1% cree en Jesús—, nuestra misión ya no puede permitirse el lujo de evitar la «ventana 10/40 de Occidente». La iglesia ha luchado por tender puentes con esta generación secular. Los que legítimamente defendemos «la verdad» lo pasamos mal conectando con los que rechazan cualquier noción de una verdad singular, sino que abrazan más bien un pluralismo que sugiere que todo el mundo posee la verdad. ¿Cuál es nuestra misión hacia esta generación secular?

¿Qué haría Jesús? Ya lo sabemos. Se trasladó al vecindario más gentilizado de su tierra, en el que la luz era «más peor», no «mejor». No formó un comité de expertos ni inauguró una institución. Simplemente se mezcló entre la gente como alguien que buscaba su amistad. Y la gente «vio gran luz». ¿Podría ser que sea eso también lo que significa dejar que brille nuestra luz?

El comunista y el misionero

«Por tanto, id y haced discípulos a todas las naciones,
bautizándolos en el nombre del Padre, del Hijo
y del Espíritu Santo, y enseñándoles que guarden
todas las cosas que os he mandado. Y yo estoy con vosotros
todos los días, hasta el fin del mundo». Mateo 28: 19, 20

ES VERDAD. UNO DE LOS fundadores intelectuales del comunismo y uno de los fundadores intelectuales del adventismo ¡fueron contemporáneos! Ambos vivieron y murieron empobrecidos en el mismo año, 1883. Y ambos dejaron tras sí una colección de escritos que grabó marcas indelebles en los movimientos que contribuyeron a fundar. Los hombres: y Karl Marx y John Nevins Andrews; uno comunista, el otro misionero. Marx escribió: «Hasta ahora, los filósofos solo han interpretado el mundo [...]; la gracia, sin embargo, está en cambiarlo». Y aunque se equivocó en muchas cosas, tenía razón en eso, porque el llamamiento a cambiar radicalmente el mundo es hoy más necesario que nunca en la historia. Pero, ¿cómo cambiar nuestro mundo? Andrews escribió: «No conozco más que una manera: Encontrar un campo de trabajo, pedir ayuda a Dios, quitarte la chaqueta y poner manos a la obra». Y en eso estriba la misión de los elegidos. Ya va siendo hora de que nos quitemos la chaqueta, nos subamos las mangas y hagamos algo, cualquier cosa en realidad, por la pasión y la misión de Dios de salvar a los perdidos.

La gran comisión que Jesús nos dio antes de su ascensión es en sí misma un profundo llamamiento, no a interpretar el mundo, sino a cambiarlo. ¿Cómo? Quítate la chaqueta, súbete las mangas y sal adentrándote en la oscuridad en busca de los perdidos. Por esa razón hemos pasado este mes centrándonos en maneras simples pero prácticas de trasladar nuestra misión divina a estrategias muy humanas y fáciles de usar. Pero leer la invitación de Dios ya no basta: ¡es hora de salir!

En *Out of This World,* Nancy Irland y Peter Beck cuentan cómo la empresa RR Donnelley de Chicago, una de las mayores imprentas de revistas del mundo, envió por correo en una ocasión —por culpa de un muellecito que se partió en una enorme impresora— la misma notificación de suscripción 9,734 veces al mismo destinatario. Abrumado con esos 9,734 avisos de que su suscripción a la revista *National Geographic* estaba a punto de caducar, el desventurado ranchero de Colorado condujo 16 kilómetros hasta la ciudad más cercana para enviar un giro postal con el dinero de su suscripción, junto con esta nota: «Envíenme la revista. ¡Me rindo!».

Doquier nos volvamos en las Escrituras, topamos de frente en la implacable pasión del Calvario por los perdidos. Una y otra vez Dios sigue invitándonos a compartir esa pasión y su misión. Es el momento de garabatear la nota: «Me rindo. Tu amor me ha convencido. ¡Permite que me una a ti en la búsqueda de los perdidos!».

Nadie dijo que sería fácil

«Después de anunciar el evangelio a aquella ciudad
y de hacer muchos discípulos, volvieron a Listra […],
confirmando los ánimos de los discípulos, exhortándolos
a que permanecieran en la fe y diciéndoles:
"Es necesario que a través de muchas tribulaciones
entremos en el reino de Dios"». Hechos 14: 21, 22

AL LEER EL LIBRO de Hechos, uno cae en la cuenta de que hasta los amigos de Jesús sufren. O quizá la «publicidad veraz» signifique que debemos admitir que sufren *especialmente* los amigos de Jesús. A mí me gustaría que el médico Lucas hubiera omitido «tribulaciones» en nuestro texto de hoy. Pero LO incluyó; porque que a uno le confíen la misión de mayor trascendencia en este mundo exige un precio, un precio muy alto.

En un aeropuerto de Denver me fijé en dos hombres con atuendo de clérigos. Me acerqué, pero hablaban un idioma desconocido. Por último, el rabino se marchó.

—¿En qué idioma hablaban ustedes? —pregunté al que llevaba alzacuellos.

—Somos rumanos —contestó.

—Yo también soy pastor —le dije.

—¿De qué iglesia?

—Soy adventista del séptimo día.

—Oh, conozco a adventistas del séptimo día. —dijo sonriendo el clérigo— Los conocí en la cárcel. En realidad, estuvimos juntos en la cárcel.

Resulta que me encontraba conversando con el conocido pastor luterano y autor Richard Wurmbrand, que había sido encarcelado por su fe en la Rumanía comunista. Yo tenía su libro *Sermons in Solitary Confinement* [Sermones en confinamiento solitario] en mi biblioteca.

—Los conocí a ustedes los adventistas en la cárcel. Bueno, ¡ustedes hasta diezmaban allí!

Me pareció algo raro que anunciaran su práctica del diezmo a los demás presos.

—Todos los días recibíamos un trozo de pan de corteza dura. Pero cada décimo día los adventistas daban su pan a otro preso hambriento. —Sí —prosiguió —y siempre sabíamos cuándo había llegado el séptimo día cuando los oíamos a ustedes los adventistas gritar.

Me pareció raro que los adventistas anduvieran gritando: «Ha llegado el sábado» a todos los presos.

—Sabíamos que era sábado cuando escuchábamos a los adventistas gritar en medio de la paliza que les daban por negarse a trabajar ese día.

Diezmar su pan y gritar en medio de sus palizas sabáticas… Nadie dijo que la misión de los elegidos sería fácil. Pero ahora que yo conocía su historia, Dios me ayudó a ser tan fiel en mi testimonio como mis hermanos eran en los suyos. Después de todo, ¿no es esa nuestra misión?

La matriz macedonia - 1

«Atravesando Frigia y la provincia de Galacia, les fue prohibido por el Espíritu Santo hablar la palabra en Asia; y cuando llegaron a Misia, intentaron ir a Bitinia, pero el Espíritu no se lo permitió». Hechos 16: 6, 7

¿QUÉ SE SUPONE que tienes que hacer cuando parece que Dios sigue cerrándote las puertas? ¿Cuántos de nosotros ahora mismo estamos poniéndolo todo de nuestra parte con valentía con nuestra nariz aplastada contra una puerta cerrada? ¿Podría ser que la mejor manera de llegar a una puerta abierta sea por medio de una cerrada?

En una ocasión vi una lista de todas las puertas cerradas que encontró Abraham Lincoln, de quien se puede decir que fue el mejor presidente de Estados Unidos: 1832: perdió su empleo; 1832: fue derrotado al presentarse a las elecciones a la Asamblea Legislativa de Illinois; 1833: fracasó en los negocios; 1834: fue elegido miembro de la Asamblea Legislativa estatal; 1835: su novia falleció; 1836: tuvo una crisis nerviosa; 1838: fue derrotado al presentarse a la presidencia de la Asamblea Legislativa de Illinois; 1843: fue derrotado al presentarse a las elecciones al Congreso; 1846: fue elegido miembro del Congreso; 1848: perdió su reelección al Congreso; 1849: fue rechazado para el puesto de Jefe del Catastro; 1854: fue derrotado al presentarse a las elecciones al Senado de los Estados Unidos; 1856: fue derrotado en la carrera a la vicepresidencia; 1858: fue derrotado al presentarse nuevamente a las elecciones al Senado; 1860: Abraham Lincoln fue elegido presidente de Estados Unidos. ¿Podría ser que la mejor manera de llegar a una puerta abierta sea por medio de una cerrada?

El intrépido apóstol Pablo y su equipo evangelizador itinerante han finalizado la tarea de su encargo evangélico en Listra y Derbe y deciden proseguir hacia occidente obedeciendo la orden de Jesús de ir «por todo el mundo». Y aunque no se nos dice cómo ni por qué, lo consignado afirma que les cerraron la puerta en las narices. ¡El Espíritu dijo que no! Impertérritos por esa puerta cerrada, Pablo y sus compañeros revisaron sus planes y prosiguieron, en cambio, hacia el norte con el evangelio. Pero cuando intentaron entrar en Bitinia, los aguardaba otra enorme puerta cerrada y un «¡No!» de Dios. Entonces, ¿adónde había de ir Pablo ahora? No estaba seguro. Porque cuando Dios cierra una puerta en tu vida, nunca estás seguro del todo, ¿no crees? José el esclavo no tenía ni idea. Tampoco Moisés el pastor. Ni siquiera Abraham Lincoln la tenía. Así que si tu nariz está aplastada contra la fría superficie de otra puerta cerrada, no te sientas mal: no estás solo.

Recuerda simplemente la verdad que Pablo está a punto de descubrir: cuando caminas con Dios, la mejor ruta a una puerta abierta es muy a menudo por medio de una cerrada.

La matriz macedonia - 2

«Así que, pasando de largo por Misia, bajaron al puerto de Tróade.
Allí Pablo tuvo de noche una visión; vio a un hombre de la región de Macedonia,
que puesto de pie le rogaba: «Pasa a Macedonia y ayúdanos». En cuanto Pablo
tuvo esa visión, preparamos el viaje a Macedonia,
seguros de que Dios nos estaba llamando
para anunciar allí la buena noticia».
Hechos 16: 8-10, DHH

¿TE DAS CUENTA? Estaban «seguros». Prueba suficiente de que la mejor manera de llegar a una puerta abierta es por medio de una cerrada. Ahí están la anomalía y el misterio de la dirección divina. Nosotros pensamos que el que la puerta esté cerrada significa que no hay manera de entrar. Pero Dios responde: «No, no. Precisamente porque la puerta está cerrada, ustedes van a atravesar... otra puerta». Esa debe de ser la razón por la que sigue permitiendo que se nos cierren las puertas: para que un día descubramos la suya abierta.

¿Podría ser que la puerta abierta para Pablo también sea una puerta abierta para ti y para mí? Jim Collins, en su obra *Good to Great: Why Some Companies Make the Leap... and Others Don't,* describe que las empresas y las organizaciones de más éxito cuentan con la motivación de lo que él llama una MGDA: meta grande, difícil y audaz. Se trata de una meta gigantesca y abrumadora tan apasionante que motiva a toda la organización en su misión. En el ruego macedónico, ¡Dios dio a Pablo una MGDA apasionante! Hasta entonces, Pablo y los demás se habían contentado con vagar por Asia Menor por el evangelio de Cristo, una misión loable sin duda. Pero todo el cielo estaba listo para una MGDA, y en esa sola visión —«Pasa a Macedonia y ayúdanos»— Dios quita las fronteras a la misión de Pablo. «Sueñas en términos demasiado pequeños para mí, Pablo. Pides una provincia, ¡pero yo quiero darte un continente que, un día, se convertirá en todo Occidente!».

Entonces, ¿dónde está nuestra Macedonia? Es todo un planeta de hombres, mujeres y niños perdidos, ¿no? El Occidente secular, el Oriente gentil y las ciudades de ambos: porque ¡la Macedonia de esta generación es el mundo! «El manifestar un espíritu generoso y abnegado para con el éxito de las misiones [globales] en el extranjero es una manera segura de hacer progresar la obra misionera [local] en el país propio; porque la prosperidad de la obra [local] que se haga en él depende en gran parte, después de Dios, de la influencia refleja que tiene la obra evangélica [global] hecha en los países lejanos. Es al trabajar para suplir las necesidades de otros como ponemos nuestras almas en contacto con la Fuente de todo poder» (*Obreros evangélicos,* p. 481). ¿No es hora de permitir que el divino llamamiento macedónico MGDA movilice nuestras ofrendas, nuestro voluntariado y nuestras salidas para Jesús?

Una movilización tan grande como una ballena - 1

«Levántate y ve a Nínive, aquella gran ciudad,
y clama contra ella, porque su maldad
ha subido hasta mí».
Jonás 1: 2

LA MAYORÍA DE LOS SÁBADOS en mi iglesia hay cuatro generaciones que se reúnen para adorar. La generación de los que sirvieron en la Segunda Guerra Mundial (los nacidos en las décadas de 1920 y 1930), los nacidos durante la posguerra o poco antes de la misma (en las décadas de 1940 y 1950), la generación X (los nacidos en las décadas de 1960 y 1970) y los «milenarios» (los nacidos en las décadas de 1980 y 1990). Tres de estas generaciones ya han conquistado nuevas fronteras: la generación de los veteranos de la Segunda Guerra Mundial con su espacio «interior» (no muy arriba en la estratosfera); los de la posguerra con su espacio «exterior»; y los de la generación X con su «ciberespacio». Pero, ¿qué espacio queda por conquistar para Dios por parte de la generación de hoy? Hay en la Biblia un libro muy corto que está lleno de **preguntas**, **trece** en total. Hasta termina con una pregunta.

La **primerísima pregunta** del libro de Jonás nos precipita en el drama: «¿Cómo puedes estar durmiendo? ¡Levántate! ¡Clama a tu dios! Quizá se fije en nosotros, y no perezcamos» (Jon. 1: 6, NVI). Pero el dormilón Jonás no está con humor para orar. Sabe de dónde proceden los vientos huracanados y el mar embravecido: el Dios al que desobedeció ha venido tras él, y ¡se arma la marimorena en el Mediterráneo! ¿Cómo podía dormir tan siquiera? En un ensayo, Haddon Robinson observó: «Si alguna vez hubo un hombre que viviera en desobediencia directa a Dios, fue el profeta Jonás. Dios lo envió a predicar a los ciudadanos de Nínive, pero él se embarcó en un navío y viajó alejándose de Dios en vez de hacer lo que Dios le había mandado hacer. Durante su huida se desató una violenta tempestad que aterró a los marineros gentiles, pero Jonás estaba dormido bajo la cubierta del barco. Evidentemente, Jonás estaba en paz con la decisión que había tomado. Por otro lado, si alguna vez hubo alguien que hacía la voluntad de Dios, fue Jesús camino a la cruz. No obstante, en el huerto de Getsemaní estuvo angustiado y su sudor era como gotas de sangre que caían en tierra (Luc. 22: 4). La paz no es prueba de haber adoptado una decisión piadosa» (en *Preaching to a Shifting Culture*, pp. 85, 86).

Solo porque los elegidos tengamos paz con dejar sin conquistar para Dios la última frontera y el último «espacio» no quiere decir que hayamos tomado una decisión piadosa. Entonces, ¿estás listo para dar marcha atrás y ayudar a Dios a conquistar la última frontera?

Una movilización tan grande como una ballena - 2

«Mas yo, con voz de alabanza,
te ofreceré sacrificios;
cumpliré lo que te prometí.
¡La salvación viene de Jehová!».
Jonás 2: 9

EN SECUENCIA TREPIDANTE, los marineros gentiles empapados por el mar en el épico relato de Jonás formulan las **preguntas dos a ocho** a gritos, imponiéndose a los vientos huracanados, directamente al corazón al profeta fugitivo. Y, agarrado a la barandilla de aquel agitado navío fenicio, Jonás se quita con la lengua la sal de los labios y responde con un *mea culpa*. Respondió: «Tomadme y echadme al mar, y el mar se os aquietará, pues sé que por mi causa os ha sobrevenido esta gran tempestad» (Jon. 1: 12). Los hombres lo creen y lo echan al mar, y en ese instante el mar queda en calma.

No para Jonás, que es absorbido de las profundidades borboteantes a las inmediaciones vomitivas de una monstruosa criatura marina. Pero, asombrosamente, en esa montaña rusa movida sobre un mar negro como el carbón, Jonás ni muere ni vomita. Ora con arrepentimiento y confesión abyectos. Y, por lo visto, nuestro Dios puede oírnos con independencia del lugar en el que suceda que nos encontremos en la tierra (o en el mar), porque el profeta fugitivo es perdonado. Con gozo, Jonás exclama las palabras del texto de hoy: «¡La salvación viene de Jehová!».

Pero el sonido que siguió no fue igual de gozoso. Cuando nuestra perra Sadie Hawkins se pone a vomitar, hace un sonido característico indicativo de arcadas que da un subidón de adrenalina a quienquiera se encuentre más cerca de ella para ¡sacar en volandas a la pobre Sadie, llevándola al patio! A Jonás no le importa el sonido: es vomitado en tierra seca. ¡Aleluya! Y cuando Dios le ordena por segunda vez ir, Jonás va de inmediato, movilizado en la misión de Dios por aquella ciudad perdida.

Y, quién lo iba a decir, en una de las campañas de evangelización de mayor éxito de la historia del mundo, el rebelde se convierte en el agente de Dios que logra el avivamiento de toda una ciudad que ¡lleva la salvación a la ciudad más malvada de la tierra (así opinaba Jonás y por eso había huido)! «Al ver Dios lo que hicieron, es decir, que se habían convertido de su mal camino, cambió de parecer y no llevó a cabo la destrucción que les había anunciado» (Jon. 3: 10, NVI).

¿Y Jonás? Estaba tan contrariado de que el fin no se produjera que, de hecho, ¡suplicó a Dios que lo matara (historia verídica)! Por lo visto, es posible que los elegidos anhelen más el fin del mundo que la salvación de los perdidos, como si su reputación importase más que la de Dios. ¿Anhelamos eso nosotros? ¿Importa más?

Una movilización tan grande como una ballena - 3

«Y de Nínive, una gran ciudad donde hay más de ciento veinte mil personas que no distinguen su derecha de su izquierda, y tanto ganado, ¿no habría yo de compadecerme?». Jonás 4: 11, NVI

ESA ES LA ÚLTIMA LÍNEA del épico relato de Jonás. La historia termina con una única *pregunta (la número 13)* de los labios de Dios: «¿No habría yo de preocuparme por esa gran ciudad?». Fin.

¿No ha llegado el momento de la historia en que la *última pregunta* de Dios debe convertirse en nuestra *primera pregunta*? De los más de siete mil millones de habitantes de este planeta, ahora se calcula que el 47% vive en ciudades (no en un barrio periférico, un pueblo, una aldea o en el campo). De hecho, las ciudades del mundo se han hecho tan grandes que 438 de ellas se denominan ahora «aglomeraciones», definidas como trechos contiguos de edificios y calles habitados. Entre las mayores aglomeraciones del mundo se encuentran: Tokio, Ciudad de México, Seúl, Nueva York, São Paulo, Bombay, Delhi, Shanghái, Los Ángeles y Osaka. Solo estas diez ciudades contienen más seres humanos que la mitad de la población de Estados Unidos. Si el clamor de Dios que pone fin al libro de Jonás fue por solo una ciudad, ¿te puedes imaginar la profundidad del grito divino hoy?

¿Quieres saber lo que de verdad siente Dios por las ciudades?

«Cuando se acercaba a Jerusalén, Jesús vio la ciudad y lloró por ella» (Luc. 19: 41, NVI). Hay solo dos casos en el relato evangélico en los que se describe a Jesús llorando: una vez por un amigo fallecido y una vez por una ciudad perdida. Bob Pierce, fundador de *World Vision*, solía decir: «Debemos llegar al punto en que aquello que rompe el corazón de Dios rompa también el nuestro». Quizá por eso se escribieran estas palabras hace más de un siglo: «Trabajad sin tardanza en las ciudades, porque queda poco tiempo. [...] En un tiempo como este, han de emplearse todos los medios. [...] *La carga de las necesidades de nuestras ciudades ha descansado tan pesadamente sobre mí que en ciertas oportunidades me he sentido morir*» (*El evangelismo*, pp. 29, 30; la cursiva es nuestra).

Sin embargo, en vez de desanimarnos por este inmenso desafío urbano, es preciso que reconozcamos cómo Dios nos ha encaminado al éxito. Los medios de comunicación de masas nos permiten ahora diseminar nuestro mensaje por doquier. Y la nuestra es ahora una cultura urbana universal con una generación de jóvenes que habla globalmente el mismo lenguaje cultural. Dios ha preparado su reino no para el fracaso, ¡sino para el éxito! Si algo podemos aprender de la historia de Jonás, tiene que ser: ¡Vamos!

Una movilización tan grande como una ballena - 4

*«Entonces el Señor dijo a Pablo en visión de noche: "No temas,
sino habla y no calles, porque yo estoy contigo y nadie pondrá sobre ti
la mano para hacerte mal, porque yo tengo mucho pueblo
en esta ciudad"».* Hechos 18: 9, 10

«PERO NO HAY MANERA de que yo pueda trasladarme a Tokio, Nueva York o São Paulo: estoy preso aquí en casa». ¿No lo estamos todos? Por ello, veamos dos estrategias simples para movilizarte por las ciudades de Dios.

Estrategia 1. Empieza con la ciudad más cercana a ti. No es probable que sea tan exótica como Río, pero es una ciudad cerca de casa. Si el corazón de Dios se conmovió por Nínive y Jerusalén, también se conmueve por tu ciudad. Según nos recuerda el texto de hoy, Dios tiene a muchos integrantes de su pueblo en nuestras ciudades. ¿Cuántos son esos «muchos»? Suficientes como para que Cristo diera su vida, naturalmente. Y eso quiere decir que ya no podemos quedarnos cómodamente sentados, distraídos a las afueras de un barrio residencial y hacer como que eso es todo. Podemos congratularnos de que la generación de los veteranos de la Segunda Guerra Mundial conquistase el «espacio interior» y de que los bebés de la posguerra conquistasen el «espacio exterior» y la generación X el «ciberespacio», pero ha llegado el momento de ir al primer punto de nuestra agenda: la última frontera que hay que conquistar para Dios: el «espacio urbano». Seamos sinceros. A escala nacional y global, nos ha ido bien en los pueblos y en el campo, y no demasiado mal en los barrios residenciales. Pero nuestra cuenta de resultados en las ciudades es pésima. Están aún por conquistar para Cristo y su reino. Por eso se precisa desesperadamente una nueva generación ¡para apoderarse para él de esta última frontera! Nuevos pioneros, nuevos misioneros del tercer milenio. No hay necesidad de cruzar el océano, ni tan siquiera el país. Empieza en la ciudad más cercana a ti.

¿Qué podemos hacer? Para algunos, ser fieles al Dios del llamamiento de Jonás significará trasladar su membresía de una iglesia local amada a una iglesia necesitada de un barrio marginal de una ciudad. Para otros, será la visión radical de plantar una iglesia nuevecita en uno de esos centros urbanos. Para otros más, será la organización de equipos de voluntarios para iniciar tareas de evangelización en barrios marginales a pie de calle (predicación puerta a puerta, puesta en marcha de una iniciativa para contar relatos a los niños del barrio). Nuestra congregación universitaria se ha embarcado en estos tres empeños. ¿El sentido de ello? Podemos hablar de las grandes necesidades de las grandes ciudades del mundo, pero si no hacemos nada por cambiar las cosas en la ciudad cerca de la cual nos ha puesto Dios, ¿de qué vale? Entonces, ¿por qué no hacer una llamada a un amigo, a otro miembro de tu congregación, a tu pastor, e invitar a alguien —cualquier persona— para que te acompañe en la búsqueda del pueblo que Dios tiene en esa ciudad tuya?

Una movilización tan grande como una ballena - 5

«Ahora, pues, llevad también a cabo el hacerlo,
para que así como estuvisteis prontos a querer,
también lo estéis a cumplir conforme a lo que tengáis,
porque si primero está la voluntad dispuesta,
será aceptado según lo que uno tiene, no según
lo que no tiene». 2 Corintios 8: 11, 12

UNA SEGUNDA ESTRATEGIA para ayudar a Dios a alcanzar las ciudades del mundo puede ser fácilmente pasada por alto. Es la estrategia para cuando no puedes ir. Es esencial hasta cuando puedes ir.

Estrategia 2. Da en pro de las ciudades que te rodean. La realidad práctica es que no todo el mundo puede trasladarse a una ciudad. Las obligaciones familiares, las elecciones de la carrera, las responsabilidades profesionales, los proyectos de formación, las razones económicas: obviamente hay razones legítimas y múltiples por las que no todos podemos convertirnos en misioneros en un barrio marginal o en un centro urbano. Pero no es menos cierto que todos podemos dar: todos podemos efectuar una inversión económica en la misión de Dios por las ciudades del mundo. De hecho, según señalamos hace unos días, el éxito de nuestra misión en nuestras iglesias locales es directamente proporcional a nuestra inversión en la misión global del reino. La expresión era «influencia refleja». ¿Te acuerdas de cuando tu médico tomó aquel martillo y te dio un golpecito en la rodilla para ver si tu pierna se sacudía con un movimiento reflejo (cosa que hizo, haciéndote sentir bastante tonto y descontrolado)? La acción del médico produjo una reacción correspondiente por tu parte. Dar para la misión más global del reino funciona de la misma manera. En realidad, invertir en misiones en ciudades alejadas de nosotros tiene una influencia refleja en el éxito de nuestra misión en nuestra propia comunidad. «Las iglesias volcadas al exterior» —iglesias que se centran en las necesidades más amplias del mundo que las rodea— experimentan un crecimiento y una vitalidad impresionantes. Es, ciertamente, ilógico, ya que reservar tus recursos para tu iglesia local parecería la respuesta prudente. Pero en el reino de Dios es al revés.

Entonces, ¿qué pasaría si empezases a destinar algunas de tus ofrendas a misiones en barrios marginales? ¿No te puedes incorporar a las labores de evangelización a pie de calle? Contribuye a fundar una. ¿No te puedes presentar como voluntario en un comedor comunitario? ¿Por qué no contribuir a apoyar económicamente uno? ¿No puedes aparecer personalmente en televisión? Hay varias iniciativas pastorales radiofónicas y televisivas para alcanzar las ciudades del mundo en esta generación. El «espacio urbano» es nuestra última frontera, y tú puedes contribuir a financiar su conquista para Dios. Traducida al español, la letra de la quinta estrofa del himno 575 de *The Seventh-day Adventist Hymnal* dice así: «Sean tu corazón tierno y tu visión clara; ve a la humanidad como la ve Dios, sírvelo lejos y cerca. Que tu corazón se rompa por el dolor de un hermano; comparte tus ricos recursos, da una y otra vez».

El último relato

«Porque tuve hambre y me disteis de comer; tuve sed y me disteis de beber;
fui forastero y me recogisteis; estuve desnudo y me vestisteis;
enfermo y me visitasteis; en la cárcel y fuisteis
a verme». Mateo 25: 35, 36

CUANDO ALGUIEN ESTÁ en el corredor de la muerte, se escucha muy atenta y minuciosamente al último relato que cuenta, ¿no crees? La parábola de Jesús de las ovejas y las cabras es la última consignada en los Evangelios antes de su ejecución. ¿Por qué se la guardaría Mateo para contarla justo antes del final?

En una ocasión estudié la Biblia con una mujer que criaba cabras, y cuando llegamos a esta parábola se ofendió mucho. ¿Por qué iba Dios a salvar a las ovejas pero condenar a las cabras? En realidad, cuando Jesús contó esta historia, todos sus oyentes agrarios sabían que las ovejas de Israel tenían color claro, mientras que las cabras eran oscuras. La tarea del pastor de separar las ovejas de las cabras (las cabras eran comedoras voraces e insaciables y, por ello, se las mantenía aparte) se simplificaba gracias al contraste en sus tonalidades. Jesús hace esa distinción visual para destacar el contraste entre dos comunidades de personas muy diferentes en el tiempo del fin. Cuando vuelva, separará a las naciones de la tierra, como un pastor separa las ovejas de las cabras. A los justos (las ovejas) les ofrecerá su reino eterno. Y sobre los malvados (las cabras) ejecutará un juicio eterno. Pero ambos grupos de la parábola quedan sorprendidos con el inesperado veredicto del Rey. En nuestro texto de hoy el Rey explica su decisión, ligando ambos destinos a la forma en que los salvos y los perdidos respondieron o dejaron de hacerlo a las necesidades físicas de los pobres, los necesitados, los privados de derechos y los marginados. «"De cierto os digo que en cuanto lo hicisteis [o lo dejasteis de hacer] a uno de estos mis hermanos más pequeños, a mí lo hicisteis [o lo dejasteis de hacer]"» (Mat. 25: 40). Todos conocemos la historia.

Pero cuando leí la frase clave en *El Deseado de todas las gentes,* quedé pasmado: «Así presentó Cristo a sus discípulos, en el Monte de los Olivos, la escena del gran día de juicio. Explicó que *su decisión girará en derredor de un punto.* Cuando las naciones estén reunidas delante de él, habrá tan solo dos clases; y su destino quedará determinado por *lo que hayan hecho o dejado de hacer por él en la persona de los pobres y dolientes»* (cap. 70, p. 607; la cursiva es nuestra). ¿El juicio final de todos emitido en función de cómo tratamos a los pobres? ¿Podría ser que la Madre Teresa no fuera la única que recibió la misión divina de servir a los pobres?

245 razones para esta misión

«El que oprime al pobre afrenta a su Hacedor,
pero lo honra el que tiene misericordia
del pobre». Proverbios 14: 31

¿DE VERDAD ESTÁN los pobres en la pantalla de radar de Dios para los elegidos? El neozelandés Viv Grigg se sintió tan compelido por la solidaridad de Jesús con los pobres que se trasladó de la majestad montañosa de su patria en el Pacífico Sur al corazón ruinoso de uno de los barrios marginales de cartón y hojalata de Manila. Un día, bajo el techo ondulado de hojalata de su casita, Viv se sentó con un amigo y copió a mano en tarjetitas blancas todos los versículos que pudo encontrar en la Biblia que hablaban de los pobres. Los cuatro años siguientes los llevaba consigo mientras meditaba noche y día en la imperturbable e inflexible solidaridad de Dios con los pobres. En su Biblia, Viv Grigg identificó 245 referencias a los pobres, a los necesitados y a la pobreza. Estos no son más que una muestra:

✓ «Yo libraba al pobre que clamaba y al huérfano que carecía de ayudador. La bendición del que estaba a punto de perderse venía sobre mí, y al corazón de la viuda yo procuraba alegría» (Job 29: 12, 13).

✓ «Y yo, ¿no he llorado por el que sufre? ¿No me he entristecido a causa del necesitado?» (Job 30: 25).

✓ «Nunca faltarán pobres en medio de la tierra; por eso yo te mando: Abrirás tu mano a tu hermano, al pobre y al menesteroso en tu tierra» (Deut. 15: 11).

✓ «Servir al pobre es hacerle un préstamo al SEÑOR; Dios pagará esas buenas acciones» (Prov. 19: 17, NVI).

✓ «La religión pura y sin mancha delante de Dios el Padre es esta: visitar a los huérfanos y a las viudas en sus tribulaciones [...]. ¿No ha elegido Dios a los pobres de este mundo, para que sean ricos en fe y herederos del reino que ha prometido a los que lo aman?» (Sant. 1: 27 – 2: 5).

Aunque es solo una muestra de las 245 referencias bíblicas a los pobres y los necesitados, resulta claro que las Escrituras defienden la continua solidaridad de Dios con los oprimidos, los hambrientos, los pobres, los desnudos. Sin duda, está igual de claro que cuando Dios moviliza a los elegidos para su misión escatológica, los pobres deben encabezar su lista. ¿Conoces a alguien que encabece la lista de Dios?

El campeón

«Yendo por el camino, uno le dijo: "Señor, te seguiré adondequiera que vayas".
Jesús le dijo: "Las zorras tienen guaridas y las aves de los cielos nidos,
pero el Hijo del hombre no tiene donde recostar la cabeza"».
Lucas 9: 57, 58

TODO EL MUNDO QUIERE a un campeón. Durante años, el vecino más famoso de nuestro pueblecito de Berrien Springs fue un hombre al que el mundo coronó como «El Campeón» una y otra vez. En los años que siguieron a su jubilación, Muhammad Ali (Clasius Clay) vivió con su pequeña familia al final de una de nuestras calles. Una vez visité su cuadrilátero de entrenamiento, que puso en un viejo granero reacondicionado. El techo estaba empapelado de portadas de revistas del mundo entero que celebraban las proezas atléticas de este hombre. Aquejado ahora de la enfermedad de Parkinson, Ali aún tiene una mirada pícara y es afectuoso con la gente.

Pero el auténtico Campeón aparece con una lectura atenta de los Evangelios. Lucas, en particular, presenta intencionalmente a Jesús como el gran Campeón de los pobres. En una ocasión seguí en el Evangelio de Lucas la pista de las indicaciones de la solidaridad de Jesús con los pobres y los necesitados. Es pasmoso. Hazlo: también tú encontrarás que la prueba de su defensa de ellos es inconfundible.

Viv Grigg, de quien hablamos ayer, ha escrito un libro en el que hace una crónica de su vida y su misión en ese barrio bajo de Manila. En *Companion to the Poor* [Compañero de los pobres] realizó esta provocadora observación: «¿Dónde puede ser hallado y conocido Jesús hoy? Para encontrarlo, debemos ir adonde está. ¿No dijo él: «Donde yo esté, allí también estará mi siervo» [Juan 12: 26, NVI]? Tal búsqueda invariablemente nos lleva al corazón de la pobreza. Porque Jesús siempre acude al punto de más honda necesidad. Estará vendando heridas donde haya sufrimiento. Su compasión lo impulsa eternamente hacia la necesidad humana. Está donde hay injusticia. Su justicia lo demanda. No da vueltas a lo accesorio de lo que de verdad importa. Está comprometido, batallando siempre contra los más acérrimos de los poderes de las tinieblas y de las fuerzas del mal. Aquella noche, […] mi corazón halló descanso. No podía dar marcha atrás en el llamamiento de Dios. Debía predicar el evangelio a los pobres» (p. 22).

¿Difiere en algo esa misión para ti y para mí? ¿No significa el propio señorío de Jesús que la iglesia que defiende la «verdad presente» de Dios a una última generación también debe defender la presencia sanadora de Cristo entre los pobres, los privados de derechos, los marginados, los que sufren en las zonas marginales cerca y lejos? ¿Cómo podemos los elegidos llegar a elegir centrarnos solo en la proclamación, cuando los pobres están tan cerca de nosotros y son tan queridos para Dios?

Reparadores de la brecha - 1

*«El ayuno que he escogido, ¿no es más bien romper las cadenas de injusticia y desatar
las correas del yugo, poner en libertad a los oprimidos y romper toda atadura?
¿No es acaso el ayuno compartir tu pan con el hambriento y dar refugio
a los pobres sin techo, vestir al desnudo y no dejar de lado
a tus semejantes?».* Isaías 58: 6, 7, NVI

DEJA UNA CIERTA DESAZÓN darse cuenta de que Isaías 58 se escribió para gente no muy distinta de ti o de mí. Daban mucha importancia al sábado. Proclamaban la purificación del santuario en el Día de la Expiación y eran defensores de la ortodoxia. Pero se habían olvidado, descuidándolo por completo, de la cruz de la moneda de la ortodoxia: la ortopraxia. Ortodoxia [griego, *orthos*, correcto; y *doxa*, opinión]: el «pensamiento recto» o la «creencia correcta». Ortopraxia [griego, *orthos*, correcto; y *praxis*, práctica], la «práctica correcta» o el «comportamiento correcto». Dios no les pone reparos por su correcta creencia, pero tiene un montón de cosas que decirles sobre su comportamiento, que tanto dejaba que desear, en particular, según señala el texto de hoy, en lo referente a su trato de los pobres y los sufrientes.

Entonces, ¿qué tal marcha hoy el equilibrio ortodoxia/ortopraxia en los elegidos? ¿Sigue teniendo Dios problemas con la gente que defiende la verdad y se contenta con eso? Conéctate a Internet en algún momento y busca, en Google, «pobreza» o «inseguridad alimentaria» (nomenclatura política para decir «hambre»). Cuesta creerse las cifras. En naciones que presumen de tal opulencia, la trágica línea divisoria entre los que tienen y los que no tienen es espantosa en el mejor de los casos y directamente obscena en el peor. Pero, ¿nos importa a los elegidos? No preguntes: «¿Le importa a Dios?». Isaías 58 es su apasionada contestación. De hecho, las categorías mismas de las necesidades humanas esbozadas en el texto de hoy fueron nombradas por Jesús en su último relato sobre la tierra. El alimento, el techo, el vestido: lo estrictamente indispensable para la supervivencia, cuya consecución supone un problema para uno de cada ocho estadounidenses, aparece en una lista de control tanto en Isaías 58 como en la parábola de Jesús sobre las ovejas y las cabras perdidas.

¿Tanto alboroto para eso? Remontándonos a la parábola de hace unos días y al hecho alarmante de que el juicio final se basará en nuestra respuesta [o nuestra falta de respuesta] a los pobres y los sufrientes, se hace evidente que nada plasma con más rapidez y profundidad el egoísmo o el altruismo humanos que lo que hacemos por las personas necesitadas. ¿Hay un barómetro de mi corazón más visible que mi respuesta a las necesidades de los pobres que me rodean? No es de extrañar que Jesús dijera al joven rico que vendiera todo lo que tenía y lo diera a los pobres. Tenía un gran dominio de la ortodoxia, pero había suspendido el examen final sobre la ortopraxia. Creía que estaba elegido, pero su elección demostró algo distinto.

Reparadores de la brecha - 2

«Pues nunca faltarán pobres en medio de la tierra;
por eso yo te mando: Abrirás tu mano a tu hermano,
al pobre y al menesteroso en tu tierra».
Deuteronomio 15: 11

L LAMÉ A LA PUERTA de su apartamento ubicado en el sótano. Había oído que la joven pareja, miembros ambos de nuestra congregación y estudiantes de la universidad, pasaba por dificultades económicas. Y aunque tales episodios distan de ser excepcionales en una comunidad de jóvenes estudiosos en formación sin recursos, decidí que sería mejor que lo investigara. No fue mucho antes de Navidad. El joven marido me invitó a pasar. Allí sentados en aquel apartamento casi vacío, los tres nos pusimos a conversar. Al cabo de un rato, pregunté cómo les iban las cosas económicamente. Tras mirarse el uno al otro un instante, el joven se levantó, fue hasta la nevera y la abrió. Señaló a una tarrina de margarina medio vacía y a un tarro de granos de maíz. «De esto vivimos últimamente». Subsistían a base de palomitas. ¿Cómo lo expresó Jesús? «A los pobres siempre los tendréis con vosotros» (Juan 12: 8).

Es un recordatorio de que aunque los barrios marginados de los grandes centros urbanos del mundo están atestados de gente sin recursos y empobrecida, la movilización de los elegidos por parte de Dios para que sirvan a los pobres no es a expensas de los pobres que hay entre nosotros. De hecho, en un capítulo titulado «Dios cuida de los pobres», Elena G. de White observa: «Después del reconocimiento de los requerimientos divinos, nada hay que diferencie tanto las leyes dadas por Moisés de cualesquiera otras como el espíritu generoso y hospitalario que ordenaban hacia los pobres. Aunque Dios había prometido bendecir grandemente a su pueblo, no se proponía que la pobreza fuese totalmente desconocida entre ellos. Declaró que los pobres no dejarían de existir en la tierra. Siempre habría entre su pueblo algunos que le darían oportunidad de ejercer la simpatía, la ternura, y la benevolencia. En aquel entonces, como ahora, las personas estaban expuestas al infortunio, la enfermedad y la pérdida de sus propiedades; pero mientras se siguieran estrictamente las instrucciones dadas por Dios, no habría mendigos en Israel ni siquiera por falta de alimentos» (*Patriarcas y profetas,* cap. 51, p. 512).

«A los pobres siempre los tendréis con vosotros». Dada esa realidad, ¿podría ser que *los pobres sean nuestra oportunidad de oro de ejercitar la regla de oro?* Si se volvieran las tornas y la suerte de ustedes fuese la contraria, ¿cómo querrías que te tratasen ese hombre pobre, esa mujer pobre, ese niño pobre? Si tuvieran todo tu dinero y todo tu tiempo, ¿cómo querrías que te tratasen en tu necesidad?

Reparadores de la brecha - 3

«¡Ay del que edifica su casa sin justicia
y sus salas sin equidad, sirviéndose de su prójimo de balde,
sin darle el salario de su trabajo!». Jeremías 22: 13

E N UNA OCASIÓN CONVOCAMOS a un grupo de trabajo de solidaridad con los pobres para dar orientación sobre la misión de nuestra congregación hacia los barrios marginales. Quedé sorprendido por la intensidad con la que los activistas de la comunidad hacían hincapié en que es preciso que nos tomemos muy en serio el llamamiento divino de Isaías 58 a la justicia social. A no ser que se dé a los pobres formación y herramientas, seguirán en servidumbre económica y social, una opresión no muy distinta de una guerra.

Una tarde de sábado, en invierno, iba yo puerta a puerta por Benton Harbor, Míchigan, con uno de nuestros alumnos, orando con los que lo desearan. (Esta ciudad es la segunda más depauperada per cápita de Estados Unidos). Llegamos una tienda. El Cadillac estacionado delante tenía una calcomanía: «Jesús es Señor». Esta debería ser una visita amigable. Así que nos sacudimos la nieve de las botas y entramos en lo que era un salón de belleza.

—¿Quién es el dueño del automóvil que tiene lo de «Jesús es Señor»? —dije yo en voz alta. El lugar quedó en silencio—. Porque somos de la Universidad Andrews y estamos orando con todo el mundo. ¡Sabíamos que encontraríamos amigos aquí dentro!

Con eso, todos empezaron a charlar y sonreír. Uno de los hombres hizo un comentario que no olvidaré. De alguna manera, nos pusimos a hablar de Irak, y me dijo que había luchado allí.

—De hecho —concluyó— vivo en Vietnam.

—¿Cómo dijo…?

con la mano apuntando hacia el exterior de la puerta, aclaró:

—Vivo en Vietnam aquí en Benton Harbor —señalando hacia el exterior de la puerta..

Así que di cuenta de lo que quería decir. La gente que vive ahí marginada considera el lugar una zona de guerra.

Isaías 58 es una movilización de los elegidos a la zona de guerra de la pobreza y de la injusticia humanas. Pertenezco a una comunidad de fe que se deleita en defender las grandes *eses* de la salvación divina: el sábado, la Segunda Venida, el santuario, etcétera. Pero Isaías 58 está claro: sin justicia social y sin acción social (versículos 6 y 7), todas las demás *eses* del mundo no pueden por sí solas cumplir la misión de Dios. Por esa razón puede comenzar Dios el capítulo que llama a la justicia social y a la acción social y terminarlo con un soliloquio sobre la observancia del sábado, como diciendo: «Ustedes entenderán bien mi día únicamente cuando entiendan bien mi camino». Una enseñanza en la que también se insistió hace un siglo: «Aliviar a los afligidos y consolar a los tristes es un trabajo de amor que realmente honra el santo día de Dios» (*El ministerio de la bondad*, p. 81). Bueno, hasta el sábado es divinamente estratégico para amar a los pobres.

Reparadores de la brecha - 4

«Si retraes del sábado tu pie, de hacer tu voluntad en mi día santo,
y lo llamas "delicia", "santo", "glorioso de Jehová", y lo veneras,
no andando en tus propios caminos ni buscando tu voluntad
ni hablando tus propias palabras, entonces te deleitarás
en Jehová. Yo te haré subir sobre las alturas de la tierra
y te daré a comer la heredad de tu padre Jacob.
La boca de Jehová lo ha hablado».
Isaías 58: 13, 14

EL SALUDO HEBREO es hermoso: *«Sabbat salom»*: «Que la paz del sábado sea contigo». ¡Qué saludo y qué solución más apropiados para una comunidad posmoderna de fe carente de tiempo como la nuestra! No es casualidad que, tras su apasionado llamamiento a que su pueblo atienda las necesidades físicas y económicas de los pobres, Dios concluya con su propio llamamiento de *Sabbat salom*. Es casi como si quisiera recordarnos que la genuina *Sabbat salom* no solo trae paz divina a aquellos que (¿cómo lo expresó él?) llaman «al sábado "delicia", y al día santo del SEÑOR, "honorable"» (Isa. 58: 13, NVI), sino que es el día que aporta la paz del Señor a los hijos de la tierra que más la necesitan.

Al final de nuestras frenéticas semanas, ¿nos queda poco dinero y ningún tiempo para los pobres? Jesús declara: «Está permitido hacer el bien en sábado» (Mat. 12: 12), lo que, interpretado, quiere decir que *las tardes de sábado son un don de Dios, a través de ti, para los pobres, los que sufren, los solitarios y los necesitados.* ¿Necesitas estar con tu familia? Entonces, un sábado por la tarde lleva contigo a tu familia para estar con los necesitados. ¿Quieres estar con tus amigos? Entonces, lleva contigo a tus amigos para ayudar a los pobres un sábado por la tarde. ¿Quieres disfrutar del descanso del sábado? Entonces, lleva el descanso de Jesús a alguien necesitado un sábado por la tarde.

Estoy seguro de que puedes preparar una lista de actividades de *Sabbat salom* para el sábado de tarde más larga que esta: trabajo misionero para alcanzar a los pobres de un barrio marginal; «orquestinas de esperanza» para hospitales; visitas a asilos (cantos, lectura, grupos de oración); invitar a una familia solitaria y marginada a casa a la comida del sábado; adoptar a un estudiante para cualquier comida de sábado; poner en marcha un apostolado de «comidas de sábado sobre ruedas» para personas que no pueden salir de casa por distintos impedimentos; escribir cartas y postales para gente que se siente sola (pídele nombres a tu pastor); crear y mantener un portal personal de Internet para gente solitaria; limpiar de nieve la entrada a la casa de personas de la tercera edad (¡encuentra alternativas creativas si vives en un sitio cálido!), etcétera. Para los que, viviendo en el tercer milenio y estando tan faltos de tiempo, deseamos verdaderamente abrazar la solidaridad de Jesús con los pobres, ¿no es el sábado el don perfecto?

Reparadores de la brecha - 5

«Los tuyos edificarán las ruinas antiguas;
los cimientos de generación y generación levantarás,
y serás llamado "reparador de portillos",
"restaurador de viviendas en ruinas"».
Isaías 58: 12

UNA DE LAS GLORIAS de la campiña inglesa es su serpenteante entramado de antiguos muros de piedra. Pero, desde los imponentes edificios de piedra del muro de Adriano del siglo II en el norte de Inglaterra a los muros de piedra esmeradamente tallada que rodean las onduladas colinas de Cornualles siguiendo su camino, la triste realidad de esos muros es que podían abrirse brechas en los mismos. Y, en último término, acabaron abriéndose esas brechas.

En Isaías 58 Dios demanda que los integrantes de una nueva generación de los elegidos se conviertan en tapiadores de brechas, en reconstructores de las ruinas esparcidas de unos antiguos cimientos. ¿De qué brecha se trata? Las palabras que pronuncia inmediatamente después de nuestro texto de hoy contienen su apasionado llamamiento a honrar el sábado. Con todos los milenios que han pasado está más que claro que se ha abierto una brecha en el muro protector de la ley divina a través del cuarto mandamiento: «Acuérdate del sábado para santificarlo» (Éxo. 20: 8).

El enemigo de Dios calculó que un ataque estratégicamente dirigido podría derribar todo el muro. Glen Walker, en *Prophecy Made Easy,* describe la noche del 16 de mayo de 1943, cuando un escuadrón de bombarderos de la Royal Air Force fue enviado en misión para destruir la presa del Möhne en la cuenca del Ruhr de Alemania. Retumbando sobre el valle a solo dieciocho metros del suelo, los bombarderos portaban una bomba «destructora de diques» especialmente construida, diseñada para crear un pequeño agujero en la imponente presa que acabaría reventando bajo la enorme presión del agua a sus espaldas. Y así la bomba dio en su blanco, se creó una brecha en el muro y la presa reventó, barriendo casas y a personas y destruyéndolas. De la misma manera el enemigo ha abierto una brecha en la ley de Dios, destruyendo su defensa protectora, atacando el centro mismo del mandamiento del sábado, echando abajo todo el muro. Mira simplemente la sociedad humana actual.

No es de extrañar que Dios siga llamando en busca de nuevos tapiadores de la brecha, de una generación de los elegidos, dispuestos a movilizarse a cualquier lugar para restaurar los cimientos destruidos de la verdad. «Debe repararse la brecha, o portillo, que se hizo en la ley cuando los hombres cambiaron el día de reposo. El pueblo remanente de Dios, los que se destacan delante del mundo como reformadores, han de demostrar que la ley de Dios es el fundamento de toda reforma permanente, y que el sábado del cuarto mandamiento debe subsistir como monumento de la creación y recuerdo constante del poder de Dios» (*Profetas y reyes,* cap. 57, p. 461). La misión y el llamamiento divinos son inconfundibles. ¿Seremos los tapiadores de brechas que el Señor anda buscando?

¡Oh, Calcuta!

«Ya conocéis la gracia de nuestro Señor Jesucristo,
que por amor a vosotros se hizo pobre siendo rico,
para que vosotros con su pobreza
fuerais enriquecidos».
2 Corintios 8: 9

EL PREMIO NOBEL DE LITERATURA T. S. Eliot escribió: «La última tentación es la mayor traición: hacer el bien por razones espurias». Pero, ¿cuál sería la razón *legítima*?

Imagina una amalgama de cartón mojado y de bolsas de plástico junto a una cuneta sucia y pútrida de un barrio bajo de Calcuta. Miras a su apestoso interior y, encuentras, acurrucada en posición fetal, la forma flaca y consumida de un hombre de cara sombría cuyos ojos hundidos se te quedan mirando. A gatas por ese cuchitril, aguantando tu respiración por el hedor, recoges este demacrado desecho de la humedad y lo llevas a un taxi, que ha estado aguardando, que los lleva a ambos a toda velocidad al aeropuerto. Pones el cinturón a este desconocido maciliento, sentado junto a ti en el 747, y veinte horas después, a medio mundo de distancia, aterrizas. De vuelta en tu propio hogar, llevando todavía en brazos la forma repugnante y flacucha del hombre, entras aprisa, bañas a este desconocido esquelético, lo limpias, lo vistes, le das de comer y lo echas en la cama. Por la mañana, cuando sus ojos desconcertados por fin captan la opulencia de lo que ahora lo rodea, haces lo más impensable. Le entregas las llaves de tu casa, de tu todoterreno, tu lancha, tu despensa y una carpeta con los números de tu cuenta corriente, de tu cuenta de ahorro, tus tarjetas de crédito y tu cartera de acciones.

Luego, apenas sin mediar palabra, le das la mano, abrazas sus hombros huesudos, te quitas la ropa y recoges al taparrabos pútrido y pegajoso que le quitaste la noche anterior y te envuelves en sus jirones raídos. Asintiendo finalmente con la cabeza, sales de tu casa aferrándote únicamente al billete de vuelta del título de transporte de ida y vuelta del desconocido. Y, a bordo de otro 747, vuelas a un universo de distancia. Cuando aterrizas en Calcuta debes caminar: no tienes dinero para un taxi. Por fin, un montón de horas después, llegas lentamente al mismo tugurio en que lo encontraste hace días. Reconoces el cobertizo de cartón, que destila podredumbre, por el olor vomitivo que desprende. Agachándote en el rancio suelo, entras a gatas en ese deprimente agujero frío y húmedo. Y, acurrucado en posición fetal, vives el resto de tus días en esa miseria terrible de mugre interminable. ¿Y el desconocido? Ahora posee cuanto tenías, porque se lo diste. Y tú posees cuanto tenía él, porque te lo dio. Tu riqueza es suya por siempre, y su pobreza es ahora tuya por siempre jamás.

¿Por qué deberíamos servir a los pobres y los necesitados? Porque es lo que Jesús hizo por nosotros.

Una estrella se alza sobre el islam - 1

«Después de esto vi otro ángel
que descendía del cielo con gran poder,
y la tierra fue alumbrada con su gloria».
Apocalipsis 18: 1

CUANDO LA NACIÓN ISLÁMICA de Malasia envió al espacio a su primer astronauta en 2007, un problema importante fue cómo había de rezar un musulmán fiel en la estación espacial internacional cinco veces al día cuando, en el espacio, cada día dura solamente noventa minutos. Por eso, los ingenieros diseñaron un programa informático sin igual, «Musulmanes en el espacio», gracias al cual, mediante la trigonometría esférica, los musulmanes con destino al espacio pueden calcular tanto cuándo rezar como en qué dirección orientarse en el espacio para rezar mirando hacia La Meca. El programa enlaza todo esto con el tiempo universal coordinado, de modo que los astronautas puedan rezar tanto a la hora correcta en tierra como a la hora correcta que perciben en la estación espacial. ¿Te parece que solo es un montón de bobadas? ¡Sería deseable que nosotros estuviéramos igual de centrados en orar a Dios!

El texto de hoy declara que, inmediatamente antes de que Jesús vuelva, todo el planeta será inundado por un intenso avivamiento global de gloria divina. ¿Incluirá eso a los mil cuatrocientos millones de musulmanes que hay actualmente en la tierra? ¿Por qué íbamos a pensar que no? Considera estas estadísticas del islam contemporáneo. Como el judaísmo y el cristianismo, el islam está clasificado como una religión monoteísta abrahámica. Sus casi mil quinientos millones de fieles hacen del islam la segunda religión en número del mundo. Es la segunda mayor religión en el Reino Unido y en Europa, y pronto lo será también en Estados Unidos. La mayoría de los musulmanes no son árabes; solo el 20% de los musulmanes proceden de países del Próximo Oriente. De hecho, la nación musulmana más poblada del mundo es Indonesia. Hoy los musulmanes son mayoría en 45 países africanos y asiáticos. Y un informe demográfico de Naciones Unidas vaticina que los musulmanes representarán al menos la mitad de los nacimientos del mundo entero después del año 2055.

¿Quién fue Mahoma? Nació en La Meca hacia 570 d. C. en el seno de la tribu politeísta *quraysh*. Quedó huérfano siendo muy joven, y fue criado por un tío. A los veinticinco años de edad se casó con una viuda rica. Quince años después, en una cueva, recibió una visión del ángel Gabriel, visiones que continuaron doce años. En obediencia al ángel, Mahoma empezó a enseñar que solo hay un Dios verdadero, Alá. Su mensaje monoteísta encontró fuerte resistencia. Pero en 630 él y sus fuerzas volvieron a tomar La Meca, convirtiéndola en el centro del culto islámico que es hoy. Veinte años después de su fallecimiento, sus visiones fueron transcritas y codificadas en el Corán. ¿Podría ser que en la oscuridad del paganismo Dios encendiera la tenue luz de la verdad? Después de todo, lo había hecho antes.

Una estrella se alza sobre el islam - 2

«Y añadió el ángel de Jehová:
"Has concebido y darás a luz un hijo,
y le pondrás por nombre Ismael
porque Jehová ha oído tu aflicción"».
Génesis 16: 11

OCULTAS EN UN RELATO FAMILIAR hay tres sorpresas que puede que no hayas visto antes. Hubo una vez un hombre con una esposa muy hermosa. No tenían hogar, pero eran felices. Bueno, no es que carecieran por entero de hogar, aunque su hogar en este fértil pero desaprovechado trozo de tierra cananea distaba de ser como el próspero terreno que habían dejado tras de sí en Irak. Y tampoco eran del todo felices, porque la pareja no tenía hijos. Así que la esposa fraguó un plan. Su marido se casaría con la sierva egipcia que ella tenía, y el bebé que naciera sería su heredero. Y así lo hizo el marido, y la cosa fue a las mil maravillas. Hasta que los celos se impusieron y la furiosa esposa empezó a tratar a la criada de malos modos.

Pero la historia de Agar, la criada egipcia, no había hecho más que empezar, aunque cueste creerlo, dadas sus lágrimas junto a un manantial en el desierto. De repente ocurrió la primera de las tres sorpresas cuando «la encontró el ángel del Señor» (Gén. 16: 7, NVI). Fíjate en que esta es la primera aparición del Ángel divino («Yo Soy») en las Escrituras. Se apareció a una criada *egipcia*. Y por si eso no bastara, le anunció rápidamente que tendría un hijo y que había de darle el nombre de Ismael, que significa «Dios oye», porque, ciertamente, Dios había oído la oración de la joven madre. Sorpresa número dos: esta es la primera vez en los anales de la historia sagrada en que Dios decidió dar nombre a un bebé. Y el primer bebé al que Dios dio nombre fue *Ismael,* el padre de los *árabes.* Y cuando el Ángel hubo concluido sus instrucciones, Agar respondió con gozo reverente. «Entonces dio Agar a Jehová, que hablaba con ella, el nombre de: "Tú eres el Dios que me ve", porque dijo: "¿Acaso no he visto aquí al que me ve?"» (Gén. 16: 13). Sorpresa número tres: esta es la primera vez que un ser humano del relato bíblico dio testimonio de haber visto a Dios. Y era una esclava egipcia. Tres grandes cosas acaecidas por vez primera en las Sagradas Escrituras, y las tres tienen que ver con la madre de Ismael, el padre de los árabes.

¿Es todo coincidencia? ¿O plantó Dios intencionalmente las semillas del destino divino en la historia del nacimiento de Ismael y del pueblo árabe? ¿Podría ser, entonces, que en la hora oscura de la historia del Próximo Oriente el Dios de Abraham, que anhelaba reavivar su luz y su fe entre los hijos de Ismael, suscitara la voz terrena de Mahoma para llamar a sus hijos rebeldes a volver al Dios creador? Y si los hijos de Ismael son así de importantes para Dios, ¿no deberían serlo también para nosotros?

Una estrella se alza sobre el islam - 3

«Cuando pasaban los mercaderes madianitas,
sacaron ellos a José de la cisterna, lo trajeron arriba
y lo vendieron a los ismaelitas por veinte piezas de plata.
Y estos se llevaron a José a Egipto». Génesis 37: 28

¿APARECE EL ISLAM en la profecía bíblica? Lutero creía que sí. También Isaac Newton, John Wesley, Joseph Mede, Urías Smith y J. N. Andrews, por nombrar algunos. Porque es fundamental en la interpretación historicista de Apocalipsis 9, que ve en las fuerzas del islam juicios divinamente guiados contra la iglesia apóstata y las naciones de la Edad Media. Considera lo estratégicos que han sido los hijos de Ismael en el plan maestro divino.

El texto de hoy captura ese momento desgarrador en que los hermanos de José, carcomidos por los celos, lo sacaron de la cisterna y optaron por venderlo como esclavo, en vez de matarlo. ¿Y quiénes eran los mercaderes que llegaron en su caravana? Los ismaelitas, a quienes Dios usó para transportar a José a Egipto y a un futuro que resultaría en la salvación de su pueblo. ¿Cómo lo expresó José a sus hermanos cuando, siendo visir, les reveló su identidad? «Dios me envió delante de vosotros para que podáis sobrevivir sobre la tierra, para daros vida por medio de una gran liberación» (Gén. 45: 7). Sin saberlo nadie, los ismaelitas fueron agentes divinos en la conservación de un remanente.

La historia número dos versa sobre los magos del evangelio de Navidad. ¿Quiénes eran? Podemos estar de acuerdo en que fueron agentes divinamente señalados para llamar la atención de la comunidad de la fe sobre el Mesías venidero. Los eruditos coinciden en que los magos eran hijos del Oriente. ¿Es coincidencia que Dios haya usado a los descendientes de Ismael para llamar la atención de su pueblo distraído?

La historia número tres está fuera de los confines de la Biblia. En 1529, precisamente cuando el emperador Carlos V marchaba contra los príncipes de Alemania (que aquel año abrazaron el nombre de «protestantes») para aplastar su rebelión espiritual contra la hegemonía eclesiástica de Roma, los turcos otomanos avanzaron repentinamente hasta las puertas mismas de Viena, y el emperador se vio obligado a abandonar su empeño de destruir la incipiente Reforma. ¿Coincidencia… o intervención divina precisamente con la duración necesaria como para que la Reforma prendiera sin posibilidad de apagarse una vez que se hubieran retirado los turcos?

¿Podría ser que los musulmanes siempre hayan tenido un lugar especial en el corazón de Dios y un papel excepcional en la historia del mundo? ¿Podrían representar incluso ahora una oportunidad dorada? Sin duda, la misión de los elegidos debe abrazar también a los musulmanes.

Una estrella se alza sobre el islam - 4

«Y de esta manera me esforcé en predicar el evangelio, no donde Cristo
ya hubiera sido anunciado, para no edificar sobre fundamento ajeno, sino,
como está escrito: "Aquellos a quienes nunca les fue anunciado acerca de él, verán;
y los que nunca han oído de él, entenderán"». Romanos 15: 20, 21

ENTONCES, ¿QUÉ HAREMOS? ¿Cómo responderemos? En primer lugar, podemos rechazar el lenguaje denigrante y despectivo adoptado por algunos en Occidente. El epíteto «islamofascistas» degrada a todo un pueblo y una religión por culpa de una minoría radical. ¿Nos gustaría que alguien acuñara las palabras «cristofascistas» y «adventistofascistas»? Toda religión tiene su minoría fanática. Pero llamar satánica a una religión por los extremistas que la profesen no es precisamente una manifestación de la regla de oro cristiana.

En segundo lugar, hay una comunidad de fe en la tierra que está situada en una posición privilegiada para tender puentes entre el llamamiento final de Dios y las tres religiones monoteístas. Está perfectamente situada para alcanzar al cristianismo, porque esta comunidad de fe es el corazón del cristianismo recuperado en todas las verdades bíblicas. Está perfectamente situada para alcanzar al mundo judío, porque, según señalamos en agosto, esta comunidad de fe es esencialmente un judaísmo que ha aceptado que Jesús es el Mesías. Y está perfectamente situada para alcanzar al islam, porque, con los musulmanes, defiende el templo de Alá en el cuerpo, en el que no residirán ni la carne de cerdo ni el alcohol; con ellos, rehúsa inclinarse ante ídolos; con ellos, sirve a los pobres de la tierra en obras de misericordia; con ellos, ora a Dios con pasión por la mañana, al mediodía y por la noche; y con ellos reconoce el poderoso juicio final de Dios, después del cual regresará Jesús de Nazaret.

Los adventistas del séptimo día hemos sido suscitados por Dios para un tiempo como este. Y ahora más que nunca está claro que la misión divina incluye a nuestros vecinos, a nuestros colegas y a las comunidades de musulmanes que nos rodean.

En tercer lugar, empecemos a orar por las vastas regiones del islam que un día serán alumbradas con el poderoso haz de gloria divina de Apocalipsis 18: 1. Algunos de los que lean estas palabras ahora mismo darán respuesta a nuestras propias oraciones, convirtiéndose en constructores de puentes transculturales para Dios en una comunidad musulmana en algún lugar del mundo. Otros proporcionaremos apoyo económico para organizaciones que busquen comunicar «el evangelio eterno» con poder y sensibilidad. La ambición de Pablo en el texto de hoy es audaz y está clara: ¡Debemos ser apasionados en la predicación del evangelio!

Nuestra misión en casa

«Acuérdate de tu Creador en los días de tu juventud,
antes que vengan los días malos, y lleguen los años de los cuales digas:
"No tengo en ellos contentamiento"». Eclesiastés 12: 1

¿SABÍAS QUE EL 75% de todos los cristianos de Estados Unidos de hoy aceptó a Cristo antes de los catorce años de edad? Yo tampoco lo sabía. Tres de cada cuatro personas que llevan el nombre de Cristo lo escogieron como Salvador en algún momento entre su nacimiento y los trece años de edad. ¿Sabes qué significa eso? Significa:

1. que el momento más fértil y receptivo para todo esfuerzo espiritual es antes de que un niño cumpla catorce años;
2. que la tasa de evangelización de mayor éxito se produce entre los niños; y
3. que la inversión más significativa que la iglesia puede realizar es volcar sus recursos y su personal en la vida de su gente más joven. ¿Podría ser esa la razón por la que tanto el reino de la luz como el reino de las tinieblas estén invirtiendo tantísimo en nuestros niños?

En su libro *Transforming Children Into Spiritual Champions: Why Children Should Be Your Church's #1 Priority* [Transformar a los niños en campeones espirituales: Por qué los niños deberían ser la prioridad número uno de tu iglesia], George Barna, demógrafo cristiano, recopila un intrigante perfil estadístico de los jóvenes estadounidenses. He aquí un muestreo: De los 31 millones de niños en el intervalo de edad entre los 5 y los 12 años, más de cuatro de cada cinco usan una computadora de forma habitual en la escuela; los niños entre las edades de 2 y 7 años pasan una media de casi 25 horas por semana recibiendo la influencia de los medios de comunicación, y la cifra salta a 48 horas por semana para las edades de 8 a 13 años. El 44% de todos los preadolescentes admite que no tiene ningún modelo al que imitar; cuando nombran a las tres personas más importantes en el mundo para ellos, solo uno de cada tres menciona a su madre o a su padre; aun así, nueve de cada diez dicen que se llevan bien con sus padres; y un tercio de los que se encuentran entre los 8 y los 12 años de edad dice que quiere pasar más tiempo con su madre.

Sin embargo, dejando a un lado sus páginas de estadísticas, considera la conclusión más impresionante de Barna: «Descubrimos que la probabilidad de que alguien aceptase a Jesús como Salvador era del 32% para los comprendidos entre las edades de 5 y 12 años; del 4% para los que estaban en el intervalo de 13 a 18 años; y del 6% para los de 19 años o más. *En otras palabras, si la gente no acepta a Jesucristo como su Salvador antes de llegar a los años de su adolescencia, la probabilidad de que llegue a hacerlo después es escasa»* (p. 34; la cursiva es nuestra).

Barna no es Salomón. Pero ambos confirman la misma realidad. Para Dios y la fe, los mejores días, los días dorados de la inocencia de la niñez, son el momento idóneo para lograr una relación duradera de por vida con Dios, nuestro amado Creador. Podemos predicar el evangelio en los últimos rincones de la tierra, pero, entretanto, nuestra misión mayor y de más éxito nos aguarda en casa.

El gran nombramiento

*«A ti, pues, hijo de hombre, te he puesto por centinela
de la casa de Israel: tú oirás la palabra de mi boca
y los amonestarás de mi parte».* Ezequiel 33: 7

EN CIERTA OCASIÓN Abraham Lincoln tuvo la ocurrencia de decir que las personas que alardean de antepasados son como un patatal: lo mejor está bajo tierra. ¿Podría aplicarse eso a nosotros, herederos del apasionado fervor de movimiento millerita por el regreso de Cristo? Un vistazo al calendario nos recuerda que hace más de 170 años, en este mismo momento, hombres, mujeres y niños a lo largo y ancho del litoral oriental de los aún jóvenes Estados Unidos estaban reunidos en salones y cocinas, en campos y graneros y carpas, apiñados con los que amaban, con la expectación de que en algún punto entre ese momento y la medianoche Jesús vendría. ¿Qué pasaría si tú y yo creyésemos eso ahora mismo? ¿Puedes imaginar la mezcla de electrizante esperanza y de inquieta incertidumbre que atenazaría nuestro corazón mientras observábamos el reloj y esperábamos?

Nuestro texto de hoy fue el mandato abrasador que no pudo sacudirse de encima William Miller, agricultor bautista y estudioso de la Biblia de mediana edad. Durante trece largos años en su caserío de Low Hampton, Nueva York, había estado rumiando los números de la profecía sumándolos y restándolos para garantizar la lógica y la integridad de su estudio. Y todos sus cálculos volvían a la misma conclusión: Cristo regresaría a mediados de la década de 1840. ¿No debería dar la voz de alarma? Pero, ¿cómo podía hacerlo, no siendo más que un campesino? «Cuando estaba ocupado en mi trabajo —explicó—, sonaba continuamente en mis oídos el mandato: Anda y haz saber al mundo el peligro que corre. [...] Me parecía que si los impíos podían ser amonestados eficazmente, multitudes de ellos se arrepentirían; y que si no eran amonestados, su sangre podía ser demandada de mi mano» (*El conflicto de los siglos,* cap. 19, p. 330).

La lucha interna era tan intensa que, por fin, en agosto de 1831, Miller prometió a Dios que si recibía una invitación a compartir su impresionante conclusión sobre la profecía, aceptaría. En pocos minutos un golpe en la puerta trajo esa invitación. Miller se metió en una arboleda de arces cercana para orar. El hombre que salió procedió a encabezar uno de los mayores avivamientos espirituales de la historia de los Estados Unidos, con decenas de miles de personas aguardando con ansias el regreso de Jesús el 22 de octubre de 1844.

Pero estaban equivocados. ¿No? ¿Podría·ser que, como hijos espirituales suyos, hayamos sido llamados a abrazar el mismo fervor, la misma misión, la misma pasión por el mismo Jesús? ¿Podría ser que su desengaño sea nuestro nombramiento para acabar lo que ellos empezaron?

Los reclutas - 1

«Tu pueblo se te entrega en el día de tu victoria.
Sobre los montes santos, y como el rocío
que nace de la aurora, tu juventud
se renueva de día en día».
Salmo 110: 3, DHH

STEPHEN AMBROSE, biógrafo del general Dwight D. Eisenhower, describió la forma en que Eisenhower eligió intencionalmente tropas jóvenes, inexpertas, pero muy entrenadas, para el asalto a Normandía (el Día D) en la Segunda Guerra Mundial. Sabía que los soldados con experiencia son soldados aterrados, conocedores por experiencia de lo que puede hacer una bala. En cambio, las tropas más jóvenes, repletas de fanfarronería juvenil, están mucho más dispuestas a avanzar hacia el fuego. Ambrose observó que la inexperiencia también tiene cosas positivas.

En una emocionante línea, el Salmo 110 describe el ejército reclutado por el Mesías para su misión divina. Y, según revela el texto de hoy, los reclutas mesiánicos son jóvenes:

Tu pueblo [el pueblo del Mesías, los elegidos] se te entrega en el día de tu victoria. Sobre los montes santos, y como el rocío que nace de la aurora, *tu juventud* [la juventud del Mesías] se renueva de día en día. ¡Qué perspectiva tan apasionante! Las palabras de esta antigua profecía son una predicción de que en la última ofensiva del Mesías en la tierra, como el rocío que nace de la aurora, la juventud del Mesías se unirá a él en tropel. ¡Me encanta esa promesa! Teniendo el privilegio de observar a adultos jóvenes muy de cerca en la ciudad universitaria —miles a lo largo de los años—, deseo humildemente dar testimonio de la sabiduría de un Mesías que reclutase en gran medida entre los jóvenes.

No es de extrañar que hace un siglo se escribieran estas palabras: «Con semejante ejército de obreros como el que nuestros jóvenes, bien preparados, podrían proveer, ¡cuán pronto se proclamaría a todo el mundo el mensaje de un Salvador crucificado, resucitado y próximo a venir! ¡Cuán pronto vendría el fin del sufrimiento, del dolor y del pecado!» (*La educación*, p. 244).

¿Ves? Es verdad. Los generales sabios han aprendido que, cuando estás en guerra, los reclutas jóvenes inexpertos pero muy entrenados son los que eliges para marchar al frente, si quieres acelerar tu misión y completarla con éxito. El general sabía por dónde iban los tiros. El Mesías también. Y, por eso, los elegidos deben ser —ahora más que nunca— ¡los jóvenes! Quiera Dios que nuestra juventud se renueve de día en día.

Los reclutas - 2

«Ninguno tenga en poco tu juventud,
sino sé ejemplo de los creyentes en palabra,
conducta, amor, espíritu, fe
y pureza». 1 Timoteo 4: 12

HACE AÑOS UN JOVEN que trabajaba en una empresa de inversiones de Boston presentó una solicitud para un puesto de alta dirección en un banco de Chicago. El banco de Chicago escribió a la empresa de Boston pidiendo una recomendación, y la empresa de Boston accedió encantada. De hecho, no podían alabar lo suficiente al joven profesional: su padre, escribieron, era un Cabot (un apellido de gran renombre en la historia de Boston); su madre era una Lowell; y más atrás había una mezcla feliz de los Saltonstall, los Peabody y otros miembros de las primeras familias de Boston. Unos días después, el banco de Chicago devolvió una nota a Boston diciendo que la información suministrada era totalmente inadecuada. La nota ponía: «No contemplamos usar al joven con fines reproductivos. Solo para trabajar».

Dios no suscitó esta generación para que se durmiera en los laureles de nuestros pioneros, por admirable que fuera el compromiso que tuvieron con Cristo. Antes bien, Dios suscita una nueva generación joven con apellidos del mundo entero. No con fines reproductivos, sino para la obra del Mesías. ¡Es la mayor misión jamás confiada a una generación! ¿Te acuerdas de la cita de ayer: «Con semejante ejército de obreros como el que nuestros jóvenes…»? Al comienzo de ese mismo capítulo, «La obra de la vida», figuran estas palabras: «El éxito en cualquier actividad requiere una meta definida. El que desea lograr verdadero éxito en la vida debe mantener constantemente en vista esa meta digna de su esfuerzo. *Esa es la que se propone hoy a los jóvenes.* El propósito señalado por el cielo de predicar el evangelio al mundo en esta generación es *el más noble que pueda atraer a cualquier ser humano.* Ofrece un campo de acción a todo aquel cuyo corazón ha sido conmovido por Cristo» (*La educación,* cap. 31, p. 237; la cursiva es nuestra).

¿Eres joven? ¿Ha conmovido Cristo tu corazón? Entonces, mi joven amigo, ¡esta promesa y esta pasión son tuyas! El Mesías del cielo está deseoso de reclutarte para su ejército del tiempo del fin.

Estás en este planeta porque el Señor decidió que existieras. Con independencia de aquello en lo que estén centrados tu futuro y tu carrera, recuerda que tu Rey tiene derecho prioritario sobre tu vida: a reclutarte a su lado, a formarte para su misión, y luego a movilizarte al lugar de la tierra en que te necesite. No hay ningún llamamiento más elevado que el suyo, ninguna misión mayor que esta. Entonces, ¿estás dispuesto a alistarte… ahora mismo?

Los reclutas - 3

*«Son los que siguen al Cordero
por dondequiera que va. Estos fueron redimidos
de entre los hombres como primicias
para Dios y para el Cordero».*
Apocalipsis 14: 4

LO QUE ACABAS DE LEER es una descripción del último ejército del Mesías sobre la tierra. ¿No resulta notable que, reunida de todos los lugares sobre la faz de la tierra, esta generación final de reclutas sea audazmente identificada como un pueblo que sigue «al Cordero por dondequiera que va»? ¿Son solo los jóvenes? Por supuesto que no. Pero, según señalamos hace dos días, el Salmo 110 se toma la molestia de identificar como *juventud* a los reclutas que se suman al ejército del Mesías. Un autor describe el influjo de estos jóvenes reclutas «tan copioso como el rocío». El comentario de Derek Kidner los presenta como «un espléndido ejército movilizado en silencio y repentinamente». ¡Son los jóvenes de los elegidos!

Y, ¿adónde van? Siguen al Cordero Mesías dondequiera que va. Y, ¿adónde va? «Muchos piensan que sería un gran privilegio visitar el escenario de la vida de Cristo en la tierra, andar donde él anduvo, mirar el lago en cuya orilla se deleitaba en enseñar y las colinas y valles en los cuales sus ojos con tanta frecuencia reposaron. Pero no necesitamos ir a Nazaret, Capernaúm y Betania para andar en las pisadas de Jesús. Hallaremos sus huellas *al lado del lecho del enfermo, en los tugurios de los pobres, en las atestadas callejuelas de la gran ciudad, y en todo lugar donde haya corazones humanos que necesiten consuelo.* Al hacer como Jesús hizo cuando estaba en la tierra, andaremos en sus pisadas» (*El Deseado de todas las gentes,* cap. 70, p. 610; la cursiva es nuestra). ¡Dios nos ha dado una generación así hoy!

En una galería de arte de Düsseldorf un joven universitario alemán estaba de pie absorto ante el óleo *Ecce Homo* [He aquí el Hombre] de Domenico Fetti. En silencio, miraba fijamente la representación de Jesús con su corona de espinas. Pero lo que ganó su corazón para Cristo fueron las palabras escritas al pie del cuadro: «Todo esto lo hice por ti; ¿qué haces tú por mí?». Salió de la galería, volvió a su ciudad universitaria y formó con sus amigos la «Orden del grano de mostaza», un grupo de jóvenes que acabó convirtiéndose en el movimiento misionero más expansivo de la historia de la iglesia: los Hermanos Moravos. ¿El joven? El conde Nicolaus Ludwig von Zinzendorf. Él y sus seguidores adoptaron el lema latino *Vicit Agnus noster, eum sequamur:* «Nuestro Cordero venció, sigámoslo». Porque la marca de un gran movimiento es la capacidad de seguir. Y «siguen al Cordero por dondequiera que va». También yo quiero seguirlo. ¿Y tú?

Los reclutas - 4

*«Que nuestros hijos, en su juventud, crezcan
como plantas frondosas; que sean nuestras hijas
como columnas esculpidas para adornar un palacio».*
Salmo 144: 12, NVI

ENTONCES, ¿CÓMO movilizamos a esta generación de jóvenes dentro de la comunidad de los elegidos? Veamos siete maneras sencillas de cambiar espiritualmente la vida de los jóvenes.

1. ***Pídele a Dios que te convierta en su mentor.*** En su libro *Lost and Found: The Younger Unchurched and the Churches That Reach Them*, Ed Stetzer nos recuerda: «Demasiados jóvenes no tienen a quién recurrir en lo tocante a los asuntos difíciles de la vida (la fe, el matrimonio, la vida y el trabajo) y también en cuanto a las cuestiones prácticas de la vida (cambiar el aceite del automóvil, preparar la declaración de impuestos, hacer que mi presupuesto funcione, preparar un *curriculum vitae*) […]. Las iglesias que establecen conexiones entre las generaciones pueden ser cuerpos maravillosos de creyentes que se respeten mutuamente en todas las facetas de la vida de congregación» (pp. 134, 135). Me ha sorprendido la cantidad de universitarios que me han dicho: «Invítennos a sus hogares. Queremos estar alrededor de adultos de más edad en cuyo consejo podamos confiar». Sé mentor.

2. ***Profundiza con ellos.*** Equivocadamente damos por sentado que los jóvenes no están interesados en un pensamiento serio ni en la verdad, que solo quieren jugar. No es así. Quieren pensar, y quieren pensar con profundidad. Así que ábreles tu hogar un viernes de noche. Comparte un estudio bíblico. Invítalos a incorporarse a tu clase de escuela sabática.

3. ***Modélales tus valores.*** Cometemos un error al pensar que debemos vestirnos como ellos, hablar como ellos, comportarnos como ellos para influenciarlos. Es al revés. Quieren que seas «un viejo carroza» que articule una convicción intensa y la modele. Comprometer nuestros valores o nuestras normas en un esfuerzo por ganar a los jóvenes es contraproducente. Acabarán discerniendo nuestra hipocresía y la rechazarán. En una encuesta importante, solo el 31% de los jóvenes que no asisten a la iglesia contestó afirmativamente a esta declaración: «Si la música de una iglesia sonase similar a mi tipo favorito de música, sería más probable que yo acudiese» (Stetzer, p. 38). Es decir, siete de cada diez dijeron que no es preciso que imitemos su música para atraer su interés. Álzate en defensa de tus valores y gana su corazón.

4. ***Atráelos a un grupo pequeño.*** Una sensación de comunidad es muy importante para los jóvenes. Invítalos junto con un par de amigos suyos y tuyos a integrarse en un grupo pequeño. Los perfiles sociológicos revelan que esta generación quiere sentirse aceptada para *luego* creer. Sentirse aceptado-creer-llegar a ser es la secuencia que puede ganar su corazón para Jesús y su misión por ellos.

Los reclutas - 5

«Porque tú, Señor Jehová, eres mi esperanza,
seguridad mía desde mi juventud. En ti he sido sustentado
desde el vientre. Del vientre de mi madre tú fuiste
el que me sacó; para ti será siempre
mi alabanza». Salmo 71: 5, 6

¿CÓMO PODEMOS RECLUTAR a los jóvenes para la movilización del Mesías? Nuestra lista prosigue.

5. *Lleva a cabo un ministerio con ellos en la iglesia.* Ha sido así desde el mismo comienzo, ¿no? Cuando no éramos más que niños, nuestro pasatiempo favorito era ir dos pasos detrás de papá o mamá con los ojos abiertos como platos (y una memoria muy retentiva) observándolos sacar brillo a aquellos zapatos o cociendo aquel pastel en el horno o reparando aquel motor. Y casi no cabíamos en nosotros cuando nuestros padres de verdad nos invitaban a apretar aquel tornillo o a sacar brillo a aquel parachoques. Así aprendimos todos sobre la marcha. Y también es así en el ministerio. Invita a los jóvenes a que te acompañen cuando diriges la escuela sabática infantil. Enrólalos como «directores» subalternos en tu club de Conquistadores. Haz que ayuden a los diáconos a recoger la ofrenda, a los que dan la bienvenida a la puerta, o al personal de megafonía en la cabina. Los educadores del mundo entero te dirán que la mejor enseñanza es modelada.

6. **Realiza un servicio con ellos en la comunidad.** Según Ed Stetzer, el 66% de los jóvenes que acuden a la iglesia y el 47% de los jóvenes que no van a la iglesia «calificaron de sumamente importante para su vida la oportunidad de satisfacer las necesidades de los demás (local y globalmente)» (p. 111). Es decir, dan mucha importancia a lanzarse a cambiar las cosas más allá de los muros de la iglesia. ¿Te interesa el servicio en pro de los pobres y los marginados? Da a los adultos jóvenes que conoces la ocasión de acompañarte en la puesta en marcha de nuevos servicios comunitarios. La clave efectiva, recuerda, es hacerlo juntos.

7. *Ofrécete como voluntario a servirlos antes de que sean adolescentes.* Según señalamos hace unos días, George Barna ha descubierto que la ventana más fructífera en la que llevar a una persona a Jesús se encuentra entre las edades de cinco y doce años. Por ello, para servir a los jóvenes no esperes a que sean adolescentes. Gánate su corazón pronto; conforma su mente mientras son niños. Moviliza su entusiasta disponibilidad para servir al Maestro cuando son niños.

«Acuérdate de tu Creador en los días de tu juventud» (Ecl. 12: 1). Pero cambiemos algo las palabras: «Acuérdate de tus jóvenes en los días de tu Creador». Todo el cielo está listo para movilizar a los jóvenes. Por eso, acuérdate de que, dado que Dios los necesita, te necesita especialmente *a ti*.

¿Hablaremos chino en el cielo?

*«Después de esto miré, y vi una gran multitud,
la cual nadie podía contar, de todas las naciones,
tribus, pueblos y lenguas. Estaban delante del trono
y en la presencia del Cordero, vestidos de ropas blancas
y con palmas en sus manos».* Apocalipsis 7: 9

UNO DE CADA CINCO HABITANTES del mundo vive en la China: 1.300 millones de seres humanos hablan chino. (¡Y pareció que nos tropezamos con la mitad de ellos en el tráfico de Shanghái!). Mira, si Dios decide salvar a China, puedes contar con que hablaremos chino en el cielo, porque hay más chinos en la tierra que gente de ningún otro sitio. Pero algunos se preguntan si Dios salvará a China. ¿Puede hacerlo?

Cuando al anciano Juan se le muestra una escena del cielo venidero, ¿te has fijado cuántos dice el texto de hoy que habrá allí? «Miré, y vi una gran multitud, la cual nadie podía contar» (Apoc. 7: 9). El término griego traducido «contar» o «numerar» es *arithmesai*, de donde proviene nuestra palabra «aritmética». Juan exclama: «¡Vi tanta gente en el cielo que nadie podía aplicarle la aritmética!». ¿Cuánta gente es esa? Bueno, tendría que ser más que la mayor cifra que Juan saque a relucir en el Apocalipsis, ¿no? Según señala Dan Smith en su libro *Lord, I Have a Question,* ese número aparece dos capítulos más tarde, cuando Juan describe un ejército de doscientos millones de jinetes (Apoc. 9: 16). Pero aquí Juan dice que el número es tan grande que supera cualquier cálculo. ¿Qué quiere decir? Cuando Dios hace aritmética de *salvación,* ¡no puedes ni empezar a contar sus cifras!

¿Podría ser ese nuestro problema? Hace años, J. B. Phillips escribió un libro titulado *Your God Is Too Small* [Tu Dios es demasiado pequeño]. ¿Es demasiado pequeño para manejar números grandes? Jonás creía que sí. ¿Te acuerdas de que Dios recordó al contrariado profeta que en Nínive había «más de ciento veinte mil personas que no saben discernir entre su mano derecha y su mano izquierda» (Jon. 4: 11)? «¡No puedo permitir que tanta gente se pierda sin darles otra oportunidad!», exclamó Dios. Y, por eso, los salvó. Con un Dios así, ¿es de extrañar que Juan no pudiera contar el número de los redimidos en el cielo?

El Dios de la hora undécima

«Él, respondiendo, dijo a uno de ellos:
"Amigo, no te hago ninguna injusticia.
¿No conviniste conmigo en un denario? […]
¿No me está permitido hacer lo que quiero con lo mío?
¿O tienes tú envidia, porque yo soy bueno?"». Mateo 20: 13-15

HABÍA UNA VEZ UN HACENDADO que necesitaba jornaleros para que lo ayudaran a vendimiar su extenso viñedo. Por eso, a primera hora de la mañana se subió en su oxidada camioneta y condujo hasta la ciudad, hasta una esquina que frecuentan todos los inmigrantes en busca de trabajo. «¿Quieren trabajar? Suban. Les pagaré la tasa vigente por doce horas». El hacendado volvió con su camioneta destartalada, ahora llena de inmigrantes, a su viñedo, donde trabajaron intensamente. Tres horas después el propietario se dio cuenta de que era precisa más ayuda para recoger toda aquella cosecha antes de la puesta de sol. Así que pisó el acelerador a fondo en la carretera, levantando una nube de polvo. Y pronto otra carga de inmigrantes subidos a la camioneta se incorporó al equipo.

Pasaron otras tres horas, y el terrateniente se convenció de que aún llevaba retraso. Así que vuelve al volante a la ciudad, y lleva al viñedo otra carga de mano de obra en su camioneta. Por fin, una hora antes de que llegue la oscuridad, el hacendado se dice entre dientes: «¡Tengo que conseguir más ayuda, o nunca terminaremos esto!». Y cuando fue a toda velocidad a la ciudad vio aún más inmigrantes de pie en la esquina con deseo de trabajar. «¡Súbanse, muchachos! ¡Necesito ayuda y les pagaré lo que sea justo!».

Aquella noche, cuando terminaron las doce horas de vendimia, el terrateniente dio instrucciones a su contable de que empezara con los contratados en último lugar y que pagara a los trabajadores. Con ojos atónitos y con la boca abierta, los de la hora undécima observaron cómo el contable ¡les atribuyó la paga de todo un día! Con deleite, los inmigrantes que llevaban allí desde el amanecer hicieron las cuentas y llegaron a la conclusión de que se les debía una paga exorbitante. Pero cuando llegaron a caja, recibieron la misma cantidad que los demás. Se hizo sentir el malestar en el lugar con voces airadas. Jesús puso en boca del hacendado las palabras del texto de hoy, y precisamente nos cautiva su culminación: «¿Tienes tú envidia, porque yo soy bueno?» (Mat. 20: 15).

¿Podría ser ese también nuestro problema? ¿Somos envidiosos de que Dios sea tan generoso? ¿Cómo, si no, puedes describir a este Dios, que declara: «Vengan a mí en la última hora de la vida y les daré el mismo don que di a la gente que caminó conmigo toda su vida»? No es de extrañar que, cuando Dios hace aritmética de salvación, ni siquiera puedas contar los números. No es de extrañar que el cielo vaya a estar tan lleno. Por eso, cuando Dios moviliza a los elegidos, moviliza el corazón de estos para que sea tan generoso como el suyo, para que no haya ni un ser humano en la tierra al que no reciban con alegría en el reino del Señor.

El Subastador divino

«Y dijo a Jesús: "Acuérdate de mí
cuando vengas en tu reino". Entonces Jesús le dijo:
«De cierto te digo que [...] estarás conmigo
en el paraíso"». Lucas 23: 42, 43

LOS QUE SUELEN ACUDIR a subastas me dicen que es mejor permanecer inmóvil cuando uno se sienta para participar en esa ruidosa venta. Si te rascas la cabeza o tan solo estiras el meñique, el subastador, con ojos de lince, puede captar tu movimiento y declarar la mercancía «¡Vendida!» a ti en el acto. ¿Es Dios también así?

En una ocasión tuve una feligresa amistosa que llamaba de vez en cuando para interesarse por cómo nos iba. Los sábados ella y su familia me saludaban. Pero al cabo de un tiempo sus llamadas empezaron a producirse de noche muy tarde. Y luego sus palabras se volvieron más incoherentes. Unos sábados después, cuando, siguiendo la fila de gente que me saludaba, llegó hasta mí, se percibía en su aliento un fuerte olor a enjuague bucal. La siguiente semana salí hacia su casa en mi automóvil. Estaba fuera en su jardín, y nos quedamos allí un rato. Entonces pregunté: «¿Cuánto tiempo lleva usted luchando con la bebida?». Bajó su mirada al suelo, y asintió con la cabeza. Hablamos de Alcohólicos Anónimos y del poder de Dios para librarla y de su perdón misericordioso, y después de la oración me marché. Las llamadas a medianoche fueron distanciándose. Pero yo me preguntaba cómo iría la cosa. Un domingo por la tarde llamó su marido y me dijo que estaba ingresada en la unidad de cuidados intensivos del hospital por insuficiencia hepática por el alcohol. El pronóstico no era bueno; sus hijos venían en avión. ¿Podía acudir yo? Entré aprisa en su habitación. Débil y cansada, ella no podía hablar mucho. Oramos los tres. No mucho después, falleció.

La familia solicitó un oficio fúnebre privado en el cementerio. Se me acercó uno de los hijos: «Creemos que usted debería saber cómo murió mamá». Después de que hubo entrado en coma, hubo un momento por la noche en que recobró el conocimiento. Viendo a sus hijos alrededor, susurró: «¿Me podrías cantar los cánticos de Jesús?». Y así lo hicieron, con lágrimas en los ojos. La madre esbozaba una sonrisa mientras escuchaba. Poco después volvió a quedar inconsciente y falleció. Pero en la petición que hizo cuando agonizaba de oír una vez más los cánticos de Jesús, su familia halló mucho consuelo.

Y también yo, mientras volvía a casa en mi automóvil desde su tumba. Podía imaginarme al divino Subastador, agachado junto a ella, observando la más leve señal de que en su hora undécima su hija quisiera su salvación. Y cuando ella levantó, por así decirlo, su meñique hacia el cielo, él gritó con un gozo que nunca entenderemos del todo: «¡Vendido, a mi hija en la cama del hospital!». Igual que el ladrón en la cruz. ¿Es de extrañar que el paraíso vaya a estar tan lleno? ¿Y es de extrañar que nuestra misión sea tan urgente?

La oración de Jabes

*«Invocó Jabes al Dios de Israel diciendo: "Te ruego que me des tu bendición,
que ensanches mi territorio, que tu mano esté conmigo y que me libres del mal,
para que no me dañe". Y le otorgó Dios lo que pidió».*
1 Crónicas 4: 10

VERÁS: SI TODOS ESTOS CÁLCULOS numéricos son verdad y Dios da gran importancia a salvar a los pecadores, ¿no se deduce, entonces, que los hijos de Dios como
tú y como yo hemos de dar también mucha importancia a salvarlos? ¿No es esa la esencia
misma de la movilización de los elegidos?

Bruce Wilkinson, que escribió el superventas de enorme popularidad *The Prayer of
Jabez* [La oración de Jabes], escribió una secuela: *Beyond Jabez* [Después de Jabes]. Al
aludir a la visión de Juan de un cielo tan lleno de pecadores salvos que nadie podía llegar
a contar, Wilkinson realiza este conmovedor llamamiento: «Dios nos ha mostrado cómo
acaba nuestra historia: con gente innumerable de toda nación de la tierra clamando a
Dios a gran voz [Apoc. 7: 9, 10]. ¿Qué parte de esa multitud estará allí por ti? ¿Qué parte
del sueño de Dios está ligado a tu destino?» (p. 108). Lo cierto es que tienes un destino, y
Dios tiene un sueño. Y el gran objeto de la vida es alinear nuestro destino con su sueño.
Con independencia de la carrera que elijas, sean cuales sean tu ocupación y la mía, nuestro destino permanece inalterado. Wilkinson prosigue: «Piensa solamente en las cosas
que podrías cambiar en muchísimas vidas si te pusieras a orar con pasión y fidelidad
pidiendo de Dios y para Dios mayor territorio. Imagina la milagrosa asociación divina
que saldrá de tu petición: *Déjame lograr más para ti.* Con su capacidad infinita y tu
disponibilidad dispuesta, él puede hacer, literalmente, cualquier cosa» (*ibíd.*). ¿Lo crees?
¿Crees que Dios lo cree? ¿Que si los elegidos estuvieran dispuestos y disponibles, podría
revolucionar el mundo en una sola generación?

Pero dirás: «Bueno, eso no es más que un autor de un superventas llenando una página con palabras». Considera esta sola línea de *El Deseado de todas las gentes*: «No tiene
límite la utilidad de aquel que, poniendo el yo a un lado, deja obrar al Espíritu Santo en su
corazón, y vive una vida completamente consagrada a Dios» (cap. 25, p. 222). ¿Lo crees?
¿Lo bastante como para llevarlo a cabo?

Entonces, acabemos este mes con un simple examen de dos preguntas: sí o no. 1. Por la
gracia de Dios, ¿quieres formar parte de la multitud innumerable del cielo? 2. Por la gracia
de Dios, ¿quieres ayudarlo a añadir gente a esa multitud? ¿Cómo podríamos decir que no
a cualquiera de ellas? Entonces, por la gracia del Dios del Calvario, ¡remanguémonos y
manos a la obra!

Santo, santamente, por entero - 1

«El Señor eligió a Jacob como su propiedad;
hizo que Israel fuera su propio pueblo.
Yo sé bien que el Señor nuestro Dios es grande,
¡que es más grande que todos los dioses!».
Salmo 135: 4, 5, RVC

JAMÁS OLVIDARÉ aquella tarde. El reloj marcaba la cuenta atrás hacia el primer sábado del nuevo año escolar. Pero el jueves, estando yo sentado a la mesa de mi despacho, con los comentarios y los libros amontonados unos encima de otros, el sermón, sencillamente, no salía. Doquier me volvía, topaba de frente con un tema en el que no tenía voluntad de ahondar. Aquella noche, ya avanzada, me aparté de una hoja en blanco y me dirigí al despacho para firmar unas cartas. Antes de volver a casa, entré en el oscuro santuario. Oré para que Dios, de alguna manera, me hiciese superar el atolladero mental y me diera una indicación de lo que quería que predicara en el sábado inaugural. A la mañana siguiente tenía la agenda abarrotada y para colmo mi secretaria me llamó para decirme que una mujer me esperaba en el despacho que decía que no iba a comer hasta hablar conmigo.

Era una de nuestras activistas de la oración, y allí estaba, esperando. «Tengo que hablar con usted. Cuando yo oraba anoche, tuve la sensación de que debía ir a la estantería y tomar un libro. Y luego, después de volver a orar, el Señor puso en mí la convicción de que le diga a usted que este debería ser el tema de su predicación para este sábado». A esas alturas me subía y me bajaba electricidad por la columna. «¡Déjeme ver ese libro!». Me pasó un ejemplar de *El conflicto de los siglos* abierto por estas palabras: «Estamos viviendo ahora en el gran día de la expiación. [...] Solemnes son las escenas relacionadas con la obra final de la expiación. Incalculables son los intereses que esta envuelve. El juicio se lleva ahora adelante en el santuario celestial. Esta obra se viene realizando desde hace muchos años. Pronto —nadie sabe cuándo— les tocará ser juzgados a los vivos» (cap. 29, p. 480). Cuando volví a casa, mi propio ejemplar estaba abierto por la misma página. Nunca he tenido una respuesta más espectacular a una oración sobre qué predicar.

Pero entonces, ¿qué pasaría si fuera verdad que «la hora de su juicio ha llegado» (Apoc. 14: 7)? ¿Que realmente hay un santuario en el cielo en el que el Juez está sentado «y los libros [son] abiertos» ahora mismo (Dan. 7: 10)? ¿Cambiaría la manera en que tú y yo vivimos hoy? Por otra parte, ¿por qué no iba a hacerlo?

Santo, santamente, por entero - 2

«Habéis, pues, de serme santos,
porque yo, Jehová, soy santo,
y os he apartado de entre los pueblos
para que seáis míos». Levítico 20: 26

HAY QUIEN DICE QUE para los anglohablantes la mejor manera de entender la palabra «santo» (*holy*) es escribirla mal. Después de todo, no hay manera de eliminar esa palabra del vocabulario de la Santa Biblia (ahí la tenemos otra vez). Pero, ¿por qué íbamos a hacerlo? ¿Sabías que ese es el único atributo de Dios que se menciona tres veces seguidas en la Biblia? En ningún sitio de la Biblia leemos: «Amor, amor, amor: Dios es amor», ni «Justo, justo, justo: Dios es justo». La única característica divina que es magnificada con una expresión triple es: «¡Santo, santo, santo, Jehová de los ejércitos! ¡Toda la tierra está llena de su gloria!» y «¡Santo, santo, santo es el Señor Dios Todopoderoso, el que era, el que es y el que ha de venir!» (Isa. 6: 3; Apoc. 4: 8). Antiguo Testamento, Nuevo Testamento: la santidad de Dios es exaltada ante el universo. ¿Con exclusión de su amor y su justicia? ¡Más bien no! La santidad divina es como la luz blanca que, cuando se refracta en un prisma, riela con la totalidad de los majestuosos colores de un arcoíris. Del mismo modo, su santidad es la suma trascendente de todo lo que nuestro Dios tiene de glorioso y bueno, refractado al exterior en el amor, la misericordia, la rectitud y la justicia que él es. No es de extrañar que las triples expresiones provengan de los labios de seres creados que con alegría incontenible y temor reverente se inclinan a adorar al Dios creador del universo. ¡Es «santo» sin duda!

Pero lo sorprendente es que Dios tome ese atributo tan suyo y reclame (en realidad, lo exija) que sea una realidad manifiesta en sus elegidos. No solo en nuestro texto del Antiguo Testamento de hoy, sino también en el corazón del Nuevo Testamento: «Así como aquel que os llamó es santo, sed también vosotros santos en toda vuestra manera de vivir, porque escrito está: "Sed santos, porque yo soy santo"» (1 Ped. 1: 15, 16).

Entonces, ¿qué ocurriría si los anglohablantes aprendieran a escribir mal la palabra *holy* para entenderla bien? O sea, poner *wholly* («completamente», «por entero») en vez de *holy*. ¿No hemos enseñado así a nuestros niños que Dios santificó el sábado, tomando siete centavos, alineándolos en una mesa y poniendo el séptimo centavo (día) a un lado para mostrar que el sábado es «por entero» de Dios? ¿No ilustramos el diezmo de la misma manera, alineando diez monedas en una mesa y luego poniendo a un lado la décima para mostrar que el diezmo es «por entero» de Dios? El santo sábado, el santo diezmo, el pueblo santo: Dios pone su dedo en ellos y los separa. «Son míos —por entero míos—, santos y míos». Y, ¿qué podría ser mejor que descubrir que pertenecemos por entero a nuestro amante Dios, que somos suyos por entero?

Santo, santamente, por entero - 3

«Así que, amados, puesto que tenemos tales promesas,
limpiémonos de toda contaminación de carne
y de espíritu, perfeccionando la santidad
en el temor de Dios. 2 Corintios 7: 1

¿QUÉ TIENEN QUE VER entre sí ser santos (ser «de Dios por entero») y un juicio escatológico? En hebreo se llama *Yom Kipur,* o «Día de la Expiación». Los judíos aún celebran hoy ese día de Levítico 16 en que toda la comunidad de Israel se reunía a la puerta del santuario para un solemne ritual litúrgico anual que representaba la erradicación final del pecado por parte de Dios. Era un día del juicio en miniatura, una purificación simbólica del santuario y una purificación espiritual de los elegidos que eliminaba del santuario (y del corazón de la gente) el registro de sus pecados. Era un día profundamente solemne, dado que era el único día del año en que el sumo sacerdote entraba en la gloria misma de la *shekhiná* de la presencia de Dios en el pequeño cubículo del lugar santísimo del tabernáculo, asperjando la sangre del sacrificio sobre el propiciatorio del arca de oro. «En este día se hará expiación por vosotros, y seréis limpios de todos vuestros pecados delante de Jehová» (Lev. 16: 30): un día de «aunamiento» entre Dios y sus elegidos, purificándolos para ser «suyos por entero», santificados por su gracia implacable.

Daniel 8: 14 y Apocalipsis 14: 7 predijeron una purificación apocalíptica del santuario del cielo (Heb. 8: 1, 2; 9: 23, 24) que sería el capítulo final en la respuesta del cielo a la rebelión de Lucifer en la tierra antes de la Segunda Venida de Jesús. Desde el 22 de octubre de 1844 se ha repetido generación tras generación el urgente mensaje: «La hora de su juicio ha llegado». «Prepárate, Israel, para venir al encuentro de tu Dios» (Amós 4: 12). Es tiempo de purificación. Entonces, ¿por qué no ha terminado el divino juicio previo al advenimiento? ¿Qué le lleva a Dios tanto tiempo poner punto final a nuestra rebelión en la tierra? Precisamente esas preguntas quitan las ganas tanto a los pastores como a la gente de volver a una conversación pública sobre el *Yom Kipur* final del cielo. Sugerir que, sencillamente, no estamos listos para el regreso de Jesús es invitar la crítica de que tal pensamiento es errado en el mejor de los casos y legalista en el peor.

Pero, ¿qué pasaría si fuera verdad? ¿Qué pasaría si todo el cielo estuviera preparado, listo en un abrir y cerrar de ojos, a interponer un derramamiento divino de gracia y poder espirituales sobre un pueblo que languidece? ¿Qué pasaría si los elegidos tuviésemos tanta devoción por Cristo, siendo suyos por entero, que el perfeccionamiento de «la santidad [ser suyos por entero] en el temor de Dios» (2 Cor. 7: 1) fuese lo que buscásemos fundamentalmente en Jesús? ¿Es legalismo querer profundamente lo que Dios ha prometido con seriedad?

Santo, santamente, por entero - 4

«Si esto es así, ¡cuánto más la sangre de Cristo, quien por medio del Espíritu eterno se ofreció
sin mancha a Dios, purificará nuestra conciencia de las obras que conducen a la muerte,
a fin de que sirvamos al Dios viviente!».
Hebreos 9: 14, NVI

QUEDÉ ASOMBRADO AL SABER que hay una montaña literaria oculta en los cinco primeros libros de la Biblia, una montaña con dos laderas y un pico imponente. Los eruditos llaman a estas montañas literarias «ocultas» *quiasmos,* figuras literarias excepcionales mediante las cuales los autores bíblicos pudieron ocultar montañas temáticas de pensamiento paralelo en los textos hebreos y griegos. Los autores desarrollaban quiasmos para llamar la atención del lector perspicaz a la cima de la montaña, a la verdad culminante o al centro de interés del pasaje, del libro o, en el caso del Pentateuco, a la cima de los cinco libros. Porque los cinco primeros libros de la Biblia, escritos todos por Moisés, son un quiasmo. Imagínate un triángulo, y en la ladera, abajo, está el Génesis. En el lado opuesto del triángulo, en la parte inferior está el Deuteronomio. Ambos libros comparten asombrosos paralelos literarios. Tras el Génesis, subiendo por la ladera izquierda del quiasmo, viene Éxodo, y encima por la ladera derecha viene su paralelo, Números (el libro anterior al Deuteronomio). Y ocupando el pináculo del quiasmo está el libro restante, Levítico.

Pero William Shea y Richard Davidson descubrieron que el propio Levítico es un quiasmo, con el capítulo 1 en la ladera izquierda y el capítulo 27 en la ladera derecha, etcétera. Y, ascendiendo por las laderas, ¿cuál es la cumbre de Levítico (y, por extensión, del Pentateuco), el capítulo resumen? Levítico 16: ¡el capítulo sobre el Día de la Expiación y la purificación del santuario!

Pero hay más. Shea y Davidson observan que la palabra clave subiendo por la ladera izquierda del quiasmo de Levítico es «sangre», usada más de sesenta veces en los capítulos 1 a 16. Y la palabra clave bajando por la ladera derecha es «santo», usada más de sesenta veces del capítulo 16 al final. Y, en el pináculo, el Día de la Expiación toma esos temas gemelos —el sacrificio divino («sangre») y la santidad humana («santo»)— y los une. Toma buena nota: El llamamiento que Dios extiende para nuestra santidad tiene como premisa el don divino de su salvación. Subiendo por un lado de la montaña, Dios declara a través de los sacrificios: «Yo di mi vida enteramente por ti». Bajando por el otro lado de la montaña, dice: «Ahora, vive tu vida por entero para mí». Por eso, no dejes que nadie intente decirte que la purificación del santuario y un juicio escatológico previo al advenimiento son legalismo carente de gracia. Las dos laderas de una montaña nos enseñan algo distinto. ¡No es de extrañar que los elegidos den las gracias a Dios por un monte llamado Calvario!

Las historias de los elegidos - 1

«Esas cosas les sucedieron a ellos como ejemplo para nosotros.
Se pusieron por escrito para que nos sirvieran de advertencia
a los que vivimos en el fin de los tiempos».
1 Corintios 10: 11, NTV

HUBO UNA VEZ una generación de elegidos que iba rumbo a la tierra prometida. Y nuestro texto de hoy observa que su historia se conservó como una enseñanza moral para otra generación, también elegida y también encaminada a la tierra prometida.

Era una de esas magníficas mañanas de desierto sin nubes —exceptuando la nebulosa masa negra tonante cruzada por rayos en la cima de aquella montaña del desierto—. Su dirigente llevaba días desaparecido. ¿Quién conocía la suerte que había corrido en la cumbre? ¿Y dónde estaba ese Dios que los había abandonado allí en aquel desierto? Por fin, una delegación muy numerosa de aquellos esclavos liberados descontentos se acercó al lugarteniente y exigió que él, como jefe suplente, les hiciera un nuevo dios. Y como no tenía lo que hay que tener para enfrentarse a la multitud, accedió. «Denme sus pendientes, las joyas que los egipcios les dieron a montones, y les esculpiré un nuevo dios».

Y, dicho y hecho, horas más tarde en medio del campamento se erguía un resplandeciente becerro de oro. «Israel, ¡aquí tienes a tu dios que te sacó de Egipto!» (Éxo. 32: 4, NVI). ¡Y los elegidos empezaron la fiesta! ¡Y vaya si fiestearon del amanecer al anochecer!, en un desenfreno tan pervertido que la historia usa la misma palabra hebrea de Génesis que describe el acto sexual. Abrazando el corrupto culto de adoración del Egipto caído que habían dejado atrás, los elegidos se degradaron precipitándose en una orgía delirante tan ruidosa y estridente que Moisés y Josué, su edecán, podían oírla desde la distante ladera del Sinaí. No fue una escena agradable cuando Moisés, que había estado recluido en la presencia misma del Dios viviente cuarenta días y noches, volvió apresuradamente al campamento. En un instante se hizo un doloroso silencio entre la turba. Con un grito de desesperación, Moisés tiró las tablas recién grabadas con la escritura divina, haciéndolas añicos ante la multitud asustada.

¡Qué rápido puede volver a la servidumbre nuestro corazón redimido! Un día somos del Señor por entero. Pero, falle nuestra comunión con Cristo por un tiempo y ¡qué triste es que podamos dar un giro de ciento ochenta grados en esa «senda de santidad»! No es de extrañar que, para los que estamos en la frontera de la tierra prometida, la integridad ante Dios diste de ser un subproducto del fanatismo, sino que se trata, más bien, del fruto de nuestro andar con Jesús, que ha llegado a ser para nosotros «nuestra justificación, santificación y redención» (1 Cor. 1: 30, NVI).

Las historias de los elegidos - 2

«Entonces volvió Moisés ante Jehová y le dijo:
"Puesto que este pueblo ha cometido un gran pecado
al hacerse dioses de oro, te ruego que perdones ahora su pecado,
y si no, bórrame del libro que has escrito"». Éxodo 32: 31, 32

A. J. JACOBS, REDACTOR JEFE agnóstico de la revista *Esquire,* se propuso un día descubrir qué significaba «vivir bíblicamente». Por ello, durante doce meses vivió según la palabra literal de las Escrituras hebreas: sin afeitarse, siguiendo los Diez Mandamientos, no llevando puesta ropa de fibras mixtas, amando a su prójimo, etcétera. Cuando transcurrió el año, escribió el libro *The Year of Living Biblically* [La Biblia al pie de la letra]. No es una mala idea en absoluto para los elegidos, ¿no crees? Hubo una vez un pueblo constituido por los elegidos. Y sufrió una terrible debacle moral. Pero con aquella crisis aprendió dos lecciones importantísimas, dos enseñanzas vitales, para que los elegidos de hoy aprendamos a vivir bíblicamente.

Moisés estaba desconsolado. Aquel era su pueblo; él, su padre espiritual suplente. El campamento estaba hecho pedazos. Los que habían sobrevivido la terrible plaga estaban quebrantados y arrepentidos. ¿Qué ha de hacer Dios? Moisés suplicó el perdón divino en nombre de los elegidos. Si no, según consigna nuestro texto de hoy, «bórrame del libro que has escrito».

La magnitud de tan abnegado amor —el amor de un dirigente por su pueblo rebelde— no tiene parangón en las Escrituras, salvo en Pablo y en Jesús. Pero el Cristo preencarnado, a quien imploraba Moisés, sabía que para los elegidos aquel era un momento de aprendizaje vital.

Lección 1: Un reavivamiento de la moralidad lleva a un reavivamiento de la modestia. El lenguaje original de la historia pone de manifiesto que, en su frenesí, los hijos de Israel se habían quitado la ropa. Y cuando se desnudaron, se descontrolaron, porque la modestia es un muro protector para la sexualidad. Pero, ¿para los ojos de quién nos vestimos hoy? Las fotos que se archivan en Facebook y otras redes sociales pueden volver para atormentarnos, como han descubierto demasiado tarde los que se matriculan en cursos de posgrado. Pero no solo los jóvenes están necesitados de modestia. ¿Para los ojos de quién nos vestimos? Jesús fue franco: «Pero yo os digo que cualquiera que mira a una mujer para codiciarla, ya adulteró con ella en su corazón» (Mat. 5: 28). Si tú, mujer, te vistes para los ojos de un hombre, puede que te ronde por la cabeza la idea de su caída. Hombres o mujeres: funciona en ambos sentidos. Por eso, la fuerza de los elegidos proviene de la mirada de su corazón: «Fijemos la mirada en Jesús» (Heb. 12: 2, NVI). ¡Así que mantén tus ojos en él!

Las historias de los elegidos - 3

«Pero el que guarda su palabra, en ese verdaderamente
el amor de Dios se ha perfeccionado; por esto sabemos
que estamos en él. El que dice que permanece en él,
debe andar como él anduvo». 1 Juan 2: 5, 6

Lección 2: Un reavivamiento de la espiritualidad lleva a un reavivamiento de la sencillez. Échame una mano, por favor. Habiendo vivido en una ciudad universitaria todos estos años, he oído los retos sinceros y francos que los jóvenes plantean a la comunidad de los elegidos. «Explíqueme, por favor, por qué, si un conjunto de cinco diamantes se mueve quince centímetros, el conjunto prohibido se vuelve aceptable». Y señalan desde el lóbulo de la oreja bajando unos centímetros hasta donde se prende un broche en un vestido. O: «Por favor, explíqueme cómo puede usted condenar aretes de cinco dólares mientras conduce un automóvil de cincuenta mil dólares o una casa móvil de ochenta mil». Está bien. Lo cierto es que la modestia es un arma de doble filo, ¿no? ¿No es un tanto incoherente imaginar a un Dios del universo que pudiera pedirnos sistemáticamente que abandonemos el adorno externo pero que no tenga nada que decir sobre casas que están muy por encima de nuestra posición económica o mucho más allá de nuestra necesidad personal?

Entonces, ¿qué pasa si todos decidimos vivir con la misma sencillez? Es más que casualidad que en dos coyunturas cruciales de la historia de los elegidos, la comunidad de fe escogiera la misma respuesta. El fugitivo Jacob vuelve a casa con una numerosa familia y con muchos rebaños. Dios le sale al encuentro en la frontera de la tierra prometida y lo llama a acudir a adorar en Betel, el sitio en el que vio hace tanto tiempo la escalera al cielo. Jacob convoca a su familia para comunicar el llamamiento divino y, como respuesta, entierran sus adornos debajo de una encina (Gén. 35: 1-4). Asombrosamente, los hijos de Israel dan una respuesta idéntica al pie del monte Sinaí tras su debacle moral. «Por eso, a partir del monte Horeb los israelitas no volvieron a ponerse joyas» (Éxo. 33: 6, NVI).

Cuando el Dios que inició ambos reavivamientos espirituales vino en persona a vivir entre nosotros —este Dios que, con derecho, podía llevar puesta toda gema y toda corona del universo—, encarnó el valor de la sencillez divina. En el momento de su muerte echaron a suertes la única túnica que poseía —ni casa, ni monedas, nada salvo una vida de sencillez modesta—. Profunda espiritualidad, radical sencillez: he ahí hoy el ejemplo de Jesús para ti y para mí. «Síganme por entero». ¡Con gratitud!

Las historias de los elegidos - 4

«Al populacho que iba con ellos le vino un apetito voraz.
Y también los israelitas volvieron a llorar, y dijeron:
"¡Quién nos diera carne! […] Pero ahora,
tenemos reseca la garganta; ¡y no vemos nada
que no sea este maná!"». Números 11: 4-6, NVI

ESTA HISTORIA VA ACOMPAÑADA de una advertencia en letra pequeña, dado que el tema aborda lo que se puede afirmar que es el nervio más sensible de la comunidad de los elegidos: «Dejemos de juzgarnos unos a otros» (Rom. 14: 13, NVI). Porque nada suscita un espíritu crítico más agresivamente que la dieta. Por eso la gente delgada puede ponerse a criticar a la gente de más peso, y los vegetarianos pueden ponerse a criticar a los carnívoros, y los vegetarianos que no comen postre pueden ponerse a criticar a los vegetarianos que sí lo comen, y los vegetarianos que no comen postre ni pican entre comidas pueden ponerse a criticar a los vegetarianos que sí comen postre y pican entre comidas, y los veganos ¡pueden criticarnos a todos! La orden de Jesús es: «No juzguéis».

Aquella «chusma» (como lo expresa un comentarista) era un continuo aguijón en la carne para los hijos de Israel. Su cuerpo estaba con los elegidos, pero habían dejado el alma en Egipto, como la mujer de Lot en Sodoma. Y hoy gritan pidiendo un cambio en la dieta. «Y el populacho que estaba entre ellos tenía un deseo insaciable» (Núm. 11: 4, LBA). La expresión hebrea traducida «tenía un deseo insaciable» es sinónimo de «un antojo», «apetito incontrolable». ¿Y cuál podría ser una descripción más reveladora de nuestra cultura que «movida por un antojo»? De hecho, ¿puedes nombrar un anuncio o una propaganda que no apele al apetito humano —ya sea el apetito de comida, de posesiones, belleza, aceptación o poder—? El nuestro es un mundo «movido por el apetito» y la nuestra una generación de adictos. Porque, ¿no es la adicción simplemente que al apetito se le conceda la autoridad última, sea en la comida, el alcohol, el chocolate, el sexo, el tabaco, la cocaína o la cafeína? Camino a la tierra prometida, los elegidos caen víctimas de su propio apetito y quedan atrás, en túmulos de arena fuera de Canaán. «Por eso se dio a aquel lugar el nombre de Quibrot Hatavá, porque allí fue sepultado el pueblo glotón» (vers. 34, NVI).

Gracias a Dios por el apetito, porque es su don. Pero no es casualidad que el Creador pusiese la cabeza encima del estómago, elevando la razón sobre el apetito, y tampoco es casualidad que Satanás invierta el orden, elevando el apetito sobre la razón (como con Adán y Eva), el hambre sobre el dominio propio (como con Esaú e Israel). Intentó lo mismo con Daniel y sus amigos y con Jesús. Pero los elegidos saben que «santo» significa un apetito consagrado «por entero» a la dieta y la voluntad del Creador.

Las historias de los elegidos - 5

«Todos comieron el mismo alimento espiritual
y todos bebieron la misma bebida espiritual,
porque bebían de la roca espiritual que los seguía.
Esa roca era Cristo». 1 Corintios 10: 3, 4

HAY QUIEN DICE QUE el cielo puede esperar. Aprovechando que suena igual en inglés, el *News* de Detroit eligió para una columna sobre religión y salud el hábil titular de «Heaven Can Weight» [El cielo puede pesar]. «El cielo puede pesar», pero, ¿cuánto? «El cielo puede esperar», pero, ¿cuánto? La pregunta para los elegidos es: ¿Son mi dieta y mi salud una cuestión moral? Considera durante un momento estos dos pronunciamientos del Nuevo Testamento:

1. ***Nuestra dieta afecta al llamamiento divino a la santidad, porque «soy el templo de Dios».*** Pablo lo expresa con pasión: «¿O ignoráis que vuestro cuerpo es templo del Espíritu Santo, el cual está en vosotros, el cual habéis recibido de Dios, y que no sois vuestros?, pues habéis sido comprados por precio; glorificad, pues, a Dios en vuestro cuerpo» (1 Cor. 6: 19, 20). Nuestro cuerpo físico —este palacio sagrado en el que el Todopoderoso decide morar— fue comprado a un precio infinito. La última gota de sangre de Cristo fue la moneda carmesí que nos compró rescatándonos del pecado y de la muerte. ¿Por qué no iba a ser un asunto moral la forma en la que trato mi cuerpo? «Por lo tanto, hermanos, os ruego por las misericordias de Dios que presentéis vuestros cuerpos como sacrificio vivo, santo, agradable a Dios, que es vuestro verdadero culto» (Rom. 12: 1).

2. ***Nuestra dieta afecta al llamamiento divino a la preparación, porque «soy testigo de Dios».*** Eso explica la dieta de «saltamontes y miel silvestre» (Mat. 3: 4, BPH) ordenada para Juan el Bautista. No se trata de ser estrafalariamente diferentes: se trata de estar físicamente acondicionados y tener una agudeza mental máxima para, igual que Juan, «preparar al Señor un pueblo bien dispuesto» (Luc. 1: 17). «Al preparar el camino para la primera venida de Cristo, representaba a aquellos que han de preparar un pueblo para la segunda venida de nuestro Señor. [...] Todos los que quieran alcanzar la santidad en el temor de Dios deben aprender las lecciones de temperancia y dominio propio. [...] Por esta razón, la temperancia [dieta/salud] ocupa un lugar en la obra de prepararnos para la segunda venida de Cristo» (*El Deseado de todas las gentes,* cap. 10, p. 79). En realidad, sí es una cuestión moral, ¿no crees?

Los cuarenta días y cuarenta noches que Jesús pasó en ayuno y oración son prueba suficiente de que para una misión en la que hay tanto en juego como en la nuestra, no nos podemos permitir el lujo de dejar que nuestro apetito dicte nuestra vida y distraiga nuestro centro de atención. Como sabe todo corredor de un maratón, si participas con la intención de llegar al final, la manera en la que entrenes determinará cómo acabas. Y cuando el cielo es la meta, la manera en la que entrenas *es* un tema moral.

Las historias de los elegidos - 6

«Te afligió, te hizo pasar hambre y te sustentó con maná,
comida que ni tú ni tus padres habían conocido,
para hacerte saber que no solo de pan vivirá el hombre,
sino de todo lo que sale de la boca de Jehová
vivirá el hombre». Deuteronomio 8: 3

¿TE HAS FIJADO EN lo que quiere decir el texto de hoy? Hay ocasiones en que Dios permite que tú y yo pasemos hambre para revelarnos el poder feroz de nuestro propio apetito. Yo lucho con el mío. Yo había llegado en avión para un fin de semana en un encuentro al aire libre, había alquilado un automóvil e intentaba dar con el campamento. Tenía mucha hambre desde el aterrizaje del avión, pero no encontraba dónde comer. Y cuanto más conducía, más hambre tenía y más molesto me sentía, hasta que por fin me quejaba a voces (afortunadamente, solo pudo hacerlo Dios). En ese instante centelleó en mi mente el recuerdo de Jesús aguantando cuarenta días y cuarenta noches sin un bocado. Y me sentí abochornado, humillado por el poder de mi propio apetito. ¿Qué declaró Jesús a Satanás? «El hombre y la mujer no solo vivirán por el apetito, sino por toda palabra que procede de la boca de Dios».

La razón debe desbancar al apetito. La fe debe elevarse por encima del alimento. Nuestra vida ha de estar dictada por nuestra mente, no nuestro vientre: «Porque por ahí andan muchos, de los cuales os dije muchas veces, y aun ahora lo digo llorando, que son enemigos de la cruz de Cristo. El fin de ellos será la perdición. Su dios es el vientre, su gloria es aquello que debería avergonzarlos, y solo piensan en lo terrenal» (Fil. 3: 18, 19). Está claro que el llamamiento que Dios extiende a la santidad —ser suyos por entero— es también un derecho sobre nuestro apetito. Sí, pero el consumo de alcohol es mucho peor que la glotonería, ¿no? «La Palabra de Dios coloca la glotonería al mismo nivel que el pecado de la borrachera» (*Consejos sobre salud*, cap. 2, p. 56). Entonces, ¿qué esperanza hay para aquellos de nosotros cuyo apetito puede usurpar tan fácilmente el asiento del conductor?

El Deseado de todas las gentes describe la agotadora tentación de Jesús en el desierto: «Recorriendo el terreno que el hombre debe recorrer, nuestro Señor ha preparado el camino para que venzamos. No es su voluntad que seamos puestos en desventaja en el conflicto con Satanás. No quiere que nos intimiden ni desalienten los asaltos de la serpiente. "Tened buen ánimo —dice—; yo he vencido al mundo" [Juan 6: 33]. Considere al Salvador en el desierto de la tentación todo aquel que lucha contra el poder del apetito. Véalo en su agonía sobre la cruz cuando exclamó: "Tengo sed". Él padeció todo lo que nos puede tocar sufrir. *Su victoria es nuestra*» (cap. 12, pp. 101, 102; la cursiva es nuestra). Entonces, ¿no saldremos con *su* poder viviendo *su* victoria hoy?

Las historias de los elegidos - 7

«Condujeron a Jesús al lugar llamado Gólgota
(que significa: Lugar de la Calavera).
Le ofrecieron vino mezclado con mirra,
pero no lo tomó». Marcos 15: 22, 23, NVI

¿PUEDO HABLAR CON FRANQUEZA? No puede defenderse bíblicamente el consumo el consumo de alcohol en la vida social. La única postura segura, respaldada por la Palabra del propio Dios, es la abstinencia. La muerte instantánea de dos de los hijos del sumo sacerdote, Nadab y Abiú (que entraron ebrios en la presencia de Dios), fue una enseñanza que Israel recordaría durante mucho tiempo. Y no es casualidad que, inmediatamente después de relatar el trágico fallecimiento de ambos, Moisés consignase la sombría advertencia de Dios: «Ni tú ni tus hijos debéis beber vino ni sidra cuando entréis en el tabernáculo de reunión, para que no muráis. Estatuto perpetuo será para vuestras generaciones, para poder discernir entre lo santo y lo profano, y entre lo inmundo y lo limpio» (Lev. 10: 9, 10).

«Pero yo no bebo gran cosa. Solo un sorbito de vez en cuando con una comida y unos amigos. Conozco mis límites». ¿Qué pasaría si el mundo funcionase con esa lógica? ¿Qué ocurriría si los pilotos empinaran el codo con la misma filosofía? ¿Qué tal si tu cirujano entrase aprisa a atender tu emergencia con «solo un sorbito»? En asuntos de vida o muerte, nadie pone en duda el peligro del consumo de alcohol. Entonces, en la vida, ¿cuándo es adecuado correr el riesgo de entumecer la mente y de perder la consciencia? ¿Los sábados por la noche?

Y, ¿qué decir de los que no saben que tienen una predisposición genética al alcoholismo y no pueden correr el riesgo de un solo trago? ¿Es el «todo el mundo lo hace» una razón sensata? Nadie necesita que llenemos esta página con las abrumadoras estadísticas del exorbitante costo social del consumo de alcohol en mortalidad, delitos, violaciones, destrucción de bienes, enfermedad y absentismo. ¿Beberemos socialmente lo que destruye? Si el consumo social de bebidas alcohólicas cuenta con la aprobación de Dios, ¿por qué fue elevada la abstinencia del vino por parte de Daniel y sus tres amigos a un modelo de apetito «íntegro» ante Dios? ¿Por qué prohibió Dios a través de Salomón aun probar el vino?

Sugerir que Dios quiso decir que simplemente no bebamos en exceso es igual de lógico que llegar a la conclusión de que su advertencia contra la prostitución significa sencillamente ¡que no durmamos demasiado con prostitutas! Un traguito o una noche son demasiado. Hasta para Jesús, que se negó a beber una gota de vino como analgésico. Al parecer, mantener abierta la mente para Dios veinticuatro horas al día siete días a la semana es la única opción segura y prudente para Dios y para nosotros.

Las historias de los elegidos - 8

*«Israel estaba en Sitim cuando el pueblo
empezó a prostituirse con las hijas de Moab,
las cuales invitaban al pueblo a los sacrificios
de sus dioses; el pueblo comió
y se inclinó a sus dioses».*
Números 25: 1, 2

HUBO UN TIEMPO CUANDO existía un movimiento denominado «los elegidos». Estaban en la frontera misma de Canaán. No faltaba mucho para que la cruzasen. Y el enemigo lo sabía, mejor aún que ellos mismos. Y por ello, a la desesperada, echó mano de su oscura aljaba demoníaca y sacó de ella la flecha más mortífera de todas. Simplemente un dardo venenoso de cuatro letras: S-E-X-O. Y grande fue su matanza entre los elegidos en la frontera de la tierra prometida.

¡El sórdido relato de Números 25 no es precisamente un cuento para antes de dormir! Engatusados por las seductoras moabitas, los hijos de Israel caen en el pantano de la fornicación y manifiesta inmoralidad. Solo Hollywood podría hacerlo así de bien. La reacción divina es rápida y decisiva. A no ser que el cáncer sea extirpado de inmediato, se perderá toda la comunidad. Al final de aquel día amargo y sangriento, perecieron veinticuatro mil de los elegidos. ¿Por qué esa pasión divina? Porque el sexo siempre ha sido el don del Creador de la suprema intimidad humana. Por eso, desde el principio, la palabra hebrea que usó para la relación sexual fue «conocer». Porque solo cuando un hombre y una mujer se conocen mental, emocional, social y espiritualmente están preparados para conocerse física o sexualmente. Hemos sido programados para una intimidad genuina que es completa y profundamente relacional. Por eso, cuando Israel se juntó sexualmente con las mujeres de Moab en busca de una falsa intimidad, el efecto residual inmediato se produjo en la conciencia de sus integrantes hasta el punto asombroso de que de repente abandonaron a su Dios para adorar a los falsos dioses de sus tentadoras.

Debido a que el sexo desenfrenado corroe la conciencia humana a través de una falsa intimidad, Satanás ha descubierto que es su mejor baza para nuestra generación. Así, su hipnótica invitación a la excitación es omnipresente. Vallas publicitarias, fotos de prensa, portadas de revistas, anuncios de televisión, ventanas emergentes de Internet, avances de la cartelera cinematográfica, éxitos musicales, modas populares, conversaciones cotidianas: su alcance es casi universal. «Pero gracias sean dadas a Dios, que nos da la victoria por medio de nuestro Señor Jesucristo» (1 Cor. 15: 57). Lo crucificaron desnudo para que la propia condición caída de nuestra sexualidad pudiera ser redimida y pudiera restaurarse en nosotros su propia intimidad. Pídeselo.

Las historias de los elegidos - 9

«A aquel que es poderoso para guardaros sin caída
y presentaros sin mancha delante de su gloria con gran alegría,
al único y sabio Dios, nuestro Salvador, sea gloria y majestad,
imperio y poder, ahora y por todos los siglos». Judas 24, 25

L A COALICIÓN NACIONAL para la Protección de la Infancia en Estados Unidos documenta que el 25% de todas las peticiones a los motores de búsqueda en Internet están relacionadas con la pornografía. Hay un millón trecientos mil portales electrónicos pornográficos, visitados por treinta millones de personas cada día, lo que convierte a la pornografía en una industria con un valor de tres mil millones de dólares anuales. La edad promedio de la primera exposición a la pornografía en Internet es de ¡once años! Los mayores consumidores de pornografía en Internet son los niños entre los doce y los diecisiete años de edad. ¡Estamos bajo ataque! Por ello, he aquí una cuádruple estrategia para sobrevivir espiritualmente y desarrollarse en medio de la guerra relámpago de Satanás contra el don del sexo que nos dio el Creador. El diablo está desesperado. Pero Dios es poderoso, y ahí radica nuestro secreto para la victoria sexual.

Estrategia 1. Ejercita tu alma. El Salmista exclamó: «Mi alma tiene sed de Dios» (Sal. 42: 2). Se describe a menudo el impulso sexual como una sed insaciable. Hasta el punto de que la junta de la Escuela Secundaria King de Portland, Maine, aprobó por una mayoría de siete sobre dos proporcionar una gama completa de anticonceptivos a alumnos ¡a partir de los once años de edad! Laura Sessions Stepp, en su libro *Unhooked: How Young Women Pursue Sex, Delay Love, and Lose at Both* [Desconectadas: Cómo las jóvenes buscan el sexo, demoran el amor y pierden en lo uno y en lo otro], documenta los pesares de chicas que se tomaron el sexo con despreocupación. ¿Quieres elevarte sobre tu impulso sexual? Entonces, profundiza tu sed de Dios. Jesús dijo a la mujer junto al pozo: «El que beba del agua que yo le daré no tendrá sed jamás» (Juan 4: 14). Vuelve a leer las meditaciones de marzo de este libro. Tu tiempo diario a solas con Cristo es el único sustituto efectivo de la sed que puede poner tu impulso sexual bajo el control del Señor.

Estrategia 2. Ejercita tu cuerpo. Si luchas con la adicción sexual, empieza a realizar ejercicio físico, preferentemente cada día. El cambio transfiere tus energías previamente centradas en la estimulación sexual al ejercicio físico. «Huyan de la inmoralidad sexual. [… E]l que comete inmoralidades sexuales peca contra su propio cuerpo. ¿Acaso no saben que su cuerpo es templo del Espíritu Santo, quien está en ustedes y al que han recibido de parte de Dios? Ustedes no son sus propios dueños; fueron comprados por un precio» (1 Cor. 6: 18-20, NVI). El mismo Jesús que purificó el templo hace tanto tiempo puede purificar no solo tu corazón, sino también tu cuerpo. Ejercítate con él.

Las historias de los elegidos - 10

«Someteos, pues, a Dios;
resistid al diablo,
y huirá de vosotros».
Santiago 4: 7

Estrategia 3. Ejercita tu mente. Recuerda que ahí estuvo la diferencia entre José y David. José *huyó,* David *coqueteó con la tentación.* La diferencia estuvo en su respuesta mental a la tentación sexual. «Huye también de las pasiones juveniles» (2 Tim. 2: 22). Ejercita tu NO (1 Cor. 10: 13).

¿Determina nuestra orientación sexual si caemos o no en el pecado? En realidad, la receta bíblica para la expresión sexual nivela el campo de juego para todos, heterosexuales u homosexuales. Eludiendo el debate sobre lo innato y lo adquirido en lo referente a la orientación sexual, la Biblia ofrece un principio divino para toda la interacción sexual humana: *fuera del matrimonio entre un hombre y una mujer, no ha de haber ninguna expresión sexual interpersonal.* Sean heterosexuales u homosexuales, todos los hijos de Dios fuera del matrimonio han de vivir una vida de celibato: abstinencia sexual.

Richard Hays, de la Universidad Duke, escribe: «Pese a las zalameras ilusiones perpetradas por la cultura de masas en los Estados Unidos, la gratificación sexual no es un derecho sagrado, y el celibato no es un destino peor que la muerte [...]. Sin duda es asunto de cierto interés para la ética cristiana que tanto Jesús como Pablo vivieran sin relaciones sexuales [...]. En una iglesia, deberíamos trabajar diligentemente por recuperar la dignidad y el valor de la vida» (*The Moral Vision of the New Testament* [La visión moral del Nuevo Testamento], p. 401). Pero sin la opción del «matrimonio» homosexual, ¿dónde quedan los cristianos homosexuales (que han compartido sus historias conmigo)? Hays prosigue: «Quedan precisamente en la misma situación que los heterosexuales a los que les gustaría casarse pero no pueden encontrar una pareja apropiada (y hay muchos así): emplazados a una obediencia difícil y costosa mientras gimen esperando "la redención de nuestro cuerpo" (Rom. 8: 23)» (p. 402). Fuera del matrimonio, el campo de juego está nivelado, y los elegidos recibirán la pureza moral y el poder divino de vivir una vida casta. El mismo Jesús que vivió esa vida te dará el mismo poder.

Estrategia 4. Ejercita tu corazón. El pastor Bernie Anderson, en su libro *Breaking the Silence* [Romper el silencio], cuenta que lo que quebrantó el poder de la pornografía en su vida fue contar a un pastor amigo suyo su lucha. Nos necesitamos los unos a los otros (Heb. 10: 24, 25). Incorpórate a un grupo pequeño de amigos espirituales con los que te sientas a gusto para compartir tus luchas. Cuando compartimos nuestra unión en Cristo, este concede el poder necesario para nuestra victoria colectiva.

Las historias de los elegidos - 11

> *«Ahora, pues, ninguna condenación hay
> para los que están en Cristo Jesús, los que
> no andan conforme a la carne, sino conforme
> al Espíritu».* Romanos 8: 1

TODAS ESTAS OBSERVACIONES sobre el sexo pueden hacer que todos nos sintamos culpables, ¿verdad? Por ello, ¿te gustaría volver a ser virgen, un «virgen espiritual», con un comienzo nuevo del todo?

¿La recuerdas? Habían sorprendido a la joven *in fraganti,* acostada con un hombre que no era su marido. Arrojando a la desaliñada pecadora sexual junto a las sandalias de Jesús una mañana temprano en el atrio del templo, los santurrones exigen ruidosamente saber qué recomienda este para el castigo de la infractora. ¿Había que apedrearla, como mandaba la ley de Moisés? El gentío contiene la respiración: ¿qué sentencia pronunciaría el Maestro?

Pero Jesús no responde. En vez de ello, se arrodilla en silencio en el polvoriento suelo del templo y comienza a hacer trazos con su dedo. La tradición dice que Jesús grabó allí los pecados secretos de los ancianos de la sinagoga que acusaron a la joven. ¡Qué retrato de Dios! Las Escrituras lo presentan dos veces escribiendo con el dedo: una vez cuando grabó su ley eterna en dos tablas de granito, y otra cuando escribió los pecados de los dirigentes en el polvo del suelo. En piedra para que el tiempo no pudiera obliterar la verdad de su Decálogo. Pero en el polvo para que una sola racha de brisa pudiera borrar el apunte de sus pecados particulares. Seas enemigo o amigo, él no te avergüenza.

Cuando acaba de escribir, Jesús se pone de pie con el sosegado mandato: «Muy bien; el que no tenga pecado que tire la primera piedra» (ver Juan 8: 7). Y el relato evangélico dice que, empezando por el más viejo y acabando con el más joven, los delatores se escabulleron sin decir palabra. Ella eleva el mentón para mirar a Jesús a los ojos, y este mira fijamente su rostro tembloroso y pregunta: «¿Dónde están los que te acusaban? ¿Ninguno te condenó?». Ella niega con la cabeza entre lágrimas que le surcan el rostro. Habla el Dios encarnado: «Ni yo te condeno; vete y no peques más» (vers. 10, 11).

¿Lo puedes creer? Ninguna condena para aquella pecadora. El inmaculado que sí podía haber arrojado la primera piedra ¡no la condenó! ¡Nuestro texto de hoy tiene que ser verdad! Y, si lo es, entonces que no haya «ninguna condenación» tiene que significar ser una «nueva criatura» (ver 2 Cor. 5: 17). Y una «nueva criatura» solo puede significar una «nueva virginidad espiritual». Porque, ¿cómo oró el rey David cuando cayó en el pecado del adulterio? «Purifícame con hisopo y seré limpio; lávame y seré más blanco que la nieve» (Sal. 51: 7). ¡Solo alguien que es virgen podría ser así de limpio! Y solo un Salvador podría ofrecer ese don: una purificación en el Calvario tan profunda y tan intensa que nos hace puros de nuevo.

Firmado, sellado, entregado: Soy tuyo - 1

«Y le dijo Jehová: "Pasa por en medio de la ciudad,
por en medio de Jerusalén, y ponles una señal en la frente
a los hombres que gimen y claman a causa de todas
las abominaciones que se hacen
en medio de ella"». Ezequiel 9: 4

UNA MAÑANA CUANDO estábamos en Pekín con nuestro amigo Doug Martin, este sorprendió a cada uno de los presentes con un regalo —una cajita lacada en negro que contenía un sello oficial chino—. En el sello, según nos dijo (y acepto su palabra), hay caracteres chinos que «deletrean» nuestro nombre. Es costumbre en Oriente autenticar los documentos con el sello personal de cada cual. Los caracteres chinos autentican la identidad de uno y validan su derecho de propiedad.

Tanto en el Antiguo como en el Nuevo Testamento Dios revela que también él tiene un sello distintivo que pone en la frente de los elegidos, los hijos de la tierra que han decidido obedecerlo. En nuestro texto de hoy de Ezequiel 9, el sello es llamado «una señal», literalmente la letra hebrea *tau*, última del alefato, que en la época de Ezequiel se escribía como una X. La orden divina fue: «Pon una X en la frente de mi pueblo fiel». En Apocalipsis se llama a esta marca un sello: «Vi también otro ángel, que subía desde donde sale el sol y que tenía el sello del Dios vivo» (Apoc. 7: 2). También se coloca en la frente de «los siervos de nuestro Dios» (vers. 3). Y está claro en ambos pasajes que este sellamiento divino ocurre al final de la historia del mundo. Porque el ángel que da la orden en Ezequiel está vestido de lino, el mismo atuendo del sumo sacerdote el Día de la Expiación (Apoc. 16: 4). Y el ángel que pronuncia la orden en Apocalipsis lo hace en el contexto inmediato de la Segunda Venida de Cristo (Apoc. 6: 15-17). Pero, ¿es esto una sorpresa? En el capítulo final del mundo, cuando el mundo se burle de la autoridad del mismísimo Dios y su ley sea rechazada por la vasta mayoría, ¿por qué no iba a estar deseoso de identificar ante el universo a sus elegidos aún leales a él?

¿Quiere eso decir que hasta entonces no tenemos seguridad alguna, ninguna garantía, de la salvación divina? ¡En absoluto! Es igual que lo que ocurrió aquella medianoche en Egipto. Un visitante divino fue enviado para ejecutar sentencia, pero cada casa, cada familia, cada alma que estuviera protegida por la sangre untada en el dintel estaba segura. Del mismo modo, el sellamiento escatológico realizado por Dios marca a toda una generación de personas que eligen vivir bajo la sangre del Cordero. Espero que esa sea tu elección.

Firmado, sellado, entregado: Soy tuyo - 2

«Vi también otro ángel, que subía desde donde sale el sol
y que tenía el sello del Dios vivo. Clamó a gran voz a los cuatro ángeles
a quienes se les había dado el poder de hacer daño a la tierra y al mar,
diciendo: "No hagáis daño a la tierra ni al mar ni a los árboles
hasta que hayamos sellado en sus frentes a los siervos
de nuestro Dios"». Apocalipsis 7: 2, 3

UNAS NAVIDADES KAREN me regaló un sello de metal brillante. Probablemente hayas visto alguno. Con él, puedo tomar un libro y, ejerciendo presión con el sello en la primera página del libro, lograr que aparezcan en relieve las palabras «Biblioteca de Dwight K. Nelson» rodeando el monograma DKN. Es un dispositivo genial, y me encanta usarlo.

Dios también tiene un sello, con su nombre en el centro: «Después miré, y vi que el Cordero estaba de pie sobre el monte de Sion, y con él ciento cuarenta y cuatro mil que tenían el nombre de él y el de su Padre escrito en la frente» (Apoc. 14: 1). ¿Por qué tener un sello? Considera estas cinco funciones:

1. **Prueba de propiedad.** Una vez que pongo mi sello en un libro, toda persona que lo vea sabe de inmediato que ese libro es de mi propiedad. Dado que soy el único que tiene un sello con mi nombre personal en el mismo, no puede haber discusión alguna. Pasa igual con Dios y sus elegidos sellados: «El día que yo actúe ellos serán mi propiedad exclusiva —dice el Señor Todopoderoso—» (Mal. 3: 17, NVI).

2. **Prueba de autenticidad.** ¿Has acudido alguna vez a un notario público? Estando acreditado por el Estado para validar firmas y documentos, cuando un notario público pone su sello en un documento, es prueba legal de que la firma es auténtica. Necesitas ese sello en el supuesto caso de que alguien disputara tu derecho. Pasa igual con Dios y los elegidos a los que sella. Por esa razón, el sello va simbólicamente en la frente: porque la verdad sobre el carácter de Dios se autentica en la mente y el intelecto de sus amigos. «El pueblo de Dios [es] sellado en su frente —no se trata de un sello o marca que se pueda ver, sino *un afianzamiento en la verdad, tanto intelectual como espiritualmente, de modo que los sellados son inconmovibles*—» (*Eventos de los últimos días*, p. 186; la cursiva es nuestra).

3. **Señal de aprobación.** La revista *Good Housekeeping*, dedicada a artículos relativos a tareas domésticas, se ha ganado una reputación en Estados Unidos por seleccionar los mejores productos y mercancías disponibles para los consumidores estadounidenses. El «Good Housekeeping Seal of Approval» [Sello de aprobación de *Good Housekeeping*] es una marca de distinción valorada. También la Asociación Automovilística Estadounidense y la Asociación Estadounidense de Personas Jubiladas tienen sus sellos de aprobación. Con su sello sobre los elegidos, Dios declara al universo: «¿Lo ves? ¿La ves? ¡Doy mi visto bueno!». ¿Y qué visto bueno podría ser más codiciado que ese?

Firmado, sellado, entregado: Soy tuyo - 3

«En él también vosotros, habiendo oído la palabra de verdad,
el evangelio de vuestra salvación, y habiendo creído en él,
fuisteis sellados con el Espíritu Santo de la promesa».
Efesios 1: 13

¿POR QUÉ USA DIOS un «sello»? En primer lugar, es una prueba de su propiedad de sus elegidos. En segundo lugar, es prueba de la autenticidad de la compra de los mismos realizada en el Calvario. Y, en tercer lugar, el sello de Dios es su señal de visto bueno. Pero el significado de un sello va mucho más allá:

4. ***Prueba de irreversibilidad.*** El rey Darío fue embaucado para que firmara y sellara una ley que condenaba a su amigo Daniel al pozo de los leones. Cuando se dio cuenta del engaño, el rey intentó todas las maniobras legales que se le ocurrieron, pero fue en vano. Su sello había vuelto la ley irreversible. Cuando el presidente de Estados Unidos firma un decreto ley o una ley del Congreso y le pone el sello presidencial, se declara que ese decreto o esa ley están vigentes y son esencialmente irreversibles. Del mismo modo, cuando Dios sella a sus elegidos, es como si los «fijase»: «El que es justo, practique la justicia todavía, y el que es santo, santifíquese más todavía» (Apoc. 22: 11).

5. ***Prueba de semejanza.*** ¿Has visto esos pequeños estuches de sellos de lacre en las tiendas de tarjetas de felicitaciones? De hecho, uno puede marcar su propia «carta de amor» con un atractivo sello de lacre que contiene sus iniciales para el destinatario. En la antigüedad, los reyes usaban sellos cilíndricos para grabar su efigie en la cera blanda, para que todos los que después vieran el sello reconocieran la figura del rey. Ocurre igual con el Rey del universo cuando pone su sello en la frente de su pueblo leal y de sus amigos fieles: en la vida de estos se reconoce la misma semejanza al carácter de Cristo. Según lo expresa *El Deseado de todas las gentes:* «Cristo está retratándose en cada discípulo» (cap. 86, p. 782). Los amigos de Dios en el tiempo del fin se convierten en la cera flexible en la que Dios imprime su imagen moral y la pone en muestra permanente ante el universo. El sello es el retrato acabado.

¿Y quién es el Agente activo que, día a día, conforma la semejanza de Jesús en el carácter de uno? El texto de hoy está claro: es el Espíritu Santo. ¿Su misión? Nuestra santificación, que tanto en hebreo como en griego quiere decir hacernos santos, el viaje de toda una vida en el que Dios sella más y más de su carácter en la cera flexible de nuestros caracteres hasta que seamos enteramente como él. Se dice «De tal palo, tal astilla». Resulta que es verdad. Porque eso es lo que significa «santo»: ser como Dios.

No yo, sino Cristo - 1

«Con Cristo estoy juntamente crucificado, y ya no vivo yo,
mas vive Cristo en mí; y lo que ahora vivo en la carne,
lo vivo en la fe del Hijo de Dios, el cual me amó
y se entregó a sí mismo por mí».
Gálatas 2: 20

NUNCA ME HA ENTUSIASMADO ser la cara más joven en una multitud. Cuando se tiene cara de niño, da la impresión de que nunca maduras. Siempre eres «el muchacho». Así le ocurría a «Juanito», el más joven de los apóstoles de Jesús. El que va Roma y contempla el arte cristiano de la antigüedad no se sorprende de ver que se lo representa juvenil, sin barba, con el pelo largo de una mujer; masculino, pero aún un muchacho. ¡No es de extrañar que se esforzase tanto por escalar con dificultad hasta la cima! ¿Orgullo (ego)? A raudales. Porque habitualmente ocultamos (o revelamos) nuestras deficiencias con nuestros excesos.

¿Te acuerdas de aquel momento en que Jesús se detuvo junto a la varada barca de pesca de aquellos hermanos que remendaban sus redes? «Venid en pos de mí, y haré que seáis pescadores de hombres» (Mar. 1: 17). Puestos en pie de un salto, Santiago y Juan hicieron precisamente lo que se les pidió. Pero en poco tiempo el Maestro seguramente tuvo claro que ¡en los hijos de Zebedeo tenía gente problemática! Los «llamó Boanerges, que significa: Hijos del trueno» (Mar. 3: 17, NVI). «Creo que los llamaré, muchachos, ¡"Los hermanos exaltados"!». Y verdaderamente que sí lo eran. Te acordarás de que, en una ocasión, pidieron permiso para arrasar un pueblo samaritano con fuego divino. En otra ocasión, ellos solitos pusieron fin a un ministerio que ejercía un hombre en solitario que empañaba el honor del grupo. Y, ¿te acuerdas de la ocasión en que arrastraron consigo a su madre, esperando acaparar los dos puestos más elevados del reino que Jesús acabaría formando, lo que encendió una guerra intestina entre los doce apóstoles?

Echa una ojeada a este catálogo de los defectos de carácter de Juanito: «Juan no poseía por naturaleza la belleza de carácter que reveló en sus últimos años. Tenía graves defectos. No solamente era [1] orgulloso, [2] pretencioso y [3] ambicioso de honor, sino también [4] impetuoso, [5] resintiéndose por la injusticia. […] [6] Mal genio, [7] deseo de venganza, [8] espíritu de crítica, todo eso se encontraba en el discípulo amado» (*Los hechos de los apóstoles*, cap. 53, pp. 401, 402). ¿Te resulta familiar? No obstante, lo absolutamente asombroso es que este Juanito (con todos sus defectos psicológicos y de carácter) no solo acabe en el círculo íntimo de Jesús, sino que se convierta en el amigo más querido de Cristo en la tierra. ¡Asombrosa gracia transformadora!

No yo, sino Cristo - 2

«Venid a mí todos los que estáis trabajados y cargados,
y yo os haré descansar. Llevad mi yugo sobre vosotros
y aprended de mí, que soy manso y humilde de corazón,
y hallaréis descanso para vuestras almas».
Mateo 11: 28, 29

¿MANIFIESTA JESÚS FAVORITISMO? En contra de nuestras primeras impresiones, que tuviera un círculo íntimo —Pedro, Santiago y Juan— no tenía nada que ver con que fueran los preferidos del Maestro. La manera decisiva en la que rechazó la petición de Santiago y Juan de los dos puestos más encumbrados del reino es prueba más que de sobra. Pero «la profundidad de su cariño [de Juan] hacia él» (*El Deseado de todas las gentes,* cap. 60, p. 514) no escapó a la atención del Maestro. Porque, verás, el corazón de Cristo se siente atraído a los corazones que se ven atraídos hacia él. Él atrae a todo el mundo, pero no todos quieren ser atraídos. Y ahí estriba la diferencia entre Juanito y Judas.

En la víspera de la muerte de Jesús, precisamente Juan y Judas son los más cercanos a él en la mesa de la Última Cena. Pero solo uno de ellos siguió a Jesús al jardín. Solo uno de ellos se negó a huir cuando el resto huyó en el momento del arresto de Jesús. Solo Juanito se encaminó al patio interior del recinto en el que se celebraba la farsa de juicio. Solo él siguió a Jesús aquella larga y tortuosa noche y al comienzo de la mañana. Solo Juan, de todos los apóstoles, siguió a su Maestro a la cumbre del Calvario. Y con solo Juan allí junto a su madre, Jesús, en su suprema angustia, miró hacia abajo y le encomendó a su madre al único discípulo que no lo abandonó ni en la muerte: a Juanito.

Algo pasó en el corazón de este hijo del trueno, alguna misteriosa transformación en el transcurso de los tres años y medio que el joven discípulo siguió al Maestro. ¿No podemos llegar a la conclusión de que una exposición diaria prolongada al Salvador transforma el corazón de un discípulo? De modo que lo que uno fuera ya no es preciso seguir siéndolo. Porque, contemplando, tú y yo podemos cambiar. Juan hizo precisamente eso: «Día tras día, en contraste con su propio espíritu violento, [1] contempló la ternura y tolerancia de Jesús, y [2] fue oyendo sus lecciones de humildad y paciencia. [3] Abrió su corazón a la influencia divina y [4] llegó a ser no solamente oidor sino hacedor de las obras del Salvador. [5] Ocultó su personalidad en Cristo y [6] aprendió a llevar el yugo y la carga de Cristo» (*El Deseado de todas las gentes,* cap. 30, p. 266). ¿Cuán duradero fue su séxtuple empeño espiritual? Cerca del final de su vida, cuando Juan escribió su Evangelio, se describió a sí mismo humildemente cinco veces como «el discípulo al que Jesús amaba». No más trueno. Juan se había quitado a sí mismo del retrato. Su historia solo tiene un Héroe. «No yo, sino él» se convirtió en el canto de su vida.

El mejor amigo de la humildad - 1

«Porque el que se enaltece será humillado,
y el que se humilla será enaltecido».
Mateo 23: 12

ADMITÁMOSLO: HAY COSAS en la vida que son difíciles de tragar, como los trozos de cáscara de huevo en tu ensalada de patatas, el gelatinoso quingombó y el orgullo. Tragarse el orgullo: es suficiente para hacer que uno se atragante, ¿no te parece? La cura de humildad no es nuestro pasatiempo culinario favorito, ¿verdad? Y, no obstante, ¿podría ser que la humildad sea un talento espiritual que Dios llame a desarrollar a los elegidos?

¡Es uno de los casos más señalados de toda la historia de ascenso a la gloria desde la nada, volviendo a la nada! Nacido esclavo, adoptado príncipe, pero convertido en un asesino fugitivo. A todo el mundo le gusta la historia del «príncipe de Egipto». De mecerse en el gran río Nilo en una cesta de juncos untada con betún hasta un asiento en la mesa del faraón como nieto adoptivo del monarca más poderoso del mundo, la de Moisés fue una historia de pasar de mendigo a millonario. Sentado a los pies de los mayores intelectos del mundo, formado como oficial en el ejército más poderoso del mundo, instruido en gobierno por los juristas más brillantes del mundo, la estrella del joven cobraba altura. Pero, para honra eterna de su madre biológica, Jocabed, Moisés nunca renegó de su patrimonio hebreo ni del Dios de su pueblo. En el fondo sabía que era el que los liberaría. «Los ángeles [...] instruyeron a Moisés, diciéndole que Jehová lo había elegido para poner fin a la servidumbre de su pueblo» (*Patriarcas y profetas,* cap. 22, p. 223).

Pero el *modus operandi* del joven era del todo ajeno a la estrategia divina. «"Porque mis pensamientos no son vuestros pensamientos ni vuestros caminos mis caminos", dice Jehová» (Isa. 55: 8). Y el cálculo de Moisés de que asesinar a un capataz egipcio sería el catalizador para poner en marcha su subversión de Egipto casi le costó la vida.

«Moisés huyó» (Hech. 7: 29) convertido en un fracaso colosal con una sentencia de muerte sobre su cabeza. Fracaso. ¿Quién entre nosotros no conoce ese nudo retorcido en las entrañas, ese sabor alcalino en la lengua? Fracaso en la vida, fracaso en el amor. Fracaso en los negocios, fracaso en la profesión. Fracaso en el matrimonio, fracaso escolar. Fracaso en lo privado, fracaso en lo público. La temida calificación F cuando intentábamos con tanto ahínco ganar pero perdimos, cuando tanto soñábamos con tener éxito pero fracasamos. George Bernard Shaw afirmó: «Mi reputación aumenta con cada fracaso». Y si no fuera por la historia de Moisés, también sería igual para nosotros. Pero en su historia aprendemos la verdad ilógica de que para Moisés fue *un fracaso coronado por el éxito,* el mismo tipo de fracaso al que puede conducirnos el Dios de Moisés.

El mejor amigo de la humildad - 2

*«Moisés era un hombre muy manso,
más que todos los hombres que había
sobre la tierra».* Números 12: 3

LAS CUATRO DÉCADAS transcurridas en Egipto quedaron pronto igualadas por cuarenta largos y ardientes años en el desierto de Madián. Moisés se matriculó en la escuela del fracaso: «El ser humano se habría evitado ese largo período de trabajo y obscuridad, por considerarlo como una gran pérdida de tiempo. Pero la Sabiduría infinita determinó que el que había de ser el caudillo de su pueblo debía pasar cuarenta años haciendo el humilde trabajo de pastor. [...] Ninguna ventaja que la educación o la cultura humanas pudiesen otorgar podría haber substituido a esta experiencia. [...] Enclaustrado dentro de los baluartes que formaban las montañas, Moisés estaba solo con Dios. [... P]arecía encontrarse ante su presencia, eclipsado por su poder. Allí fueron barridos su orgullo y su confianza propia. En la austera sencillez de su vida del desierto, desaparecieron los resultados de la comodidad y el lujo de Egipto. *Moisés llegó a ser paciente, reverente y humilde,* "muy manso, más que todos los hombres que había sobre la tierra" (Núm. 12: 3), y sin embargo, era fuerte en su fe en el poderoso Dios de Jacob» (*Patriarcas y profetas,* cap. 22, pp. 225-227; la cursiva es nuestra).

El fracaso es el mejor amigo de la humildad, ¿no crees? Al parecer, Dios permite que fracasemos con la esperanza ilógica de que, con él, podamos tener un fracaso *coronado por el éxito*. Porque, ¿qué hay que tumbe nuestro ego y hiera nuestro orgullo más rápida y profundamente que el fracaso, sea público o privado? Y, ¿somos alguna vez más enseñables que cuando hemos fracasado? ¿Somos alguna vez más propensos a la humildad que cuando estamos atenazados por el fracaso? Hace unos años alguien me pasó un libro con las palabras: «Necesitas esto». Era el modélico libro *Humility* [La humildad], de Andrew Murray. Ha sido una bendición para mí, hasta el punto de que lo he leído con meditación tres veces: «Acepta con gratitud todo lo que Dios permite procedente del interior o del exterior, de amigo o enemigo, en la naturaleza o en la gracia, para recordarte tu necesidad de humillarte, y para ayudarte a hacerlo. Considera que la humildad es, verdaderamente, la virtud cardinal, el primero de tus deberes ante Dios, la salvaguardia perpetua por antonomasia del alma, y anhélala como la fuente de toda bendición» (p. 88).

Después de todo, ¿no abrazó Jesús todo lo que lo humillaba? Con una toalla para nuestros pies y una cruz para nuestras almas, «se humilló a sí mismo, haciéndose obediente hasta la muerte» (Fil. 2: 8). Y, ¿qué invitación nos extiende? «Aprended de mí, que soy manso y humilde de corazón» (Mat. 11: 29). Entonces, ¿no vamos a pedir que nos ayude a llegar al punto en el que podamos abrazar lo que nos humilla, con independencia de lo que sea? Porque, ¿cómo, si no, llegaremos a ser como Jesús?

Acción de gracias en la entrecubierta

«Allí comerás y te saciarás, y bendecirás a Jehová, tu Dios,
por la buena tierra que te habrá dado».
Deuteronomio 8: 10

EL GALARDONADO LIBRO *Mayflower*, de Nathaniel Philbrick, aúna la ecuanimidad de un historiador con el talento dramático de un narrador y es la crónica más detallada y absorbente de los Padres Peregrinos que he leído en mi vida.

Tras su torturador viaje cruzando un Atlántico azotado por el temporal en la entrecubierta (el espacio entre la cubierta superior y la bodega de carga), los 102 pasajeros del *Mayflower*, puritanos la mitad, estando constituida la otra mitad por aventureros y por la tripulación, desembarcaron en el cabo Cod en medio del gélido clima de noviembre. (Aún atenazaba al continente la «Pequeña Edad del Hielo» de Norteamérica).

El relato presentado por Philbrick de su chapucera y chapoteante llegada al continente propiamente dicho con ropa empapada y congelada un 23 de diciembre, las angustiosas dos semanas siguientes hasta construir su primer edificio (una casa comunal de planta cuadrada de seis metros de altura), la mortal entrada de un invierno amargado aún más por el hecho de que enfermaran o fallecieran tantos que solo seis de la diezmada colonia contaban con las fuerzas suficientes para cuidar de los enfermos, los enterramientos a altas horas de la noche en tumbas camufladas para ocultar a cualquier espía la merma del grupo de los Peregrinos: no se puede evitar leer este relato con una reverencia casi sagrada. Cuando llegó la primavera, 52 de los 102 pasajeros del *Mayflower* habían fallecido. «Nos imaginamos a los Peregrinos como aventureros con gran poder de adaptación sostenidos por una fe religiosa inquebrantable, pero también eran seres humanos en medio de lo que era y sigue siendo uno de los retos emocionales más difíciles que una persona puede afrontar: la emigración y el exilio» (p. 76).

Casi cuatro siglos después, aquí estamos los adventistas estadounidenses, preparándonos para celebrar mañana el día de Acción de Gracias, ocupando la entrecubierta entre el pasado y el futuro, exiliados en una tierra extraña, «extranjeros y peregrinos sobre la tierra» (Heb. 11: 13). ¿Y cuál será nuestro espíritu? ¿Tenemos la misma tenaz determinación de ser fieles a la visión que puso en marcha nuestro movimiento? Sin importar las probabilidades en su contra y el precio devastador que pagaron, aquellas fueron personas no muy distintas de los héroes de Hebreos 11, los cuales «vieron de lejos [las promesas], y las saludaron reconociéndose a sí mismos como extranjeros de paso por este mundo» (Heb. 11: 13, DHH). No se acobardaron, no retrocedieron. Y nosotros tampoco debemos hacerlo. «Fijemos la mirada en Jesús, el iniciador y perfeccionador de nuestra fe» (Heb. 12: 2, NVI). Porque en Cristo la tierra prometida está garantizada. Los Peregrinos vivieron con esa conciencia de «los elegidos». Nosotros también debemos ser así. Puede que ya no falte mucho para el fin de la travesía.

Una historia de dos Saúles - 1

«Tenía él un hijo que se llamaba Saúl, joven y hermoso.
Entre los hijos de Israel no había otro más hermoso que él;
de hombros arriba sobrepasaba a cualquiera
del pueblo». 1 Samuel 9: 2

¿NO TE GUSTARÍA QUE HOY se eligiera a los primeros mandatarios de los países de la misma manera, echando suertes? Piensa en toda la acritud y el dinero que podríamos ahorrarnos. Se ponen los nombres en un sombrero, se saca el territorio, se extrae la ciudad, se extrae la familia y se extrae el individuo. «Señoras y señores, ¡el presidente!». El primer rey de Israel fue «elegido» así. Alto, de pelo oscuro y bien parecido, de la tribu de Benjamín: ¿cómo podría uno equivocarse con alguien así? Pero se equivocaron, terriblemente.

En su libro *Good to Great*, Jim Collins documenta a los dirigentes de más éxito, a los que denomina dirigentes del Nivel 5: «Los dirigentes del Nivel 5 son un caso práctico de dualidad: modestos y testarudos, tímidos e intrépidos [...]. Los que trabajaron con los dirigentes que se superaron a sí mismos, y los que escribieron sobre ellos, usaban continuamente palabras como *tranquilo, humilde, modesto, reservado, tímido, cortés, apacible, sencillo, incrédulo de los recortes de prensa sobre sí mismo,* etcétera» (pp. 22-27). Los dirigentes de más éxito se dejan notar por su humildad. ¡Cuánto habría querido Dios que el rey Saúl hubiese seguido siendo uno de ellos!, pero, tristemente, su historia se desentraña a una velocidad casi vertiginosa. Elegido porque era pequeño en la visión que tenía de sí mismo, fue rechazado porque llegó a creerse el centro del mundo. La suya es una historia trágica de la humildad y la pérdida de la misma.

Dado ese ignominioso antecedente, cabría preguntarse por qué una madre en el futuro iba a querer dar a su bebé varón el nombre Saúl. Pero en la ciudad romana de Tarso, una madre hebrea y su esposo fariseo eligieron precisamente ese nombre (Saulo) para su hijo recién nacido, apodándolo «Pablo» por su cultura grecorromana. De tal palo, tal astilla: Saulo fue enviado a un «internado» de Jerusalén para acabar convirtiéndose en un fariseo erudito en la ley sagrada, y encima brillante. El apedreamiento de Esteban, la conversión de Saulo; el resto es la apasionada historia de ese intrépido paladín de Cristo.

Una historia de dos Saúles: uno que empezó con humildad y acabó en un orgullo suicida; el otro que empezó con orgullosa confianza propia y acabó con humildad a semejanza de Cristo. ¿La diferencia fundamental? Cómo respondieron ambos a la adversidad. Uno fue llevado a la introversión por ella; el otro fue elevado por ella. Y en ese capítulo poco conocido del gran dolor de Pablo estriba el mayor secreto de humildad de todos.

Una historia de dos Saúles - 2

«Pero él me dijo: "Te basta con mi gracia,
pues mi poder se perfecciona en la debilidad".
Por lo tanto, gustosamente haré más bien alarde
de mis debilidades, para que permanezca sobre mí
el poder de Cristo». 2 Corintios 12: 9, NVI

HAY UN CAPÍTULO OSCURO en la vida del segundo «Saúl» que rara vez es objeto de reseña y que, no obstante, quizás encierre el mayor secreto de humildad de todos. El Pablo recién convertido desapareció durante varios años. Reconstruyendo lo consignado en el Nuevo Testamento, llegamos a la conclusión de que acabó recalando en su ciudad natal de Tarso. Mientras Pablo estuvo allí, Dios le concedió visiones extraordinarias. Esa concesión divina precipitó una de las grandes crisis y principios de humildad.

«Conozco a un hombre en Cristo que hace catorce años (si en el cuerpo, no lo sé; si fuera del cuerpo, no lo sé; Dios lo sabe) fue arrebatado hasta el tercer cielo» (2 Cor. 12: 2). Pablo usa la misma figura literaria que Juan escondiéndose intencionalmente, con humildad, en la tercera persona. Pero, por su descripción, está claro que, mediante visiones, se concedió a Pablo acceso personal al paraíso, donde oyó y vio «cosas indecibles» (ver. 4, NVI). Con ese singular privilegio divino, Dios puso en manos de su amigo una nueva prueba: «Para evitar que me volviera presumido por estas sublimes revelaciones, una espina me fue clavada en el cuerpo, es decir, un mensajero de Satanás, para que me atormentara» (vers. 7, NVI). La palabra griega traducida «espina» no es la usada para la corona de espinas de Cristo, sino que describe más bien un fragmento de madera clavado en la carne, como una astilla debajo de la uña.

Dado que Pablo dice de ella que estaba «en el cuerpo», los eruditos han reunido una serie de claves de todas las epístolas de Pablo (desde los gálatas que le ofrecieron sus propios ojos, referido al uso de un amanuense o escribiente por parte del apóstol [Gál. 4: 15], hasta la declaración de este, al final de la epístola que envió a los mismos creyentes: «Mirad con cuán grandes letras os escribo de mi propia mano» [Gal. 6: 11]) que sugiere que Pablo padecía una aflicción de la vista. ¿Fue la consecuencia física de su encuentro con Jesús en el camino a Damasco? No lo sabemos. Pero está claro de que se trató de un recordatorio constante de sus limitaciones y su deficiencia física, que lo hacían depender de otros para sus funciones de servicio y le causaban inconvenientes, bochornos y una dolorosa incomodidad. No es de extrañar que Pablo describa la fuente de tales problemas como un ángel demoníaco («mensajero de Satanás») «para que me atormentara». ¿Por qué tal dolor? «Para evitar que me volviera presumido», es decir, para mantenerme humilde. ¿Podría ser que el sufrimiento, a veces, sea un antídoto divinamente permitido de nuestro orgullo? Y, ¿podríamos, como Pablo, llegar al punto en el que nos gloriemos en él?

Una historia de dos Saúles - 3

«Por lo cual, por amor a Cristo me gozo
en las debilidades, en insultos, en necesidades,
en persecuciones, en angustias; porque cuando soy débil,
entonces soy fuerte». 2 Corintios 12: 10

¿HAS SUPLICADO Y ROGADO a Dios en alguna ocasión que quite algo de tu corazón, de tu cuerpo, de tu vida sin que lo hiciera? Entonces conoces la profundidad apasionada que subyace a la admisión de Pablo de que en tres ocasiones diferentes «he rogado al Señor que lo quite de mí» (2 Cor. 12: 8).

Obviamente, no se trató de oraciones rápidas al estilo del «Ahora me acuesto a dormir» que los niños recitan antes de saltar a la cama; aquellos tres momentos de oración fueron súplicas para que Jesús le quitara el problema.

Dadas mis propias batallas, hallo consuelo en saber que Pablo luchó con las mismas debilidades: «La vida del apóstol Pablo fue un constante conflicto consigo mismo. [...] Su voluntad y sus deseos estaban en conflicto constante con su deber y con la voluntad de Dios. En vez de seguir su inclinación, hizo la voluntad de Dios, por mucho que tuviera que crucificar su naturaleza» (*El ministerio de curación*, p. 324). Y, dado que este, el mayor de los cristianos de todos los tiempos, batalló con el yo, Dios permitió en la vida de Pablo —igual que permite en la nuestra— lo que Pablo deseaba vivamente que no estuviera en su vida. Esta es la dura senda de sufrimiento de la humildad. Porque una cosa es abrazar el fracaso cuando uno es la causa de su propio fracaso: lo abrazas y aprendes de él. Pero otra muy distinta es abrazar el sufrimiento que soportamos permitido intencionalmente por Dios para llevarnos hasta una mayor profundidad en la cualidad divina de la humildad.

No puedo entrar en la habitación de hospital en la que estás ingresado y decirte que estás sufriendo porque Dios ha decidido hacerte más humilde. Ello sería ridículo y posiblemente muy falso. El sufrimiento es causado no por Dios, sino por el «mensajero de Satanás» (2 Cor. 12: 7) (Jesús dijo: «Un enemigo ha hecho esto» [Mat. 13: 28]). Pero puedo entrar en mi propia habitación de sufrimiento y susurrarme que lo que estoy sufriendo quizás haya sido permitido por Dios para atraerme más profundamente a su amor y su humildad. Pablo no describe en ningún sitio el sufrimiento de otra persona como una lección divina. Pero aquí declara de forma inequívoca que sabe por revelación divina que lo que sufre está previsto por Dios para impedir que se exalte en la visión que tiene de sí mismo.

El sufrimiento es la dura senda hacia la humildad. ¿Cómo, si no, explicaremos que Pablo prorrumpa en un cántico cuando, tras el tercer momento de oración, Jesús acudiese a él con una negativa y una promesa: «Bástate mi gracia» (2 Cor. 12: 9)? Gracia asombrosa verdaderamente, que puede transformar al que sufre ¡en alguien que se gloría en el sufrimiento mismo que glorifica al Salvador y que se humilla a sí mismo! ¿No seguiremos esa senda?

La generación a lo Juan el Bautista - 1

«E irá delante de él con el espíritu y el poder de Elías,
para hacer volver los corazones de los padres a los hijos
y de los rebeldes a la prudencia de los justos,
para preparar al Señor un pueblo
bien dispuesto». Lucas 1: 17

¿POR QUÉ TODAS ESTAS consideraciones sobre la santidad y la humildad? Porque Dios llama a los elegidos para que sean por completo suyos y humildemente suyos en medio de una generación que, indisimuladamente, no lo es. Llama a una nueva generación de hombres, mujeres, adultos jóvenes y niños que viva con valentía radicalmente para Cristo, a lo Juan el Bautista, en esta «hora de su juicio» (Apoc. 14: 7). Blaise Pascal, matemático francés y filósofo cristiano, escribió unas palabras que escribo en la página de Lucas 1 de mis biblias: «*Cuando todos se mueven hacia la depravación, nadie parece estar moviéndose; pero si alguien se detiene, pone en evidencia a los demás, que siguen su marcha acelerada, al actuar como un punto fijo*».

La naturaleza del gentío es tal (inténtalo la próxima vez que estén en un andén atestado del metro) que cuando todo el mundo avanza en la misma dirección, apenas puedes notar que te estás moviendo. Pero si una persona se detiene de repente, en ese instante la multitud sabe perfectamente en qué dirección se encamina. Juan el Bautista fue criado antes de la primera venida del Mesías para ser ese «punto fijo»: para negarse a dejarse arrastrar con las multitudes, sino más bien para llamarlas a detenerse y prepararse. Antes de que el Mesías venga por segunda vez, habrá una generación de amigos suyos que, igual que Juan, se negará a dejarse arrastrar con la multitud y que estará firme e inmóvil, convirtiéndose así en el nuevo «punto fijo» de Dios. ¿Con qué objetivo? «Para preparar al Señor un pueblo bien dispuesto». Mientras lees estas palabras, el tribunal del cielo está en sesión. Lo que puede parecer un *statu quo* aquí en la tierra solo enmascara la sombría realidad de que ahora vivimos en la hora más urgente de la historia humana. ¡Jesús viene pronto!

«La suerte de las innumerables multitudes que pueblan la tierra está por decidirse. Tanto nuestra dicha futura como la salvación de otras almas dependen de nuestra conducta actual. [...] Necesitamos humillarnos ante el Señor, ayunar, orar y meditar mucho en su Palabra, especialmente acerca de las escenas del juicio. Debemos tratar de adquirir actualmente una experiencia profunda y viva en las cosas de Dios, sin perder un solo instante» (*El conflicto de los siglos*, cap. 38, p. 586).

Ya va siendo hora de que esta generación, igual que Juan el Bautista, ocupe su lugar como «punto fijo» para Cristo. Él te está llamando. ¿Lo oyes? ¿Responderás? Levántate. ¡Ponte del lado de Jesús!

La generación a lo Juan el Bautista - 2

«Yo envío mi mensajero delante de tu faz,
el cual preparará tu camino delante de ti.
Voz del que clama en el desierto: "Preparad el camino
del Señor. ¡Enderezad sus sendas!». Marcos 1: 2, 3

¿QUÉ SIGNIFICA SER contracultural? Henry David Thoreau escribió: «Si un hombre no lleva el paso de sus compañeros, quizá sea porque oye un tambor diferente. Que marque el paso de la música que oye, con independencia del compás que tenga o lo lejana que suene». Precisamente esa música lejana es la que marca hoy el paso de la generación a lo Juan el Bautista, unos compases que son radicalmente contraculturales. Igual que Elías, que gritó a pleno pulmón desde la cumbre del monte Carmelo: «¿Hasta cuándo vacilaréis vosotros entre dos pensamientos? Si Jehová es Dios, seguidle; si Baal, id en pos de él» (1 Rey. 18: 21). ¡Escojan a su Dios! Porque, como dijo Jesús, es imposible servir a dos culturas contrapuestas: amarás a la primera y odiarás a la segunda, o bien odiarás a la primera y amarás a la segunda (ver Mat. 6: 24). Y por eso el Apocalipsis termina con un urgente llamamiento contracultural: «Ha caído Babilonia; ¡salgan de ella!» (ver Apoc. 18: 2-4).

Pero protestas: «Yo no sigo esa cultura caída». Quizá no. Pero cabe preguntarse si esa cultura está en nosotros. Vi una tira cómica de dos padres que están de pie en la entrada de su casa. Mientras sujeta un periódico con el titular «Programación de otoño», la madre da palmaditas en la espalda al padre traumatizado. Su hijo se aleja del cubo de basura, en el que acaba de tirar su televisor. La madre consuela al padre: «Bueno, sí que le dijiste que sacara la basura». ¿Ha realizado la televisión sus insidiosas incursiones en el corazón y el hogar de los elegidos? No hay más potente abastecedor de la cultura caída de este mundo que la televisión. Por supuesto, el dispositivo no es lo caído. Tenemos cámaras de televisión en nuestra iglesia. Lo caído es lo que proporciona. ¿Se han macerado los elegidos en la cultura caída de un mundo perdido… tolerando irreflexivamente la propuesta nocturna de la televisión? El comunicador social Neil Postman escribió un mordaz informe de la televisión estadounidense, *Amusing Ourselves to Death* [Matarnos con diversión]. Su premisa: la televisión, en esencia, ha empobrecido intelectualmente toda actividad importante convirtiéndola en entretenimiento, y así ha corrompido nuestra sociedad hasta la médula: la actualidad, la política, los deportes, hasta la iglesia y la religión, todos se convierten en entretenimiento porque la muchedumbre y la cultura lo demandan.

La pregunta más apremiante es: ¿También están matándose los elegidos a base de diversión? Viviendo en vísperas del regreso de Cristo, ¿cuánto de lo que vemos en televisión es santo como Jesús?

La generación a lo Juan el Bautista - 3

«En aquellos días se presentó Juan el Bautista
predicando en el desierto de Judea, y diciendo:
"Arrepentíos, porque el reino de los cielos
se ha acercado"». Mateo 3: 1, 2

¡MACERADO! SIGNIFICA empaparse en un líquido durante tanto tiempo que, al final, cada poro se satura con ese escabeche, de modo que cuando alguien da un bocado, el único sabor que perciben es el del vinagre salado. Televisión, películas, videojuegos, Internet, música, vestido, entretenimiento, dieta: el estilo de vida occidental que presume de mil expresiones tentadoras ha macerado a toda una generación con el escabeche de una cultura enferma y caída.

Entonces, ¿hacemos una hoguera con los 2,5 televisores por hogar adventista y damos el asunto por zanjado? Para algunos ese será el único remedio de éxito para apartarse de la cultura macerante de este mundo caído. «Si tu ojo derecho te es ocasión de caer, sácalo y échalo de ti» (Mat. 5: 29). Jesús podía ser bochornosamente radical en ocasiones. Pero mejor salvarse sin ese televisor que perderse con él. Tengo amigos que han adoptado esa decisión contracultural y, con gran gozo, han descubierto que hay vida después del televisor. (Se llama lectura, tiempo en familia, adoración, etc.).

¿Quieres saber qué hizo Juan el Bautista con su televisor? «Para él la soledad del desierto era una manera bienvenida de escapar de la sociedad en la cual las sospechas, la incredulidad y la impureza lo compenetraban casi todo [bienvenidos al tercer milenio]. Desconfiaba de su propia fuerza para resistir la tentación, y *huía del constante contacto con el pecado* [lo que ofrece la televisión: contacto constante con el pecado hasta que ya no resulta ofensivo], a fin de no perder el sentido de su excesiva pecaminosidad. [...] *En la soledad, por la meditación y la oración,* trataba de fortalecer su alma para la carrera que le esperaba. Aun cuando residía en el desierto, no se veía libre de tentación. *En cuanto le era posible, cerraba todas las avenidas* por las cuales Satanás podría entrar; y sin embargo, era asaltado por el tentador. Pero sus percepciones espirituales eran claras; había desarrollado fuerza de carácter y decisión, y gracias a la ayuda del Espíritu Santo, podía reconocer los ataques de Satanás y resistir su poder» (*El Deseado de todas las gentes,* cap. 10, pp. 79, 80; la cursiva es nuestra).

El uso del botón de apagado es la forma de cerrar a Satanás casi todas las avenidas. La meditación y la oración son la forma de encontrar la sabiduría y el valor para mantenerlas cerradas. Y el mensaje de Juan sobre el Calvario —«¡Este es el Cordero de Dios!» (Juan 1: 29, 36)— es la manera en que se limpia del alma el escabeche macerante. Entonces, cuando sí te sientes delante de un televisor o una computadora, dices: «Jesús, por favor, mira esto conmigo».

La generación a lo Juan el Bautista - 4

*«Y él fue por toda la región contigua al Jordán
predicando el bautismo del arrepentimiento
para perdón de pecados».* Lucas 3: 3

ESTÁBAMOS EN EUROPA intentando dar con Neuschwanstein, ese castillo de cuento de hadas, sito en Baviera, que nuestra hija llevaba tiempo queriendo ver. Nos detuvimos en Innsbruck, Austria, para comer y luego seguimos nuestro viaje en automóvil, descubriendo una magnífica autopista de cuatro carriles que discurría por espectaculares parajes de montaña. Pero daba la impresión de que nos dirigíamos al sur. Salimos por fin de la carretera junto a una casita que había en una ladera y preguntamos a la familia cómo llegar al castillo. Mirando nuestro mapa y a nosotros después, negaron con la cabeza: «No, no. ¡Esto Italia, esto Italia!». Muchos kilómetros antes, habíamos tomado una desviación indebida, metiéndonos en una autopista equivocada e íbamos en la dirección incorrecta en el país indebido. ¡Qué bochorno! Pero eso precisamente es lo que significa el llamamiento de Juan el Bautista al arrepentimiento. ¡Da un giro a tu vida! Vas en la dirección indebida. Y lo predicó, más que a nadie, a los salvos.

Cristo se dirige a Laodicea, la última iglesia de este mundo, e implora: «Sé fervoroso y arrepiéntete» (Apoc. 3: 19, NVI). Entonces, ¿de qué nos arrepentiremos los elegidos? Algunos nos avergonzamos de una larga lista de trapos sucios y pecados. Otros son incapaces de identificar nada en concreto, así que se inventan alguna infracción de poca monta. «Cuanto más nos acerquemos a él y cuanto más claramente discernamos la pureza de su carácter, tanto más claramente veremos la extraordinaria gravedad del pecado y tanto menos nos sentiremos tentados a exaltarnos a nosotros mismos. Habrá un continuo esfuerzo del alma para acercarse a Dios; una constante, ferviente y dolorosa confesión del pecado y una humillación del corazón ante él. *En cada paso de avance que demos en la experiencia cristiana, nuestro arrepentimiento será más profundo*» (*Los hechos de los apóstoles*, cap. 55, p. 418; la cursiva es nuestra).

Si el arrepentimiento para los elegidos ha de profundizarse a medida que avanzamos, ¿no deberíamos elevar la oración de David: «Examíname, Dios […]. Ve si hay en mí camino de perversidad» (Sal. 139: 23, 24)? Y entonces, ¿no deberíamos querer contemplar al «Cordero de Dios, que quita» (Juan 1: 29) los pecados que revela? Después de todo, ¿no son contra *él*, en última instancia, todos nuestros pecados? Un día yo estaba muy enfadado con Karen y le lanzaba palabras que eran crueles y cortantes. Y habría estado encantado si ella simplemente me hubiese contraatacado con una andanada propia. Pero no lo hizo. En vez de ello, rompió a llorar. Y en ese instante —cuando vi aquellas lágrimas— conocí la profundidad del dolor que mi pecado le había infligido. Y me rompió el corazón darme cuenta de que le había roto el corazón. Con todo, ¿no crees que si nos arrodillamos al pie de la cruz lo bastante cada día, el corazón que rompimos romperá también el nuestro?

El factor de Isacar - 1

«De los hijos de Isacar, doscientos principales,
entendidos en los tiempos, y que sabían lo que Israel
debía hacer, y cuyas órdenes seguían
todos sus hermanos». 1 Crónicas 12: 32

MIENTRAS MANTENEMOS la cuenta regresiva de la esperanza del «cruce al más allá» —toda una generación de los elegidos en vela, trabajando y aguardando el regreso de Jesús—, ¿no te gustaría que pudiéramos predecir el futuro igual de bien que este pequeño artilugio predice el tiempo? Es una alegre cintita de hilo tejido con todos los colores del arcoíris. Las instrucciones que vienen con él son simples: 1. Colgar fuera de la ventana. 2. Comprobar cada mañana. 3. Si está mojado, llueve. 4. Si está rígido, hiela. 5. Si está blanco, nieva. 6. Si se mueve, hace viento. 7. Si está descolorido, hace sol. Y, 8, si no está, lo han robado. ¡Qué dispositivo tan ingenioso! Siempre funciona.

¿No te gustaría que predecir el futuro fuera así de simple? Hubo una vez una antigua tribu que tenía la asombrosa capacidad de hacer precisamente eso. David acababa de derrotar a sus enemigos. El rey Saúl había muerto. En el texto de hoy las tribus de Israel estaban junto al nuevo monarca. Y en medio de su enumeración figuraba la pequeña tribu de Isacar con un calificativo excepcional: *Entendían los tiempos y sabían lo que Israel debía hacer.*

¿Qué tal si ese fuera el calificativo de los elegidos hoy? En la práctica, ¿no nos mandó Jesús que aprovechásemos este «factor de Isacar»? En Lucas 12: 54-56 y Mateo 16: 1-3, exclamó: «¡Hay que ver! Ustedes saben leer *las señales de los cielos:* "Cielo rojo al anochecer, remar será un placer; cielo rojo al amanecer, el mar se ha de mover" [De hecho, sí se refirió a ese conciso proverbio meteorológico], ¡pero no son capaces de discernir *las señales de los tiempos!*». Es decir: «¿Por qué no se vuelven todos como la pequeña tribu de Isacar y entienden los tiempos para saber qué deberían estar haciendo los elegidos?». Por ejemplo, ¿qué deberían comprender los elegidos sobre el temor que estrangula a nuestra sociedad? Tenemos miedo de todo: pandemias, terrorismo, colapso económico, debacle ecológica, la migración, nuestros vecinos: tememos al propio temor. Pero, ¿no predijo Jesús una pandemia global de temor inmediatamente antes de que regrese? «Los hombres quedarán sin aliento por el temor y la expectación de las cosas que sobrevendrán en la tierra» (Luc. 21: 26).

¿Deberíamos los elegidos tener miedo? ¡Más bien no! La gente que tiene miedo se retuerce las manos y baja la cabeza. Pero, según la declaración de Jesús, sus seguidores no. La pandemia de temor debe ser afrontada con la postura de la esperanza: «Cuando estas cosas comiencen a suceder, erguíos y levantad vuestra cabeza, porque vuestra redención está cerca» (vers. 28).

El factor de Isacar - 2

*«Mientras sea de día, tenemos que llevar a cabo
la obra del que me envió. Viene la noche cuando
nadie puede trabajar».* Juan 9: 4, NVI

NOSOTROS QUE ESTAMOS preparándonos para el cruce, ¿debería ser nuestra mascota el erizo o el zorro? Permíteme explicarte por qué esas dos opciones. El filósofo inglés Isaiah Berlin dijo en una ocasión que hay dos tipos de pensadores en el mundo: los erizos (que abrazan una gran idea y no se dejan desviar) y los zorros (que se precipitan de una idea a otra). Luego vino Joshua Cooper Ramo, autor de *The Age of the Unthinkable* [La era de lo impensable], que documentó la investigación de Philip Tetlock, politólogo y psicólogo que decidió comprobar la diferencia entre «erizos» y «zorros» en la formulación de predicciones. Tras entrevistar a cientos de expertos en economía, política y relaciones internacionales, Tetlock y su equipo descubrieron que en lo referente a la precisión predictiva, los pensadores de tipo zorro superaban a los pensadores de tipo erizo. La diferencia estaba en la «curiosidad generalizada» de los pensadores de tipo zorro. ¿Fue la «curiosidad generalizada» también el secreto de Isacar?

En Mateo 24 (denominado «el pequeño Apocalipsis» por su hincapié en acontecimientos escatológicos), Jesús piensa más como un zorro que como un erizo cuando describe una lista de siete tendencias globales que alcanzarán su clímax justo antes de su regreso. Utilizar el factor de Isacar hoy significa que debemos mantenernos ojo avizor en estas siete tendencias:

1. engaños religiosos;
2. conflictos bélicos;
3. agitación política;
4. catástrofes naturales;
5. descomposición legislativa;
6. colapso social; y
7. reavivamiento espiritual.

Si no lo has hecho aún, ¿por qué no preparas una carpeta para cada una de estas tendencias predichas? Colecciona recortes de prensa, informes de Internet, comunicados de prensa, predicciones económicas, indicadores sociales, etcétera. Como Isacar, debemos entender los tiempos para saber qué debemos hacer.

Hay quienes creen que lo que debemos hacer es convencer a Dios para que acelere las siete tendencias ahora mismo, para que la sociedad se colapse, el mundo se precipite en el caos y venga el fin. ¡Qué equivocados están! «La obra que la iglesia no ha hecho en tiempo de paz y prosperidad, tendrá que hacerla durante una terrible crisis, en las circunstancias más desalentadoras y prohibitivas» (*Testimonios para la iglesia*, t. 5, p. 438). Y de ahí que el llamamiento de Jesús en nuestro texto de hoy resulte tan urgente. «Pronto la noche viene», dice un viejo himno. Pero fíjate en la buena noticia de Jesús: «*Tenemos* que llevar a cabo la obra», es decir, con él. Es una misión conjunta.

El factor de Isacar - 3

«Pero cuando venga el Espíritu de verdad, él os guiará
a toda la verdad, porque no hablará por su propia cuenta,
sino que hablará todo lo que oiga y os hará saber las cosas
que habrán de venir». Juan 16: 13

¿TE GUSTARÍA LA INUSUAL capacidad del factor de Isacar para entender los tiempos y saber que hay que hacer? He aquí siete formas simples en que el don del discernimiento puede ser también tuyo.

1. ***Ora para tener discernimiento.*** Lee de nuevo nuestro texto de hoy. Jesús prometió concretamente que el Espíritu Santo «os hará saber las cosas que habrán de venir». Empieza a pedírselo ahora.

2. ***Estudia la Palabra.*** No tiene sentido intentar entender los tiempos sin considerar lo que Dios ya ha hablado sobre esos tiempos. Repasa las antiguas profecías, examina nuevos pasajes, sumérgete en las Sagradas Escrituras. Es justamente el Libro que los elegidos debemos dominar. «La exposición de tus palabras alumbra; hace entender a los sencillos» (Sal. 119: 130).

3. ***Cree a los profetas.*** La tribu de Isacar ya tenía antecedentes. Mucho antes de David, los dirigentes de Isacar conocían la importancia de ponerse del lado del divino don de la profecía: «Con Débora estaban los príncipes de Isacar» (Jue. 5: 15) en el día de la batalla. Y era profetisa. En el día de la batalla lo más aconsejable es estar en las filas del profeta. «Creed en Jehová, vuestro Dios y estaréis seguros; creed a sus profetas y seréis prosperados» (2 Crón. 20: 20). Hace un siglo, alguien como Débora escribió: «La época actual es de sumo interés para todos los vivientes. Los gobernantes y estadistas, los hombres que ocupan puestos de confianza y autoridad, los hombres y mujeres que piensan, de toda clase social tienen la atención fija en los sucesos que ocurren alrededor de nosotros. Observan las relaciones tirantes que mantienen las naciones. Observan la tensión que se está apoderando de todo elemento terrenal, y reconocen que está por ocurrir algo grande y decisivo, que el mundo está al borde de una gran crisis. En este mismo momento los ángeles están sosteniendo los vientos de contienda para que no soplen hasta que el mundo reciba la advertencia de su próxima condenación; pero se está preparando una tormenta; ya está lista para estallar sobre la tierra; y cuando Dios ordene a sus ángeles que suelten los vientos, habrá una escena tal de lucha, que ninguna pluma podrá describir» (*La educación,* cap. 19, p. 162). El factor de Isacar —la capacidad divinamente otorgada de discernir los tiempos y de decidir la respuesta— se predica sobre la confianza en los profetas de Dios, a los que «hacéis bien en estar atentos como a una antorcha que alumbra en lugar oscuro, hasta que el día amanezca» (2 Ped. 1: 19).

El factor de Isacar - 4

*«Les dijo: "No os toca a vosotros saber los tiempos
o las ocasiones que el Padre puso en su sola potestad"».* Hechos 1: 7

AYER HABLAMOS de tres formas en que el don del discernimiento puede ser tuyo. Hoy consideraremos dos más:

4. ***Evita toda fijación de fechas.*** El Salvador dijo a sus discípulos que el Único que tiene la fecha del regreso de Jesús rodeada en un círculo rojo en el calendario de su pared es el Padre. No debería creerse a ninguna otra persona que aparezca con «nueva luz» sobre una fecha. «Velad, pues, porque no sabéis a qué hora ha de venir vuestro Señor» (Mat. 24: 42). Sin embargo, habiendo establecido eso, no olvides que el desenlace divino es impresionantemente rápido.

El investigador Chris Martenson avisa a los lectores de su portal electrónico *(www. peakprosperity.com)* de lo mucho que pueden acelerarse los acontecimientos. Imagina, dice, que a mediodía te esposo al asiento más alto de las gradas de Fenway Park, estadio local de béisbol de los Medias Rojas de Boston. Luego deposito una sola gota de agua sobre el montículo del lanzador, una gota que, mágicamente, se duplica en tamaño cada minuto. Si Fenway fuese un estanque, ¿cuánto tiempo tendrás para huir de ese estadio para sobrevivir? Durante minutos no verías ningún aumento apreciable en el nivel de agua: una gota se convierte en dos, dos gotas se convierten en cuatro, etcétera. A las 12:44 pm habría solo metro y medio de agua en el estadio, dejando aún el 93% del estadio vacío. Pero si no te liberas en menos de cinco minutos, ¡tu asiento en la grada más alta estará bajo el agua a las 12:49 pm! Es el poder de la multiplicación exponencial en las matemáticas.

Albert Bartlett señala: «La mayor limitación de la raza humana es nuestra incapacidad para entender la función exponencial». Durante cuarenta y cuatro minutos pensamos que tenemos todo el tiempo del mundo, pero cinco minutos después ¡todo ha acabado! Hace un siglo se hizo hincapié en lo mismo: «Grandes cambios están a punto de producirse en el mundo, y los movimientos finales serán rápidos» (*Testimonios para la iglesia*, t. 9, p. 11). ¿Qué quiero decir? Aunque nadie conoce la fecha, estate prevenido de que la «función exponencial» significa que, de repente, todos los indicadores alcanzarán el máximo simultáneamente ¡a velocidad deslumbrante! ¡Vigila!

5. ***Mantén una sana cautela.*** Mientras busques el discernimiento del Espíritu para entender los tiempos, evita los pronósticos dogmáticos y a aquellos que insisten en ellos. Internet está llena de escenarios «proféticos». Mantén una sana provisionalidad y flexibilidad en tus conclusiones, «pues no sabes qué es lo mejor, si esto o aquello» (Ecl. 11: 6). Jesús te ha llamado para que vivas y sirvas con un espíritu de confianza en tu Padre celestial y tengas esperanza en tu Salvador próximo a venir, mezclado con un sincero amor hacia las personas con las que te encuentres hoy.

El factor de Isacar - 5

«Clama a mí y yo te responderé,
y te enseñaré cosas grandes
y ocultas que tú no conoces».
Jeremías 33: 3

YO SOLÍA CREER QUE el don del discernimiento era un don espiritual reservado para algunos privilegiados. Sin embargo, cuanto más estudio, más me convenzo de que Dios quiere otorgar este don a todos sus amigos. ¿Por qué, si no, iba a invitarnos en nuestro texto de hoy a pedirle que nos dé la capacidad de discernir «cosas grandes y ocultas» que no hemos conocido anteriormente? ¿Por qué, si no, iba Jesús a prometer que el Espíritu Santo «os guiará a toda la verdad […] y os hará saber las cosas que habrán de venir» (Juan 16: 13)? ¿Cómo? Considera estos dos pasos finales para entender los tiempos y saber cómo responder:

6. **Mantén tu centro de interés en Dios.** Él es el héroe del último capítulo de la historia de este mundo, no los elegidos. «¡Mirad a mí y sed salvos, todos los términos de la tierra, porque yo soy Dios, y no hay otro!» (Isa. 45: 22). Todos los análisis de tendencias y las presentaciones de las «señales de los tiempos» deben tener como meta compartida la apasionante misión de llamar la atención de esta generación hacia el Salvador. ¿Cómo?

7. **Da testimonio de tu esperanza.** Mi amigo Jon Paulien, que ha pasado su vida reflexionando sobre el libro de Apocalipsis y estudiándolo, ha escrito mucho sobre esa obra. Aunque mantiene una sana provisionalidad incluso con su propia investigación y sus propias conclusiones, reitera una cosa: con independencia de cómo se descifre el desenlace del Apocalipsis, Cristo pone de manifiesto en todo ese libro que el «evangelio eterno» debe ir «a toda nación, tribu, lengua y pueblo» (Apoc. 14: 6) antes de que regrese. Como ves, el factor de Isacar de discernir los tiempos (lo que aún está por venir) debe llevarnos al factor de Isacar de determinar la respuesta (lo que aún está por hacerse). Y Jesús es inequívoco: «Y será predicado este evangelio del reino en todo el mundo, para testimonio a todas las naciones, y entonces vendrá el fin» (Mat. 24: 14). Piénsalo: la más segura de todas las «señales de los tiempos» de que Jesús va a volver pronto es la única señal que queda en manos de sus seguidores: hablar de Jesús al mundo. ¿Y cuál podría ser un antídoto más tranquilizador para esta generación de temor que la simple verdad?: Él murió por mí: puedo vivir sin culpa; resucitó por mí: puedo vivir sin temor; y vuelve a buscarme por: puedo vivir con esperanza.

Con una buena nueva así de grande, ¡que los hijos de Isacar salgan hoy y compartan la esperanza!

Cuatro secretos para sobrevivir al terremoto económico venidero - 1

«No debáis a nadie nada, sino el amaros unos a otros,
pues el que ama al prójimo ha cumplido la ley».
Romanos 13: 8

¿SABES CUÁNTO ES un *millón* de dólares? Si apiláramos billetes de mil dólares uno encima de otro muy apretados, un millón de dólares tendrían una altura de diez centímetros. ¿Y *mil millones* de dólares? Necesitarías una pila de cien metros. ¿Y un *billón* de dólares? Eso requiere una pila de billetes de mil dólares de ¡cien kilómetros! Y, ¿cuál es la deuda actual del gobierno de Estados Unidos? La pila para saldarla se extendería más allá de la estación espacial internacional, ¡más de mil cien kilómetros en el espacio! Y eso no incluye los intereses. Pero si tomásemos toda la deuda estadounidense —pública y privada, del gobierno y personal— algunos cálculos dicen que, en conjunto, los ciudadanos de mi país debemos hasta 95 pilas de mil kilómetros de billetes de mil dólares. No es de extrañar que haya quien piense que, en la sociedad de hoy, la palabra «deuda» es una palabrota. ¿Hay esperanza para ti y para mí? Sí. Para el terremoto económico que retumba bajo nuestros pies ahora mismo hay cuatro secretos vitales de supervivencia para los elegidos. Mientras adoras, sopésalos.

Secreto 1. Elimina tus deudas. Todos los asesores financieros prudentes que conozco son unánimes en esto. ¿Qué clase de deudas? ¡Todas! Pero empieza con tus tarjetas de crédito. Lleva a cabo lo que Dave Ramsey denomina «plastectomía»: corta tu plástico en pedazos. «Pero yo saldo mi(s) tarjeta(s) de crédito cada mes». Ramsey calcula que gastamos entre un 12 y un 18% más usando plástico aunque saldemos el crédito mensualmente. ¿Por qué? Porque nada ralentiza el gasto como ir contando el efectivo. «Pero ya debo un enorme saldo en tarjetas de crédito». Entonces empieza a pagar más del mínimo. Los emisores de tarjetas de crédito te quieren adeudado de por vida. Salda tus tarjetas empezando con la de menor saldo para que puedas tener éxito lo antes posible. Reduce tu tasa de interés. Llama a la compañía. Preferirán tenerte como cliente a perder tus pagos por completo. Y habla con alguien. Rompe la cadena de vergüenza de la deuda. No estás solo. Hablar es el primer paso hacia la ayuda.

Llovía, así que yo hacía ejercicio corriendo sobre mi cinta motorizada, preocupado por circunstancias y preguntándome cómo iba a resultar todo. De repente vi dos pajarillos azules posados en el árbol mojado frente a mi ventana. Los miré fijamente mientras corría. Saltaron a otra rama y ambos se giraron hacia mí, como si quisieran que los mirara un buen rato. ¿Parecen preocupados o inquietos? El Padre celestial en el que confían, ¿no me hizo también a mí? Entonces, ¿por qué habría de estar yo preocupado o inquieto? ¿No debería yo confiar en él? Porque, ¿no le soy de más valor que dos pequeños pajarillos azules?

Cuatro secretos para sobrevivir al terremoto económico venidero - 2

*«Dios les dará a ustedes todo lo que les falte,
conforme a las gloriosas riquezas que tiene
en Cristo Jesús».* Filipenses 4: 19, DHH

¿TE HAS PREGUNTADO alguna vez por qué se inventaron los anuncios publicitarios? En una ocasión leí un libro de Jerry Mander, exdirector de una empresa de publicidad. Su título delata su premisa: *Four Arguments for the Elimination of Television* [Cuatro razones para la eliminación de la televisión]. En él dice algo importante que se me ha quedado grabado a lo largo de los años. El propósito fundamental de la publicidad es crear en el televidente un estado de descontento. Piénsalo. ¿Necesito la publicidad para recordarme que debo consumir alimentos y ponerme ropa para sobrevivir? ¿Necesitas anuncios que te recuerden que te cepilles los dientes y te laves las manos y tu ropa sucia? ¡Más bien no! La publicidad busca vendernos lo que no habríamos comprado si no hubiésemos visto el anuncio. Crea «una insatisfacción». Sencillamente, tengo que hacerme con ese iPhone, conducir ese vehículo, ponerme esos pantalones de marca. Y así compramos lo que no necesitamos.

Secreto 2. Descubre el gozo del contentamiento. (Y ver menos televisión sería un secreto auxiliar, supongo). No elimines deudas únicamente, sino mantente alejado de la deuda. ¿Qué impedirá que sucumbamos a los cantos hipnóticos de las tiendas (especialmente durante esta época navideña)? «Pues he aprendido a estar satisfecho en cualquier situación en que me encuentre. Sé lo que es vivir en la pobreza, y lo que es vivir en la abundancia. He aprendido a vivir en todas y cada una de las circunstancias, tanto a quedar saciado como a pasar hambre, a tener de sobra como a sufrir escasez» (Fil. 4: 11, 12, NVI). Como ves, *el contentamiento es un estado de ánimo apacible basado en una forma de vida sencilla.* Pablo no era un budista zen. Era un seguidor de Cristo que aprendió a estar feliz y contento con cualquier cosa que tuviera o no tuviera. «Mi Dios, pues, suplirá todo lo que os falta conforme a sus riquezas en gloria en Cristo Jesús» (vers. 19). Es una promesa de suplir todas nuestras *necesidades,* no nuestros *deseos.* Cuando reducimos nuestros caprichos, sentimos contentamiento al confiar nuestras necesidades a Dios.

«Todo el tesoro del cielo está abierto a aquellos a quienes él trata de salvar. Habiendo reunido las riquezas del universo, y abierto los recursos de la potencia infinita, lo entrega todo en las manos de Cristo y dice: Todas estas cosas son para el hombre. Úsalas para convencerlo de que no hay mayor amor que el mío en la tierra o en el cielo. Amándome hallará su mayor felicidad» (*El Deseado de todas las gentes,* cap. 5, p. 40). ¿Eres capaz de pensar en un Amigo más querido en el que confiar y al cual amar?

Cuatro secretos para sobrevivir al terremoto económico venidero - 3

«Traigan íntegro el diezmo para los fondos del templo,
y así habrá alimento en mi casa. Pruébenme en esto
—dice el Señor Todopoderoso—, y vean si no abro
las compuertas del cielo y derramo sobre ustedes
bendición hasta que sobreabunde». Malaquías 3: 10, NVI

¿TE GUSTARÍA SER UNO de los amigos íntimos de Warren Buffett, que empezó de jovencito trabajando de repartidor de periódicos y ha acabado siendo uno de los hombres más ricos del mundo (con una fortuna neta que se calcula en torno a los 62,000 millones de dólares)? ¿Te lo imaginas entregándote su tarjeta un día, con su número de teléfono privado y con un «Por si me necesitas alguna vez» escrito en el reverso? ¡Cómo podrías mantener en secreto su amistad!

Hay un Dios aún más rico que Warren Buffett. Se sabe de buena fuente que dijo: «Mía es la plata y mío es el oro» (Hag. 2: 8), y, por lo visto, ¡quiere decir que su totalidad! «Míos son los animales del bosque, y mío también el ganado de los cerros» (Sal. 50: 10, NVI), y, según los informes que hemos recibido, hasta las colinas que hay bajo el ganado son suyas. «De Jehová es la tierra y su plenitud, el mundo y los que en él habitan» (Sal. 24: 1), pasaje que llevó a Maltbie Babcock a componer un himno, traducido por J. Pablo Simón, que canta la verdad: «El mundo es de mi Dios». ¿Te gustaría ser uno de los amigos íntimos de este Dios? ¿Llevar en tu corazón su número de teléfono directo, «por si me necesitas alguna vez»? ¿Cómo podrías mantener en secreto su amistad? Precisamente que todo el universo pertenezca a Dios es la verdad que subyace al tercer secreto.

Secreto 3. Contrata a Dios como tu Presidente, tu Director Financiero y tu Director de Operaciones. En el lenguaje del mundo empresarial de Warren Buffett, Dios se ofrece a ser nuestro presidente, nuestro director financiero y nuestro director de operaciones: los Tres en Uno. Aceptamos (¡quién no lo haría!) su generoso ofrecimiento con alegría y humildad (¿quieres ser *mi* socio?) con una sola firma: en un sobre de diezmo. Desde el comienzo, el diezmo ha definido que el 10% de nuestros ingresos pertenece exclusivamente al Dios que ha permitido que ganemos el 100%. Es contrario a la lógica, especialmente para los que luchamos por la supervivencia económica. Pero, verdaderamente, no podemos permitirnos el lujo de *no* diezmar. Moisés recordó a los elegidos: «Yo os he conducido durante cuarenta años en el desierto, sin que vuestros vestidos hayan envejecido sobre vosotros ni vuestro calzado haya envejecido sobre vuestro pie» (Deut. 29: 5). Neumáticos que duran más, dinero que se estira más lejos: no acierto a explicar cómo cumple Dios su promesa en nuestro texto de hoy. Todo lo que sé por experiencia personal es que no hay nadie mayor para tener a tu lado en medio de esta debacle económica. Así que hazte hoy su socio.

Cuatro secretos para sobrevivir al terremoto económico venidero - 4

«Den a otros, y Dios les dará a ustedes.
Les dará en su bolsa una medida buena, apretada,
sacudida y repleta. Con la misma medida con que ustedes
den a otros, Dios les devolverá a ustedes». Lucas 6: 38, DHH

ME ENCANTA EL RELATO. Seguro que a ti también. Allí está, recogiendo algo de leña en aquella tierra asolada por la sequía y el hambre, preparando una última cena para su hijo y para ella, cuando un profeta de barba frondosa le pide no solo un vaso de agua, sino también comida. «Hazme este favor y nunca te faltará comida» (ver 1 Rey. 17: 8ss). ¿Ilógico? Del todo. Pero la respuesta de fe de la viuda aún enseña la verdad: *si haces de Dios lo primero, él suplirá tus necesidades.* ¿No es eso lo que Jesús intentó decirnos cuando prometió: «Dad y se os dará» (Luc. 6: 38)? ¿Cómo podía la renuncia de la viuda a lo poco que tenía llegar a dar como resultado más de lo que jamás podría haber soñado? Puede que te preguntes lo mismo cuando contemplas ese montoncito de billetes que hay sobre tu mesa o la notificación de despido que tienes en la mano. *¿Cómo puede llegar Dios a proveer lo que el desempleo me ha quitado?*

Secreto 4. ¡Convierte tu supervivencia en prosperidad! ¿Por qué no lo averiguas? Da el paso de dar y comprueba si el Dios de Elías y la viuda no convierte también su supervivencia en prosperidad. Lo cierto es que la gente más feliz del mundo está constituida por todos los dadores, sean ricos o pobres. Las investigaciones demuestran que dar potencia el sistema inmunológico, combate el estrés y la depresión y, de paso, aumenta la esperanza de vida. «Dad y se os dará». Jesús sabía de qué hablaba. Da tu tesoro, da tus talentos, da tu tiempo, date a ti mismo. «Porque tanto amó Dios al mundo, que dio» (Juan 3: 16, NVI). Estás en excelente compañía. «Dar toca una fibra sensible en nosotros como ninguna otra cosa puede hacerlo. Nos parecemos mucho a Dios cuando lo hacemos. Cuando das, desafías al temor de que no tendrás suficiente. Insultas a la codicia, al impulso de adquirir o poseer más de lo que uno necesita o merece. Si de verdad crees que Dios es el dueño de todo y que es tu fuente y tu proveedor, dar será cosa sencilla. [...] Según Jesús, dar mantiene tu corazón en su movimiento hacia Dios alejándose de las cosas materiales. [...] Tu corazón seguirá la dirección de tu dadivosidad» (Ed Gungor, en *Leadership,* verano de 2006, p. 36).

Elizabeth Johnston, de cuatro años de edad, aprendía su versículo de memoria: «Dios ama al dador alegre» (2 Cor. 9: 7). Pero su madre, Madeline, me contó que se formó un batiburrillo con las palabras, porque toda aquella semana pudo oír a Beth repitiendo el versículo a sus muñequitas: «Dios es un amoroso dador alegre». ¡Cuán cierto!

Nuestra lista de Navidad

«Haceos tesoros en el cielo, donde ni la polilla
ni el moho destruyen, y donde ladrones no entran ni hurtan,
porque donde esté vuestro tesoro, allí estará
también vuestro corazón». Mateo 6: 20, 21

A VECES LOS ELEGIDOS podemos ser como los dos hermanitos que pasaban la noche en el hogar de sus abuelos. A la hora de acostarse, los niños se arrodillaban junto a su cama para decir sus oraciones. El más joven se puso a orar a todo pulmón: «RUEGO POR UNA BICICLETA NUEVA. RUEGO POR UNA CONSOLA NINTENDO NUEVA. RUEGO POR UNA TABLETA NUEVA». Su hermano mayor se inclinó hacia él y le dio un codazo: «¿Por qué gritas? ¡Dios no está sordo!». A lo cual el hermano pequeño contestó: «No, pero la abuela sí».

En nuestra cuenta regresiva a esta temporada del año, la más comercial de todas, ¿se ha convertido Dios en una especie de abuelita benevolente para nosotros? Repasando nuestro viaje de oración este año, ¿podría ser que nuestros momentos de oración hayan acabado convirtiéndose en listas de Navidad? «Querido Dios, bendito sea tu nombre. Y gracias por tu bondad. Y, por favor, sé generoso conmigo, porque necesito… y… y… En el nombre de Jesús. Amén».

Una de las lecciones llamativas de la vida que pocos seres humanos llegan a aprender es que el viaje de la fe y la religión no son para que Dios pueda ser generoso hacia nosotros, sino, más bien, para que podamos aprender a ser generosos hacia él. Ese fue el contundente remate de Jesús a esa sombría parábola sobre un acomodado hacendado que una noche se metió en la cama e inició un delicioso soliloquio sobre el éxito tremendo que tenía y lo enormemente rico que se había vuelto. La conversación que mantuvo consigo mismo a medianoche logra enlazar varias frases en primera persona. Y cuando suspira satisfecho para ponerse por fin a dormir, las cortinas de la medianoche tiemblan ligeramente, una brisa escalofriante entra en la habitación, y en ese viento frío, una Voz en la oscuridad dice: «¡Necio!». El próspero hacendado sufre un paro cardíaco y fallece. Fin. ¿Qué quiso decir Jesús? «Así es el que hace para sí tesoro y no es rico para con Dios» (Luc. 12: 21).

En toda la historia del mundo, ¿puedes pensar en un año más crítico que este para que pongamos nuestros dones para Dios en los primeros puestos de nuestra lista de Navidad? Un día cercano lo poco que tenemos no valdrá nada. Mientras estaba fuera, la casa de John Wesley quedó reducida a cenizas. Cuando recibió la noticia de aquella terrible pérdida, Wesley respondió: «Ha ardido la casa *del Señor.* ¡Una responsabilidad menos para mí!».

La generación de Jesús:
«¿Seguimos siendo nosotros mismos?»

«Qué alegría para la nación cuyo Dios es el Señor,
cuyo pueblo él eligió como herencia». Salmo 33: 12, NTV

U NA NOCHE NUESTRA HIJITA mantenía una conversación filosófica bastante profunda con su madre. Con cinco años de edad, aún estaba asimilando la distinción temporal entre ayer, hoy y mañana. Cuando Karen la arropó en la cama, de buenas a primeras Kristin preguntó: «Mami, ahora que es *esta noche,* ¿es esto *mañana*?». Karen contestó: «No, Krissie, no es *mañana*». Pero, mirando hacia arriba desde su almohada, quiso saber más: «Bueno, entonces, ¿es *ayer*?». Obviamente, según la lógica de un niño de cinco años, si esta noche no es hoy y tampoco mañana, tiene que ser ayer. «No, cariño, esto es *hoy*». «Entonces, ¿cuándo es *mañana*?». A lo que Karen replicó: «Cuando te despiertes por la mañana, será *mañana*». Kristin pensó largo y tendido un momento y luego, con el ceño fruncido de perplejidad, preguntó: «Mami, ¿seguimos siendo nosotros mismos?».

Empiezas con una disquisición filosófica sobre el tiempo y acabas con la gran disquisición ontológica: ¿Seguimos siendo nosotros mismos? Bueno, ¿seguimos siéndolo? A lo largo de ciento setenta años, gente de Estados Unidos y del mundo entero ha venido proclamando la pronta venida de Cristo. «¡El mañana casi está aquí!», han gritado los elegidos. Hoy casi se ha convertido en ayer, y esta noche es casi mañana. Así que antes de que esta noche se convierta en ayer, ¡es hora de prepararse!

No osamos abandonar esa esperanza. Después de todo, la palabra «inminente» ha estado entretejida en la conversación colectiva de los elegidos desde el comienzo. El diccionario la define como un acontecimiento que está a punto de acaecer, que pende sobre nuestra cabeza, cercano en su incidencia, que ha de suceder prontamente. «El fin de todas las cosas se acerca» (1 Ped. 4: 7). Como nuestros progenitores espirituales, ¿seguimos vinculando la palabra «inminente» con la venida de Jesús? ¿Seguimos siendo nosotros mismos?

Hay quien dice que, siempre que Jesús venga, no importa realmente si es pronto o no. Cuéntale eso a una pareja joven apasionadamente enamorada y que arranca con impaciencia las páginas del calendario hasta el ansiado día de su boda. ¡El «pronto» cambia las cosas como de la noche a la mañana! Y, por ello, debe cambiarlas también para los elegidos de esta generación. Si alguna vez nos desconectamos del mañana, perderemos rápidamente nuestro asidero en el presente.

Un cartel de un restaurante de comida rápida pone: «Gracias por venir. Por favor, vuelva pronto». Es una versión para el tercer milenio de la última oración del Apocalipsis: «¡Amén! ¡Ven, Señor Jesús!» (Apoc. 22: 20). Cuando esa llegue a ser nuestra oración diaria, entonces seguiremos siendo nosotros mismos: la generación de Jesús.

La generación de Jesús: 144,000 - 1

*«Sabemos, hermanos amados de Dios,
que él os ha elegido».* 1 Tesalonicenses 1: 4

H A HABIDO UNA SIMPLE pregunta, de las que se responden afirmativa o negativamente, con la que vengo luchando. Quizá tú también. ¿Tiene Dios un criterio para la última generación de sus elegidos en la tierra diferente del que tuvo para todas las generaciones anteriores? ¿Hay un criterio de «traslación» (para los elegidos que irán al cielo sin experimentar la muerte) que es diferente de un criterio de «resurrección» (para los elegidos que resucitarán cuando Jesús regrese)? Dirás: «¿Qué más da? ¿En qué cambia eso las cosas?». Bueno, si Dios, en efecto, tiene dos criterios diferentes para sus amigos, dependiendo de cuándo vivieron en la historia de la salvación, ¿no querrías conocer cuál es el criterio de Dios para esta potencialmente última generación de elegidos? ¡Pues claro! Así que busquemos la respuesta.

Entran ahora en escena los 144,000. «Después miré, y vi que el Cordero estaba de pie sobre el monte de Sion, y con él ciento cuarenta y cuatro mil que tenían el nombre de él y el de su Padre escrito en la frente» (Apoc. 14: 1). ¿Te has fijado alguna vez en lo contraculturales que son estos amigos apocalípticos de Dios del tiempo del fin? **1.** Tienen el nombre del Señor en la frente en un momento en que el resto del mundo tiene «la marca de la bestia» en la suya (16: 2; 13: 16). **2.** Cantan «un cántico nuevo» (14: 3) en un momento en que el resto del mundo está macerado en la música de la Babilonia caída (18: 22). **3.** Rehúsan acostarse con la gran ramera cuando el resto de la tierra ha dormido con esta alianza geo-religioso-política (18: 3). **4.** «Siguen al Cordero por dondequiera que va» (14: 4) cuando el mundo entero ha seguido a «la bestia», esa confederación demoníaca del tiempo del fin (13: 3). **5.** «En sus bocas no fue hallada mentira» (14: 5) cuando el engaño y el subterfugio son la norma de la época (13: 14). **6.** Son «intachables» (14: 5, NVI) en medio de una sociedad moralmente caída y espiritualmente insolvente (18: 4, 5).

Está claro que los 144,000 son la generación de Jesús en vísperas de su regreso. Pero, ¿están sometidos a un criterio divino más elevado que todos los elegidos que vivieron antes que ellos? Sea cual sea la respuesta, está claro que son personas contraculturales con una pasión inquebrantable por Cristo. Si eso fuera todo, ¿no querrías para ti ese retrato?

La generación de Jesús: 144,000 - 2

«Esta es la historia de Noé. Noé era un hombre justo y honrado
entre su gente. Siempre anduvo fielmente con Dios». Génesis 6: 9, NVI

¿SON LOS 144,000 LITERALES? Con la manera en la que se desenvuelve la vida en la tierra estos días, uno se pregunta a veces si a Dios le quedan tan siquiera 144,000 seguidores y amigos leales (siendo tú y yo excepciones, naturalmente). Pero si tocamos ese violín mucho tiempo, pronto acabamos haciéndonos eco de la autocompasión de Elías, que suspiró a Dios: «Solo yo he quedado» (1 Rey. 19: 10, 14), cuando, en realidad, Dios contaba con siete mil personas más que no se habían inclinado a la cultura caída y no se habían macerado en aquel mundo gentil. Está claro que 144,000 es un número simbólico, tanto como la descripción de «judíos vírgenes» (Apoc. 7: 4; 14: 4) de esta generación escatológica de elegidos de Dios. El hecho es que Dios tiene sus fieles por toda la tierra.

Sin embargo, ¿estarán sometidos a un criterio diferente del de los amigos de Dios de generaciones anteriores? Ampliemos la descripción de ayer de seis puntos basados en Apocalipsis 14 para ver si hay precedentes de esa generación.

1. ¿Son los 144,000 los únicos «intachables» de la historia? Mira nuestro texto de hoy. Noé también lo fue. Y también lo fueron Abraham y Job (Gén. 17: 1; Job 1: 1).

2. ¿Son los primeros que no mienten? No, porque Jesús dijo de Natanael que en él no había engaño (Juan 1: 47).

3. ¿Son los primeros que siguen al Cordero? «Enoc anduvo con Dios» (Gén. 5: 24, LBA).

4. ¿Son los primeros en ser puros moral y espiritualmente? No, porque también lo fueron José y Daniel y sus tres compañeros (Gén. 39: 10; Dan. 3: 12).

5. ¿Son los primeros que cantan un cántico nuevo? Moisés e Israel entonaron un cántico así en la orilla oriental del Mar Rojo (Éxo. 15: 1).

6. ¿Son los primeros en ser sellados? Los judíos temerosos de Dios fueron sellados hace mucho (Eze. 9: 4) y los cristianos temerosos de Dios han sido sellados a lo largo de la historia (Efe. 1: 13).

7. ¿Son los primeros que obedecen los mandamientos de Dios (Apoc. 14: 12)? No, porque Daniel lo hacía (Dan. 6: 13).

8. ¿Son los primeros que tienen la fe de Jesús (Apoc. 14: 12)? No, porque Pablo aconsejó a Timoteo que hiciera lo mismo (2 Tim. 4: 7).

Considerando esta lista, ¿cómo responderías ahora la pregunta de si la generación de Jesús está sometida a un criterio diferente o más elevado que el resto de los amigos, santos y pecadores perdonados de Dios a lo largo de la historia? La respuesta está clara. Lo que Dios ha pedido a sus amigos desde el mismo comienzo sigue buscándolo hoy. El criterio sigue inalterado. «Bástate mi gracia» (2 Cor. 12: 9) sigue siendo el fundamento divino sobre el que Dios siempre ha edificado su familia de la fe. Entonces, ¿no son los 144.000 excepcionales en absoluto? Lo son ciertamente, como descubriremos mañana.

La generación de Jesús: 144,000 - 3

*«En aquel tiempo se levantará Miguel, el gran príncipe
que está de parte de los hijos de tu pueblo.
Será tiempo de angustia, cual nunca fue
desde que hubo gente hasta entonces;
pero en aquel tiempo será libertado
tu pueblo, todos los que se hallen
inscritos en el libro».*
Daniel 12: 1

HAY DOS SENTIDOS excepcionales en los que los 144,000 carecerán de paralelos en la historia de la salvación.

1. ***Serán únicos en número.*** El tamaño mismo del número 144,000 revela que habrá literalmente miles y miles de hijos de la tierra que se elevarán al criterio de la santidad de Dios que este siempre ha mantenido ante sus amigos. Solo que ahora, en vez de un Enoc, un Noé, un José, una Rut, un Natanael o un Pablo aislados aquí o allí, habrá toda una generación de Enocs, Juanes Bautistas, Marías, Esteres y Danieles («A Daniel imita, dalo a conocer; muéstrate resuelto y firme, aunque solo estés») en toda nación, tribu, cultura y pueblo. Dios tendrá Jobes a millares que serán tal leales a él que exclamarán: «Aunque él me mate, en él esperaré» (Job 13: 15). ¿Cómo lo sabemos? «Ellos [...] han vencido [al dragón] por medio de la sangre del Cordero y de la palabra del testimonio de ellos, que menospreciaron sus vidas hasta la muerte» (Apoc. 12: 11). Por toda la faz de esta tierra caída habrá un pueblo que tenga el nombre de Dios en la frente y su carácter en el corazón.

2. ***Serán únicos en la historia.*** Porque serán la generación que viva cuando se produzca el golpe final del mazo del juicio cósmico. «La hora de su juicio ha llegado» (Apoc. 14: 7). Nuestro texto de hoy describe un «tiempo de angustia, cual nunca fue desde que hubo gente». Dios revela esta crisis inminente no para asustarnos, sino para recordarnos que habrá un pueblo en la tierra que, en medio de un tiempo de angustia sin precedentes, permanecerá, como Daniel, absolutamente leal al Dios creador del cielo. La generación de Jesús. Los elegidos. Y por eso entonarán un cántico nuevo que «nadie podía aprender [...], sino aquellos ciento cuarenta y cuatro mil que fueron redimidos de entre los de la tierra» (Apoc. 14: 3). Y por eso precisamente ansía Dios tanto «preparar al Señor un pueblo bien dispuesto» (Luc. 1: 17). Lo que está en juego nunca ha sido mayor, los tiempos nunca han sido más urgentes —«pero confiad, yo he vencido al mundo» (Juan 16: 33)—, ¡y su promesa nunca ha infundido más esperanza!

La generación de Jesús: Un lema, una vida

*«Es necesario que él crezca,
y que yo disminuya».*
Juan 3: 30

Y, ¿CUÁL ES EL LEMA que guía la vida de esa generación del tiempo del fin, esa generación del cruce al más allá que se niega a beber lo que C. S. Lewis llamó el «dulce veneno del falso infinito» y acepta, en vez de eso, el llamamiento de Dios a una santidad contracultural radical?

Considera las últimas palabras registradas de aquel amigo de Dios antes de que fuera arrestado por un rey pecador, encarcelado en una fortaleza aislada y, luego, en una noche, decapitado a petición de una reina locamente vengativa. Porque en sus últimas palabras, la generación a lo Juan el Bautista y la generación de Jesús se unen en un nexo común. «Es necesario que él crezca, y que yo disminuya», dijo Juan a sus seguidores, cuyo número disminuía.

¿Podría haber un deseo más noble para una generación que vive en el límite del tiempo? Según lo expresó un autor: «Mire yo diez veces a Cristo, oh Dios, por cada mirada que me dé a mí mismo». Que mi preocupación por Jesús sea diez veces mayor que la que tengo por mí. *El Deseado de todas las gentes* describe la paradoja: «Mirando con fe al Redentor, Juan se elevó a la altura de la abnegación [la renuncia a sí mismo]. [...] El alma del profeta, despojada del yo, se llenó de la luz divina» (cap. 18, p. 157). La altura paradójica de la abnegación: no es de extrañar que el propio Job pudiera exclamar: «Por eso me aborrezco y me arrepiento en polvo y ceniza» (Job 42: 6).

«Es necesario que él crezca, y que yo disminuya». Porque así escogen vivir los 144,000. «Siguen al Cordero por dondequiera que va» (Apoc. 14: 4). Viven según el credo de Juan, porque no hay otra manera de que el yo sea eliminado de su vida. «Es necesario que Cristo crezca, y que yo disminuya». Más y más de él, menos cada vez de mí.

Théodore Monod compuso un himno en inglés que entona la oración de Juan. Aunque al traducirse literalmente al español se pierde la métrica y la rima, su pensamiento es certero: «¡Qué pena y qué dolor tan amargos que hubiera un momento en que orgullosamente dije a Jesús: "Todo del yo y nada de ti"! [...] Pero me encontró; lo contemplé desangrándose en el árbol maldito; y mi triste corazón dijo débilmente: "Algo del yo y algo de ti". [...] Día a día su tierna misericordia, su sanación, su ayuda, plenas y gratuitas, me abatieron, mientras susurraba: "Menos del yo y más de ti". [...] Más encumbrado que el alto cielo, más hondo que el mar más profundo, Señor, tu amor ha vencido al fin: "*Nada* del yo y *todo* de ti"» (*Christ in Song*, nº 218).

La generación de Jesús: E.P.D.

*«Pero se levantó una gran tempestad de viento
que echaba las olas en la barca, de tal manera que ya se anegaba.
Él estaba en la popa, durmiendo sobre un cabezal. Lo despertaron
y le dijeron: "¡Maestro!, ¿no tienes cuidado
que perecemos?"».* Marcos 4: 37, 38

NO DUERMO MUY BIEN cuando el avión en el que viajo cabecea y se balancea en medio del cielo nocturno a treinta y cinco mil pies. Prefiero estar en mi propia cama. Que Jesús se las arreglara para seguir dormido en el lago a medianoche, en medio de aquella furiosa tempestad, que proyectaba agua por doquier con gran agitación, es, simplemente, milagroso. Pero, ¿crees que es el mismo milagro que Dios anhela guardar en lo profundo del corazón de la generación de Jesús para prepararla para la tremenda tormenta que se avecina?

Oswald Chambers, en *My Utmost for His Highest,* define así la fe: «La fe es la inexpresable confianza en Dios, confianza que nunca sueña que no estará a nuestro lado» (29 de agosto). En la furia de aquella tempestad, Jesús dormía plácidamente porque jamás soñó que el Padre no estuviera junto a él. «Jesús [...] descansaba en la fe —fe en el amor y el cuidado de Dios—» (*El Deseado de todas las gentes,* cap. 35, p. 308).

Como el día que Jesús murió. «Cuando era como la hora sexta, hubo tinieblas sobre toda la tierra hasta la hora novena. El sol se oscureció y el velo del templo se rasgó por la mitad. Entonces Jesús, clamando a gran voz, dijo: *"Padre, en tus manos encomiendo mi espíritu".* Habiendo dicho esto, expiró» (Luc. 23: 44-46).

No quiero parecer morboso, pero si puedo elegir las últimas palabras que exhale antes de morir, me gustaría fallecer con estas palabras de absoluta confianza en mis labios. ¿No opinas igual? Cuando se convirtió en el primer mártir cristiano, Esteban hizo eso: «Señor Jesús, recibe mi espíritu» (Hech. 7: 59). Como Juan Hus, pastor y reformador de Bohemia, cuyas últimas palabras, atado a aquel poste en llamas fueron: «En tus manos encomiendo mi espíritu, oh Señor Jesús, porque tú me redimiste». Fueron también las últimas palabras de Lutero y Melanchthon.

Y esas últimas palabras serán las *palabras de vida* de la última generación de los elegidos de la tierra. ¿Cómo, si no, supones que atravesarán la tempestad más turbulenta de la historia del mundo? Una fe radical: «Padre, en tus manos encomendamos nuestra vida». «Los tiempos de apuro y angustia que nos esperan requieren una fe capaz de soportar el cansancio, la demora y el hambre, una fe que no desmaye a pesar de las pruebas más duras. El tiempo de gracia [...] es concedido [ahora] a todos a fin de que se preparen para aquel momento» (*El conflicto de los siglos,* cap. 40, p. 606). Elevemos juntos esta oración: «Señor, auméntanos la fe» (cf. Luc. 17: 5). Y lo hará.

La generación de Jesús: «A lugares solitarios»

*«[Jesús], por su parte, solía retirarse
a lugares solitarios para orar».*
Lucas 5: 16, NVI

D ALLAS WILLARD HABLA de experimentos realizados con ratones y anfetamina (una sustancia que induce un mayor estado de vigilia). Cuando se mantiene solo a un ratón, hace falta veinte veces más de anfetamina para matarlo que cuando está en un grupo. De hecho, los investigadores descubrieron que si ponían a un ratón que no hubiera consumido anfetamina en medio de un grupo ya sometido a la sustancia, ¡ese pobre ratón libre de la sustancia moría en menos de diez minutos! Tan enérgico era el errático comportamiento del grupo de ratones drogados que el ratón sano empezaba a imitar la frenética disfunción de sus congéneres y acababa cayendo muerto al tratar simplemente de seguirles el ritmo. ¿Qué quiere decir Willard? «Nuestra conformidad con el patrón social es apenas menos notable que la de los ratones, e igual de letal» (*Spirit of the Disciplines*, p. 161). Y ahí está la lección que necesita la generación de Jesús. La hipnótica atracción del patrón social de esta cultura únicamente puede ser rota si nos apartamos de ella, tal como hacía Jesús.

¿Por qué Jesús se retiraba a lugares solitarios a orar? «Ninguna vida estuvo tan llena de trabajo y responsabilidad como la de Jesús, y, sin embargo, cuán a menudo se le encontraba en oración. Cuán constante era su comunión con Dios. [...] En una vida completamente dedicada al beneficio ajeno, el Salvador hallaba necesario retirarse de los caminos muy transitados y de las muchedumbres que le seguían día tras día. Debía apartarse de una vida de incesante actividad y contacto con las necesidades humanas, para buscar retraimiento y comunión directa con su Padre. Como uno de nosotros, participante de nuestras necesidades y debilidades, dependía enteramente de Dios, y en el lugar secreto de oración, buscaba fuerza divina, a fin de salir fortalecido para hacer frente a los deberes y las pruebas. [...] Por medio de la comunión continua, recibía vida de Dios a fin de impartirla al mundo. *Su experiencia ha de ser la nuestra*» (*El Deseado de todas las gentes,* cap. 38, p. 335; la cursiva es nuestra).

Para una generación que ora deseando cruzar al otro lado, no hace falta ser un genio para sugerir que ¡el estado de la civilización de la tierra esa hora final será como el de los ratones drogados con anfetamina! Por lo tanto, es absolutamente imprescindible que tú y yo mantengamos y protejamos nuestra soledad cotidiana con Jesús, pase lo que pase. El enemigo de todos nosotros sabe que si puede atraernos a la conformidad con los patrones sociales y la cultura caída de esta sociedad, el frenesí absoluto de intentar imitarlos nos destruirá. Por el bien de su alma y de su misión, nuestro Maestro y Ejemplo se apartaba a menudo a lugares desiertos para orar. Por el bien de nuestra alma y de nuestra misión, ¿podemos permitirnos el lujo de obrar de forma distinta?

La generación de Jesús: «Se nos conduce»

«Luego el Espíritu lo impulsó al desierto».
Marcos 1: 12

EN UNA OCASIÓN, Nissan promocionó sus relucientes creaciones con el eslogan publicitario «¡Nos conducen!». Por supuesto que sí, a todos nosotros. Algunos somos guiados por la necesidad de ser amados y aceptados. Otros somos llevados por la necesidad de ser ensalzados y aplaudidos. Otros, en fin, somos conducidos por la necesidad de complacer constantemente a gente importante con la que nos relacionamos, trátese de un progenitor, el cónyuge, el jefe o hasta el recuerdo de uno de ellos. Sin embargo, para que no lleguemos a la conclusión de que, de algún modo, es moralmente incorrecto ser conducido, nuestro texto de hoy nos recuerda que el propio Jesús fue conducido, no por las extravagancias emocionales que, sin duda, nos impulsan, sino conducido, pese a todo, por el mismísimo Espíritu.

Siempre me asombra esta reflexión sobre la vida de Jesús: «De las horas pasadas en comunión con Dios, [Jesús] volvía mañana tras mañana, para traer la luz del cielo a los hombres. *Diariamente recibía un nuevo bautismo del Espíritu Santo*» (*Palabras de vida del gran Maestro*, cap. 12, p. 105; la cursiva es nuestra). ¿Te has fijado? Cada día recibía una recarga de energía de la poderosa tercera persona de la Divinidad. La vida impulsada por el Espíritu era la búsqueda y la experiencia cotidianas de Jesús. ¡Ojalá que todos fuésemos conducidos así!

Pero, ¿por qué es tan esencial este Don, especialmente para los elegidos? Simple. El Espíritu Santo es el secreto de la vida semejante a la de Cristo que llevan los 144,000 inmediatamente antes de que este regrese. Fíjate atentamente cómo describe *El Deseado de todas las gentes* esta causa y su efecto: «El Espíritu Santo es el aliento de la vida espiritual. *El impartimiento del Espíritu es el impartimiento de la vida de Cristo*. Comunica al que lo recibe los atributos de Cristo» (cap. 84, p. 761; la cursiva es nuestra).

En un mundo en el que los héroes más populares de la humanidad cuentan con una estrella incrustada en la acera de Hollywood Boulevard, Dios suscita una nueva generación conducida a emular a un Héroe radicalmente diferente y exponencialmente mayor. ¿Cómo dice ese viejo canto evangélico? «¡Ser como él de corazón!, es mi sola aspiración; en cualquiera condición quiero ser cual Cristo». Bueno, podría ser el canto de la generación de Jesús: tan simple y, con todo, tan centrada es esa oración. La respuesta está en una vida conducida por el Espíritu, porque solo cuando nos conduce el Espíritu podemos llegar al destino de una vida semejante a la de Cristo.

Entonces, ¿tratas de encontrar este año el regalo de Navidad acertado para la persona que lo tiene todo? ¿Quieres encontrar el regalo perfecto para ti? ¿Qué tal el Regalo que «trae todas las demás bendiciones en su estela» (*El Deseado de todas las gentes*, cap. 63, p. 642)? ¡Qué más potente oración para ser elevada por la generación de Jesús en el filo de la eternidad! Pidamos el Don ahora mismo.

La generación de Jesús: La última tentación

«En los días de su vida mortal, Jesús ofreció oraciones
y súplicas con fuerte clamor y lágrimas al que podía
salvarlo de la muerte, y fue escuchado por su reverente
sumisión». Hebreos 5: 7, NVI

OSCAR WILDE TUVO la ocurrencia de decir: «Puedo resistir cualquier cosa, ¡salvo la tentación!». Por otro lado, los seres humanos capitulamos con demasiada facilidad, sin poner demasiados reparos, ¿no? El agudo enfrentamiento con el caído Lucifer en el que entró nuestro Señor es prueba suficiente de que la senda de la tentación es el camino de Dios incluso para los que están más cerca de él. Recuerda que el relato evangélico es claro: Jesús fue impulsado por el Espíritu (Mar. 1: 12) o «llevado por el Espíritu» (Luc. 4: 1), directamente a aquella explosiva batalla del desierto. Pese al «No nos metas en tentación», la realidad es que todos los elegidos de Dios son llevados, igual que Jesús, a la furia demoníaca de la tentación.

Pero, ¿qué es la tentación? «La tentación es el atajo sugerido para la consecución de lo más elevado a lo que aspiro, no a lo que entiendo malo, sino a lo que entiendo bueno» (Oswald Chambers, *My Utmost for His Highest,* 17 de septiembre). El diablo no nos acosa con la invitación a hacer el mal: resistiríamos rápidamente. Se acerca a nosotros, más bien, con la invitación de un atajo a lo que sin duda es bueno. Así fue con la tentación sexual de José por parte de la esposa de Potifar, que le ofreció la posibilidad de lo que era bueno: su libertad de la esclavitud. Así fue con las tres andanadas que recibió Jesús en el desierto provenientes de Satanás —las tres ofrecían lo que era verdaderamente bueno: librarse de morir de hambre, la protección del peligro, la conquista del mundo—. Pero para José y para Jesús la respuesta fue la misma: puede que sea un «buen» final, pero no es el camino de Dios. «Hágase tu voluntad, como en el cielo, así también en la tierra» (Mat. 6: 10).

Y, dado que la voluntad divina, ciertamente, será hecha en la tierra en la vida de la generación final de Jesús, tú y yo no podemos permitirnos el lujo, como Wilde, de tomarnos a broma nuestras tentaciones. Más bien, como nuestro Maestro, también nosotros debemos elevar «oraciones y súplicas con fuerte clamor y lágrimas» al Único que puede salvarnos (Heb. 5: 7, NVI). No hay ningún atajo para los elegidos. Pero hay una promesa: «El alma que se entrega a Cristo llega a ser una fortaleza suya, que él sostiene en un mundo en rebelión, y no quiere que otra autoridad sea conocida en ella sino la suya. Un alma así guardada en posesión por los agentes celestiales es inexpugnable para los asaltos de Satanás» (*El Deseado de todas las gentes,* cap. 33, p. 294).

La generación de Jesús: El punto clave

«Dijo, pues, Jonatán a su paje de armas:
"Ven, pasemos a la guarnición de estos incircuncisos;
quizá haga algo Jehová por nosotros, pues no es difícil
para Jehová dar la victoria, sea con muchos
o con pocos». 1 Samuel 14: 6

EN SU SUPERVENTAS *El punto clave: Cómo los pequeños cambios pueden provocar grandes efectos,* Malcolm Gladwell examina la clave estratégica de las tendencias culturales. Llega a la conclusión de que un cambio social a gran escala se comporta como una epidemia vírica (la gripe, el sarampión, el sida). Todo lo que necesitas es un solo virus con la capacidad de adherirse a otra persona, y, dado el contexto adecuado, el virus puede estallar en una multiplicación exponencial hasta que toda una población queda infectada. Para ilustrar ese proceso de progresión geométrica, Gladwell toma una hoja de papel y la dobla por la mitad. ¿Es el papel ahora el doble de grueso que antes? (No es una pregunta capciosa). Sí. Dóblalo de nuevo. ¿Tiene ahora cuatro veces el grosor original? Sí. Si pudieras plegar ese papel cincuenta veces, ¿qué grosor tendría? Yo aventuré que unos centímetros; un amigo propuso que tres metros. ¿La respuesta? El grosor llegaría de la Tierra al Sol. ¿Y si lo plegases cincuenta y una veces? De la Tierra al Sol ida y vuelta. Si a algo muy pequeño —trátese de una idea, una persona o incluso un movimiento— se le da ocasión de reproducirse y duplicarse, ¡puede acabar infectando o afectando al mundo entero!

Jonatán y su paje de armas no eran más que dos adultos jóvenes, pero eran cuanto Dios necesitaba para infectar el cobarde corazón del medroso ejército de Israel. Dos jóvenes trepando por la pared rocosa de un acantilado en poder del enemigo demostraron la fe radical y el valor audaz que el cielo sabía que cambiaría el curso de las cosas y aplastaría al enemigo. ¿Quién puede evitar admirar el valor de Jonatán, que gritó a su compañero de fatigas: «Ven, pasemos […], pues no es difícil para Jehová dar la victoria, sea con muchos o con pocos» (1 Sam. 14: 6)?

Buena noticia para los elegidos, que, como Jonatán, ¡necesitarán de Dios uno de esos finales de progresión geométrica en el tiempo del fin! ¿Cómo, si no, será alcanzada para Cristo toda una generación en cuestión de semanas? «Después de esto vi otro ángel que descendía del cielo con gran poder, y la tierra fue alumbrada con su gloria» (Apoc. 18: 1). Si el primer Pentecostés empezó con un puñado, ¿no podría empezar igual el último Pentecostés? Dios no necesita a millones en esta hora final de la historia de la Tierra. Todo lo que necesita son dos personas como tú y yo. Y si no puede hallar dos, entonces bastará con uno: aunque sea, para gloria de Dios, un muchacho contra un imponente gigante.

La generación de Jesús: «El reino patas arriba»

«De cierto, de cierto os digo que si el grano de trigo
que cae en la tierra no muere, queda solo,
pero si muere, lleva mucho fruto».
Juan 12: 24

BIENVENIDO AL «REINO PATAS ARRIBA» de Jesús, según lo describió Donald Kraybill. Es el único reino de la tierra en el que, para ganar, debes perder; para ser el primero, debes ser el último; para ser un dirigente, debes convertirte en un siervo; para ser el mayor, debes llegar a ser el menor; para vivir, debes morir. Seamos sinceros: No es el tipo de cosa que te convertirá en ganador en *Sobrevivientes* o en cualquier otro de los demás programas de telerrealidad. Con Jesús, la supervivencia no es la premisa que impulsa a los que lo siguen. El sacrificio sí.

Siguiendo la ilustración de Jesús, tomemos un grano de trigo o de maíz. Piensa en todo lo que se puede hacer con los granos de maíz: con algo de pegamento, los niños pueden formar caras graciosas para la nevera; con un microondas llenas una bolsa de palomitas para comer el sábado de noche; con un trozo de cuerda puede decorar un árbol de Navidad; o con un tarro de cristal das vida a tus estantes con bonitos colores. Pero no hace falta que seas horticultor para saber que ninguno de estos usos es la vocación primordial de un grano o de una semilla. Porque una semilla tiene un solo propósito en la vida. Cualquier otra cosa desmerece de su razón de ser. En nuestro texto de hoy Jesús declara que la mejor semilla es una semilla enterrada. Puedes dejar las semillas apiñadas en un tarro [una iglesia] en el estante para siempre, pero nunca llegarán a ser más que un tarro de semillas. Todo agricultor sabe que tienes que sacrificar la semilla para salvar la semilla.

Entonces, ¿eres tú, soy yo…, somos los elegidos una semilla enterrada? «Todos los que produzcan frutos como obreros juntamente con Cristo, deben caer primero en la tierra y morir. La vida debe ser echada en el surco de las necesidades del mundo. Deben perecer el amor propio y el egoísmo. Pero la ley del sacrificio propio es la ley de la preservación propia [el reino patas arriba]. La sencilla enterrada en el suelo produce fruto, y a su vez este es sembrado. Así se multiplica la cosecha. El agricultor conserva su grano esparciéndolo. Así en la vida humana: dar es vivir [el reino patas arriba otra vez]. *La vida que se preservará será la que se dé liberalmente en servicio a Dios y los hombres.* Los que sacrifican su vida por Cristo en este mundo, la conservarán eternamente» (*Palabras de vida del gran Maestro,* pp. 64, 65; la cursiva es nuestra).

Por eso la historia de la Navidad comienza en un establo, no en un palacio. Porque la abnegación es la regla del Rey que vino y la vida de los elegidos que le siguen.

La generación de Jesús: «¿No tienes ninguna cicatriz?» - 1

«Y llamando a la gente y a sus discípulos, les dijo:
"Si alguno quiere venir en pos de mí, niéguese a sí mismo,
tome su cruz y sígame. Todo el que quiera salvar su vida,
la perderá; y todo el que pierda su vida por causa de mí
y del evangelio, la salvará"». Marcos 8: 34, 35

ENTONCES, ¿CUÁL ES esa cruz que Jesús dijo que se supone que debemos tomar? Algunos hombres han llegado a la conclusión de que su cruz es una irritable esposa posmenopáusica: «Dios me dio una cruz que sobrellevar». Algunas mujeres han decidido que su cruz es un matrimonio irremediablemente muerto y sin consuelo del que no pueden librarse legal ni eclesiásticamente: «Es la cruz que llevo por Jesús». Pero es poco probable que los matrimonios agriados sean las cruces que Jesús tenía en mente. (De hecho, si Jesús pudiese imponer su criterio, procuraría arreglar ese matrimonio, ¡y probablemente empezaría con el que «porta» la cruz!). Entonces, ¿qué es esa cruz? ¿Los apuros económicos? ¿El fracaso profesional? ¿Una enfermedad terminal?

¿Cómo lo expresó Jesús? «Si alguno quiere venir en pos de mí, niéguese a sí mismo, tome su cruz y sígame». Está claro que tienes que escogerlo: escoger negarte a ti mismo, escoger tomar tu propia cruz, escoger cargar con ella inmediatamente detrás de Jesús (como Simón de Cirene). La cruz a la que nos llama Jesús no es algo que nos imponen. Es algo que elegimos. Lo cual quiere decir que *puede* ser un matrimonio sin amor, si eliges sobrellevarlo por lealtad a Jesús y ser fiel a tu cónyuge pese a la falta de reciprocidad. *Puede* ser el fracaso profesional, si tu elección de ser fiel a Jesús te pone en desacuerdo con las órdenes o las expectativas de tus superiores en el trabajo, de modo que te despiden o te hostigan con la esperanza de que dejes ese empleo. Tu cruz *puede* ser la discriminación racial, que ha seguido tu senda y ha acosado tu alma, si decides aceptar esa discriminación injusta, si no ilegal, que estás sufriendo, por amor de Jesús. Tu cruz *puede* ser esa enfermedad terminal, si eliges aceptar tu crisis física como una oportunidad dar testimonio de tu confianza impasible en Dios en medio del dolor y de una muerte inminente.

Pero la elección debe ser tuya, y, en realidad, al final, solo tuya. Terry Wardle observa: «La vida cristiana aporta una enorme bendición […]. Pero Jesús nunca ocultó ni por un momento el hecho de que la vida cristiana sería exigente y costosa» (*The Transforming Path*, p. 139). En nuestra sociedad, tan interesada por los derechos, en la que la gente se apresura a demandar para asegurarse de ser debidamente resarcida, Belén y el Calvario nos recuerdan que nuestra justa recompensa es una cruz, como la de Jesús.

La generación de Jesús:
«¿No tienes ninguna cicatriz?» - 2

«El que no toma su cruz y sigue en pos de mí, no es digno de mí.
El que halle su vida, la perderá; y el que pierda su vida
por causa de mí, la hallará». Mateo 10: 38, 39

PUEDES LEER SU HISTORIA en Wikipedia. De niña, suplicó a Dios que le quitara sus ojos castaños y le diera ojos azules. Sin embargo, pese a lo mucho que imploró, su color nunca cambió. Años después, Amy Carmichael señaló que si sus oraciones hubiesen recibido respuesta, nunca habría podido acercarse a los dolientes a los que Dios la llamó, los cuales encontraban en sus ojos castaños una compasiva semejanza a los propios. Porque la joven irlandesa de ojos castaños se convirtió de adulta en la amada misionera de la India. Trabajó en ese imponente subcontinente cincuenta y cinco años sin tomarse un permiso para volver temporalmente a su país de origen hasta su fallecimiento. Habiendo adoptado el atuendo nativo, tiñéndose la piel con café oscuro, Amy Carmichael se lanzó a su ministerio encarnacional, rescatando a jóvenes abocadas a la prostitución, fundando una misión y levantando un orfanato. Pero, a pesar del gozo que tenía en el servicio de su Maestro, toda su vida padeció neuralgia, una dolorosa enfermedad que la postraba en cama durante semanas seguidas.

Impertérrita, llevó su cruz en los pasos en su Salvador. Una joven le escribió en una ocasión preguntándole cómo era la vida misionera. Amy contestó: «La vida misionera es simplemente una ocasión de morir». Y casi fue así, después de una trágica caída, que, en vez de ello, la dejó postrada en cama la mayor parte de los últimos veinte años de su vida. Pero siguió llevando su cruz de buena gana con un lema vital que ha inspirado a muchos: «Se puede dar sin amar, pero no es posible amar sin dar». Pidió que no se erigiera ninguna lápida por ella. Y, por ello, los niños a los que sirvió pusieron un bebedero para pájaros sobre su tumba en el que grabaron la palabra *Amma*, «Madre» en tamil. Jesús tenía razón: «[La] que pierda su vida por causa de mí, la hallará».

Amy Carmichael escribió el poema «Ninguna cicatriz», que contiene una pregunta provocadora y penetrante: «¿No tienes ninguna cicatriz? ¿Ninguna cicatriz oculta en el pie, en el costado o en la mano? Te oigo cantado como poderoso en la tierra, los oigo saludar tu brillante estrella ascendente. ¿No tienes ninguna cicatriz? ¿No tienes ninguna herida? Sin embargo, yo fui herido por los arqueros; liquidado, me pusieron contra un árbol para morir; y, desgarrado por fieras voraces que me rodeaban, desfallecí. ¿No tienes ninguna herida? ¿Ninguna herida? ¿Ninguna cicatriz? No obstante, como el Maestro será el siervo, y traspasados son los pies que me siguen; pero los tuyos están enteros. ¿Puede haber seguido de lejos aquel que no tiene herida ni cicatriz?» (en Terry Wardle, *The Transforming Path*, p. 143).

«Los doce días de Navidad»

«De tal manera amó Dios al mundo, que ha dado
a su Hijo unigénito, para que todo aquel que en él cree
no se pierda, sino que tenga vida eterna». Juan 3: 16

S I HABLAS INGLÉS, ¿has cantado alguna vez el villancico *«The Twelve Days of Christmas»* [Los doce días de Navidad]? La cancioncita no es solo interminablemente larga, sino desvergonzadamente materialista en su obsesión con la recepción de regalos. Desde 1984, la consultoría *PNC Wealth Management* viene calculando los costes de la Navidad por medio de esos doce regalos. Han calculado que si compras solo una vez cada artículo mencionado en la canción, te costaría 19,507 dólares. Y si compras los regalos el número de veces indicado por la canción, el total será de ¡128,886 dólares!

Entonces, ¿cuánto cuesta realmente la Navidad? ¿Cuánto se gastó aquella primera Navidad hace casi dos mil años? Veamos. Tenemos un carpintero autónomo y su prometida embarazada, ambos de la clase obrera, cuyos ingresos, sin duda, habría que calificar, en el mejor caso, de precarios. Por un edicto censal romano, la pareja cerró su carpintería (planeando volver en unos días) y viajó «A Belén, pastores», donde lo único que encontraron fue una cadena de letreros de «Lleno». Así que el Bebé de la mujer nació en la húmeda y maloliente oscuridad de una cueva de un patio trasero convertida en establo, su cuna fue un áspero cajón para el forraje del ganado, sus visitantes un variopinto grupo de humildes y toscos pastores que, asombrados, se inclinaron ante este Bebé que los heraldos angélicos declararon que era el Mesías. Pero, pese al pronunciamiento angelical, la pequeña familia de la que el Bebé era el tercer miembro seguía siendo pobre. Si no hubiera sido por los regalos exorbitantes de aquel grupo de sabios orientales, la familia jamás habría sobrevivido económicamente su huida a Egipto como emigrantes empobrecidos.

A no ser, por supuesto, que calculemos los costes desde el otro lado del universo: los costes astronómicos de Aquel que protagonizó toda la dación aquella noche de una sola estrella hace tanto tiempo. «Porque tanto amó Dios al mundo, que dio…» (Juan 3: 16, NVI). Pesebre de madera, cruz de madera, él lo dio todo. «El don de Cristo revela el corazón del Padre» (*El Deseado de todas las gentes,* cap. 5, p. 40). En Navidad vació por nosotros las cámaras de su tesoro.

La joven madre, rendida y exhausta por llevar sujetos a sus dos hijos y todas sus bolsas con las compras de Navidad, entró en el atestado ascensor. La obsesión de las fiestas le había pasado factura. Al cerrarse las puertas, soltó: «Al que inició todo este embrollo de la Navidad habría que buscarlo, lincharlo y pegarle un tiro». Desde la parte de atrás de la caja del ascensor, una voz respondió: «No se preocupe; ya lo crucificamos». Se dijo que el resto del trayecto descendente se podría haber oído el vuelo de una mosca.

«Lo hice por amor»

«No hay duda de que es grande el misterio de nuestra fe:
Él se manifestó como hombre; fue vindicado por el Espíritu,
visto por los ángeles, proclamado entre las naciones,
creído en el mundo, recibido en la gloria». 1 Timoteo 3: 16, NVI

UNA VEZ VI UN CUADRO de Julius Gari Melchers titulado, simplemente, *La Natividad*. Quizá fuera la forma en la que el artista capturó el rostro meditabundo del esposo, que no era el padre, mientras se inclina hacia delante en cuclillas y contempla pensativo al Recién Nacido echado arropado a sus pies en aquel tosco cajón para el heno. O quizá fuera el absoluto agotamiento de la joven madre que acababa de dar a luz, exhausta, ahora postrada en el frío suelo, salvo sus hombros desplomados, apoyados contra la pared del establo, con los ojos cansados entrecerrados, una cara agotada inexpresiva y descansado en el costado de su marido. Da que pensar. ¿Qué da vueltas en la cabeza del esposo? ¿Qué pensamientos tiene la joven madre? En el aire cargado e inmóvil, ¿se preguntan si el «humilde niño» es el «santo niño»?

Las antiguas palabras de nuestro texto navideño de hoy son tan provocadoras en griego —*mega... mysterion*— como en español: un auténtico «megamisterio». ¿Cómo, si no, describiremos la encarnación del Infinito en esta tierra sombría que los seres finitos seguimos llamando hogar? G. K. Chesterton tenía razón: «Andamos desconcertados en la luz, porque algo es demasiado grande para verlo y demasiado simple para decirlo». La Simiente de Dios plantada en el útero de la humanidad: bueno, la mecánica y la genética mismas de tal transferencia anatómica divino-humana son más de lo que incluso nuestra ciencia del tercer milenio puede desentrañar. Pero, al final, el gran misterio que la Navidad nos obliga a sopesar no es tanto que Dios *pudiera* hacerlo como que Dios *quisiera* hacerlo. «La obra de la redención es llamada un misterio, y es ciertamente el misterio mediante el cual la justicia eterna se presenta a todos los que creen. [...] A un precio infinito, mediante un proceso penoso, misterioso tanto para los ángeles como para los hombres, Cristo tomó la humanidad. Ocultó su divinidad, puso a un lado su gloria, y nació como un niñito en Belén» (*Comentario bíblico adventista del séptimo día*, Comentarios de Elena G. de White, t. 7, p. 927).

Era Nochebuena. Envolviendo paquetes muy atareada, la madre pidió a su niño que le limpiara los zapatos. Pronto, con la sonrisa orgullosa de una personita de siete años, le trajo los zapatos para su aprobación. Quedó tan complacida que le dio una moneda de un cuarto de dólar. La mañana del día de Navidad, notó un bulto extraño en un zapato. Quitándoselo, sacudió el zapato y cayó un cuarto de dólar envuelto en un trocito de papel. En él, con los garabatos de un niño, figuraban las palabras: «Lo hice por amor».

Serpientes en la cuna

«Y como Moisés levantó la serpiente en el desierto,
así es necesario que el Hijo del hombre sea levantado,
para que todo aquel que en él cree no se pierda,
sino que tenga vida eterna». 1 Timoteo 3: 14, 15

DURANTE CUARENTA LARGOS AÑOS, tórridos y llenos de hastío, los elegidos vienen acampando en círculos mientras avanzan por el desierto baldío. Y ahora, con la tierra prometida casi a la vista, llega la noticia de que Dios y Moisés van a dar un rodeo en torno a Edom. «Pero se desanimó el pueblo por el camino y comenzó a hablar contra Dios y contra Moisés: "¿Por qué nos hiciste subir de Egipto para que muramos en este desierto?"» (Núm. 21: 4, 5). En palabras de Yogi Berra, era otra vez la sensación de haberlo vivido antes. ¿Llegarán a aprender los elegidos a confiar radicalmente en su Jefe divino?

A ver, no es que las serpientes me den miedo: sencillamente, no quiero tenerlas cerca. Lo que sigue es la sustancia de las pesadillas infestadas de serpientes. De repente, el campamento de Israel se vio plagado de «serpientes venenosas» (Núm. 21: 6), también descritas como «ardientes» por el dolor y la muerte que infligían a sus víctimas los colmillos de las víboras. Soy incapaz de imaginar el horror de un áspid mortal serpenteando hasta mi cama y deslizándose entre las sábanas pegada a mi pierna del todo desprotegida. ¡Crecí con demasiadas historias misioneras de cobras enrolladas y erguidas al pie de la cama!

¿Echaremos la culpa a Dios por esta plaga de serpientes venenosas? No. Deuteronomio 8: 15 pone de manifiesto que el desierto ya estaba infestado de áspides. Durante cuarenta años Dios protegió a sus hijos de su veneno. Pero ahora, solo unos días antes de llegar a la tierra prometida, Dios respeta el libre albedrío del pueblo de rechazar su dirección. Y cuando retira discretamente su presencia protectora, los venenosos reptiles, hasta entonces mantenidos a raya, entran serpenteando en el campamento y los israelitas empiezan a caer como moscas. «En casi todas las tiendas había muertos o moribundos. Nadie estaba seguro. A menudo rasgaban el silencio de la noche gritos penetrantes que anunciaban nuevas víctimas» (*Patriarcas y profetas,* cap. 38, p. 405). Y suplicaron al mismo dirigente al que habían maldecido unas horas antes que rogase a Dios en su nombre. Así que Moisés volvió su rostro hacia Dios, intercediendo por los elegidos. ¿La respuesta divina? «Hazte una serpiente de bronce y ponía sobre un asta, y cuantos mordidos la miren, sanarán» (Núm. 21: 8, NC).

Fe en estado puro. O miras y vives, o te niegas a mirar y mueres. Para los elegidos la elección siempre ha sido así de descarnada. ¿Serpiente mágica? No, solo la imagen de un Dios que llegaría a ser la maldición misma que los pecados de los elegidos han causado, para que aún pudieran entrar en la tierra prometida.

El juramento hipocrático

«Y yo, cuando sea levantado de la tierra,
a todos atraeré a mí mismo». Juan 12: 32

E L JURAMENTO HIPOCRÁTICO es el compromiso que adquiere un médico de practicar la medicina para la conservación de la vida del paciente y para protegerlo, «y no causar daño alguno». Y, ¿cuál es el símbolo visual de estos profesionales del arte de curar? Una serpiente enroscada en un palo.

Pero, gracias a la conversación clandestina de Jesús con Nicodemo a medianoche, sabemos que la historia de la serpiente de bronce es mucho más que un precedente de la medicina. Mediante el santuario portátil del pueblo, Dios enseñó gráficamente a los elegidos en cada acampada en el desierto que, a través del cordero sacrificial sustitutivo, sus pecados —de hecho, los pecados de toda la raza humana— son expiados y perdonados de buen grado por un Dios misericordioso y perdonador. Pero con la serpiente de bronce Dios añade otra metáfora esencial a su don de la expiación: la sanación. Porque no solo hay que perdonar los pecados de los elegidos: también deben ser sanados de sus pecados para entrar en la tierra prometida.

¿Cómo? Bueno, ¿cómo salvan hoy a uno de una mordedura de una serpiente de cascabel? Se inyecta el veneno de la cascabel en un caballo o una vaca para hacer que el animal cree un anticuerpo a la toxina de la serpiente. Después, ese anticuerpo es extraído de la sangre, congelado y almacenado para cuando uno sea mordido y llevado a toda prisa a Emergencias. *Uno se salva porque inyectaron a otro el mismo veneno.* Con las inconfundibles palabras dichas a Nicodemo, Jesús vinculó la serpiente de bronce de Moisés con su propio izamiento en el Calvario, donde se convertiría en pecado aquel «que no conoció pecado» (2 Cor. 5: 21) para la curación de esta raza de pecadores. «Jehová cargó en él el pecado de todos nosotros» (Isa. 53: 6). Fue inyectado con nuestros pecados para que «por sus llagas» seamos curados (vers. 5). ¡No es de extrañar que debamos apresurarnos en llegar a su cruz mañana tras mañana!

Me preocupa que con un mensaje tan peculiar y un estilo de vida tan contracultural, los elegidos puedan llegar a engañarse creyendo que, de algún modo, nuestra salvación se basa en nuestras enseñanzas singulares o en la obediencia radical. Pero la Serpiente divina elevada en el asta declara algo distinto. «Si tan solo hacemos nuestra y nos postramos ante la cruz del Calvario, recibiremos las bendiciones de Dios. Dios nos ama. No quiere atraernos para causarnos daño: ¡Oh, no! Desea consolarnos, derramar sobre nosotros el aceite del gozo, sanar las heridas que nos ha infligido el pecado, reparar lo que Satanás ha dañado. [...] ¿No caeremos de rodillas al pie de la cruz? Jesús pondrá sus brazos a nuestro alrededor y nos consolará. ¿Lo haremos sin más dilación?» (*Review and Herald,* 4 de marzo de 1890).

El evangelio según un billete de veinte dólares

«¿Quién podrá acusar a los que Dios ha escogido?
Dios es quien los hace justos. ¿Quién podrá condenarlos?
Cristo Jesús es quien murió; todavía más, quien resucitó
y está a la derecha de Dios, rogando por nosotros».
Romanos 8: 33, 34, DHH

MI AMIGO PHIL DUNHAM, predicador ya jubilado, en su libro *Sure Salvation*, habla de un conferenciante que mostró en alto un billete de veinte dólares: «¿Alguien quiere esto?». Se alzaron manos. El conferenciante enrolló y arrugó el billete. «¿Siguen queriéndolo?». Volvieron a alzarse manos. Tiró el billete al suelo, y lo machacó con el talón. «¿Lo quieren ahora?». Manos levantadas. «¿Ven, amigos míos? Con independencia de lo que yo le haga al dinero, siguen queriéndolo, porque lo que le ocurra no disminuye su valor. Igual con nosotros —arrugados, tirados, machacados en el polvo por las decisiones que adoptamos, por las circunstancias de la vida—: nos parece que no tenemos ningún valor. Pero lo cierto es que, con independencia de lo que haya ocurrido o de lo que ocurra, ustedes nunca perderán su valor a ojos Dios. Sucios o limpios, arrugados o muy bien planchados, siguen siendo inestimables para él». ¡Amén!

Todo el año venimos siguiendo el rastro de los elegidos de Dios, que han metido la pata una y otra vez. Y, a decir verdad (y se sabe que lo es), ¡también nosotros! Sin embargo, qué alegre noticia para fin de año es este simple recordatorio: nunca hemos perdido nuestro valor a ojos de Dios. Seguimos siendo inestimables para él. Incluso cuando somos protagonistas de un desastre total solo unos días antes de llegar a la tierra prometida. Como Moisés y Aarón.

Llegamos ahora al último relato con un nudo en la garganta. Porque, ¿qué corazón no se duele por la amarga sentencia de que, debido a la muy temeraria negación pública de Dios en el límite de Canaán por parte de esos dos dirigentes, ambos tendrían que renunciar a cruzar con Israel y ambos tendrían que morir fuera de la tierra prometida? ¿Solo porque perdieron los estribos y golpearon la roca en vez de hablarle? Pero recuerda que «esa roca era Cristo» (1 Cor. 10: 4), que había de ser golpeado solamente una vez —al comienzo del viaje de los israelitas—, audaz símbolo de la herida infligida a Jesús «una vez para siempre» (Heb. 10: 10) en el Calvario (Isa. 53: 4). Volver a golpearlo, machacarlo públicamente en un arrebato de ira mojigata, no solo destruía la metáfora de la salvación, sino que también negaba al Dador divino: «¿Podremos *nosotros* hacer brotar agua de esta roca?» (Núm. 20: 10, NC). En la debacle de Moisés y Aarón hay dos sombrías lecciones para los elegidos: Se requerirá mucho de los que reciben mucho (se espera mucho de los elegidos y sus dirigentes), y cuanto más nos acerquemos a la tierra prometida, más cerca debe ser nuestro andar con Dios (más radical debe ser nuestra confianza en él). Pero, nunca lo olvides: hasta cuando te arrugas, sigues siendo precioso a su vista. ¡Y Dios tendrá la última palabra!

La última palabra

«Hendió una roca y brotó agua, como un río fluyó por el desierto.
Se acordó de su santa promesa, la que había hecho a Abrahán, su siervo,
y con gozo liberó a su pueblo, con regocijo a sus elegidos».
Salmo 105: 41-43, LPH

¡POBRE MOISÉS! Durante cuarenta años largos y agotadores viene siendo tanto niñera como dirigente de una congregación de niños. Lleva cuarenta años rogando al Señor que, por favor, dé al pueblo una nueva oportunidad: «si no, bórrame del libro que has escrito» (Éxo. 32: 32). Y ahora, en la frontera misma de la tierra prometida, el jefe pierde los papeles, se desmorona y, en un abrir y cerrar de ojos, oye la sentencia divina: «No pasarás allá» (Deut. 34: 4). En su discurso de despedida, Moisés cuenta a los hijos de Israel que rogó a Dios que revocase el veredicto, hasta que, por fin, Cristo no pudo aguantar más. Cuando tu hijo llora, también te rompe el corazón. «No me hables más de este asunto» (Deut. 3: 26).

Moisés está de pie ante su pueblo por última vez. Con los brazos extendidos ante aquel mar de rostros, sus últimas palabras son una promesa inolvidable para los elegidos de todos los tiempos: «¡Bienaventurado tú, Israel! ¿Quién como tú, pueblo salvado por Jehová? Él es tu escudo protector, la espada de tu triunfo. Así que tus enemigos serán humillados, y tú pisotearás sus lugares altos» (Deut. 33: 29). Y entonces el varón de Dios se aparta lentamente de los que han sido su vida y, completamente solo, empieza el ascenso final a su última montaña. Allí, en la cima del monte Nebo, el Señor le mostró toda la tierra; después Moisés falleció y el Señor lo enterró, pero «hasta la fecha nadie sabe dónde está su sepultura» (ver Deut. 34: 1-6, NVI); nadie, por supuesto, salvo Dios, que nunca olvida dónde están sus amigos.

Un día, en el canal *History* del cielo, quiero ver la repetición divina del momento vertiginoso de Judas 9, cuando la Misericordia llegó desde el salón del trono del universo para emplazar a alguien. Imponente, sobre los restos polvorientos de su fiel amigo, se alza el Cristo preencarnado, vestido en la ardiente luz blanca de la eternidad. Levanta las manos. Los ángeles que lo han acompañado y Lucifer con sus demonios, que inútilmente han intentado resistirlo, observan *todos* con los ojos como platos, porque nadie en la historia galáctica ha contemplado aún lo que está a punto de suceder. Se oye un grito triunfante: «Despiértate, tú que duermes, y levántate de los muertos» (Efe. 5: 14). Y «en un abrir y cerrar de ojos» (1 Cor. 15: 52), ante un universo que ha aguantado la respiración, tiembla el polvo que cubre la montaña y, de repente, Moisés es: ¡joven y para siempre! Y en el subsiguiente alborozo extático, mientras Cristo y el amigo se abrazan, el universo se inclina maravillado ante la resplandeciente verdad de que ¡ni siquiera la muerte puede impedir la entrada de los elegidos a la tierra prometida! Bendito sea el Dios que siempre tendrá la última palabra.

El zafiro estrellado

*«Y yo ya lo he visto y soy testigo
de que es el Hijo de Dios».*
Juan 1: 34, DHH

JUAN EL BAUTISTA tiene razón. Al fin y al cabo, la verdad resplandeciente será la verdad sobre Jesús: que solo él es el Elegido. Sí, Dios ha tenido amigos en todas las épocas de la historia de la tierra —hombres leales, mujeres fieles, adultos jóvenes valientes e incluso niños obedientes— que han adoptado la decisión radical y a menudo contracultural de vivir y morir leales a su Creador y fieles a su Dios. Son los elegidos de la tierra. Pero la verdad que ha sostenido a esta muchedumbre innumerable a lo largo de los milenios siempre ha sido la luz «del conocimiento de la gloria de Dios en la faz de Jesucristo» (2 Cor. 4: 6). Y «si millares de los hombres mejor dotados dedicaran todo su tiempo a presentar siempre a Jesús delante de nosotros, estudiando cómo pudieran describir sus encantos incomparables, nunca agotarían el tema» (*Review and Herald,* 3 de junio de 1890). Porque solo él es el Elegido.

El gemólogo profesional Roy Whetstine recorría una exhibición de aficionados al coleccionismo de rocas cuando se detuvo junto a la colección de un buscador de rocas de Idaho. En la mesa plegable, entre las rocas preciadas y pulidas del coleccionista había un cuenco de Tupperware que contenía un montón de duplicados y descartes de rocas. La cinta adhesiva protectora que había en la parte frontal del cuenco ponía: «A la venta: 15 dólares cada pieza». Whetstine se puso a rebuscar en el cuenco polvoriento y toqueteó las rocas. Una tenía un tacto extraño. Levantó en el aire una roca gris violeta con forma de patata, dándole vueltas ante su vista experta. «¿Quiere usted quince dólares por *esto*?».

El coleccionista agarró la roca y la miró con atención. «No —dijo por fin— Esta se la puede quedar por diez dólares».

Whetstine sacó un billete de diez dólares arrugado y se fue con el zafiro estrellado mayor del mundo: con 700 quilates más que el más pesado conocido hasta entonces: el denominado Estrella Negra de Queensland, Australia. ¿Valor calculado? 1.7 millones de dólares. ¡Rebajado hasta 10!

Venimos examinando todo el año el llamamiento divino de los elegidos. Pero, ¿no sería una pérdida mayor que los elegidos cometieran el mismo error, gloriándose en su cuenco de plástico de enseñanzas peculiares y en su estilo de vida contracultural mientras desecha el gran Zafiro Estrellado del universo? Mientras el año que se acaba consume sus últimas horas, ¿no es este el momento adecuado para que tú y yo nos tracemos un nuevo propósito para el año nuevo? «Todo lo considero pérdida por razón del incomparable valor de conocer a Cristo Jesús, mi Señor» (Fil. 3: 8, NVI).

El regreso al hogar

«Ciertamente volverán los redimidos de Jehová;
volverán a Sion cantando y gozo perpetuo habrá sobre sus cabezas.
Tendrán gozo y alegría, y huirán el dolor y el gemido». Isaías 51: 11

SATISFACCIÓN POSTERGADA (o diferida) es la expresión usada por los psicólogos para describir la capacidad de las personas maduras de aguardar para experimentar lo que es deseable. Los elegidos han tenido que vivir con la satisfacción postergada durante milenios. «En la fe murieron todos estos sin haber recibido lo prometido, sino mirándolo de lejos» (Heb. 11: 13). La senda larga y sinuosa de su peregrinaje nunca llegó al cielo: lo vieron «de lejos», pero murieron a este lado de la tierra prometida, con la esperanza aún diferida. Y puede que también tú y yo muramos a este lado del cielo, nuestra satisfacción final postergada un tiempo, nuestra esperanza compartida aún diferida. Sin embargo, esta Nochevieja decidamos vivir en Cristo como «prisioneros de la esperanza» (Zac. 9: 12), encadenados a su promesa del regreso al hogar.

Henry Gariepy, en *100 Portraits of Christ,* habla de Theodore Roosevelt, expresidente de Estados Unidos, cuando volvía a casa desde África tras un gran safari. Al subir a bordo del trasatlántico en aquel puerto africano, un gran gentío aclamó su paseo por la alfombra roja. Fue agasajado con la mejor suite del barco. Los camareros lo llevaron en palmitas durante el viaje transoceánico de regreso a casa. El expresidente fue el centro de atención de todo el barco.

A bordo del barco también había otro pasajero, un anciano misionero que había dedicado su vida a Dios en África. Con su esposa fallecida y sus hijos fuera del hogar, en aquel momento volvía solo a su patria. Nadie en aquel barco se fijó en él. Tras la llegada del trasatlántico a San Francisco, el presidente recibió una bienvenida triunfal, con sonido de silbatos, tañido de campanas y la aclamación del gentío que aguardaba mientras Roosevelt descendía por la rampa de desembarco con gloria radiante. Pero nadie acudió a dar la bienvenida al misionero que regresaba. Solo, el anciano encontró un pequeño motel para pasar la noche. Cuando se arrodilló junto a su cama, su corazón se desgarró: «Señor, no me quejo. Pero no entiendo. Te di mi vida en África. Pero parece que a nadie le importa. Sencillamente, no entiendo».

Y luego, en la oscuridad, fue como si Dios se acercase a él desde el cielo y pusiera su mano sobre el hombro del anciano y le susurrase: «Misionero, tú aún no has llegado a casa».

Epílogo

En su libro Einstein, una biografía del célebre genio del pasado siglo, Walter Isaacson describe cómo el joven Albert recibió un regalo de su madre que duró toda una vida. Era un violín. Y con el regalo vino su insistencia maternal —Dios bendiga a nuestras madres— de que su hijo recibiese lecciones de violín. Al principio el joven resistió la noción de la repetición memorística y de ejercicios mecánicos interminables. Pero después, un día, el joven Einstein descubrió las sonatas de Mozart. Y en ese encuentro «la música se convirtió para él en algo a la vez mágico y emocionante». Años más tarde, reflexionando en su descubrimiento de Mozart en su juventud, Einstein señaló: «Creo que el amor es mejor maestro que el sentido del deber, al menos para mí» (*op. cit.*, p. 14).

Y así es también para los elegidos, ¿no crees? Porque si seguimos a Jesús mecánicamente y obedecemos a Dios por un seco sentido del deber, seríamos los más dignos de lástima entre todos los hombres, todas las mujeres y todos los adolescentes del mundo. Pero si seguimos a Cristo y obedecemos a Dios con una gratitud de adoración llena de gozo hacia Aquel que «nos amó y se entregó a sí mismo por nosotros» (Efe. 5: 2), para nosotros —para ti y para mí— el amor será verdaderamente «el mejor maestro» de todos.

Entonces, comencemos el nuevo año de la manera que iniciamos el año que termina, sentados a los pies de nuestro Maestro, grabando en nuestra memoria las armonías del cielo para que su música pueda seguir interpretándose en las cuerdas de nuestra vida.

¿Podría haber un destino más elevado para los elegidos?

IADPA

Formulario de suscripción 2017

Nombre			
Ciudad			
Iglesia		Distrito	
Pastor		Misión/Asociación	

Firma: _____ Fecha: _____

Esta es la lista de materiales que están a tu disposición para tu estudio diario y el de toda tu familia. Indica en la casilla la cantidad de cada material que deseas obtener para el año 2017, y entrega esta hoja al director de publicaciones o a la persona responsable de las suscripciones **antes de que finalice el mes de julio.**

Edad	Material	Cantidad
0-2	*Cuna - Alumno	
	*Cuna - Maestro	
3-5	*Jardín de Infantes - Alumno	
	*Jardín de Infantes - Maestro	
6-9	*Primarios - Alumno	
	*Primarios - Maestro	
10-12	*Menores - Alumno	
	*Menores - Maestro	
13-14	*FeReal.net - Alumno	
	*FeReal.net - Maestro	
15-18	*Jóvenes - Alumno	
	*Jóvenes - Maestro	
18+	*El Universitario	
18+	*Adultos - Alumno	
	*Adultos - Maestro	
	*Tres en Uno	
	**Lecturas devocionales para adultos	
	**Lecturas devocionales para la mujer	
	**Lecturas devocionales para jóvenes	
13-15	**Lecturas devocionales para adolescentes	
6-12	**Lecturas devocionales para menores	
0-5	**Lecturas devocionales para los más pequeños	
	***Revista misionera: Prioridades/Enfoque	

IMPORTANTE: * Cada suscripción anual del material de Escuela Sabática incluye un folleto o libro (caso del Tres en Uno) por trimestre, es decir, cuatro al año. Por ejemplo, si colocas la cifra 1 en la casilla «Cantidad» de El Universitario, al principio de cada trimestre del próximo año recibirás un ejemplar. Si escribes 2, recibirás dos ejemplares cada trimestre, y así sucesivamente.
** Todos los devocionales son un libro anual que se entrega al comienzo del año.
*** Cada suscripción de la revista misionera incluye los doce números del año. Enfoque es la revista misionera de México y Prioridades la del resto del territorio de la División Interamericana.

Guía para el Año Bíblico en orden cronológico

ENERO

- 1. Gén. 1, 2
- 2. Gén. 3-5
- 3. Gén. 6-9
- 4. Gén. 10, 11
- 5. Gén. 12-15
- 6. Gén. 16-19
- 7. Gén. 20-22
- 8. Gén. 23-26
- 9. Gén. 27-29
- 10. Gén. 30-32
- 11. Gén. 33-36
- 12. Gén. 37-39
- 13. Gén. 40-42
- 14. Gén. 43-46
- 15. Gén. 47-50
- 16. Job 1-4
- 17. Job 5-7
- 18. Job 8-10
- 19. Job 11-13
- 20. Job 14-17
- 21. Job 18-20
- 22. Job 21-24
- 23. Job 25-27
- 24. Job 28-31
- 25. Job 32-34
- 26. Job 35-37
- 27. Job 38-42
- 28. Éxo. 1-4
- 29. Éxo. 5-7
- 30. Éxo. 8-10
- 31. Éxo. 11-13

FEBRERO

- 1. Éxo. 14-17
- 2. Éxo. 18-20
- 3. Éxo. 21-24
- 4. Éxo. 25-27
- 5. Éxo. 28-31
- 6. Éxo. 32-34
- 7. Éxo. 35-37
- 8. Éxo. 38-40
- 9. Lev. 1-4
- 10. Lev. 5-7
- 11. Lev. 8-10
- 12. Lev. 11-13
- 13. Lev. 14-16
- 14. Lev. 17-19
- 15. Lev. 20-23
- 16. Lev. 24-27
- 17. Núm. 1-3
- 18. Núm. 4-6
- 19. Núm. 7-10
- 20. Núm. 11-14
- 21. Núm. 15-17
- 22. Núm. 18-20
- 23. Núm. 21-24
- 24. Núm. 25-27
- 25. Núm. 28-30
- 26. Núm. 31-33
- 27. Núm. 34-36
- 28. Deut. 1-3
- 29. Deut. 4, 5

MARZO	ABRIL
❏ 1. Deut. 6, 7	❏ 1. 1 Sam. 21-24
❏ 2. Deut. 8, 9	❏ 2. 1 Sam. 25-28
❏ 3. Deut. 10-12	❏ 3. 1 Sam. 29-31
❏ 4. Deut. 13-16	❏ 4. 2 Sam. 1-4
❏ 5. Deut. 17-19	❏ 5. 2 Sam. 5-8
❏ 6. Deut. 20-22	❏ 6. 2 Sam. 9-12
❏ 7. Deut. 23-25	❏ 7. 2 Sam. 13-15
❏ 8. Deut. 26-28	❏ 8. 2 Sam. 16-18
❏ 9. Deut. 29-31	❏ 9. 2 Sam. 19-21
❏ 10. Deut. 32-34	❏ 10. 2 Sam. 22-24
❏ 11. Jos. 1-3	❏ 11. Sal. 1-3
❏ 12. Jos. 4-6	❏ 12. Sal. 4-6
❏ 13. Jos. 7-9	❏ 13. Sal. 7-9
❏ 14. Jos. 10-12	❏ 14. Sal. 10-12
❏ 15. Jos. 13-15	❏ 15. Sal. 13-15
❏ 16. Jos. 16-18	❏ 16. Sal. 16-18
❏ 17. Jos. 19-21	❏ 17. Sal. 19-21
❏ 18. Jos. 22-24	❏ 18. Sal. 22-24
❏ 19. Juec. 1-4	❏ 19. Sal. 25-27
❏ 20. Juec. 5-8	❏ 20. Sal. 28-30
❏ 21. Juec. 9-12	❏ 21. Sal. 31-33
❏ 22. Juec. 13-15	❏ 22. Sal. 34-36
❏ 23. Juec. 16-18	❏ 23. Sal. 37-39
❏ 24. Juec. 19-21	❏ 24. Sal. 40-42
❏ 25. Rut 1-4	❏ 25. Sal. 43-45
❏ 26. 1 Sam. 1-3	❏ 26. Sal. 46-48
❏ 27. 1 Sam. 4-7	❏ 27. Sal. 49-51
❏ 28. 1 Sam. 8-10	❏ 28. Sal. 52-54
❏ 29. 1 Sam. 11-13	❏ 29. Sal. 55-57
❏ 30. 1 Sam. 14-16	❏ 30. Sal. 58-60
❏ 31. 1 Sam. 17-20	

MAYO

- 1. Sal. 61-63
- 2. Sal. 64-66
- 3. Sal. 67-69
- 4. Sal. 70-72
- 5. Sal. 73-75
- 6. Sal. 76-78
- 7. Sal. 79-81
- 8. Sal. 82-84
- 9. Sal. 85-87
- 10. Sal. 88-90
- 11. Sal. 91-93
- 12. Sal. 94-96
- 13. Sal. 97-99
- 14. Sal. 100 102
- 15. Sal. 103-105
- 16. Sal. 106-108
- 17. Sal. 109-111
- 18. Sal. 112-114
- 19. Sal. 115-118
- 20. Sal. 119
- 21. Sal. 120-123
- 22. Sal. 124-126
- 23. Sal. 127-129
- 24. Sal. 130-132
- 25. Sal. 133-135
- 26. Sal. 136-138
- 27. Sal. 139-141
- 28. Sal. 142-144
- 29. Sal. 145-147
- 30. Sal. 148-150
- 31. 1 Rey. 1-4

JUNIO

- 1. Prov. 1-3
- 2. Prov. 4-7
- 3. Prov. 8-11
- 4. Prov. 12-14
- 5. Prov. 15-18
- 6. Prov. 19-21
- 7. Prov. 22-24
- 8. Prov. 25-28
- 9. Prov. 29-31
- 10. Ecl. 1-3
- 11. Ecl. 4-6
- 12. Ecl. 7-9
- 13. Ecl. 10-12
- 14. Cant. 1-4
- 15. Cant. 5-8
- 16. 1 Rey. 5-7
- 17. 1 Rey. 8-10
- 18. 1 Rey. 11-13
- 19. 1 Rey. 14-16
- 20. 1 Rey. 17-19
- 21. 1 Rey. 20-22
- 22. 2 Rey. 1-3
- 23. 2 Rey. 4-6
- 24. 2 Rey. 7-10
- 25. 2 Rey. 11-14:20
- 26. Joel 1-3
- 27. 2 Rey. 14: 21-25
  Jon. 1-4
- 28. 2 Rey. 14:26-29
  Amós 1-3
- 29. Amós 4-6
- 30. Amós 7-9

JULIO	AGOSTO
❑ 1. 2 Rey. 15-17	❑ 1. 2 Rey. 20, 21
❑ 2. Ose. 1-4	❑ 2. Sof. 1-3
❑ 3. Ose. 5-7	❑ 3. Hab. 1-3
❑ 4. Ose. 8-10	❑ 4. 2 Rey. 22-25
❑ 5. Ose. 11-14	❑ 5. Abd. y Jer. 1, 2
❑ 6. 2 Rey. 18, 19	❑ 6. Jer. 3-5
❑ 7. Isa. 1-3	❑ 7. Jer. 6-8
❑ 8. Isa. 4-6	❑ 8. Jer. 9-12
❑ 9. Isa. 7-9	❑ 9. Jer. 13-16
❑ 10. Isa. 10-12	❑ 10. Jer. 17-20
❑ 11. Isa. 13-15	❑ 11. Jer. 21-23
❑ 12. Isa. 16-18	❑ 12. Jer. 24-26
❑ 13. Isa. 19-21	❑ 13. Jer. 27-29
❑ 14. Isa. 22-24	❑ 14. Jer. 30-32
❑ 15. Isa. 25-27	❑ 15. Jer. 33-36
❑ 16. Isa. 28-30	❑ 16. Jer. 37-39
❑ 17. Isa. 31-33	❑ 17. Jer. 40-42
❑ 18. Isa. 34-36	❑ 18. Jer. 43-46
❑ 19. Isa. 37-39	❑ 19. Jer. 47-49
❑ 20. Isa. 40-42	❑ 20. Jer. 50-52
❑ 21. Isa. 43-45	❑ 21. Lam.
❑ 22. Isa. 46-48	❑ 22. 1 Crón. 1-3
❑ 23. Isa. 49-51	❑ 23. 1 Crón. 4-6
❑ 24. Isa. 52-54	❑ 24. 1 Crón. 7-9
❑ 25. Isa. 55-57	❑ 25. 1 Crón. 10-13
❑ 26. Isa. 58-60	❑ 26. 1 Crón. 14-16
❑ 27. Isa. 61-63	❑ 27. 1 Crón. 17-19
❑ 28. Isa. 64-66	❑ 28. 1 Crón. 20-23
❑ 29. Miq. 1-4	❑ 29. 1 Crón. 24-26
❑ 30. Miq. 5-7	❑ 30. 1 Crón. 27-29
❑ 31. Nah. 1-3	❑ 31. 2 Crón. 1-3

SEPTIEMBRE

- 1. 2 Crón. 4-6
- 2. 2 Crón. 7-9
- 3. 2 Crón. 10-13
- 4. 2 Crón. 14-16
- 5. 2 Crón. 17-19
- 6. 2 Crón. 20-22
- 7. 2 Crón. 23-25
- 8. 2 Crón. 26-29
- 9. 2 Crón. 30-32
- 10. 2 Crón. 33-36
- 11. Eze. 1-3
- 12. Eze. 4-7
- 13. Eze. 8-11
- 14. Eze. 12-14
- 15. Eze. 15-18
- 16. Eze. 19-21
- 17. Eze. 22-24
- 18. Eze. 25-27
- 19. Eze. 28-30
- 20. Eze. 31-33
- 21. Eze. 34-36
- 22. Eze. 37-39
- 23. Eze. 40-42
- 24. Eze. 43-45
- 25. Eze. 46-48
- 26. Dan. 1-3
- 27. Dan. 4-6
- 28. Dan. 7-9
- 29. Dan. 10-12
- 30. Est. 1-3

OCTUBRE

- 1. Est. 4-7
- 2. Est. 8-10
- 3. Esd. 1-4
- 4. Hag. 1, 2
  Zac. 1, 2
- 5. Zac. 3-6
- 6. Zac. 7-10
- 7. Zac. 11-14
- 8. Esd. 5-7
- 9. Esd. 8-10
- 10. Neh. 1-3
- 11. Neh. 4-6
- 12. Neh. 7-9
- 13. Neh. 10-13
- 14. Mal. 1-4
- 15. Mat. 1-4
- 16. Mat. 5-7
- 17. Mat. 8-11
- 18. Mat. 12-15
- 19. Mat. 16-19
- 20. Mat. 20-22
- 21. Mat. 23-25
- 22. Mat. 26-28
- 23. Mar. 1-3
- 24. Mar. 4-6
- 25. Mar. 7-10
- 26. Mar. 11-13
- 27. Mar. 14-16
- 28. Luc. 1-3
- 29. Luc. 4-6
- 30. Luc. 7-9
- 31. Luc. 10-13

NOVIEMBRE	DICIEMBRE
❑ 1. Luc. 14-17	❑ 1. Rom. 5-8
❑ 2. Luc. 18-21	❑ 2. Rom. 9-11
❑ 3. Luc. 22-24	❑ 3. Rom. 12-16
❑ 4. Juan 1-3	❑ 4. Hech. 20:3-22:30
❑ 5. Juan 4-6	❑ 5. Hech. 23-25
❑ 6. Juan 7-10	❑ 6. Hech. 26-28
❑ 7. Juan 11-13	❑ 7. Efe. 1-3
❑ 8. Juan 14-17	❑ 8. Efe. 4-6
❑ 9. Juan 18-21	❑ 9. Fil. 1-4
❑ 10. Hech. 1, 2	❑ 10. Col. 1-4
❑ 11. Hech. 3-5	❑ 11. Heb. 1-4
❑ 12. Hech. 6-9	❑ 12. Heb. 5-7
❑ 13. Hech. 10-12	❑ 13. Heb. 8-10
❑ 14. Hech. 13, 14	❑ 14. Heb. 11-13
❑ 15. Sant. 1, 2	❑ 15. Fil.
❑ 16. Sant. 3-5	1 Ped. 1, 2
❑ 17. Gál. 1-3	❑ 16. 1 Ped. 3-5
❑ 18. Gál. 4-6	❑ 17. 2 Ped. 1-3
❑ 19. Hech. 15-18:11	❑ 18. 1 Tim. 1-3
❑ 20. 1 Tes. 1-5	❑ 19. 1 Tim. 4-6
❑ 21. 2 Tes. 1-3	❑ 20. Tito 1-3
Hech. 18:12-19:20	❑ 21. 2 Tim. 1-4
❑ 22. 1 Cor. 1-4	❑ 22. 1 Juan 1, 2
❑ 23. 1 Cor. 5-8	❑ 23. 1 Juan 3-5
❑ 24. 1 Cor. 9-12	❑ 24. 2 Juan
❑ 25. 1 Cor. 13-16	3 Juan y Judas
❑ 26. Hech. 19:21-20:1	❑ 25. Apoc. 1-3
2 Cor. 1-3	❑ 26. Apoc. 4-6
❑ 27. 2 Cor. 4-6	❑ 27. Apoc. 7-9
❑ 28. 2 Cor. 7-9	❑ 28. Apoc. 10-12
❑ 29. 2 Cor. 10-13	❑ 29. Apoc. 13-15
❑ 30. Hech. 20:2	❑ 30. Apoc. 16-18
Rom. 1-4	❑ 31. Apoc. 19-22